IAN C. LORAM

Professor of German, The University of Wisconsin

ADVISORY EDITOR TO DODD, MEAD & COMPANY

GERMAN THROUGH
CONVERSATIONAL PATTERNS

FOR CLASSROOM AND LABORATORY

German through

R. MAX ROGERS and
ARTHUR R. WATKINS

BRIGHAM YOUNG UNIVERSITY

1967   NEW YORK   TORONTO

conversational patterns

FOR CLASSROOM AND LABORATORY

DODD, MEAD & COMPANY

CONTENTS

Review and Verb Summary
Picture Supplement: *In Südbayern*

PREFACE

German Through Conversational Patterns is intended for the student who is just beginning his study of German. The twenty-four lessons of the text can easily be completed in three quarters or two semesters. (Accompanying tapes can be ordered from the publisher.) Each lesson of the text consists of the following sections:

1. **Basic Dialogue.** Everyday vocabulary, modern idioms, and sentence patterns involving basic grammar are introduced in a conversation which has its setting in Germany.
2. **Vocabulary Building.** New vocabulary and idioms that are generally related to the main dialogue are introduced by means of basic sentence patterns.
3. **Pronunciation Drill.** Sounds that are difficult for non-Germans are drilled intensively and contrastively so that the student may improve his pronunciation.
4. **Dialogue Variations.** The dialogue variations provide an opportunity for the student to see and use words and idioms in a different setting from the *Basic Dialogue*.
5. **Conversational Patterns.** Basic German grammar is introduced item by item, and then each grammatical item is reinforced by an abundance of structural drills, which are generally arranged in conversational patterns.
6. **Review.**
    (a) *English-German Patterns.* Sentences in pattern drill format provide a systematic review of both vocabulary and grammar.
    (b) *General and Directed Questions.* A question-answer exercise provides simple questions which require short, rapid answers. The response may prompt the instructor to ask additional questions that are more challenging.
7. **Verb Summary.**
8. **Picture Supplement.** The pictures enhance student interest and provide conversational material for classroom discussions and question-and-answer sessions. The commentaries are designed to help students gain a greater understanding and appreciation of Germany, Austria, and

Switzerland; however, no attempt has been made to make this a cultural reader.

Featured in this text is a programmed treatment of the grammar and the structural drills. An answer column provides for immediate correction of all exercises and makes it possible for the instructor to spend most of his time conducting oral drills and encouraging free conversation, rather than checking homework. The instructors and students who have used this material over a period of several years have appreciated especially this feature of the text.

To the many instructors who have used these materials in the experimental stage, and particularly to our colleagues, Professors Marvin H. Folsom, Hans Wilhelm Kelling, Murray F. Smith, Paul F. Luckau, and Walter Speidel, we express our gratitude for many helpful suggestions. We also acknowledge the help of two colleagues overseas who have established excellent reputations for themselves in the teaching profession: Dr. Marga Wilfert, Oberrätin am Mädchengymnasium in Kempten, Germany, and Professor Walter Kacowski of Salzburg, Austria, the highly respected author of several language textbooks. Both have made many helpful suggestions with regard to syntax and style. Since the dialogues deal with student life in Germany, we passed the manuscript on to several native Germans who have studied recently at German universities. To these students, Elke Fuckel, Bärbel Hohlfeld, Ilse Klostermeyer, Karlheinz Klostermeyer, and Götz Roggenkamp, we express appreciation for their suggestions about content and the use of modern idioms. We are grateful to Professor Ian C. Loram, Dodd, Mead's advisory editor, who has seen the manuscript in several versions and made valuable suggestions for its improvement.

Provo, Utah   R. M. R.
July, 1965   A. R. W.

SUGGESTIONS FOR USING THIS TEXT

It is difficult for a student to learn good pronunciation from a book; he needs the instructor as a living model and must learn to imitate and mimic him. Although the language laboratory can be of great assistance in developing good pronunciation, it cannot replace the live model. Each instructor should try to make the classroom a "cultural island" by using German as frequently as possible.

BASIC DIALOGUE

The *Basic Dialogue* consists of about fifteen lines of everyday conversation between Rudi Wolf, an American college student of German descent, and the people he meets during his semester at a university in Germany. We recommend that the teacher practice the *Basic Dialogue* with his students by having them repeat each phrase and sentence after him until all the words, phrases, and sentences sound acceptably German, with respect to both basic pronunciation and intonation. Since the dialogues are short and introduce many of the structural patterns which occur in the lessons, we recommend that they be memorized in their entirety and "dramatized" in class.

Practicing the dialogue in the first lesson will, of course, involve basic pronunciation. Although the experienced instructor will very likely have his own method of teaching German sounds, we wish to illustrate, for the benefit of the less-experienced instructor, how we think pronunciation can be taught in the first dialogue.

Instructor: Please repeat after me. Guten Tag, Herr Wolf!

Class: Guten Tag, Herr Wolf!

Instructor: **Tag** can be pronounced **Tak** or **Tach**. I pronounced it **Tak**. Imitate me. Guten Tag! Guten Tag! Guten Tag!

Class: Guten Tag! Guten Tag! Guten Tag!

Instructor: The German letter **a** never represents the sound heard in English *ate* or *at*; Guten Tag!

Class: Guten Tag!

Instructor: Guten Tag, Herr Wolf!

Class: Guten Tag, Herr Wolf!

Instructor: The German letter **w** represents the sound **v** in the English word *victor*. German **l** is pronounced farther forward in the mouth than its English counterpart: Herr Wolf, Herr Wolf, Herr Wolf.

Class: Herr Wolf, Herr Wolf, Herr Wolf.

Instructor: In general, the accent is on the first or root syllable of German words. Guten Tag, Frau Müller!

Class: Guten Tag, Frau Müller.

Instructor: German **r** is produced by vibrating the uvula, the tip of the soft palate that hangs from the roof of the mouth at the entrance to the throat. The uvular **r** resembles a light, dry gargle: rrrrrrr, rrrrrrr, rrrrrrr.

Class: Rrrrrr, rrrrrr, rrrrrr.

Instructor: **Au** is like **ow** of *cow* except that it is never drawled: Frau, Frau, Frau.

Class: Frau, Frau, Frau.

Instructor: There is another German **r** called the tongue-trilled **r**, which is equally acceptable; it represents the sound produced by vibrating the tip of the tongue: rrrrrr, rrrrrr, rrrrrr.

Class: Rrrrrr, rrrrrr, rrrrrr.

Instructor: Frau, Frau, Frau.

Class: Frau, Frau, Frau.

Instructor: Most Germans, however, use the uvular **r**.

Here and at intervals the instructor may want to listen to his students individually in order to ascertain how many will need additional help. A similar procedure might well be used in introducing the dialogue of each of the early lessons until the students have developed an acceptable pronunciation of German speech sounds. The instructor may then wish to spend some time helping them with the memorization of the dialogue by dividing it into small units that are easy to memorize. Once the students have learned the dialogue, they generally enjoy "dramatizing" it in class.

VOCABULARY BUILDING

The vocabulary presented in the section called *Vocabulary Building* is an extension of the vocabulary of the *Basic Dialogue*. The various words and expressions that relate to the subject matter treated in the dialogue are generally presented within the framework of a sentence. We suggest that the instructor read each item either as a part of the sentence in which it is presented or as part of a short sentence which he may improvise in order to achieve variety. As always, the class will repeat each word or sentence after the instructor. Some instructors may wish to direct several questions über — neben: Was ist auf dem Tisch? — Zwei Tassen und eine Kanne (e Kanne) sind auf dem Tisch. Die Kanne ist eine Kaffeekanne. Auch eine Dose (e Dose), eine Zuckerdose, ist auf dem Tisch. Was ist unter dem Tisch? — Eine Bank, eine Fußbank, ist unter dem Tisch. Die Lampe ist nicht unter dem Tisch, sondern über dem Tisch. Auch die Decke ist über dem Tisch; aber die zwei Stühle sind neben dem Tisch. Ein Stuhl ist rechts neben dem Tisch, der andere ist links neben dem Tisch.

an: Hier sind zwei Lampen und zwei Stühle. Die eine Lampe ist über dem ... Sie hängt über dem Tisch. Die andere Lampe ist auf dem Tisch auf dem Tisch (stehen). Die zwei Stühle stehen links und rechts. Stuhl steht links neben dem Tisch. Der andere steht rechts an der Die zwei Lampen sind auf und über dem Tisch. Die zwei Stühle ste... und neben dem Tisch.

neben — auf — über — in — unter — neben — auf — über — an

'Dem Tisch' ist der Wemfall von 'der Tisch' (r Wemfall = r Dativ).

aus
außer
bei
mit
nach
von
zu

Wo?

Wohin?

über · an · vor · auf · in · zwischen · neben · hinter · unter

DATIVE

Ich bin in der Schule.
Es liegt auf den Tisch.
Sie steht an der Tür.
Er läuft im Garten herum.

ACCUSATIVE

Ich gehe in die Schule.
Er legt es auf den Tisch.
Sie geht an die Tür.
Er läuft in den Garten.

When the nine prepositions in the diagrams above show *place where*, they are followed by the dative; when they show *place to which*, they are followed by the accusative.

location

already INSIDE →

any either →

Motion toward — action verbs
action toward B.S

2. The nine prepositions in other uses

Er denkt oft an sie.   *He often thinks of her.*
Mein Freund wartet auf mich.   *My friend is waiting for me.*
Wir haben keine Angst vor ihm.   *We are not afraid of him.*
Er schrieb mir über deutsche Städte.   *He wrote me about German cities.*

to the students, making use of the words and idioms that have just been introduced.

PRONUNCIATION DRILL

Since the students are exposed to nearly all of the basic sounds and sound combinations on the first day that the dialogue is introduced and practiced in class, and since they continue to practice these sounds while memorizing and dramatizing the dialogues, the pronunciation drills in the first thirteen lessons have the function of helping them to *improve* their pronunciation. The more difficult German speech sounds are presented in contrast to other sounds in minimal pairs such as: **liegen—lügen, Mächte—möchte, kennen— können,** etc. In class, the instructor is encouraged to describe the position of the lips and tongue in the pronunciation of the pairs of words.

DIALOGUE VARIATIONS

After the instructor has read through the *Dialogue Variations* with his students, he may want to assign roles to students to read aloud in class. This will give him an opportunity to check their pronunciation. Since most of the vocabulary of the *Dialogue Variations* is introduced in the *Basic Dialogue*, students will have little difficulty in reading the dialogues; however, additional vocabulary is occasionally introduced and explained in footnotes. In order to give students extra practice with some of the new vocabulary introduced in these variations, the instructor may wish to direct questions to one or more of his students. For example, the words **schlecht** and **langweilig** appear in the sentence: „Sie tanzt sehr schlecht und ist einfach langweilig." At the end of the short dialogue the instructor might ask questions such as: „Herr _____, tanzen Sie gut oder tanzen Sie schlecht?" „Finden Sie alle Mädchen langweilig?" Some teachers may choose to have students memorize one or more of these dialogues.

CONVERSATIONAL PATTERNS

Much of the grammar presented in this section will have become familiar to students inductively before it is explained. As a general practice, only one item of German grammar is presented at one time; then it is immediately reinforced by repetition patterns and structural drills of a conversational nature. A programmed arrangement of these drills, with both challenge and answer columns, provides for immediate correction so that students may make certain that they are drilling correct forms. The student should be encouraged, both at home and in class, to keep the answer column covered until he has responded to each challenge sentence; only then should he verify his response by checking the answer column.

The instructor may wish to spend much of the time allocated for *Conversational Patterns* directing the drills provided and improvising whenever necessary in order to "nail down" troublesome structural items.

To make a particular exercise still more functional and to break the monotony of cue-response drills, the instructor may direct a question or two to members of the class after the completion of a set of drills. For example, after doing the drills under *Idioms Requiring the Accusative Case* in *Aufgabe Fünf*, the instructor may wish to address questions such as these to members of the class: „Auf wen sind Sie stolz, Fräulein _____?" „An wen denken Sie jetzt, Herr _____?" (etc.)

The language laboratory can be of great value in providing additional audio-lingual practice and review of the structural drills. It also gives the student an opportunity to hear and imitate native voices.

Instructors and students alike agree that the writing of the structural drills reinforces the oral images and fixes them better in the mind. For this reason, we recommend that the structural drills be written out, corrected by the student sentence by sentence with a red pencil, and handed in at the end of each lesson. The instructor may wish to "spot-check" them to assure himself that the corrections have been made and to give each student credit for handing them in. This can be done in fifteen minutes or less for the average class. If a student simply copies the correct answers, the teacher will soon become aware of this during the oral classroom drills and in the examination which will generally be given at the end of each lesson.

REVIEW

Each of the twenty-four lessons has its own review exercises. These consist of English-German pattern sentences that review not only the structural items introduced and practiced in each lesson but also the new words and idiomatic expressions introduced in the lesson. Since the challenge here is to put the complete English sentence into German, these English-German patterns review rather thoroughly structures introduced in previous lessons as well. Here is a sample from *Aufgabe Acht*:

Challenge	*Answer*
He's been working for two years.	Er arbeitet schon seit zwei Jahren.
We've been reading for two hours.	Wir lesen schon seit zwei Stunden.
She's been speaking German for two years.	Sie spricht Deutsch schon seit zwei Jahren.

He's been studying for three weeks.	Er studiert schon seit drei Wochen.
Karl's been living here for four months.	Karl wohnt hier schon seit vier Monaten.

The second part of the review section consists of *General Questions* and *Directed Questions*. This is the final test. What can the student say in the language in response to questions posed by the instructor and by members of the class? As the experienced instructor knows, one question leads to another and therefore each question can be the starting point of a short dialogue between the instructor and the student, or in the case of the directed questions, between two students with the instructor as the prompter. In this section, many of the words and useful expressions introduced in the first part of the lesson are reviewed in question form. In *Aufgabe Zehn*, for example, the *Basic Dialogue* and the section on *Vocabulary Building* deal with the breakfast table and cleaning up, while the conversational patterns treat the present perfect tense. Note how these sample questions taken from the section *General Questions* review both vocabulary and structure:

1. Wer sitzt neben Ihnen am Frühstückstisch? 2. Haben Sie manchmal großen Hunger? 3. Was haben Sie heute morgen zum Frühstück gegessen? 4. Haben Sie je vergessen, am Samstagabend zu baden? 5. Wo haben Sie gestern zu Mittag gegessen? 6. Kann man in einer Badewanne gut schwimmen?

The imaginative instructor who has a good sense of humor will be able to ask many more questions of a similar nature. The students will find satisfaction and further development in this, for they will be hearing and responding to questions which involve a different arrangement of familiar words and idioms.

VERB SUMMARY

All verbs that are introduced in a given lesson are generally summarized in this section unless they involve irregularities which have not yet been discussed and drilled. A complete summary of the most common irregular and semi-irregular verbs may be found in the Appendix.

PICTURE SUPPLEMENT

The pictures used are generally closely integrated with the subject matter of the *Basic Dialogue* and the *Vocabulary Building* section. In order to give the student some reading experience, we have written short commentaries in German about these pictures. In general, we have tried to state simply and matter-of-factly what the pictures suggest to us, bearing in mind cultural contrasts in scenes and events of everyday life. We encourage the instructor to add comments of his own and to ask questions in German so that the picture supplement may stimulate additional practice in conversation and provide further cultural enrichment.

GERMAN SONGS

The words to a number of popular German songs or *Lieder* follow Lesson 24. Most students enjoy singing, and singing also helps to improve pronunciation, build vocabulary, and stimulate greater interest in German music and culture.

SAMPLE TEST FOR LESSON FIVE

A. Write from memory four lines from the *Basic Dialogue* beginning with "I'm glad to make your acquaintance . . ." and ending with "I live in a small student hostel . . ."
B. Dictation of about four sentences from the *Dialogue Variations* and *Vocabulary Building* sections.
C. Structure

   Answer the following questions, using complete sentences:
   1. Wohin lege ich den Bleistift? (The instructor lays the pencil on the desk.)
   2. Wohin fällt der Kugelschreiber? (The instructor lets the ballpoint pen drop on the chair.)
   3. Wo liegt das Heft? (The notebook is lying on the chair in plain view.)
   4. Wo stehe ich? (Before asking the question, the instructor has gone to the door.)
   5. Wo hängt das Bild? (The instructor points to a picture hanging on the wall.)
   6. Wo steht der Stuhl? (The chair is standing between the desk and the blackboard.)
   7. Wohin lege ich das Buch? (The instructor lays the book under the table.)
   8. An wen denken Sie jetzt?
   9. Liegt das Buch auf dem Tisch? (Students are told to use a **da**-compound.)
   10. Schreiben Sie mit einem Kugelschreiber? (Use a **da**-compound.)
D. English-German Patterns
   1. He is coming on Monday.
   2. In winter she reads a lot.
   3. I go to school at seven-thirty.

4. Who is standing in front of the library?

5. He is sitting on the chair. He's sitting on it.

E. General Questions

Answer in complete sentences:

1. Wann sind Sie geboren? In welchem Monat?

2. Haben Sie heute eine Verabredung?

3. Seit wann wohnen Sie hier in der Stadt?

4. Gefällt Ihnen diese Stadt?

5. Wann machen Sie wieder eine Reise?

F. Write out the following numbers:

1. 321

2. 467

3. 1,749

4. 1932

5. 8,732,461

TO THE STUDENT

The learning of German can be *fun*. Much depends on you. If you attend classes regularly, study consistently, and use the language laboratory as frequently as possible, you will find the learning of German a most enjoyable experience. Here are a few helpful suggestions:

1. Learn to pronounce German well. This you can accomplish by (a) imitating loudly and uninhibitedly every sound, shade of sound, and intonational pattern of your model, (b) doing the pronunciation drills regularly and conscientiously, and (c) consciously striving to prevent English speech habits from interfering in any way with the production of German sounds.

2. Do the memorizing required of you. Language is a set of habits that can be learned only through practice. Treat each lesson as a unit which should be learned as fluently and as thoroughly as one might learn a music lesson.

3. Take advantage of every opportunity to hear and speak German. Do your thinking aloud in German. Start in the morning with such expressions as: "It is 6:30. I must get up. Is the sun shining today? Will it rain? I am tired. Is my roommate still sleeping? Where are my shoes? I am hungry. What will we have for breakfast today?" While walking across campus, say to yourself, "There comes my friend. His name is Paul. He is from Chicago. I have known him for a long time. We are in the same German class. I'll speak with him." Practice of this type will help you to speak German more fluently.

4. Be sure to cover the answer column on the right side of the page when you do the structural drills. Fold a piece of paper (size 8½ by 11) and place it over the answer column on the right; then say the answer, or, if you are preparing the written exercises, write your answer on the paper. By sliding your paper down one line at a time, you can check the answer and make certain that you have done it correctly. If you have made a mistake, encircle it and make the correction immediately, just above your mistake. Study aloud and mark in red those areas that you have trouble with so that you can come back and try them again and again until you have mastered all difficult structural items.

5. Be regular in your class and lab attendance. Never feel that you need to do exercises only once. For reinforcement of the patterns you should do them three or four times, or even more frequently if a particular structure seems especially difficult.

6. Always do the oral drills with gusto, just as though you were speaking with a native German. Pay special attention to sentence rhythm and intonational patterns.

7. Don't get behind! You cannot successfully "cram" your way through a language course, as you might be able to do in some other courses. Once you fall behind, it is very difficult to catch up.

8. Listen attentively to your teacher's discussion of the *Picture Supplement*. This will help you to understand spoken German and to gain a greater understanding and appreciation of the German-speaking countries and their cultural heritage.

HELPFUL EXPRESSIONS
FOR CLASSROOM USE

Guten Morgen, Herr Kröger! — Good morning, Mr. Kröger!
Guten Tag, Fräulein Weber! — Good day (hello), Miss Weber!
Wie heißen Sie? — What's your name?
Ich heiße Schmidt. — My name is Schmidt.
Wie geht es Ihnen? — How are you?
Danke, gut. — Fine, thanks.

Was ist das? — What's that?
Das ist mein Buch. — That's my book.
Lesen Sie, bitte, auf Seite acht! — Please read on page eight.
Danke schön. (Danke sehr.) — Thanks very much.
Bitte schön. (Bitte sehr.) — You're welcome.

Haben Sie eine Frage? — Do you have a question?
Haben Sie Fragen? — Do you have any questions?
Antworten Sie, bitte! — Answer, please.
Spreche ich zu schnell? — Do I speak too fast?
Nein, ich verstehe alles. — No, I understand everything.
Verstehen Sie das? — Do you understand that?
Ja, ich verstehe das. — Yes, I understand that.

Was bedeutet das? — What does that mean?
Ich weiß nicht. — I don't know.
Es bedeutet . . . — It means . . .
Auf deutsch, bitte! — In German, please.
Wiederholen Sie das, bitte! — Repeat that, please.
Alle zusammen, bitte! — All together, please.
Das ist gut. Sehr gut. — That's good. Very good.

Bitte, sagen Sie das! — Please say that.
Noch einmal, bitte! — Once again, please.
Lauter, bitte! — Louder, please.
Klar und deutlich, bitte! — Clearly and distinctly, please.
Bitte, sprechen Sie langsamer! — Please speak more slowly.
Sprechen Sie nicht so schnell! — Don't speak so fast.

Nehmen Sie, bitte, ein Stück Papier! — Please take a piece of paper.
Wie bitte? — What was that?
Schreiben Sie, was ich sage! — Write what I say.

Wie schreibt man . . . ? — How does one write . . . ?
Ist das richtig? — Is that correct?
Nein, das ist falsch. — No, that's wrong.

Stehen Sie auf, bitte! — Stand up, please.
Gehen Sie an die Tafel! — Go to the blackboard.
Schreiben Sie das Wort an die Tafel! — Write the word on the blackboard.
Wie sagt man . . . auf deutsch? — How does one say . . . in German?
Bitte, setzen Sie sich! — Please sit down.
Nehmen Sie, bitte, Platz! — Take a seat, please.

Wo ist Ihr Buch? — Where's your book?
Mein Buch ist hier. — My book is here.
Öffnen Sie das Buch, bitte! — Open the book, please.
Bitte, machen Sie Ihr Buch auf! — Please open your book.
Lesen wir auf Seite vier, Zeile sechs! — Let's read on page four, line six.

Bitte, fangen Sie an, Herr Schmidt! — Please begin, Mr. Schmidt.
Das ist alles. — That's all.
Arbeiten Sie immer fleißig! — Always work hard.

Wie spät ist es? — What time is it?
Es ist neun Uhr. — It's nine o'clock.
So? Die Zeit ist um. — Is that so? The time is up.
Auf Wiedersehen! — Good-by!
Bis morgen! — See you tomorrow!
Bis Montag! — See you Monday!

AUFGABE EINS

EIN STUDENTENHEIM IN DEUTSCHLAND

Rudi Wolf, ein Student aus Amerika, verbringt das Sommersemester in Deutschland. Dieses Semester beginnt im Mai. Heute besucht er einen deutschen Freund, Bruno Lehmann. Die beiden studieren deutsche Literatur. Bruno wohnt in einem Studentenheim. Frau Müller, die „Studentenmutter", ist immer sehr freundlich.

[1] FRAU MÜLLER: Guten Tag, Herr Wolf!

[2] HERR WOLF: Guten Tag, Frau Müller!

[3] FRAU MÜLLER: Wie geht es Ihnen?

[4] HERR WOLF: Danke, sehr gut. Und wie geht es Ihnen?

[5] FRAU MÜLLER: Danke, gut.

[6] HERR WOLF: Ist Herr Lehmann zu Hause?

[7] FRAU MÜLLER: Nein, er ist heute nicht hier.

[8] HERR WOLF: Wann kommt er denn nach Hause?

[9] FRAU MÜLLER: Um zehn Uhr. Er besucht eine Freundin.

[10] HERR WOLF: So? Das ist ja sehr interessant.

[11] FRAU MÜLLER: Ja, sie ist hübsch.

[12] HERR WOLF: Wie heißt sie denn?

[13] FRAU MÜLLER: Ich glaube, sie heißt Anna Ulmer.

[14] HERR WOLF: Wie bitte? Anna Ulmer? Anna Ulmer ist meine Freundin!

[15] FRAU MÜLLER: Ach, das tut mir aber leid, Herr Wolf! Das tut mir wirklich sehr leid!

[16] HERR WOLF: Also, danke, Frau Müller. Ich spreche morgen mit Bruno Lehmann. Auf Wiedersehen!

[17] FRAU MÜLLER: Auf Wiedersehen, Herr Wolf!

1

LESSON 1

A STUDENT HOSTEL IN GERMANY

Rudi Wolf, a student from America, is spending the summer semester in Germany. This semester begins in May. Today he is visiting a German friend, Bruno Lehmann. The two are studying German literature. Bruno lives in a student hostel. Mrs. Müller, the "mother" of the hostel, is always very friendly.

[1] MRS. MÜLLER: Good day, Mr. Wolf!

[2] MR. WOLF: Hello, Mrs. Müller!

[3] MRS. MÜLLER: How are you?

[4] MR. WOLF: Very well, thank you.   And how are you?

[5] MRS. MÜLLER: Fine, thanks.

[6] MR. WOLF: Is Mr. Lehmann at home?

[7] MRS. MÜLLER: No, he's not here today.

[8] MR. WOLF: When is he coming home?

[9] MRS. MÜLLER: At ten o'clock.   He's visiting a girl friend.

[10] MR. WOLF: Is that so?   That's very interesting.

[11] MRS. MÜLLER: Yes, she's pretty.

[12] MR. WOLF: What's her name?

[13] MRS. MÜLLER: I believe her name is Anna Ulmer.

[14] MR. WOLF: What did you say?   Anna Ulmer?   Anna Ulmer is my girl friend!

[15] MRS. MÜLLER: Oh, I'm sorry, Mr. Wolf!   I'm really very sorry!

[16] MR. WOLF: Well, thanks, Mrs. Müller.   I'll talk with Bruno Lehmann tomorrow.   Good-by!

[17] MRS. MÜLLER: Good-by, Mr. Wolf!

VOCABULARY BUILDING

Greetings and Farewells

Guten Morgen![1]   Gute Nacht![4]
Guten Tag![2]   Auf Wiedersehen![5]
Guten Abend![3]

People

Der Mann
Der Freund
Der Lehrer[6]
Der Student
} ist hier, nicht wahr?[7]

Die Frau
Die Freundin
Die Lehrerin
Die Studentin
} ist auch[8] hier.

Wie heißt {
der Professor?
die Dame?[9]
das Fräulein?[10]
das Kind?[11]
das Baby?
}

Things

Neut

Wo[12] ist {
das Heft?[13]
das Buch?
das Papier?
das Fenster?[14]
das Klassenzimmer?[15]
}

Ist {
der Bleistift[16]
der Stuhl[17]
der Tisch[18]
der Kugelschreiber[19]
} hier?

fem Die Kreide[20]
Die Tafel[21]
Die Tür[22]
Die Wand[23]
Die Klasse
Die Schule[24]
} ist da drüben.[25]

Numbers

(1) eins   (5) fünf   (9) neun
(2) zwei   (6) sechs   (10) zehn
(3) drei   (7) sieben   (11) elf
(4) vier   (8) acht   (12) zwölf

Der Student kommt um {
zwei
fünf
elf
} Uhr nach Hause.

[1] Good morning! (Hello!)   [2] Good day! (Hello!)   [3] Good evening! (Hello!)
[4] Good night!   [5] Good-by!   [6] teacher   [7] isn't that right?   [8] also, too
[9] lady   [10] young lady   [11] child   [12] where   [13] notebook   [14] window
[15] classroom   [16] pencil   [17] chair   [18] table   [19] ballpoint pen   [20] chalk
[21] blackboard   [22] door   [23] wall   [24] school   [25] over there

PRONUNCIATION DRILL

The *ach*-sound [x] and the *ich*-sound [ç]

This and subsequent phonetic drills are intended to help you improve your pronunciation by concentrating on a particular German sound. Practice with your model and imitate him as closely and uninhibitedly as you can.

The ach-sound [x] (spelled **ch**) is pronounced in the same part of the mouth as the [k] in English *poke,* but in the ach-sound the tongue never touches the roof of the mouth as it does in [k]. The ach-sound is produced by keeping the tongue still after pronouncing the preceding vowel and breathing out over it sharply. The following drills will give you practice both in producing the ach-sound and in distinguishing between the ach- and the k-sound:

[x]	Bach	Buch		suchen	kochen		des Dachs	acht
	noch	wachen		brachen	hauchen		taucht	sucht

[k-x]	Rock—roch	lockt—locht	Pocken—pochen	Nacken—Nachen

The ich-sound [ç] (spelled **ch,** and **g** in final **-ig**) is somewhat like the initial sound in English *hew* or *human.* Like the ach-sound, it is produced by breathing out sharply over the tongue, which is kept in the position it had for the preceding vowel. Do not substitute the ach-, k-, or sh-sound for the ich-sound:

[ç]	mich	euch	Bücher	manch	Mädchen	fleißig
	Pech	riechen	Eiche	Milch	bißchen	ruhig

[x-ç]	Dach—Dächer	Loch—Löcher	Brauch—Bräuche	sprach—spräche
[k-ç]	nickt—nicht	Streik—Streich	Kino—China	Grammatik—Essig
[ʃ-ç]	Tisch—dich	misch!—mich	fischt—ficht	keusche—keuche

DIALOGUE VARIATIONS

A. Wann kommen Sie[1] nach Hause?
B. Um acht Uhr.
A. Wie bitte? *what please*
B. Ich komme immer um acht Uhr nach Hause.

A. Ist Fräulein Schenk zu Hause?
B. Nein, sie ist nicht hier.
A. Wann kommt sie denn nach Hause?
B. Um sieben Uhr.

[1] you

A. Mein Freund ist heute krank.[2]
B. Ach, das tut mir aber leid!
A. Ja, er ist sogar[3] sehr krank.
B. Das tut mir wirklich sehr leid!

A. Wer[4] ist das?
B. Das ist mein Freund.
A. Was ist das?
B. Das ist mein Kugelschreiber.

CONVERSATIONAL PATTERNS

I. NOUNS AND DEFINITE ARTICLES

The German equivalent of the English definite article *the* is der before masculine nouns, **das** before neuter nouns, and **die** before feminine nouns. The definite article should be learned with each noun as an aid in remembering the gender. Nouns denoting living beings usually have their natural gender. Notable exceptions are: **das Kind, das Baby, das Mädchen,** and **das Fräulein.** Nouns that end in the diminutive suffixes **-chen** (**Mädchen**) and **-lein** (**Fräulein**) are always neuter regardless of the gender of the original noun.

MASCULINE	NEUTER	FEMININE
der Mann (*the* man)	**das** Buch (*the* book)	**die** Frau (*the* woman)
der Tisch (*the* table)	**das** Fenster (*the* window)	**die** Tür (*the* door)

Note that in German all nouns are capitalized.

1. Repetition

Wann kommt der Student nach Hause?
Ist die Studentin heute zu Hause?
Ist das der Lehrer?
Wie heißt die Lehrerin?

Die Tür ist da drüben.
Hier ist die Kreide.
Der Kugelschreiber ist nicht hier.
Wo ist das Buch?

2. Question-Answer[1]

MODEL QUESTION

Ist das Heft hier?

_____ Buch _____?
_____ Kind _____?
_____ Mädchen _____?

MODEL ANSWER

Ja, das Heft ist hier.

Ja, das Buch ist hier.
Ja, das Kind ist hier.
Ja, das Mädchen ist hier.

[2] sick   [3] actually, even   [4] who

[1] A model will generally be given for each drill so that you may know how to proceed.

Wo ist der Mann?	*Der Mann ist zu Hause.*
_____ Lehrer?	Der Lehrer ist zu Hause.
_____ Student?	Der Student ist zu Hause.
_____ Professor?	Der Professor ist zu Hause.

Kommt die Lehrerin um acht Uhr?	*Nein, die Lehrerin kommt um neun.*
_____ Frau _____?	Nein, die Frau kommt um neun.
_____ Studentin _____?	Nein, die Studentin kommt um neun.
_____ Dame _____?	Nein, die Dame kommt um neun.

Wo ist die Kreide?	*Die Kreide ist da drüben.*
_____ Tafel?	Die Tafel ist da drüben.
_____ Tür?	Die Tür ist da drüben.
_____ Schule?	Die Schule ist da drüben.

Die Klasse ist hier, nicht wahr?	*Ja, die Klasse ist hier.*
___ Heft _____?	Ja, das Heft ist hier.
___ Kreide _____?	Ja, die Kreide ist hier.
___ Bleistift _____?	Ja, der Bleistift ist hier.
___ Buch _____?	Ja, das Buch ist hier.
___ Kugelschreiber _____?	Ja, der Kugelschreiber ist hier.

Wo ist denn das Fenster?	*Das Fenster ist da drüben.*
_____ Tür?	Die Tür ist da drüben.
_____ Wand?	Die Wand ist da drüben.
_____ Tisch?	Der Tisch ist da drüben.
_____ Tafel?	Die Tafel ist da drüben.

3. Question-Answer (Was? Wer?)

[handwritten annotations: "what" above Was, "who" above Wer]

Was ist das?	*(Klassenzimmer)*	*Das ist das Klassenzimmer.*
Was ist das?	(Bleistift)	Das ist der Bleistift.
Was ist das?	(Tür)	Das ist die Tür.
Was ist das?	(Stuhl)	Das ist der Stuhl.
Was ist das?	(Wand)	Das ist die Wand.

Was ist das?	(Fenster)	Das ist das Fenster.
Was ist das?	(Buch)	Das ist das Buch.
Was ist das?	(Kugelschreiber)	Das ist der Kugelschreiber.
Was ist das?	(Kreide)	Das ist die Kreide.
Was ist das?	(Papier)	Das ist das Papier.

who

Wer ist das?	(Lehrer)	Das ist der Lehrer.
Wer ist das?	(Student)	Das ist der Student.
Wer ist das?	(Mädchen)	Das ist das Mädchen.
Wer ist das?	(Mann)	Das ist der Mann.
Wer ist das?	(Studentin)	Das ist die Studentin.
Wer ist das?	(Kind)	Das ist das Kind.

II. INDEFINITE ARTICLES

The indefinite articles are **ein** and **eine**; the form **ein** is used before neuter and masculine nouns and **eine** before feminine nouns. Both **ein** and **eine** mean *a, an, or one*. The negative form of the article **ein** is **kein** which means *not a* or *no* when it precedes a noun. **Kein** takes the same endings as **ein**.

MASCULINE	NEUTER	FEMININE
ein Mann (*a* man)	**ein** Buch (*a* book)	**eine** Frau (*a* woman)
kein Mann (*no* man)	**kein** Buch (*no* book)	**keine** Frau (*no* woman)

4. Repetition

Heute ist eine Studentin krank.
Ein Heft ist oft klein (*small*).
Ist das eine Tür da drüben?

Wo ist ein Buch?
Das ist kein Kugelschreiber.
Hier ist ein Stuhl.

5. Question-Answer

Das ist ein Lehrer, nicht wahr?

_____ Student _____?
_____ Kugelschreiber _____?
_____ Heft _____?
_____ Stuhl _____?

Nein, das ist kein Lehrer.

Nein, das ist kein Student.
Nein, das ist kein Kugelschreiber.
Nein, das ist kein Heft.
Nein, das ist kein Stuhl.

Ist das eine Studentin?

_____ Lehrerin?
_____ Frau?
_____ Dame?

Nein, das ist keine Studentin.

Nein, das ist keine Lehrerin.
Nein, das ist keine Frau.
Nein, das ist keine Dame.

Wo ist ein Klassenzimmer?

_____ Tür?
_____ Stuhl?
_____ Bleistift?
_____ Fenster?

Hier ist ein Klassenzimmer.

Hier ist eine Tür.
Hier ist ein Stuhl.
Hier ist ein Bleistift.
Hier ist ein Fenster.

6. Definite Article > Indefinite Article

Hier ist das Buch.   *Hier ist ein Buch.*

_____ Tür.	Hier ist eine Tür.
_____ Mädchen.	Hier ist ein Mädchen.
_____ Tisch.	Hier ist ein Tisch.
_____ Frau.	Hier ist eine Frau.
_____ Lehrerin.	Hier ist eine Lehrerin.

7. Indefinite Article > Definite Article

Da drüben ist eine Dame.   *Da drüben ist die Dame.*

_____ Freund.	Da drüben ist der Freund.
_____ Fenster.	Da drüben ist das Fenster.
_____ Tür.	Da drüben ist die Tür.
_____ Fräulein.	Da drüben ist das Fräulein.
_____ Tafel.	Da drüben ist die Tafel.

III. PERSONAL PRONOUNS AND VERBS

Personal Pronouns

ich	I	wir	we
er	he	sie	they
sie	she	Sie	you (both sing. and pl.)
es	it		

Pronouns agree in gender and number with the nouns that they represent:

Wo ist das Buch?	Es ist dort drüben.
Ist der Bleistift hier?	Nein, **er** ist auch dort drüben.
Ist die Kreide auch dort drüben?	Nein, **sie** ist hier.

Verbs

Most German verbs are regular in their conjugation and follow the pattern of stem (**komm-** of **kommen**, **geh-** of **gehen**, etc.) plus the endings **-e** for the first person singular, **-t** for the third person singular, and **-en** for the plural:

ich komme	I come		
er	he	wir	we
sie } kommt	she } comes	sie } kommen	they } come
es	it	Sie	you

There are no progressive or emphatic verb forms in German. For English present tense forms such as *I come, I am coming, I do come,* German has only one verb form: **ich komme.** Adverbs are frequently used, however, to indicate progressive action (**ich komme gerade, ich komme schon**) or to give special emphasis (**ich komme wirklich, ich komme ja**).

8. Repetition

Ich gehe nach Hause.
Er geht nach Hause.
Sie geht nach Hause.
Es (das Kind) geht nach Hause.

Wir gehen nach Hause.
Sie (*they*) gehen nach Hause.
Sie (*you*) gehen nach Hause.

Ich heiße Meyer. (*My name is Meyer.*)
Er heißt Braun.
Sie heißt Hofmann.

Wir heißen Schmidt.
Sie (*they*) heißen Schultz.
Sie (*you*) heißen Kelling, nicht wahr?

9. Question-Answer

Kommen Sie[1] heute?

_____ sie (*she*) _____?
_____ er _____?
_____ sie (*they*) _____?
_____ Sie (*pl.*) _____?
_____ ich _____?

Nein, ich komme morgen.

Nein, sie kommt morgen.
Nein, er kommt morgen.
Nein, sie kommen morgen.
Nein, wir kommen morgen.
Nein, Sie kommen morgen.

Wann geht er?

_____ sie (*they*)?
_____ sie (*she*)?
_____ Sie?
_____ Sie (*pl.*)?

Er geht um zwölf Uhr.

Sie gehen um zwölf Uhr.
Sie geht um zwölf Uhr.
Ich gehe um zwölf Uhr.
Wir gehen um zwölf Uhr.

Glauben Sie das?

_____ er _____?
_____ sie (*she*) _____?
_____ wir _____?
_____ sie (*they*) _____?
_____ ich _____?

Nein, ich glaube das nicht.

Nein, er glaubt das nicht.
Nein, sie glaubt das nicht.
Nein, wir glauben das nicht.
Nein, sie glauben das nicht.
Nein, Sie glauben das nicht.

[1] Always consider **Sie** singular unless the plural form is indicated.

10. Noun > Pronoun

Ist der Student zu Hause?   *Nein, er ist hier.*

—— die Studentin ————?   Nein, sie ist hier.
—— das Kind ————?   Nein, es ist hier.
—— der Professor ————?   Nein, er ist hier.
—— die Dame ————?   Nein, sie ist hier.

Wo ist der Kugelschreiber?   *Er ist da drüben.*

—— die Tür?   Sie ist da drüben.
—— das Fenster?   Es ist da drüben.
—— der Stuhl?   Er ist da drüben.
—— die Schule?   Sie ist da drüben.

IV. THE VERB *SEIN*

The verb **sein** is irregular in its conjugation:

		sein	*to be*				
ich **bin**			*I am*				

er			*he*			wir			*we*		
sie	} ist		*she*	} *is*		sie	} sind		*they*	} *are*	
es			*it*			Sie			*you*		

11. Repetition

Ich bin heute krank.   Wir sind immer freundlich.
Ist er glücklich (*happy*)?   Sie (*they*) sind zu Hause.
Das Kind ist heute hier.   Karla und Liese sind hübsch.
Wer ist das?   Sind Sie müde (*tired*)?

12. Substitution

Sind Sie immer freundlich?

always

—— er ————?   Ist er immer freundlich?
—— wir ————?   Sind wir immer freundlich?
—— ich ————?   Bin ich immer freundlich?
—— sie (*she*) ————?   Ist sie immer freundlich?
—— sie (*they*) ————?   Sind sie immer freundlich?
—— der Lehrer ————?   Ist der Lehrer immer freundlich?

13. Question-Answer

Sind Sie hier? ⎯ *Ja, ich bin hier.*

Bin ich hier? ⎯ Ja, Sie sind hier.
Sind Sie müde? *Tired* ⎯ Ja, ich bin müde.
Bin ich müde? ⎯ Ja, Sie sind müde.
Gehen Sie heute nach Hause? ⎯ Ja, ich gehe heute nach Hause.
Gehe ich heute nach Hause? ⎯ Ja, Sie gehen heute nach Hause.
Sind Sie glücklich? ⎯ Ja, ich bin glücklich.
Bin ich intelligent? ⎯ Ja, Sie sind intelligent.

REVIEW

English-German Patterns

The pencil is over there. ⎯ Der Bleistift ist da drüben.
The door is over there. ⎯ Die Tür ist da drüben.
The girl is over there. ⎯ Das Mädchen ist da drüben.

Where is a window? ⎯ Wo ist ein Fenster?
Where is a ballpoint pen? ⎯ Wo ist ein Kugelschreiber?
Where is a blackboard? ⎯ Wo ist eine Tafel?

The pencil is here, isn't it? ⎯ Der Bleistift ist hier, nicht wahr?
The class is here, isn't it? ⎯ Die Klasse ist hier, nicht wahr?
The girl is here, isn't she? ⎯ Das Mädchen ist hier, nicht wahr?

When are you coming home? ⎯ Wann kommen Sie nach Hause?
When are they coming home? ⎯ Wann kommen sie nach Hause?
When is the teacher[1] coming home? ⎯ Wann kommt der Lehrer nach Hause?

What is the man's name? ⎯ Wie heißt der Mann?
What is the teacher's (f.) name? ⎯ Wie heißt die Lehrerin?
What is your name? ⎯ Wie heißen Sie?

How are you? ⎯ Wie geht es Ihnen?
How is Mrs. Meyer? ⎯ Wie geht es Frau Meyer?
How is Professor Betz? ⎯ Wie geht es Professor Betz?

He is sick today. ⎯ Er ist heute krank.
We are sick today. ⎯ Wir sind heute krank.
The child is sick today. ⎯ Das Kind ist heute krank.

Do you believe that? ⎯ Glauben Sie das?
Does she believe that? ⎯ Glaubt sie das?
Do we believe that? ⎯ Glauben wir das?

[1] Nouns such as this are to be considered masculine unless otherwise indicated.

Progressing

I am going home at four o'clock.	Ich gehe um vier Uhr nach Hause.
She is going home at six o'clock.	Sie geht um sechs Uhr nach Hause.
We are going home at five o'clock.	Wir gehen um fünf Uhr nach Hause.
Is he at home today?	Ist er heute zu Hause?
Are you at home today?	Sind Sie heute zu Hause?
Is the student (*f.*) at home today?	Ist die Studentin heute zu Hause?
We are not at home today.	Wir sind heute nicht zu Hause.
She is not at home today.	Sie ist heute nicht zu Hause.
The teacher is not at home today.	Der Lehrer ist heute nicht zu Hause.

General Questions

1. Wie geht es Ihnen?   2. Geht es Ihnen immer gut?   3. Wie heißen Sie?   4. Wie heißt der Lehrer?   5. Wo wohnen Sie?   6. Besuchen Sie heute eine Freundin? 7. Ist die Freundin immer zu Hause?   8. Ist eine „Studentenmutter" immer freundlich?   9. Wann gehen Sie nach Hause?   10. Ist Deutsch interessant?   11. Ist Anna Ulmer hübsch?   12. Wer sagt (*says*) das?   13. Sind Sie ein Mann oder eine Maus?   14. Sind Sie ein Fräulein oder eine Frau?   15. Ich bin Napoleon. Glauben Sie das?   16. Haben wir morgen ein Examen?   17. Tut es Ihnen leid? (*Are you sorry?*)   18. Verbringen Sie das Sommersemester in Deutschland?   19. Beginnt das Sommersemester im Mai oder im Oktober?   20. Studieren Sie in Heidelberg?

Mouse

VERB SUMMARY

INFINITIVE			
beginnen (*begin*)	beginne	beginnt	beginnen
besuchen (*visit*)	besuche	besucht	besuchen
gehen (*go*)	gehe	geht	gehen
glauben (*believe*)	glaube	glaubt	glauben
heißen (*be named*)	heiße	heißt	heißen
kommen (*come*)	komme	kommt	kommen
sagen (*say*)	sage	sagt	sagen
sein (*be*)	**bin**	**ist**	**sind**
studieren (*study*)	studiere	studiert	studieren
tun (*do*)	tue	tut	**tun**
verbringen (*spend*) Time	verbringe	verbringt	verbringen
wohnen (*live*)	wohne	wohnt	wohnen

(ich — er, sie, es — wir, sie, Sie)

Verbs that have some irregularity in structure will appear in the verb summary of the lesson in which they are explained.

Whenever a verb is irregular in any respect, the irregularity will be given in boldface type.

A

STUDENTEN IN DEUTSCHLAND

Jedes Jahr[1] kommen viele[2] Studenten nach Deutschland, um[3] dort[4] zu studieren. Im Sommersemester 1964 besuchten[5] nicht weniger als[6] 22 800 Studenten aus anderen Ländern[7] westdeutsche Universitäten. Hier (A) sieht man[8] einige[9] Studenten vor der Universität München,[10] mit über[11] 20 000 Studenten Deutschlands größte[12] Universität.

[1] every year   [2] many   [3] in order   [4] there   [5] attended   [6] not less than
[7] from other countries   [8] one sees   [9] some   [10] Munich   [11] over   [12] largest

13

B

Nicht alle deutschen Universitäten sind alt.[13] Seit Kriegsende[14] hat man viele neue Hochschulen gebaut,[15] wie zum Beispiel[16] auch die Freie Universität[17] in Berlin (B).

[13] old   [14] since the end of the war   [15] they have built many new schools of higher education   [16] as, for example   [17] the Free University

C

D

Heute besuchen[18] so viele Studenten deutsche Universitäten, daß die Hörsäle[19] überfüllt[20] sind (C, Freie Universität). Die meisten[21] Studenten wohnen bei[22] Familien, deren[23] Häuser und Wohnungen[24] manchmal[25] ziemlich alt[26] sind (D, Heidelberg); es gibt[27] aber[28] heute auch viele schöne,[29] moderne Wohnblocks.[30] Einige Studenten wohnen in Pensionen[31] oder in Studentenheimen[32] (E). In einer deutschen Universitätsstadt[33] gibt es aber nicht so viele Studentenheime wie in Amerika.

[18] attend [19] lecture halls [20] crowded [21] most [22] with [23] whose
[24] houses and apartments [25] sometimes [26] rather old [27] there are
[28] however [29] beautiful [30] apartment houses [31] boardinghouses [32] (pl.)
[33] university city

E

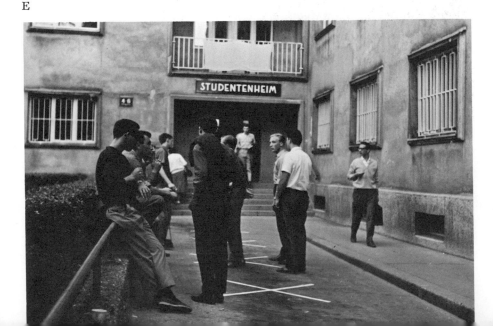

AUFGABE ZWEI

SIE SPRECHEN GUT DEUTSCH

Rudi Wolf und ein deutscher Bekannter, Hans Rösch, sprechen über Fremdsprachen.

[1] RÖSCH: Sie sprechen gut Deutsch, Herr Wolf.

[2] WOLF: Danke schön.

[3] RÖSCH: Wie lange sprechen Sie schon Deutsch?

[4] WOLF: Seit drei Jahren.   Ich möchte es aber noch besser lernen.

[5] RÖSCH: Aber Sie verstehen doch beinah alles, nicht wahr?

[6] WOLF: Wenn man langsam spricht, kann ich alles verstehen.

[7] RÖSCH: Spreche ich zu schnell?

[8] WOLF: Nein, ich verstehe Sie sehr gut.

[9] RÖSCH: Sprechen Sie auch Französisch?

[10] WOLF: Ja, ein bißchen, aber ich finde die Aussprache schwer.

[11] RÖSCH: Haben Sie noch andere Sprachen gelernt?

[12] WOLF: Ja, Spanisch und Latein.

[13] RÖSCH: Ich würde gern mehr Englisch lernen.

[14] WOLF: Gut!   Das freut mich.

[15] RÖSCH: Vielleicht können wir einander helfen.

[16] WOLF: Gern!   Wann beginnen wir?

[17] RÖSCH: Morgen, wenn es möglich ist.

[18] WOLF: Das wäre schön!   Abgemacht!

LESSON 2

Wenn = if whenever!, when
Wann - at what time?
schon - already
schön - Beautiful

YOU SPEAK GERMAN WELL

Rudi Wolf and a German acquaintance, Hans Rösch, talk about foreign languages.

[1] RÖSCH: You speak German well, Mr. Wolf.

[2] WOLF: Thank you very much.

[3] RÖSCH: How long have you been speaking German?

[4] WOLF: For three years.   I would like to learn it still better, though.

[5] RÖSCH: But you understand almost everything, don't you?

[6] WOLF: If (whenever) one speaks slowly, I can understand everything.

[7] RÖSCH: Do I speak too fast?

[8] WOLF: No, I understand you very well.

[9] RÖSCH: Do you speak French too?

[10] WOLF: Yes, a little bit; but I find the pronunciation difficult.

[11] RÖSCH: Have you learned other languages also?

[12] WOLF: Yes, Spanish and Latin.

[13] RÖSCH: I would like to learn more English.

[14] WOLF: Good!   I'm glad.

[15] RÖSCH: Perhaps we can help each other.

[16] WOLF: Gladly!   When shall we begin?

[17] RÖSCH: Tomorrow if it's possible.

[18] WOLF: That would be fine.   It's a deal!

VOCABULARY BUILDING

Languages

Sprechen Sie
{ Deutsch?
Russisch?
Portugiesisch?
Holländisch? }
Nein, aber ich spreche
{ Englisch.
Spanisch.
Italienisch.
Französisch. }

Lernen Sie
{ Schwedisch?
Norwegisch?
Dänisch? }
Nein, ich lerne
{ Latein.
Japanisch.
Chinesisch. }

Ich kann Englisch
{ sprechen.
verstehen.
lesen.[1]
schreiben.[2] }

Continents, Countries, and Nationalities

Kommen Sie aus
{ Amerika?
Europa?
Afrika?
Asien?
Australien? }
Mein Freund kommt aus
{ Nordamerika.
Südamerika.
Westdeutschland.
Ostdeutschland.
Nordafrika. }

Ein
{ Amerikaner
Engländer
Deutscher
Italiener }
lebt
{ in Amerika.
in England.
in Deutschland.
in Italien. }
Lebt ein
{ Franzose in Frankreich?
Spanier in Spanien?
Österreicher in
   Österreich?
Russe in Rußland? }

Ein Schweizer[3] lebt in **der**[4] Schweiz.

Only Switzerland (**die Schweiz**), Turkey (**die Türkei**), and Czechoslovakia (**die Tschechoslowakei**) are feminine and require an article; other countries and continents are neuter and require no article.

---

[1] read   [2] write   [3] Swiss   [4] **Der** is the dative form of the feminine definite article. The dative case is explained in Lessons 4 and 5.

PRONUNCIATION DRILL

Uvular *r* [ʀ]; tongue-trilled *r* [ř̥]; final *r* [ʌ]

The uvular **r** [ʀ], used by most Germans, is produced by vibrating the uvula (the small flap that hangs from the back of the mouth) against the back of the tongue. The sound produced resembles a light, dry gargle.

The tongue-trilled **r** [ř̥], used by many speakers and by some actors and singers, is produced by vibrating the tip of the tongue against the upper gums. Children often make this sound when imitating motors and airplanes.

A single, unstressed final **r** is really a vowel sound [ʌ], somewhat like the final vowel in the English word *sofa.*

Listen carefully to the difference between the American **r** and the German **r** in the following contrastive pairs:

ENGLISH	GERMAN	ENGLISH	GERMAN	ENGLISH	GERMAN	ENGLISH	GERMAN
reef	rief	fry	frei	hair	her	bitter	bitter
rote	rot	dry	drei	more	Mohr	wonder	Wunder
rice	Reis	price	Preis	tour	Tour	Tyler	Teiler

Practice with your model:

[ʀ]	grau	Schrank	fahren	verloren	Ring
	Gruß	Schritt	lehren	riechen	Rhein
	Brot	Stroh	Scheren	rot	Raum

[ʌ]	hier	ihr	er	Uhr	Mutter	Schwester
	mir	vier	vor	Vater	Bruder	Lehrer

[ʀ-ʌ]   ich studiere—er studiert   ich lehre—er lehrt   zwei Tiere—ein Tier

Distinguish between the unaccented **e** [ə] and the final **r** [ʌ] in the following pairs:

[ə-ʌ]	eine—einer	meine—meiner	liebe—lieber
	reiche—reicher	seine—seiner	kleine—kleiner

DIALOGUE VARIATIONS

A. Sprechen Sie Deutsch?

B. Ein bißchen (ein wenig).

A. Seit wann lernen Sie schon Deutsch?[1]

B. Seit zwei Jahren.

A. Verstehen Sie alles?

B. Nein, nicht alles.

A. Verstehen Sie alles, wenn man langsam spricht?

B. Ja, wenn man nicht zu schnell spricht, verstehe ich beinah alles.

A. Haben Sie noch andere Sprachen gelernt?

B. Ja, Spanisch.

A. Finden Sie Spanisch schwer?

B. Nein, ich finde es ziemlich leicht.[2]

A. Ich möchte auch noch mehr Spanisch lernen.

B. Gut! Das freut mich.

A. Studieren Sie gern?[3]

B. Im Winter ja, aber nicht im Sommer.

A. Wann beginnen Sie, Russisch zu lernen?

B. Nächstes[4] Jahr, wenn es möglich ist.

A. Vielleicht kann ich Ihnen helfen.

B. Wunderbar![5] Das wäre schön!

CONVERSATIONAL PATTERNS

I. MORE VERBS

INFINITIVE		ich		er sie es		wir sie Sie
finden (*find*)		finde		findet		finden
leben (*live*)		lebe		lebt		leben
lernen (*learn*)		lerne		lernt		lernen
schreiben (*write*)		schreibe		schreibt		schreiben
verstehen (*understand*)		verstehe		versteht		verstehen

If the stem ends in **d, t,** or separately pronounced consonants, the ending for the third person singular is **-et: finden, er findet; arbeiten** (*work*), **er arbeitet; öffnen** (*open*), **er öffnet.**

---

[1] How long have you been studying German?   [2] rather easy
[3] Do you like to study?   [4] next   [5] wonderful

nä   *in*
im — in the

1. Repetition

Ich lerne Deutsch.
Sie schreibt Französisch.
Wer versteht Spanisch?
Wie finden Sie Deutsch?

Wir verstehen das Wort (*word*).
Ein Engländer lebt in England.
Leben Sie in Europa?
Er findet Russisch schwer.

2. Verb Substitution

Ich lerne Deutsch. (schreiben)

Wir schreiben es. (lernen)
Er lernt das Wort. (schreiben)
Fritz versteht das Mädchen. (finden)
Wer lernt Latein? (schreiben)
Klara versteht Spanisch. (lernen)
Max studiert in Heidelberg. (leben)
Ich lebe in Amerika. (studieren)

Ich schreibe Deutsch.

Wir lernen es.
Er schreibt das Wort.
Fritz findet das Mädchen.
Wer schreibt Latein?
Klara lernt Spanisch.
Max lebt in Heidelberg.
Ich studiere in Amerika.

II. VERBS WITH SOME IRREGULARITIES

Most German verbs are regular and follow the pattern of stem plus endings (**ich komme, er / sie / es kommt, wir / sie / Sie kommen**). Note, however, the irregularity in the following verbs:

3rd person
e – i

INFINITIVE (*Come*)	*Komme*			*Kommt*			*Kommen*
haben (*have*)	ich	habe	er	hat (*not*)	wir	haben
helfen (*help*)		helfe	sie	hilft	sie	helfen
lesen (*read*)		lese	es	liest	Sie	lesen
sprechen (*speak*)		spreche		spricht		sprechen

3. Repetition

Er hat kein Buch.
Sprechen Sie Deutsch?
Er liest die Zeitung (*newspaper*).

Sie haben recht (*You're right*).
Sie spricht laut (*loud*).
Der Lehrer hilft uns (*us*).

das Wort

4. Question-Answer

haben

Hat Kurt ein Buch?

———— Sie ——————?

———— Sie (*pl.*) ——————?

———— ich ——————?

———— Anna ——————?

Ja, er hat ein Buch.
Nein, er hat kein Buch.

Ja, ich habe ein Buch.
Nein, ich habe kein Buch.
Ja, wir haben ein Buch.
Nein, wir haben kein Buch.
Ja, Sie haben ein Buch.
Nein, Sie haben kein Buch.
Ja, sie hat ein Buch.
Nein, sie hat kein Buch.

helfen

Hilft Karl Onkel Heinrich?

———— Anna ——————?
———— Sie ——————?
———— sie (*they*) ——————?
———— ich ——————?
———— das Kind ——————?

Ja, er hilft Onkel Heinrich.

Ja, sie hilft Onkel Heinrich.
Ja, ich helfe Onkel Heinrich.
Ja, sie helfen Onkel Heinrich.
Ja, Sie helfen Onkel Heinrich.
Ja, es hilft Onkel Heinrich.

sprechen

Sprechen Sie Spanisch?

———— er ——————?
———— sie (*she*) ——————?
———— Sie (*pl.*) ——————?
———— Hans ——————?
———— wir ——————?

Nein, ich spreche kein Spanisch.

Nein, er spricht kein Spanisch.
Nein, sie spricht kein Spanisch.
Nein, wir sprechen kein Spanisch.
Nein, er spricht kein Spanisch.
Nein, Sie sprechen kein Spanisch.

lesen

Lesen Sie eine Zeitung?

———— Anna ——————?

———— sie (*they*) ——————?

———— er ——————?

———— ich ——————?

Ja, ich lese eine Zeitung.
Nein, ich lese keine Zeitung.

Ja, sie liest eine Zeitung.
Nein, sie liest keine Zeitung.
Ja, sie lesen eine Zeitung.
Nein, sie lesen keine Zeitung.
Ja, er liest eine Zeitung.
Nein, er liest keine Zeitung.
Ja, Sie lesen eine Zeitung.
Nein, Sie lesen keine Zeitung.

liest lesen

5. Verb Substitution

Emil spricht Deutsch. (lesen)   *Emil liest Deutsch.*

Berta liest eine Zeitung. (haben)	Berta hat eine Zeitung.
Sie versteht Französisch. (sprechen)	Sie spricht Französisch.
Ich spreche Russisch. (lesen)	Ich lese Russisch.
Jakob hat eine Zeitung. (finden)	Jakob findet eine Zeitung.
Wir sprechen Italienisch. (schreiben)	Wir schreiben Italienisch.
Wer liest Deutsch? (sprechen)	Wer spricht Deutsch?
Versteht sie Deutsch? (lesen)	Liest sie Deutsch?

III. MODAL VERBS

German modal auxiliaries, like English modals, are verbs that indicate the manner or mode in which something is done.

Basic Meanings

Ich **will** gehen.	I *want* (intend) to go. (Will or volition)
Ich **muß** gehen.	I *must* (have to) go. (Force or compulsion)
Ich **kann** gehen.	I *can* (am able to) go. (Ability)
Ich **darf** gehen.	I *may* (am permitted to) go. (Permission)
Ich **mag** das Buch.	I *like* the book. (Liking or inclination)
Ich **soll** gehen.	I *am supposed* to go. (I *am* to go.) (Obligation)

Können and **mögen** may also be used to indicate possibility: **Das *kann* sein** or **das *mag* sein.** (That *may* be.)

Forms

INFINITIVE					
wollen	ich	will	wir		wollen
müssen	er	muß	sie		müssen
können	sie	kann	Sie		können
dürfen	es	darf			dürfen
mögen		mag			mögen
sollen		soll			sollen

Just as in English, a modal auxiliary is generally accompanied by the infinitive of another verb: **Ich *muß* heute *gehen*.** Note that this infinitive is usually found at the end of the clause and is never preceded by zu (*to*):

Ich *will* morgen nach Hause *gehen*.
I *want* to go home tomorrow.

6. Question-Answer

können   *das kann*

Kann Hans heute kommen?   Come.   *Nein, er kann heute nicht kommen.*

_____ sie (*they*) _____?   Nein, sie können heute nicht kommen.
_____ Sie I_____?   Nein, ich kann heute nicht kommen.
_____ Sie (*pl.*) _____?   Nein, wir können heute nicht kommen.
_____ Liese _____?   Nein, sie kann heute nicht kommen.

wollen   *I will*

who *Wer will Deutsch lernen?* (*ich*)[1]   *Ich will Deutsch lernen.*

_____ Französisch ___?   (wir)   Wir wollen Französisch lernen.
_____ Spanisch ____?   (Ernst)   Ernst will Spanisch lernen.
_____ Russisch _____?   (Hans   Hans und ich wollen Russisch lernen.
       und ich)
_____ Italienisch ____?   (Benno)   Benno will Italienisch lernen.

müssen   *Ich muß*

Wann müssen Sie zu Hause sein?   *Ich muß morgen zu Hause sein.*

_____ sie (*she*) _____?   Sie muß morgen zu Hause sein.
_____ wir _____? (Sie)   Sie müssen morgen zu Hause sein.
_____ er _____?   Er muß morgen zu Hause sein.
_____ sie (*they*) _____?   Sie müssen morgen zu Hause sein.

7. Replacement

Er muß heute hier sein.

Wir _____.   Wir müssen heute hier sein.
___ wollen _____.   Wir wollen heute hier sein.
Sie (*she*) _____.   Sie will heute hier sein.
___ kann _____.   Sie kann heute hier sein.
Sie (*you*) _____.   Sie können heute hier sein.

Heute muß ich Frau Bopp helfen.

_____ wir _____.   Heute müssen wir Frau Bopp helfen.
_____ wollen _____.   Heute wollen wir Frau Bopp helfen.
_____ er _____.   Heute will er Frau Bopp helfen.
_____ kann _____.   Heute kann er Frau Bopp helfen.
_____ sie (*they*) _____.   Heute können sie Frau Bopp helfen.

[1] Cues are given whenever one particular answer is desired or when more than one answer is possible.

clese in meaning

möchte + will – WANt to

8. Question-Answer

dürfen *May*

Wann darf ich kommen?   Sie dürfen jetzt kommen. *Now.*

_____ wir _____? (Sie)	Sie dürfen jetzt kommen.
_____ er _____?	Er darf jetzt kommen.
_____ sie *(they)* _____?	Sie dürfen jetzt kommen.
_____ sie *(she)* _____?	Sie darf jetzt kommen.

9. Replacement

Er darf jetzt gehen.

_____ nicht _____.	Er darf nicht gehen.
_____ kommen.	Er darf nicht kommen.
Wir _____.	Wir dürfen nicht kommen.
_____ heute _____.	Wir dürfen heute kommen.
__ müssen _____.	Wir müssen heute kommen.
Ich _____.	Ich muß heute kommen.

Er will morgen hier sein. *be*

__ kann _____.	Er kann morgen hier sein.
Sie *(they)* _____.	Sie können morgen hier sein.
__ wollen _____.	Sie wollen morgen hier sein.
Anna _____.	Anna will morgen hier sein.

10. Question-Answer

sollen and **wollen**

Wann soll (shall) Hans kommen?   Um drei Uhr, wenn er will.

_____ Inge _____?	Um drei Uhr, wenn sie will.
_____ Klara und Lili __?	Um drei Uhr, wenn sie wollen.
_____ wir _____? (Sie)	Um drei Uhr, wenn Sie wollen.
_____ ich _____?	Um drei Uhr, wenn Sie wollen.

11. Replacement

Soll ich Frau König helfen?

Muß _____?	Muß ich Frau König helfen?
__ wir _____?	Müssen wir Frau König helfen?
Können _____?	Können wir Frau König helfen?
__ er _____?	Kann er Frau König helfen?
Darf _____?	Darf er Frau König helfen?
__ sie *(they)* _____?	Dürfen sie Frau König helfen?
Wollen _____?	Wollen sie Frau König helfen?
__ Anna _____?	Will Anna Frau König helfen?

12. Question-Answer

mögen   mag/~ like

Mögen Sie das?	*Nein, ich mag das nicht.*
_____ er _____?	Nein, er mag das nicht.
_____ sie (*they*) _____?	Nein, sie mögen das nicht.
_____ sie (*she*) _____?	Nein, sie mag das nicht.

IV. THE FORM *MÖCHTE*   Modal

Möchte, which means *would like,* is a popular conversational subjunctive form of **mögen** that is used to express a polite wish:

ich
er
sie   } **möchte**
es

wir
sie   } **möchten**
Sie

13. Repetition

Ich (er) **möchte** die Zeitung lesen.	I (he) *would like* to read the paper.
Was **möchten** Sie sagen?	What *would* you *like* to say?
Möchten Sie jetzt gehen?	*Would* you *like* to go now?

14. Question-Answer

Möchten Sie heute gehen?	*Nein, ich möchte morgen gehen.*
_____ er _____?	Nein, er möchte morgen gehen.
_____ sie (*they*) _____?	Nein, sie möchten morgen gehen.
_____ sie (*she*) _____?	Nein, sie möchte morgen gehen.
_____ Sie (*pl.*) _____?	Nein, wir möchten morgen gehen.

REVIEW   Mon + J. 25

English-German Patterns

Are we learning German?	Lernen wir Deutsch?
Is he studying in Heidelberg?	Studiert er in Heidelberg?
Is he helping Mrs. Hohlfeld?	Hilft er Frau Hohlfeld?
Is she reading a newspaper?	Liest sie eine Zeitung?
Is the class learning fast?	Lernt die Klasse schnell?

Does she find Spanish difficult?	Findet sie Spanisch schwer?
Does he have the book?	Hat er das Buch?
Do you have the newspaper?	Haben Sie die Zeitung?
Do you speak German?	Sprechen Sie Deutsch?
Do you understand everything?	Verstehen Sie alles?
I don't understand that.	Ich verstehe das nicht.
He doesn't like that.	Er mag das nicht.
She isn't helping Mrs. Koch.	Sie hilft Frau Koch nicht.
They aren't coming today.	Sie kommen heute nicht.
We aren't reading the book.	Wir lesen das Buch nicht.
They want to go now.	Sie wollen jetzt gehen.
We can go now.	Wir können jetzt gehen.
He is permitted to go now.	Er darf jetzt gehen.
She has to go now.	Sie muß jetzt gehen.
We have to go now.	Wir müssen jetzt gehen.
He can't come today.	Er kann heute nicht kommen.
She doesn't want to go today.	Sie will heute nicht gehen.
We don't intend to go today.	Wir wollen heute nicht gehen.
Anna isn't supposed to go today.	Anna soll heute nicht gehen.
I am not allowed to go today.	Ich darf heute nicht gehen.
I would like to read the book.	Ich möchte das Buch lesen.
He would like to go tomorrow.	Er möchte morgen gehen.
She would like to learn German.	Sie möchte Deutsch lernen.
We would like to stay (*bleiben*) home.	Wir möchten zu Hause bleiben.
Do you speak French?	Sprechen Sie Französisch?
Does he write Russian?	Schreibt er Russisch?
Does she read Latin?	Liest sie Latein?
Do they understand Dutch?	Verstehen sie Holländisch?
Does he like to read?	Liest er gern?
Do they like to learn?	Lernen sie gern?
Does she like to write?	Schreibt sie gern?
Does he like to speak German?	Spricht er gern Deutsch?

General Questions

1. Sprechen Sie Deutsch?   2. Sprechen Sie es gut?   3. Sprechen Sie schon lange Deutsch?   4. Wollen Sie es besser lernen?   5. Verstehen Sie alles?   6. Spreche ich zu schnell?   7. Sprechen Sie Französisch?   8. Ist die Aussprache schwer? 9. Haben Sie noch andere Sprachen gelernt?   10. Finden Sie Deutsch schwer? 11. Sprechen Sie auch Spanisch?   12. Können Sie Latein lesen?   13. Können Sie Dänisch verstehen?   14. Kommen Sie aus Afrika?   15. Wo leben Sie? In Rußland? 16. Möchten Sie noch mehr Deutsch lernen?   17. Schreiben Sie gern?   18. Studieren Sie im Sommer?   19. Wann beginnen wir Aufgabe drei?   20. Wo ist der Lehrer?   21. Spricht der Lehrer über die Aufgabe?   22. Möchten Sie heute singen?   23. Singen Sie gern?   24. Wann müssen Sie zu Hause sein?   25. Welche (*which*) Aufgabe sollen Sie für heute lernen?

VERB SUMMARY

INFINITIVE						
bleiben (*remain*)		bleibe		bleibt		bleiben
finden (*find*)		finde		findet		finden
haben (*have*)		habe		hat		haben
helfen (*help*)		helfe		hilft		helfen
leben (*live*)		lebe	er	lebt	wir	leben
lernen (*learn*)	ich	lerne	sie	lernt	sie	lernen
lesen (*read*)		lese	es	liest	Sie	lesen
schreiben (*write*)		schreibe		schreibt		schreiben
singen (*sing*)		singe		singt		singen
sprechen (*speak*)		spreche		spricht		sprechen
verstehen (*understand*)		verstehe		versteht		verstehen
dürfen (*be permitted*)				darf		dürfen
können (*be able*)				kann		können
müssen (*be compelled*)			ich	muß	wir	müssen
sollen (*be obliged*)			er	soll	sie	sollen
wollen (*want*)			sie	will	Sie	wollen
mögen (*like*)			es	mag		mögen
mögen (conversational subjunctive form)				möchte		möchten

A

DEUTSCHE SCHULEN

Seit Kriegsende hat man viele moderne Schulen in Deutschland gebaut. Hier (A) sieht man ein neues Gymnasium[1] in der Stadt Hannover. Das große Gebäude[2] im Hintergrund[3] ist die Turnhalle.[4]

[1] new college preparatory school   [2] large building   [3] in the background   [4] gym

B

Wenn ein Kind sechs Jahre alt ist, kommt es in die Volksschule.[5] Die ersten[6] vier Jahre der Volksschule nennt man[7] die Grundschule.[8] In der Grundschule lernen die Kinder[9] Lesen, Schreiben, Rechnen[10] und so weiter,[11] genauso wie[12] die Kinder in Amerika (B, Klassenzimmer).

Die meisten[13] Kinder tragen[14] ihre Bücher, Hefte und Bleistifte[15] in Schultaschen[16] (C). Zu Hause müssen sie viele Schulaufgaben[17] machen.

Mit zehn Jahren gehen viele Kinder (etwa[18] 25%) entweder[19] in die Mittelschule[20] oder in die Höhere Schule,[21] Oberschule genannt.[22] In diesen[23] Schulen lernen sie Fremdsprachen[24] (gewöhnlich Englisch und Französisch). Sie müssen fleißig lernen, denn[25] nur mit dem Abschlußzeugnis[26] einer Höheren Schule darf man an einer deutschen Universität studieren. In der Höheren Schule erteilt man Unterricht[27] in Deutsch, Englisch, Französisch, Latein (manchmal Griechisch), Mathematik, Physik, Chemie,[28] Biologie, Geschichte,[29] Geographie, Kunsterziehung,[30] Musik, Religion und Leibesübungen.[31] In den Städten[32] gehen Jungen und Mädchen[33] heute in dieselben[34] Schulen. Koedukation gab es früher[35] nur in den Landschulen.[36]

[5] grade school   [6] first   [7] one calls   [8] elementary school   [9] (*pl.*)
[10] arithmetic   [11] and so forth   [12] just as   [13] most   [14] carry   [15] (*pl. forms*)
[16] satchel for school books, pencils, etc.   [17] homework
[18] about   [19] either   [20] secondary school with a six-year course of study
[21] college preparatory school with a nine-year course of study   [22] called the *Oberschule*
(or *Gymnasium*), modern secondary school   [23] these   [24] foreign languages   [25] for
[26] graduation certificate   [27] they give instruction   [28] chemistry   [29] history
[30] art training   [31] physical education   [32] cities   [33] boys and girls   [34] the same
[35] there was formerly   [36] rural schools

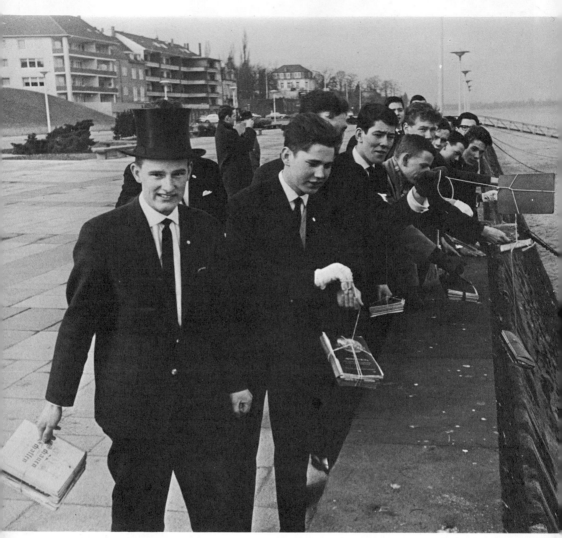

D

Diese jungen Männer[37] in Bonn (D) sind froh,[38] denn sie haben das Schlußexamen (das Abitur) bestanden.[39] Hier werfen[40] sie anscheinend[41] ihre Bücher in den Rhein. Aber für die meisten bedeutet[42] das Abitur nicht das Ende ihrer Schulzeit,[43] denn ungefähr[44] 75% der Abiturienten[45] studieren weiter[46] an einer Hochschule[47] oder Universität.

[37] these young men   [38] happy   [39] for they have passed the final examination for graduation   [40] throw   [41] seemingly, apparently   [42] means   [43] the end of their schooling   [44] for approximately   [45] of those who have passed the *Abitur*   [46] continue to study   [47] college

AUFGABE DREI

DANN — THEN
DENN — for

KÖNNEN SIE MIR SAGEN . . . ?

Rudi Wolf sucht eine Buchhandlung, denn er möchte ein Buch über den Schwarzwald kaufen.

[1] WOLF: Verzeihen Sie, bitte! Können Sie mir sagen, wo die nächste Buchhandlung ist?

[2] POLIZIST: Die Buchhandlung von Nadler ist gleich um die Ecke.

[3] WOLF: Rechts oder links?

[4] POLIZIST: Rechts um die Ecke und dann geradeaus! Sie ist unge- *nearly* fähr zwei Minuten von hier.

[5] WOLF: Danke schön!

[6] POLIZIST: Bitte schön!

[7] VERKÄUFER: Guten Morgen, mein Herr! Sie wünschen?

[8] WOLF: Ich möchte ein Buch über den Schwarzwald.

[9] VERKÄUFER: Es tut mir leid, wir haben kein Buch über den Schwarzwald.

[10] WOLF: Können Sie mir vielleicht sagen, wo ich eines bekommen kann?

[11] VERKÄUFER: Versuchen Sie es einmal bei Pfisters, die erste Straße links!

[12] WOLF: Wie bitte? Wie heißt das Geschäft?

[13] VERKÄUFER: Die Buchhandlung von Pfister; sie ist gar nicht weit von hier. Wünschen Sie sonst noch etwas?

[14] WOLF: Ja, können Sie mir auch noch sagen, wo die nächste Bank ist?

[15] VERKÄUFER: Die zweite Tür rechts, bitte.

[16] WOLF: Danke sehr. Auf Wiedersehen!

[17] VERKÄUFER: Auf Wiedersehen!

LESSON 3

CAN YOU TELL ME . . . ?

Rudi Wolf is looking for a bookstore, for he would like to buy a book about the Black Forest.

[1] WOLF: Pardon me please. Can you tell me where the nearest bookstore is?

[2] POLICEMAN: Nadler's Bookstore is just around the corner.

[3] WOLF: To the right or to the left?

[4] POLICEMAN: Around the corner to the right and then straight ahead. It's about two minutes from here.

[5] WOLF: Thanks very much.

[6] POLICEMAN: You are very welcome.

[7] SALESMAN: Good morning, sir! Do you wish something?

[8] WOLF: I would like a book about the Black Forest.

[9] SALESMAN: I'm sorry; we don't have a book about the Black Forest.

[10] WOLF: Can you perhaps tell me where I can get one?

[11] SALESMAN: Try Pfister's, the first street to the left.

[12] WOLF: I beg your pardon. What is the name of the store?

[13] SALESMAN: Pfister's Bookstore; it's not at all far from here. Do you wish anything else?

[14] WOLF: Yes. Can you also tell me where the nearest bank is?

[15] SALESMAN: The second door to the right.

[16] WOLF: Thanks a lot. Good-by!

[17] SALESMAN: Good-by!

VOCABULARY BUILDING

Expressing Appreciation

Danke.	Bitte.
Danke sehr.	Bitte sehr.
Danke schön.	Bitte schön.
Besten Dank.	Nichts zu danken.[1]
Vielen Dank.	Gern geschehen.[2]

Asking Directions

Neuter

Wo ist
- ein Friseurgeschäft?[3]   *BarBer*
- ein Hotel?
- ein Restaurant?
- das Krankenhaus?[4]
- das Museum?
- das Rathaus?[5]
- das Schwimmbad?
- das Studentenheim?
- das Theater?

das Wörterbuch Dictionary

fem

Können Sie mir sagen, wo
- eine Apotheke[6]
- eine Bank
- eine Buchhandlung
- die Bibliothek[7]
- die Post[8]
- die Schule
- die Universität

ist?

masc

Wie komme ich
- zum Bahnhof?[9]   *Der R.R. station*
- zum Dom?[10]   *cath*
- zum Stadtpark?[11]
- zur Bibliothek?   *Die*
- zur Post?

to the der Bürgermeister Mayor

Giving Directions

Wo ist die Post?
- Gleich (gerade) um die Ecke.
- Rechts (links) um die Ecke.
- Geradeaus.

---

[1] Don't mention it.   [2] You're quite welcome.   [3] barbershop   [4] hospital
[5] town hall   [6] pharmacy   [7] library   [8] post office   [9] railroad station (*m.*)
[10] cathedral (*m.*)   [11] city park (*m.*)

Wo wohnt er? {
Die zweite Tür rechts.
In der Parkstraße.
Oben.[12] *Upstairs*
Unten.[13] *Down*
}

Wo ist sie? {
Draußen.[14] *Outside*
Drinnen.[15] *inside*
Hier.
Da (dort) drüben.
}

PRONUNCIATION DRILL

Long and short vowels

Long vowels are very long, and short vowels are very short and clipped. A vowel letter represents a long vowel when it is doubled, when followed by an h in the same syllable, and usually when followed by a single consonant letter. A vowel letter followed by two or more consonant letters generally represents a short vowel. In the pronunciation of long vowels there is no off-glide such as that which can be heard in the English words *say* (sa-ee) and *so* (so-u).

Long a [a:] (spelled aa, ah, a) like a in *father*, but somewhat longer: Saal, Waage, Haar, fahren, Fahne, sagen, raten, malen, Vater.

Short a [a] like a in *artistic:* Mann, machen, rasch, Salz, Stamm, spalten, was.

Long e [e:] (spelled ee, eh, äh, e) resembles a in *gate*, but with the tongue more tense, the corners of the mouth drawn farther back, and with no diphthongal glide: See, leer, gehen, sehen, sähen, mähen, Leben.

Short e [e] (spelled e, ä) like e in *set*, but more clipped: nett, Lende, Wände.

Unaccented e [ə] like e in *the* in the combination *the man*. It occurs chiefly in unaccented prefixes and endings: befreunde, gewinne, komme, fragte.

Practice with your model both vertically and horizontally:

LONG	SHORT	LONG	SHORT	LONG	SHORT	LONG	SHORT
Staat	Stadt	Beeren	Berta	Oper	Opfer	Mut	Mutter
Maat	Matte	Beten	Betten	Tor	Torte	Ruhm	Rum
Kahn	kann	den	denn	oben	ob	Schule	Schulter
fahl	Fall	Reeder	Retter	Bohne	Bonn	Buhle	Bulle

[12] upstairs   [13] downstairs   [14] outside   [15] inside

DIALOGUE VARIATIONS

A. Verzeihen Sie, bitte! Können Sie mir sagen, wo die nächste Bank ist?

B. Gehen Sie links um die Ecke und dann geradeaus.

A. Ist sie weit von hier?   *About*

B. Oh, nein, wirklich nicht! Ungefähr drei Minuten von hier.

A. Danke schön.

B. Nichts zu danken.

A. Wohin gehen Sie?

B. Ich gehe zur Bibliothek, und wohin gehen Sie?

A. Ich muß zum Rathaus gehen.

B. Ist es weit von hier?

A. Nein, es ist das Gebäude[1] dort drüben.

A. Guten Tag! Sie wünschen?

B. Ich möchte eine Zeitung kaufen.

A. Eine deutsche Zeitung?

B. Ja, bitte. Haben Sie die „Berliner Zeitung"?

A. Jawohl.[2] Bitte schön.[3]

B. Danke schön. Was kostet sie? (Wieviel kostet sie?)

A. Fünfzehn[4] Pfennig,[5] bitte.

CONVERSATIONAL PATTERNS

I. NOMINATIVE CASE

The subject of a sentence is always in the nominative case:

> **Sie** ist nicht hier.
> **Der Student** ist da drüben.

A predicate noun, i.e., a noun that follows any form of the verb **sein**, is also in the nominative:

> Der Herr da drüben ist **der Bürgermeister** (*mayor*).

---

[1] building   [2] Yes indeed.   [3] Here you are.   [4] fifteen   [5] A pfennig is $\frac{1}{100}$ mark; a mark (DM) is equivalent to about twenty-five cents in United States currency.

1. Repetition

Wo ist das Restaurant?   Die Apotheke ist dort drüben.
Wie heißt die Schule?   Der Stadtpark ist nicht weit von hier.
Das Krankenhaus ist um die Ecke.   Wie komme ich zum Schwimmbad?
Gehen Sie jetzt zur Post?   Ist das ein Museum?
Wohnt er in der Parkstraße?   Der Herr ist mein Vater.
Hier ist das Rathaus.   Das ist das Rathaus, nicht wahr?

Mas. only

II. ACCUSATIVE CASE

A direct object is in the accusative case:

> Ich suche **den Bleistift.**
> Klara hat **das Buch.**
> Wir lesen **die Zeitung.**

Note that only the masculine articles change in the accusative; the others are the same as in the nominative case.

	MASCULINE	NEUTER	FEMININE
NOM.	der ein kein	das	die
		ein	eine
ACC.	den einen keinen	kein	keine

2. Repetition

Er hat den Bleistift.   Sie sucht die Zeitung.
Er hat einen Bleistift.   Sie sucht eine Zeitung.
Er hat keinen Bleistift.   Sie sucht keine Zeitung.
Ich lese das Buch.   Wir kaufen den Roman (*novel*).
Ich lese ein Buch.   Wir kaufen einen Roman.
Ich lese kein Buch.   Wir kaufen keinen Roman.

(handwritten margin notes: Der / The / einen eine ein / A)

3. Definitive Article <> Indefinite Article

Ich suche die Bibliothek.   _Ich suche eine Bibliothek._
Er sucht einen Kugelschreiber.   _Er sucht den Kugelschreiber._

Wir suchen das Museum.   Wir suchen ein Museum.
Sie sucht einen Bleistift.   Sie sucht den Bleistift.
Oskar sucht ein Friseurgeschäft.   Oskar sucht das Friseurgeschäft.
Der Herr sucht den Roman.   Der Herr sucht einen Roman.
Axel und Heinz suchen eine Zeitung.   Axel und Heinz suchen die Zeitung.
Sie suchen das Theater.   Sie suchen ein Theater.
Wir suchen den Lehrer.   Wir suchen einen Lehrer.
Ich suche ein Studentenheim.   Ich suche das Studentenheim.

4. Question-Answer

Was hat das Mädchen? (Buch)   _Das Mädchen hat ein Buch._

_____ Anna? (Kugelschreiber)   Anna hat einen Kugelschreiber.
_____ Hans? (Roman)   Hans hat einen Roman.
_____ Sie? (Heft)   Ich habe ein Heft. _(das)_
_____ das Kind? (Bleistift)   Das Kind hat einen Bleistift.
_____ die Mutter? (Zeitung)   Die Mutter hat eine Zeitung.

Hat Klaus einen Roman?   _Nein, er hat keinen Roman._

Sucht er ein Buch?   Nein, er sucht kein Buch.
Haben Ilse und Marta einen Lehrer?   Nein, sie haben keinen Lehrer.
Suchen Sie eine Zeitung?   Nein, ich suche keine Zeitung.
Kauft Willi einen Kugelschreiber?   Nein, er kauft keinen Kugelschreiber.

Was sucht er? (Bahnhof)   _Er sucht den Bahnhof._

Was sucht sie? (Bibliothek)   Sie sucht die Bibliothek. _(Definite)_
Was suchen sie? (Roman)   Sie suchen den Roman.
Was suchen Sie? (Dom)   Ich suche den Dom. _(Cathed)_
Was suchen Sie (_pl._)? (Rathaus)   Wir suchen das Rathaus.

Hat Kurt eine Lehrerin? (Lehrer)   _Nein, Kurt hat einen Lehrer._

Kauft Anna einen Kugelschreiber? (Bleistift)   Nein, Anna kauft einen Bleistift.
Lesen Sie ein Drama? (Roman)   Nein, ich lese einen Roman.
Hat Hans eine Freundin? (Freund)   Nein, Hans hat einen Freund.
Sucht der Herr den Bahnhof? (Dom)   Nein, der Herr sucht den Dom.

Ich gehe (handwritten)

III. ACCUSATIVE PREPOSITIONS

The accusative is used after the following prepositions:

durch	*through*	**ohne**	*without*
für	*for*	**um**	*around, at*
gegen	*against*		

Er geht **um das Haus.**
Das ist **für einen Freund.**

It should be noted that prepositions will often have a very different meaning when used in certain idiomatic expressions.

5. Repetition

Wer kommt durch die Tür?
Für den Lehrer ist Deutsch leicht.
Da kommt mein Freund um die Ecke!
Er bittet um (*asks for*) ein Buch.

Ich habe nichts (*nothing*) gegen das Mädchen.
Ohne einen Lehrer lernt man langsam.
Gehen Sie oft durch den Stadtpark?

6. Question-Answer

Was hat er gegen den Mann?

_____ Hotel?
_____ Friseurgeschäft?
_____ Roman?
_____ Universität?

Er hat nichts gegen den Mann.

Er hat nichts gegen das Hotel.
Er hat nichts gegen das Friseurgeschäft.
Er hat nichts gegen den Roman.
Er hat nichts gegen die Universität.

Kaufen Sie das für einen Freund?

_____ Lehrer?

_____ Kind?
_____ Frau?

Nein, für einen Freund kaufe ich das nicht.

Nein, für einen Lehrer kaufe ich das nicht.
Nein, für ein Kind kaufe ich das nicht.
Nein, für eine Frau kaufe ich das nicht.

Lernen Sie oft ohne einen Lehrer?

Sind Sie um vier Uhr zu Hause?
Gehen Sie (*pl.*) durch den Park?
Haben Sie etwas für das Kind?
Ist er gegen den Vater?
Bittet sie um ein Wörterbuch (*dictionary*)?

Nein, ich lerne nie (never) ohne einen Lehrer.

Nein, ich bin nie um vier Uhr zu Hause.
Nein, wir gehen nie durch den Park.
Nein, ich habe nie etwas für das Kind.
Nein, er ist nie gegen den Vater.
Nein, sie bittet nie um ein Wörterbuch.

Nie — Never (handwritten)
Bitter Asks for (handwritten)

IV. ACCUSATIVE PERSONAL PRONOUNS

Only three accusative forms are different from the nominative pronouns:

NOM.	ich	er	sie	es	wir	sie	Sie
ACC.	mich	ihn	sie	es	uns	sie	Sie

Das ist **für mich.**
Ich habe nichts **gegen ihn.**

7. Repetition

Haben Sie etwas für mich?
Wir haben nichts für Sie.
Ich habe nichts gegen ihn.

Ohne sie kann ich nicht leben.
Ich glaube, er mag uns nicht.
Wir können es nicht verstehen.

8. Noun > Pronoun

Ich habe etwas für Paul.

Ich habe etwas für ihn.

Er hat etwas für Anna.
Ich lese den Roman.
Er liest die Zeitung.
Ich habe nichts gegen den Lehrer.
Ich suche die Bibliothek.
Ich kann das Krankenhaus nicht finden.

Er hat etwas für sie.
Ich lese ihn.
Er liest sie.
Ich habe nichts gegen ihn.
Ich suche sie.
Ich kann es nicht finden.

9. Question-Answer

Ist das für Hans?

Ja, das ist für ihn.

Haben Sie etwas für Ilse?
Sehen Sie Hans und Fritz?
Suchen Sie den Bleistift?
Kommt er ohne Ilse und Fritz?
Lesen Sie die Zeitung?

Ja, ich habe etwas für sie.
Ja, ich sehe sie.
Ja, ich suche ihn.
Ja, er kommt ohne sie.
Ja, ich lese sie.

Hat er etwas für Sie?

Nein, er hat nichts für mich.

Haben Sie etwas für mich?
Hat er etwas gegen Sie?
Hat er etwas gegen Sie *(pl.)*?
Haben Sie etwas für uns?
Haben sie etwas für Sie?

Nein, ich habe nichts für Sie.
Nein, er hat nichts gegen mich.
Nein, er hat nichts gegen uns.
Nein, ich habe nichts für Sie.
Nein, sie haben nichts für mich.

V. WORD ORDER PATTERNS

Regular word order (subject-verb) is a common pattern of speech:

Das ist sehr interessant.

After the coordinating conjunctions **und** (*and*), **aber** (*but*), **oder** (*or*), **denn** (*for*), and <u>sondern</u> (*but on the contrary*), regular word order is used:

Ich lerne Französisch, **aber ich finde** es schwer.

Inverted word order (verb-subject) is generally used in a question:

Kommt er nach Hause?

what time Wann **kommt er** nach Hause?

Inverted word order is used if an element other than the subject begins the main clause, which is often the case. Regardless of what element stands at the beginning, <u>the conjugated verb is the second element in a main clause.</u>[1]

Heute **bleibt er** zu Hause.
Das **verstehe ich** schon.

10. Repetition

Die Musik spielt (*plays*), und wir beginnen zu tanzen (*dance*).

Ich kenne ihn gut, aber er hat <u>wenig</u> (*little*) zu sagen.

Das ist interessant, aber ich glaube es nicht.

Er ist heute nicht hier, denn er ist krank.

Bleiben Sie hier, oder gehen Sie nach Hause?

Heute kommt er nicht, sondern er bleibt zu Hause.

11. Coordinating Conjunctions

Er kennt mich. (aber) Er spricht nicht mit mir.

Uli und Hans kommen. (und)
Wir gehen zur Schule.

Peter ist nicht hier. (aber)
Fritz ist schon hier.

Können Sie jetzt kommen? (oder)
Müssen Sie zu Hause bleiben?

Er kennt mich, aber er spricht nicht mit mir.

Uli und Hans kommen, und wir gehen zur Schule.

Peter ist nicht hier, aber Fritz ist schon hier.

Können Sie jetzt kommen, oder müssen Sie zu Hause bleiben?

[1] Words such as *ja, nein,* and the coordinating conjunctions do not belong to the main sentence and consequently do not change the word order.

wenig - little

Ist das Herr Braun? (oder)   Ist das Herr Braun, oder (ist das) Herr
Ist das Herr Keller?   Keller?

Sie kann nicht kommen. (denn)   Sie kann nicht kommen, denn sie ist
Sie ist krank.   krank.

Er geht heute nicht fort (*away*).   Er geht heute nicht fort, sondern er
(sondern)   bleibt zu Hause.
Er bleibt zu Hause.

12. Word Order

Begin with the word in boldface type.

*Er kommt **heute** nach Hause.*   *Heute kommt er nach Hause.*

Er kann **das** nicht verstehen.   Das kann er nicht verstehen.
Heute geht **sie** nach Hause.   Sie geht heute nach Hause.
Er kommt **wann?**   Wann kommt er?
Jetzt geht **er** nach Hause.   Er geht jetzt nach Hause.
Sie ist nicht **hier.**   Hier ist sie nicht.
Er kommt **morgen.**   Morgen kommt er.
Er arbeitet (*is working*) **jetzt.**   Jetzt arbeitet er.

VI. MORE WORD ORDER PATTERNS

Word order with modal auxiliaries (**wollen, können, etc.**) generally requires that the dependent infinitive be placed at the end of the clause:

Er **kann** das nicht **verstehen.**

T-P

Time before place is the usual word order whenever adverbs or adverbial phrases of both time and place are found in the same clause:

Sie geht **heute nach Hause.**

The negative **nicht** generally stands at or near the end of the sentence. It precedes the infinitive, an adverb of place, and prepositional phrases:

Ich kann das **nicht** glauben.
Sie ist **nicht** hier.
Wir gehen **nicht** nach Hause.

Note, however, that **nicht** usually follows a direct object:

Er kennt (*knows*) das Mädchen **nicht.**

weit

13. Word Order

Er versteht das nicht. (können) · *Er kann das nicht verstehen.*

Er lernt Deutsch. (wollen) · Er will Deutsch lernen.
Sie bleibt zu Hause. (müssen) · Sie muß zu Hause bleiben.
Spricht er mit dem Lehrer? (dürfen) · Darf er mit dem Lehrer sprechen?
Was tut er heute? (sollen) · Was soll er heute tun?

Begin with the word in boldface type.

*Heute geht **sie** nach Hause.* · *Sie geht heute nach Hause.*

Morgen gehe **ich** zur Schule. · Ich gehe morgen zur Schule.
Heute geht **er** zur Post. · Er geht heute zur Post.
Um drei Uhr geht **Ulrich** zum Stadtpark. · Ulrich geht um drei Uhr zum Stadtpark.
Jetzt geht **sie** zum Bahnhof. · Sie geht jetzt zum Bahnhof.
Um halb vier gehen **wir** zum Schwimm- · Wir gehen um halb vier zum Schwimm-
bad. · bad.

14. Affirmative > Negative

Er kommt heute nach Hause. (nicht) · *Er kommt heute nicht nach Hause.*

Das kann ich verstehen. · Das kann ich nicht verstehen.
Er kommt. · Er kommt nicht.
Sie ist hier. · Sie ist nicht hier.
Wir gehen nach Hause. · Wir gehen nicht nach Hause.
Er liebt (*loves*) mich. · Er liebt mich nicht.
Ich kenne ihn gut. · Ich kenne ihn nicht gut.

15. Ein > kein

Ich habe ein Buch. · *Ich habe kein Buch.*

Er hat einen Kugelschreiber. · Er hat keinen Kugelschreiber.
Ich habe eine Schwester (*sister*). · Ich habe keine Schwester.
Er hat ein Rad (*bicycle*). · Er hat kein Rad.
Wir haben einen Wagen (*car*). · Wir haben keinen Wagen.

REVIEW

English-German Patterns

The hospital is around the corner. · Das Krankenhaus ist um die Ecke.
The bookstore is over there. · Die Buchhandlung ist da (dort) drüben.
The barbershop is downstairs. · Das Friseurgeschäft ist unten.
The school is over there. · Die Schule ist da (dort) drüben.
The cathedral isn't far from here. · Der Dom ist nicht weit von hier.

[handwritten margin notes: fem : zur - zu der / mas. zum - zu dem / unten - / to be sein / zum]

How do I get to the station?	Wie komme ich zum Bahnhof?
How do I get to the university?	Wie komme ich zur Universität?
How do we get to the library?	Wie kommen wir zur Bibliothek?
How do I get to the hotel?	Wie komme ich zum Hotel?
Do you have a pencil?	Haben Sie einen Bleistift?
Do you have a notebook?	Haben Sie ein Heft?
Does he have a newspaper?	Hat er eine Zeitung?
Do you have a novel?	Haben Sie einen Roman?
Are you looking for a restaurant?	Suchen Sie ein Restaurant? *für?*
Are you looking for a theater?	Suchen Sie ein Theater?
>Is he looking for the teacher?	Sucht er den Lehrer?
Are they looking for him?	Suchen sie ihn?
Is she looking for you?	Sucht sie Sie?
Do you have to go now?	Müssen Sie jetzt gehen?
Does she have to go now?	Muß sie jetzt gehen?
Is he able to go now?	Kann er jetzt gehen?
May he go now?	Darf er jetzt gehen?
>Are they supposed to go now?	Sollen sie jetzt gehen?
He is downstairs.	Er ist unten.
She is upstairs.	Sie ist oben.
⤳They are inside.	Sie sind drinnen.
Karl is outside.	Karl ist draußen.
Hans is over there.	Hans ist da (dort) drüben.
Where is the bank?	Wo ist die Bank?
Where is the post office?	Wo ist die Post?
Where is the theater?	Wo ist das Theater?
Where is the railroad station?	Wo ist der Bahnhof?
Where is the swimming pool?	Wo ist das Schwimmbad?
He has something for me.	Er hat etwas für mich.
I have something for you.	Ich habe etwas für Sie.
She has something for him.	Sie hat etwas für ihn.
He has something for her.	Er hat etwas für sie.
⤳ They have something for us.	Sie haben etwas für uns.
We have something for them.	Wir haben etwas für sie.

General Questions

1. Wo ist die nächste Buchhandlung? Ist sie weit von hier? 2. Möchten Sie einen Roman kaufen? 3. Wieviel kostet ein Roman? 4. Was kostet ein Heft? 5. Haben Sie ein Buch über den Schwarzwald? 6. Kennen Sie die Buchhandlung von Pfister? 7. Können Sie mir sagen, wo der Bahnhof ist? 8. Wie komme ich zum

Krankenhaus?   9. Wo ist die Post?   10. Wo wohnen Sie?   11. Wohin gehen Sie morgen?   12. Gehen Sie heute schwimmen (*swimming*)?   13. Möchten Sie heute eine Zeitung kaufen?   14. Arbeiten Sie zu Hause?   15. Haben Sie einen Freund? Eine Freundin?   16. Essen (*eat*) Sie gern Wiener Schnitzel?

Directed Questions[1]

1. Fragen Sie (*ask*) Fräulein ——, wie sie heißt!
2. Fragen Sie Herrn[2] ——, wo er wohnt!
3. Fragen Sie den Lehrer, wo das nächste Restaurant ist!
4. Fragen Sie Herrn ——, wo ein Friseurgeschäft ist!
5. Fragen Sie Fräulein ——, was sie liest!

[1] Use the following pattern for all **Fragen Sie . . .** exercises in this and subsequent lessons:
   LEHRER: Fragen Sie Fräulein ——, wie sie heißt!
   STUDENT: Wie heißen Sie?
   FRÄULEIN ——:   Ich heiße ——.
   LEHRER: Wie heißt sie?
   DIE GANZE (*whole*) KLASSE: Sie heißt ——.
[2] In all cases other than the nominative, **Herr** becomes **Herrn**.

VERB SUMMARY

INFINITIVE			
arbeiten (*work*)	arbeite	arbeitet	arbeiten
bekommen (*receive, get*)	bekomme	bekommt	bekommen
bitten (*ask, request*)	bitte	bittet	bitten
essen (*eat*)	esse	ißt	essen
fragen (*ask*)	frage	fragt	fragen
kaufen (*buy*)	kaufe	kauft	kaufen
kennen (*know, be acquainted with*) ich	kenne er sie	kennt wir sie	kennen
kosten (*cost*)	koste es	kostet Sie	kosten
lieben (*love*)	liebe	liebt	lieben
schwimmen (*swim*)	schwimme	schwimmt	schwimmen
spielen (*play*)	spiele	spielt	spielen
suchen (*seek*)	suche	sucht	suchen
tanzen (*dance*)	tanze	tanzt	tanzen
versuchen (*try*)	versuche	versucht	versuchen
wünschen (*wish*)	wünsche	wünscht	wünschen

A

z. B. for example

IN DER STADT

Wenn man eine fremde[1] Stadt besucht, muß man viele Fragen stellen,[2] z.B.[3] (zum Beispiel): „Wo ist der Dom?" „Bitte, können Sie mir sagen, wo der Bahnhof ist?" Kein Mann kann dem Ausländer[4] besser helfen als der Polizist[5] (A).

Der schöne Kölner[6] Dom (B) ist der größte gotische[7] Dom Nordeuropas. Er wurde 1248 begonnen[8] und 1880 vollendet.[9] Seine beiden Türme[10] sind 160 Meter hoch.[11]

[1] strange, foreign   [2] ask many questions   [3] for example   [4] foreigner
[5] policeman   [6] Cologne   [7] Gothic   [8] was begun   [9] was completed
[10] its two towers   [11] high

B

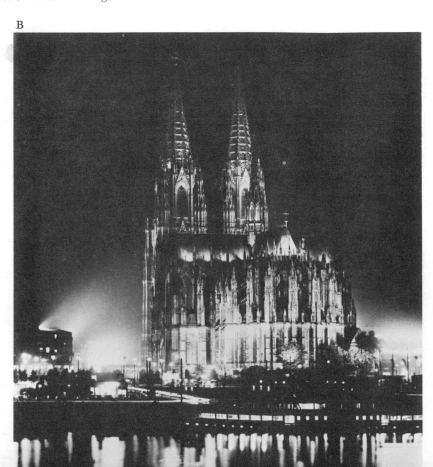

Jeden Sommer bewundern[12] viele Touristen die schönen Rathäuser und Dome[13] Deutschlands. München ist die Lieblingsstadt[14] vieler[15] Touristen, Studenten und Künstler.[16] König Ludwig I. von Bayern[17] sagte einmal:[18] „Ich will aus München eine Stadt machen, die Deutschland so zur Zierde gereichen soll,[19] daß keiner[20] Deutschland kennt, wenn er nicht München gesehen hat."[21] Hier sieht man das Rathaus und die Frauenkirche[22] (C).

[12] admire [13] (*pl. nouns*) [14] favorite city [15] of many [16] artists
[17] Bavaria [18] once [19] that shall bring such credit to Germany [20] no one
[21] if he has not seen Munich [22] Church of Our Lady

C

D

In Jahre 1945 lagen[23] Deutschlands Bahnhöfe[24] in Trümmern.[25] Jetzt sind sie wieder neu und modern. Im Bahnhof von Stuttgart (D) gibt es sogar ein Hotel und ein Kino.[26] Einige Großstädte[27] wie Berlin haben mehr als[28] einen Bahnhof.

[23] lay   [24] (*pl.*)   [25] rubble   [26] movie theater   [27] some large cities
[28] more than

E

Ausländer wechseln[29] ihr Geld[30] in einer Bank oder in einer Wechsel-stube[31] (E). Die ersten Banken[32] waren Bänke[33] auf dem Marktplatz,[34] wo man Geld wechselte. Man sagt noch heute: „Ich habe Geld auf der Bank."

[29] change   [30] their money   [31] office for changing money   [32] (*pl.*)
[33] benches   [34] marketplace

die D — der   dative
Von — from of
vor — Before
in front of

AUFGABE VIER

WIE SPÄT IST ES?

*Rudi Wolf spricht mit seiner „Studentenmutter". Er hat wenig Zeit,
denn er hat eine Verabredung mit Professor Werner.*

[1] WOLF: Wie spät ist es, Frau Keller?

[2] FRAU KELLER: Viertel nach acht.

[3] WOLF: Donnerwetter!

[4] FRAU KELLER: Was ist denn los, Herr Wolf?

[5] WOLF: Ich muß mich beeilen.

[6] FRAU KELLER: Warum denn?

[7] WOLF: Ich habe eine Verabredung mit Professor Werner.

[8] FRAU KELLER: Um wieviel Uhr?

[9] WOLF: Um halb neun.

[10] FRAU KELLER: So?   Da nehmen Sie am besten die Straßenbahn oder
den Bus zur Universität.

[11] WOLF: Gut!   Die nächste Haltestelle ist an der Ecke, nicht wahr?

[12] FRAU KELLER: Ja, gerade vor dem Hotel Tannenbaum.

[13] WOLF: Ach, wenn ich nur ein Fahrrad hätte!

[14] FRAU KELLER: Ja, beinah alle Studenten fahren mit dem Rad zur
Universität.   Aber machen Sie schnell!   Da kommt der Autobus!

[15] WOLF: Danke sehr!   Auf Wiedersehen!

[16] FRAU KELLER: Bis heute abend!   Viel Erfolg!

LESSON 4

WHAT TIME IS IT?

Rudi Wolf is talking with the "mother" of his student hostel. He has little time, for he has an appointment with Professor Werner.

[1] WOLF: What time is it, Mrs. Keller?

[2] MRS. KELLER: A quarter after eight.

[3] WOLF: Wow!

[4] MRS. KELLER: What's the matter, Mr. Wolf?

[5] WOLF: I've got to hurry.

[6] MRS. KELLER: But why?

[7] WOLF: I have an appointment with Professor Werner.

[8] MRS. KELLER: At what time?

[9] WOLF: At eight thirty.

[10] MRS. KELLER: Is that so?   Then you'd better take the streetcar or the bus to the university.

[11] WOLF: Good!   The nearest stop (streetcar or bus stop) is on the corner, isn't it?

[12] MRS. KELLER: Yes, just in front of the Hotel Tannenbaum.

[13] WOLF: Oh, if I only had a bicycle!

[14] MRS. KELLER: Yes, almost all the students get to the university by bicycle.   But hurry!   There comes the bus!

[15] WOLF: Thanks a lot!   Good-by!

[16] MRS. KELLER: See you tonight (this evening)!   Good luck!

VOCABULARY BUILDING

Time Expressions

Wie spät ist es?
Wieviel Uhr ist es?
{
Es ist ein Uhr.
Es ist eins.   *After*
Es ist zehn Minuten nach[1] sechs.
Es ist fünf Minuten vor[2] neun.
}

vor – before

Wann essen wir?
{
Wir essen um zwölf (Uhr).
Wir essen um halb acht.[3]
Um Viertel nach[4] sieben.
Um Viertel vor acht (drei Viertel acht).[5]
Morgens[6] um sechs Uhr.
Abends[7] um sieben Uhr.
}

Wie lange bleibt er hier?
{
Fünf Minuten.
Eine Stunde.[8] *– Hour*
Zwei Stunden.
}

Kommt er bald?[9]   *soon*
{
Ja, er kommt gerade.[10]
Ja, er kommt heute.
Ja, er kommt heute nachmittag.[11]   *afternoon*
Ja, er kommt heute morgen.   *m. early*
Ja, er kommt gewöhnlich[12] früh[13] nach Hause.   *usually*
Nein, er kommt heute spät nach Hause.
Ja, er kommt gleich (sogleich, sofort).[14]   *immediately*
}

Theater time and train, bus, and plane schedules are usually announced by the twenty-four-hour clock: 20 Uhr (acht Uhr abends), 13:30 (halb zwei nachmittags).

Mode of Travel

Fahren Sie
{
mit dem Wagen?[15]   *m.*
mit dem Zug?[16]   *Train   m.*
mit dem Rad (Fahrrad)?   *als N*
mit dem Auto?
mit dem Taxi?   *N*
mit dem Bus (Autobus)?
mit dem Schiff?[17]   *ship · N.*
mit dem Boot?   *N*
mit der Straßenbahn?   *f*
mit der Eisenbahn?[18]   *Rail   f*
}

[1] after   [2] to   [3] half past seven   [4] a quarter after   [5] a quarter to
[6] in the morning   [7] in the evening   [8] hour   [9] soon   [10] right now
[11] this afternoon   [12] usually   [13] early   [14] immediately   [15] car, vehicle (*m.*)
[16] train (*m.*)   [17] ship (*n.*)   [18] by rail (*f.*)

PRONUNCIATION DRILL

The umlauts *ü* [y: y] and *ö* [ø: ø]

Long ü [y:]   (spelled **ü, üh, y**) is produced by pronouncing long **i** [i:] with rounded lips: für, kühl, üben, typisch.

Short ü [y]   (spelled **ü, y**) is pronounced by pronouncing short **i** [i] with rounded lips: küssen, müssen, fünf, dünn, Mütter, Symbol.

Practice with your model the following pairs:

[i:] - [y:]	LIPS ⬭	LIPS ◯	LIPS ⬭	LIPS ◯	LIPS ◯
	liegen	lügen	vier	für	Analyse
	Riemen	rühmen	Tier	Tür	mythisch
	Biene	Bühne	Kiel	kühl	Lyrik
[i] - [y]	LIPS ⬭	LIPS ◯	LIPS ⬭	LIPS ◯	LIPS ◯
	Mitte	Mütter	Binde	Bünde	Symbol
	missen	müssen	sticke	Stücke	Tyrann
	Liste	Lüste	Kissen	küssen	Mythologie

Long ö [ø:]   (spelled **ö, öh**) is produced by pronouncing long **e** [e:] with rounded lips: böse, hören, schön, Höhle.

Short ö [ø]   is produced by pronouncing short **e** [e] with rounded lips: können, Löffel, Töchter, möchten.

Practice the following pairs:

[e:] - [ø:]	LIPS ⬭	LIPS ◯	LIPS ⬭	LIPS ◯
	lesen	lösen	Besen	böse
	Sehne	Söhne	hehlen	Höhlen
	flehe	Flöhe	verheeren	verhören
[e] - [ø]	LIPS ⬭	LIPS ◯	LIPS ⬭	LIPS ◯
	Mächte	möchte	bellen	Böller
	kennen	können	fällig	völlig

DIALOGUE VARIATIONS

A. Wieviel Uhr ist es eigentlich?[1]
B Viertel vor neun.
A. Donnerwetter!
B. Was ist denn los? Was haben Sie denn?[2]
A. Was ich habe? Eine Verabredung mit Professor Werner um neun Uhr!
B. Da müssen Sie sich aber beeilen.

[1] actually   [2] What's the matter with you?

A. Wie kommen die meisten[3] Studenten zur Universität?

B. Die meisten Studenten wohnen nicht weit von der Universität. Einige[4] gehen deshalb[5] zu Fuß.[6]

A. Andere fahren aber[7] auch mit der Straßenbahn oder mit dem Autobus, nicht wahr?

B. Ja, und viele[8] fahren auch mit dem Rad.

A. Ach, wenn ich nur ein Rad hätte!

A. Wie komme ich am besten zur Universität?

B. Fahren Sie mit dem Autobus Nummer dreizehn.[9] Die Haltestelle ist dort drüben vor dem Hotel Tannenbaum.

A. Der Bus steht[10] schon da! Ach, er fährt gerade ab![11]

B. Da haben Sie Pech![12] Nun[13] müssen Sie mit der Straßenbahn fahren. Die nächste Haltestelle ist direkt vor dem Bahnhof.

A. Meine Verabredung ist aber schon um neun.

B. Da nehmen Sie wohl am besten ein Taxi.[14]

CONVERSATIONAL PATTERNS

I. DATIVE CASE

In German an indirect object is in the dative case:

> Ich schreibe **einem Freund** einen Brief.
> I'm writing *a friend* a letter.

> Sie erzählt **dem Kind** eine Geschichte.
> She tells *the child* a story.

The definite and indefinite articles for the dative case are different from those used in the nominative and accusative cases. Note that the masculine and neuter dative forms are alike.

	MASCULINE AND NEUTER	FEMININE
DAT.	dem einem keinem	der einer keiner

[3] most   [4] some   [5] therefore   [6] on foot   [7] however   [8] many
[9] number thirteen   [10] is standing   [11] is just leaving   [12] tough luck   [13] now
[14] Then it's probably best to take a taxi.

der Arzt – Doctor

1. Repetition

Wie geht es dem Professor?

Können Sie dem Mann sagen, wo das Krankenhaus ist?

Er möchte dem Arzt (*doctor*) etwas sagen.

Was soll ich dem Kind bringen (*bring*)?

Das sage ich keinem Mann!

Wem (*to whom*) will er alles sagen?

Soll ich der Lehrerin das Heft zeigen *show* (*show*)?

2. Question-Answer

bringen: bringe / bringt / bringen

Wem bringt er ein Buch? (*der Mann*)   *to whom*

Wem bringen Sie eine Zeitung? (die Frau)

Wem bringen sie einen Stuhl? (die Dame)

Wem bringt sie ein Heft? (das Mädchen)

Wem bringt er eine Zeitung? (der Lehrer)

Er bringt dem Mann ein Buch.

Ich bringe der Frau eine Zeitung.

Sie bringen der Dame einen Stuhl.

Sie bringt dem Mädchen ein Heft.

Er bringt dem Lehrer eine Zeitung.

geben: gebe / gibt / geben

Wem gibt er das Buch? (*der Lehrer*)

Wem gibt er die Kreide? (die Studentin)

Wem gibt sie das Heft? (eine Freundin)

Wem geben Sie Geld? (ein Kind)

Wem geben Sie den Bleistift? (die Lehrerin)

Er gibt dem Lehrer das Buch.

Er gibt der Studentin die Kreide.

Sie gibt einer Freundin das Heft.

Ich gebe einem Kind Geld.

Ich gebe der Lehrerin den Bleistift.

zeigen: zeige / zeigt / zeigen   *show*

Wem zeigt Otto den Park? (*eine Engländerin*)

Wem zeigt Jürgen das Museum? (ein Spanier)

Wem zeigen Sie das Rathaus? (eine Amerikanerin)

Wem zeigen Oskar und Erna den Dom? (eine Österreicherin)

Wem zeigen Sie (*pl.*) die Universität? (ein Italiener)

Er zeigt einer Engländerin den Park.

Er zeigt einem Spanier das Museum.

Ich zeige einer *der* Amerikanerin das Rathaus.

Sie zeigen einer Österreicherin den Dom.

Wir zeigen einem Italiener die Universität.

der Österreicher

Tell [handwritten]

die Geschichte [handwritten]
story [handwritten]
history [handwritten]

erzählen: erzähle / erzählt / erzählen

whom [handwritten]

Wem erzählt der Lehrer eine Geschichte? (*die Klasse*)

Er erzählt der Klasse eine Geschichte.

Wem erzählt die Mutter eine Geschichte? (das Kind)

Sie erzählt dem Kind eine Geschichte.

Wem erzählen Sie eine Geschichte? (eine Freundin)

Ich erzähle einer Freundin eine Geschichte.

Wem erzählt Paul eine Geschichte? (ein Freund)

Er erzählt einem Freund eine Geschichte.

Wem erzählen Sie (*pl.*) eine Geschichte? (der Lehrer)

Wir erzählen dem Lehrer eine Geschichte.

II. DATIVE PRONOUNS

The personal pronouns for the dative case are given below, along with a review of the nominative and accusative pronouns:

Pronoun Summary

I   He   she   Neu.   pl.   They   I [handwritten column labels]

NOM.	ich	er	sie	es	wir	sie	Sie
ACC.	mich	ihn	sie	es	uns	sie	Sie
DAT.	mir	ihm	ihr	ihm	uns	ihnen	Ihnen

An indirect object always precedes a direct object, unless the direct object is an unstressed pronoun:

Er gibt *dem Mann* das Buch.
Er gibt *ihm* das Buch.
Er gibt es *dem Mann.*
Er gibt es *ihm.*

3. Repetition

Der Vater gibt mir Geld.
Können Sie ihm sagen, wo der Bahnhof ist?
Was darf ich Ihnen bringen?
Was wollen Sie ihr geben?
Er will ihnen etwas zeigen.
Sie will es mir geben.

Es tut mir leid.
Ich bin ihm dankbar (*grateful*).
Es ist mir gleich (egal) (*all the same*).
Ist es Ihnen recht (*all right*)?
Ist Ihnen kalt (*cold*)?
Mir ist zu warm (*too warm*).
Das ist ihm zu viel (*too much*).

Ich bin [handwritten]

4. Dative Noun > Dative Pronoun

Ich bin dem Lehrer dankbar.   *Ich bin ihm dankbar.*

Es tut Luise leid.   Es tut ihr leid.
Es ist Onkel Otto gleich.   Es ist ihm gleich.
Ist es Paula und Kurt recht?   Ist es ihnen recht?
Tut es dem Professor leid?   Tut es ihm leid?
Ist es Klara zu viel?   Ist es ihr zu viel?
Dem Baby ist kalt.   Ihm ist kalt.
Es ist Jürgen und Emil egal.   Es ist ihnen egal.

5. Question-Answer

Was wollen Sie dem Mann sagen?   *Ich will ihm nichts sagen.*

Was wollen Sie der Frau geben?   Ich will ihr nichts geben.
Was will er Rolf und Peter erzählen?   Er will ihnen nichts erzählen.
Was wollen Sie (*pl.*) dem Kind zeigen?   Wir wollen ihm nichts zeigen.
Was will er Maria kaufen?   Er will ihr nichts kaufen.
Was wollen Sie der Lehrerin bringen?   Ich will ihr nichts bringen.
Was können Sie (*pl.*) Olga und Helga   Wir können ihnen nichts sagen.
    sagen?

Ist es Ihnen recht?   *Ja, es ist mir recht.*

Ist es Ihnen gleich?   Ja, es ist mir gleich.
Tut es Ihnen (*pl.*) leid?   Ja, es tut uns leid.
Ist Ihnen kalt?   Ja, mir ist kalt.

Tut es Hilde leid?   *Nein, es tut ihr nicht leid.*

Ist es Heinz recht?   Nein, es ist ihm nicht recht.
Ist es Liese gleich?   Nein, es ist ihr nicht gleich.
Ist es Ihnen recht?   Nein, es ist mir nicht recht.
Ist Ihnen das (*pl.*) zu viel?   Nein, das ist uns nicht zu viel.

6. Direct Object Noun > Direct Object Pronoun

Er gibt dem Mann das Buch.   *Er gibt es dem Mann.*

Sie zeigt dem Lehrer die Aufgabe.   Sie zeigt sie dem Lehrer.
Er bringt der Dame einen Stuhl.   Er bringt ihn der Dame.
Sie zeigen einem Amerikaner das   Sie zeigen es einem Amerikaner.
    Museum.
Er gibt dem Kind Geld.   Er gibt es dem Kind.

Es gefällt mir
Et pleases me
now I like it

AUFGABE VIER   59

7. Response with Pronouns

Zeigt sie der Mutter die Bibliothek?   *Ja, sie zeigt sie ihr.*

Zeigt sie Bruno das Fahrrad?   Ja, sie zeigt es ihm.
Will er dem Kind die Straßenbahn zeigen?   Ja, er will sie ihm zeigen.
Bringt sie der Mutter einen Stuhl?   Ja, sie bringt ihn ihr.
Wollen Sie der Studentin das Buch geben?   Ja, ich will es ihr geben.
Zeigt er Grete und Karin das Klassen-   Ja, er zeigt es ihnen.
  zimmer.

III. DATIVE VERBS

The verbs **glauben**, **helfen**, **danken** (*to thank*), **antworten** (*to answer*), **gefallen** (*to please*), and **gehören** (*to belong*) require the dative case whenever the object denotes a person.

glauben
helfen
antworten
gefallen
gehören

> Er dankt **dem Professor**.
> Wollen Sie **mir** helfen?
> Ich kann **der Frau** nicht glauben.
> Antworten Sie **ihm**!
> Das gefällt **mir**.
> Das Buch gehört **Ihnen**.

Other verbs that take the dative case will be so designated in the verb summary of each lesson.

8. Repetition

Soll ich ihm heute helfen?   Er dankt mir für alles.
Er hilft mir nicht.   Antworten Sie dem Lehrer?
Glauben Sie mir?   Warum antworten Sie ihm nicht?
Ich glaube Ihnen.   Gefällt Ihnen diese Stadt?
Danken Sie dem Lehrer, wenn er Ihnen   Gehört Ihnen dieses Buch?
  hilft?

9. Dative Noun > Dative Pronoun

gefallen: gefalle / gefällt / gefallen

Die Stadt gefällt dem Mann.   *Die Stadt gefällt ihm.*

Der Dom gefällt der Frau.   Der Dom gefällt ihr.
Das Buch gefällt dem Kind.   Das Buch gefällt ihm.
Die Bibliothek und das Museum gefallen   Die Bibliothek und das Museum ge-
  dem Professor.   fallen ihm.
Die Lehrerin gefällt Hans und Anna.   Die Lehrerin gefällt ihnen.

Er will Lotte helfen.   *Er will ihr helfen.*

Sie wollen Karl helfen.	Sie wollen ihm helfen.
Der Lehrer hilft Karl und Anna.	Der Lehrer hilft ihnen.
Wir helfen Frau Müller.	Wir helfen ihr.
Die Mutter hilft dem Kind.	Die Mutter hilft ihm.

Das Buch gehört Erika. Belong   *Das Buch gehört ihr.*

Der Bleistift gehört Karl.	Der Bleistift gehört ihm.
Der Kugelschreiber gehört dem Lehrer.	Der Kugelschreiber gehört ihm.
Der Roman gehört der Studentin.	Der Roman gehört ihr.

10. Question-Answer

Sales weoman

Glauben Sie der Verkäuferin?   *Nein, ich glaube ihr nicht.*

Glauben Sie (*pl.*) Gert und Emil?	Nein, wir glauben ihnen nicht.
Antwortet sie dem Lehrer?	Nein, sie antwortet ihm nicht.
Danken sie der Lehrerin?	Nein, sie danken ihr nicht.
Dankt er Ihnen?	Nein, er dankt mir nicht.
Glaubt sie dem Herrn?	Nein, sie glaubt ihm nicht.
Glaubt er Ihnen (*pl.*)?	Nein, er glaubt uns nicht.

IV. DATIVE PREPOSITIONS

mem

The dative is used after the following prepositions:

aus *out of, from*	**mit** *with*	**von** *of, from*
außer *except for*	**nach** *to, toward, after,*	**zu** *to, at*
bei *by, near, at*	*according to, about*	
the place of	**seit** *since, for*	

Fahren Sie mit der Straßenbahn?
Sie wohnt bei einem Onkel von mir.

Er wohnt seit einem Jahr in Berlin.[1]
He has been living in Berlin *for a year.*

Generally nouns do not show any change in the dative singular; however, most masculine and neuter nouns of one syllable may add **-e.**

Kommt er aus dem Haus(e)?
Er spricht mit einem Freund(e).

---

[1] In German one must use the present tense to denote an action beginning in the past and continuing in the present, whereas in English the present perfect tense is required.

11. Repetition

Er geht aus dem Hause.
Er kommt aus Hamburg.
Alle außer ihm verstehen Deutsch.
Er wohnt bei einem Onkel.
Ich habe kein Geld bei mir.
Darf ich mit Ihnen sprechen?
Ist er ein Freund von Ihnen?

Was ist los mit der Straßenbahn?
Meine Schwester fährt nach Berlin.
Er fragt nach (*about*) Ihnen.
Das ist nett (*nice*) von Ihnen.
Er kommt oft zu mir.
Seit einem Jahr studiert er Medizin.

12. Dative Noun > Dative Pronoun

Ich spreche mit Karl.

Er kommt mit Anna.
Er wohnt bei Onkel Walter.
Alle verstehen es außer Erika.
Oft sprechen wir von dem Lehrer.
Was ist los mit Jürgen?
Das ist sehr nett von Klara.

Ich spreche mit ihm.

Er kommt mit ihr.
Er wohnt bei ihm.
Alle verstehen es außer ihr.
Oft sprechen wir von ihm.
Was ist los mit ihm?
Das ist sehr nett von ihr.

13. Question-Answer

Wie fährt Georg? (*der Bus*)

Wie fahren Sie (*pl.*)? (das Schiff)
Wie fährt Tante Maria? (der Zug)
Wie fährt Kurt? (das Fahrrad)
Wie fahren Otto und Franz? (der Wagen)

Er fährt mit dem Bus.

Wir fahren mit dem Schiff.
Sie fährt mit dem Zug.
Er fährt mit dem Fahrrad.
Sie fahren mit dem Wagen.

Von wem sprechen Sie? (*eine Freundin*)

Von wem spricht er? (ein Mädchen)
Von wem spricht sie? (ein Kind)
Von wem sprechen Sie (*pl.*)? (der Lehrer)

Ich spreche von einer Freundin.

Er spricht von einem Mädchen.
Sie spricht von einem Kind.
Wir sprechen von dem Lehrer.

Bei wem wohnt er? (*ein Professor*)

Bei wem wohnen Sie? (ein Freund)
Bei wem wohnt sie? (eine Freundin)
Bei wem wohnen sie? (ein Lehrer)

Er wohnt bei einem Professor.

Ich wohne bei einem Freund.
Sie wohnt bei einer Freundin.
Sie wohnen bei einem Lehrer.

Zu wem geht er? (*der Lehrer*)

Zu wem geht sie? (die Lehrerin)
Zu wem gehen sie? (der Arzt)

Er geht zu dem Lehrer.

Sie geht zu der Lehrerin.
Sie gehen zu dem Arzt.

Zu wem gehen Sie? (ein Freund von mir)   Ich gehe zu einem Freund von mir.

Zu wem gehen Sie (*pl.*)? (ein Onkel von uns)   Wir gehen zu einem Onkel von uns.

Mit wem spricht er? (*ein Arzt*)   *Er spricht mit einem Arzt.*

Mit wem fährt sie? (eine Tante von mir)   Sie fährt mit einer Tante von mir.
Mit wem geht er? (eine Studentin)   Er geht mit einer Studentin.
Mit wem arbeitet er? (ein Freund)   Er arbeitet mit einem Freund.
Mit wem ißt sie? (eine Freundin)   Sie ißt mit einer Freundin.

Commands take !

V. COMMAND FORMS

A command or a request is expressed simply by inverting the word order of the pronoun **Sie** and its verb form: **Sagen Sie das! Glauben Sie mir!**

A command equivalent to English "Let's . . ." is expressed by inverting the word order of the pronoun **wir** and its verb form: **Gehen wir!** (*Let's go.*) **Essen wir!** (*Let's eat.*)

14. Repetition

Lernen Sie Deutsch!   Gehen wir um halb acht!
Helfen Sie mir!   Fahren wir nicht so schnell!
Suchen Sie das Buch!   Tun wir das nicht!
Bleiben Sie hier!   Sagen wir es ihr!

15. Statement > Command

Tun wir das

Sie lesen schnell.   *Lesen Sie schnell!*

Sie besuchen mich.   Besuchen Sie mich!
Sie lesen die Zeitung.   Lesen Sie die Zeitung!
Sie besprechen (*discuss*) den Roman.   Besprechen Sie den Roman!
Sie essen um halb acht.   Essen Sie um halb acht!
Sie sprechen langsam.   Sprechen Sie langsam!

Wir bleiben hier.   *Bleiben wir hier!*

Wir spielen Tennis.   Spielen wir Tennis!
Wir sprechen mit dem Lehrer.   Sprechen wir mit dem Lehrer!
Wir gehen nach Hause.   Gehen wir nach Hause!
Wir singen nicht.   Singen wir nicht!

REVIEW

English-German Patterns

He shows the student the newspaper.	Er zeigt dem Studenten[1] die Zeitung.
She is bringing the teacher a chair.	Sie bringt dem Lehrer einen Stuhl.
They are showing him the table.	Sie zeigen ihm den Tisch.
He is telling me something. (*sagen*)	Er sagt mir etwas.

He gives the girl a book.	Er gibt dem Mädchen ein Buch.
He gives the child money.	Er gibt dem Kind Geld.
She shows me the classroom.	Sie zeigt mir das Klassenzimmer.
We show her the city park.	Wir zeigen ihr den Stadtpark.

Do you want to give him a pencil?	Wollen Sie ihm einen Bleistift geben?
Do you want to give her the chalk?	Wollen Sie ihr die Kreide geben?
Does he want to help me today?	Will er mir heute helfen?
Does she want to thank the teacher?	Will sie dem Lehrer danken?

Do you believe the teacher?	Glauben Sie dem Lehrer?
Does he believe you?	Glaubt er Ihnen?
Do you always answer him?	Antworten Sie ihm immer?
Does he help you often?	Hilft er Ihnen oft?

He likes the novel. (*gefallen*)	Der Roman gefällt ihm.
We like German and French.	Deutsch und Französisch gefallen uns.
They like everything.	Alles gefällt ihnen.
She likes the city.	Die Stadt gefällt ihr.

The book doesn't belong to me.	Das Buch gehört mir nicht.
The pencil doesn't belong to him.	Der Bleistift gehört ihm nicht.
The chalk doesn't belong to the teacher.	Die Kreide gehört dem Lehrer nicht.
The notebook doesn't belong to her.	Das Heft gehört ihr nicht.

I'm sorry.	Es tut mir leid.
He's grateful to me.	Er ist mir dankbar.
Is it too warm for you?	Ist Ihnen zu warm?
That's all the same to me.	Das ist mir gleich (egal).
It's too much for the girl.	Es ist dem Mädchen zu viel.

He lives with an uncle of mine.	Er wohnt bei einem Onkel von mir.
She is speaking with the teacher.	Sie spricht mit dem Lehrer.
They often speak of the teacher.	Sie sprechen oft von dem Lehrer.
She often goes to the doctor.	Sie geht oft zu dem Arzt.

[1] Student has the ending **-en** in all cases except the nominative singular.

Come this afternoon.	Kommen Sie heute nachmittag!
Buy me a pencil.	Kaufen Sie mir einen Bleistift!
Don't speak so fast.	Sprechen Sie nicht so schnell!
Let's stay here.	Bleiben wir hier!
Let's not go.	Gehen wir nicht!

She has been reading since seven thirty.	Sie liest seit halb acht.
Karl has been writing since eight o'clock.	Karl schreibt seit acht Uhr.
I have been helping her since this morning.	Ich helfe ihr seit heute morgen.

When are we eating?	Wann essen wir?
When do they work?	Wann arbeiten sie?
How long will he stay here?	Wie lange bleibt er hier?
What time is it?	Wie spät ist es? (Wieviel Uhr ist es?)

He's coming tomorrow.	Er kommt morgen.
She's coming this afternoon.	Sie kommt heute nachmittag.
They are coming immediately.	Sie kommen gleich (sogleich, sofort).
Luise is coming this evening.	Luise kommt heute abend.

I travel by rail.	Ich fahre mit der Eisenbahn.
He travels by ship.	Er fährt mit dem Schiff.
She travels by bus.	Sie fährt mit dem Bus.
They travel by car.	Sie fahren mit dem Wagen (Auto).

General Questions

1. Wie spät ist es? 2. Haben Sie heute eine Verabredung? 3. Um wieviel Uhr gehen Sie gewöhnlich nach Hause? 4. Nehmen Sie den Bus oder fahren Sie mit dem Rad? 5. Wie fahren die meisten Studenten zur Universität? 6. Essen Sie heute abend? 7. Gehen Sie sofort nach Hause? 8. Bleiben Sie abends zu Hause? 9. Haben Sie ein Rendezvous (*date*) für heute abend? 10. Finden Sie alle Mädchen schön? 11. Kann man mit einem Wagen von Amerika nach Europa fahren? 12. Kann man von hier nach Europa zu Fuß gehen? 13. Ist es besser, mit dem Rad zu fahren? 14. Arbeiten Sie immer fleißig (*hard*)? 15. Bringen Sie manchmal (*sometimes*) dem Lehrer einen Apfel (*apple*)?

Directed Questions

1. Fragen Sie Herrn ——, ob (*whether*) er abends zu Hause bleibt![1]
2. Fragen Sie Fräulein ——, was sie heute abend macht (*is doing*)!
3. Fragen Sie Fräulein ——, warum sie nicht fleißig arbeitet!
4. Fragen Sie Herrn ——, ob er verheiratet (*married*) ist!
5. Fragen Sie Fräulein ——, wann sie nach Hause geht!

[1] Note the position of the conjugated verb in all dependent clauses.

VERB SUMMARY

INFINITIVE	ich	er / sie / es	wir / sie / Sie
antworten (*answer, dat.*)	antworte	antwortet	antworten
besprechen (*discuss*)	bespreche	**bespricht**	besprechen
bringen (*bring*)	bringe	bringt	bringen
danken (*thank, dat.*)	danke	dankt	danken
erzählen (*tell*)	erzähle	erzählt	erzählen
fahren (*travel*)	fahre	**fährt**	fahren
geben (*give*)	gebe	**gibt**	geben
gefallen (*please, dat.*)	gefalle	**gefällt**	gefallen
gehören (*belong, dat.*)	gehöre	gehört	gehören
machen (*do, make*)	mache	macht	machen
nehmen (*take*)	nehme	**nimmt**	nehmen
stehen (*stand*)	stehe	steht	stehen
zeigen (*show*)	zeige	zeigt	zeigen

WIE FÄHRT MAN?

Viele Leute[1] in Europa fahren mit dem Rad: Schüler, Studenten, Arbeiter,[2] Touristen und oft sogar Mütter mit ihren Kindern[3] (A, Salzburg).

[1] people   [2] workers   [3] children

A

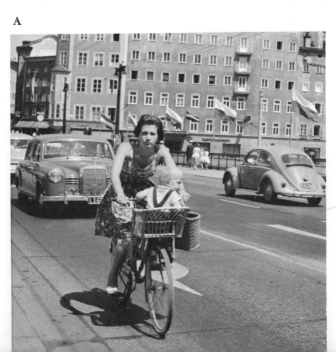

In den meisten[4] Städten gibt es keine Straßenbahn mehr, aber in einigen Städten ist sie noch ein wichtiges Verkehrsmittel.[5] Heute fährt beinah jeder sechste deutsche Bürger[6] seinen eigenen[7] Wagen (B, bei Bonn). Mit so vielen Autos auf der Straße ist es oft sehr schwer,[8] einen Parkplatz[9] zu finden. Deswegen[10] baut man[11] viele Hochgaragen[12] und Parkkeller.[13]

Auf der Autobahn[14] kann man sehr schnell von einem Ort zum andern[15] fahren. Wenn man müde wird, kann man auch, wie auf unseren „turnpikes", eine angenehme Stunde[16] in einer Raststätte[17] verbringen (C, Autobahn-system im Spessart). Von acht Uhr morgens bis halb sieben Uhr abends bleibt die Straßenwacht[18]—ungefähr zweihundertvierzig Motorradfahrer[19]— auf den Straßen, um allen Autofahrern[20] zu helfen, die eine Panne[21] haben (D). Diese Männer[22] arbeiten für den Allgemeinen[23] Deutschen Automobil-club (ADAC) und seine 700 000 Mitglieder.[24]

[4] most   [5] important means of transportation   [6] citizen   [7] own   [8] difficult
[9] parking place   [10] for this reason   [11] they are building   [12] parking terraces
[13] underground parking areas   [14] freeway, superhighway   [15] one place to another
[16] pleasant hour   [17] rest area   [18] "highway guard"   [19] motorcyclists
[20] motorists   [21] breakdown   [22] men   [23] general, universal   [24] members

B

E

Wenn man keinen eigenen Wagen hat, kann man mit dem Autobus oder mit dem Zug (E) fahren. Wer[25] eine Seereise[26] machen will, fährt mit dem Schiff (F, die „Hanseatic" in Hamburg); wer es eilig hat,[27] nimmt das Flugzeug.[28]

[25] whoever   [26] voyage   [27] is in a hurry   [28] airplane

F

AUFGABE FÜNF

EINE VERABREDUNG

Heute ist Dienstag, der elfte Mai. Rudi Wolf hat um halb neun eine Verabredung mit Professor Werner. Der Professor ist Studentenberater für Ausländer. Rudi spricht zuerst mit einer Sekretärin und dann mit Professor Werner.

[1] WOLF: Verzeihen Sie!

[2] SEKRETÄRIN: Bitte schön? Kann ich Ihnen helfen?

[3] WOLF: Darf ich mich vorstellen? Mein Name ist Wolf . . .

[4] SEKRETÄRIN: O, Herr Wolf! Herr Professor Werner wartet schon auf Sie.

[5] WOLF: Es tut mir leid, daß ich mich verspätet habe.

[6] SEKRETÄRIN: Das macht nichts. Kommen Sie nur herein! Herr Professor Werner, Herr Wolf möchte Sie sprechen.

[7] PROFESSOR: Es freut mich, Sie kennenzulernen, Herr Wolf.

[8] WOLF: Ganz meinerseits, Herr Professor.

[9] PROFESSOR: Wo wohnen Sie hier in der Stadt? Bei einer Familie oder in einem Studentenheim?

[10] WOLF: Ich wohne in einem kleinen Studentenheim in der Türkenstraße. Es gefällt mir dort gut.

[11] PROFESSOR: Das freut mich. Und wie finden Sie die Vorlesungen hier an der Universität?

[12] WOLF: Ausgezeichnet! Die Vorlesungen von Professor Reinhardt über das deutsche Drama sind besonders interessant.

[13] PROFESSOR: Deutsche Literaturgeschichte ist Ihr Hauptfach?

[14] WOLF: Ja.

[15] PROFESSOR: Schön! Kommen Sie ruhig zu mir, wenn Sie Schwierigkeiten haben! Und vergessen Sie nicht, Ihre Adresse bei der Sekretärin zu lassen!

[16] WOLF: Danke sehr. Das werde ich tun.

LESSON 5

AN APPOINTMENT

Today is Tuesday, the eleventh of May. Rudi Wolf has an appointment with Professor Werner at eight thirty. The professor is Foreign Student Adviser. Rudi speaks first with a secretary and then with Professor Werner.

[1] WOLF: I beg your pardon.

[2] SECRETARY: Yes?   Can I help you?

[3] WOLF: May I introduce myself?   My name is Wolf . . .

[4] SECRETARY: Oh, Mr. Wolf!   Professor Werner is already waiting for you.

[5] WOLF: I'm sorry I'm late.

[6] SECRETARY: That's all right.   Just come right in.   Professor Werner, Mr. Wolf would like to speak with you.

[7] PROFESSOR: I'm glad to make your acquaintance, Mr. Wolf.

[8] WOLF: The pleasure is all mine, Professor.

[9] PROFESSOR: Where are you living here in the city?   With a family or in a student hostel?

[10] WOLF: I live in a small student hostel on Türkenstraße.   I like it there a lot.

[11] PROFESSOR: I'm glad.   And how do you find the lectures here at the university?

[12] WOLF: Excellent!   The lectures of Professor Reinhardt about German drama are especially interesting.

[13] PROFESSOR: The history of German literature is your major field?

[14] WOLF: Yes.

[15] PROFESSOR: Fine!   Please don't hesitate to come to me if you have difficulties.   And don't forget to leave your address with the secretary.

[16] WOLF: Thanks very much.   I'll do that.

70

VOCABULARY BUILDING

Days of the Week, Months, and Seasons (all masculine)

Die Woche hat sieben Tage.   *MAS.*

Wann kommt er?   Er kommt {
am Montag.
am Dienstag.
am Mittwoch.
am Donnerstag.
am Freitag.
am Samstag (Sonnabend).
am Sonntag.
}

Das Jahr hat zwölf Monate.[1]

Wann sind Sie geboren?[2] {
Im Januar?
Im Februar?
Im März?
Im April?
Im Mai?
Im Juni?
}   Nein, ich bin {
im Juli
im August
im September
im Oktober
im November
im Dezember
}   geboren.

Das Jahr hat vier Jahreszeiten.[3]

Machen Sie {
im Sommer
im Winter
im Herbst[4]
im Frühling[5] (Frühjahr)
}   eine Reise?[6]

Cardinal Numerals

null	(0)	dreizehn	(13)	vierzig	(40)
eins	(1)	vierzehn	(14)	fünfzig	(50)
zwei	(2)	fünfzehn	(15)	sechzig	(60)
drei	(3)	sechzehn	(16)	siebzig	(70)
vier	(4)	siebzehn	(17)	achtzig	(80)
fünf	(5)	achtzehn	(18)	neunzig	(90)
sechs	(6)	neunzehn	(19)	hundert	(100)
sieben	(7)	zwanzig	(20)	hunderteins	(101)
acht	(8)	einundzwanzig	(21)	zweihundert	(200)
neun	(9)	zweiundzwanzig	(22)	dreihunderteins	(301)
zehn	(10)	siebenundzwanzig	(27)	tausend	(1 000)
elf	(11)	dreißig	(30)	eine Million	(1 000 000)
zwölf	(12)	einunddreißig	(31)	eine Milliarde	(1 000 000 000)

[1] months   [2] born   [3] seasons   [4] autumn   [5] spring   [6] trip

Note that one does not ordinarily say **ein hundert** or **ein tausend** unless **ein** is being stressed; however, one does say **eine Million.** For dates, use: **neunzehnhundertvierundsechzig** (1964).

PRONUNCIATION DRILL

The sounds [b], [d], and [g] and [p], [t], and [k] (spelled *b*, *d*, and *g*); **the glottal stop**

The consonant letters **b, d,** and **g** represent approximately the same sounds as their English counterparts; however, before **s** or **t** and when final in a word or syllable, the letters **b,** d, and g represent the sounds **[p]**, [t], and [k] respectively. Practice with your model the following words both vertically and horizontally:

der Dieb	das Bad	der Tag	der König (ig = ich)	das Grab
des Diebs*	des Bads*	des Tags*	des Königs	des Grabs*
die Diebe	die Bäder	die Tage	die Könige	die Gräber
lieben	senden	fragen	peinigen	laden
liebte	sandte	fragte	peinigte	lud
geliebt	gesandt	gefragt	gepeinigt	geladen

The **glottal stop** is a momentary stoppage of breath before syllables beginning with a vowel. It prevents words from running together, as often happens in English combinations such as: *a-negg, a-nother,* etc. Practice the following:

der Ochse	der Abend	ausgehen	eine alte Eule
das Ohr	das Amt	hereineilen	Ich esse einen Apfel
die Uhr	das Obst	umarmen	Erichs alter Onkel

DIALOGUE VARIATIONS

A. Verzeihen Sie bitte!
B. Kann ich Ihnen helfen?
A. Ja, können Sie mir sagen, wo ich das Büro[1] von Professor Diehl finden kann?
B. Sehen Sie[2] die junge Dame da drüben?
A. Die blonde oder die brünette?
B. Die blonde. Sie steht gerade vor Professor Diehls Tür.
A. Vielen Dank.

---

* In modern conversational German, the **e** in the genitive forms of **des Diebes, des Bades,** etc., is sometimes omitted.

[1] office [2] do you see

A. Darf ich mich vorstellen? Ich heiße Peter Schmidt.

B. Ich freue mich, Sie kennenzulernen.

A. Es freut mich auch, Sie kennenzulernen, Herr Braun.

B. Seit wann wohnen Sie schon hier in der Stadt?

A. Seit drei Wochen.

B. Und wie gefällt sie Ihnen?

A. Sehr gut.

B. Sind Sie Student oder Tourist?[3]

A. Ich bin Student.

A. Reisen Sie im Sommer nach Europa?

B. Ja. Am nächsten Freitag fahren wir ab.

A. Reisen Sie mit dem Schiff oder mit dem Flugzeug?[4]

B. Wir fahren mit dem Schiff. Das ist viel romantischer.[5]

A. Im Frühjahr fahre ich auch nach Europa.

B. Wirklich? Wie wunderbar!

CONVERSATIONAL PATTERNS

I. PREPOSITIONS WITH THE DATIVE OR ACCUSATIVE CASE

The following prepositions take either the dative or the accusative case:

an *at, to, by*	**in** *in, into*	**unter** *under, among*
auf *on, on top of*	**neben** *next to, near*	**vor** *before, in front of*
hinter *behind*	**über** *over, about*	**zwischen** *between*

If the verb indicates action or movement toward a definite goal or place, the preposition requires the accusative. However, if the verb expresses rest or action not directed toward a definite goal or place, the preposition requires the dative.

ACCUSATIVE: **Wohin . . . ?**   DATIVE: **Wo . . . ?**

ACCUSATIVE	DATIVE
Karl geht in **das** Haus.	Karl ist in **dem** Haus.
Er geht an **das** Fenster.	Er steht an **dem** Fenster.
Sie legt (*lays*) das Buch auf **die** Schreibmaschine (*typewriter*).	Das Buch liegt (*is lying*) schon auf **der** Schreibmaschine.

---

[3] The indefinite article is generally omitted before an *unmodified* predicate noun denoting vocation, rank, or station in life.   [4] airplane   [5] much more romantic

[handwritten margin notes: das Sofa, Die Katz, DAS Hündchen, DAS Bild, Das, Stehlampe]

1. Repetition

[handwritten margin notes: where to Acc, where DAT, Where]

Georg studiert an (auf) der Universität.
Der Junge (*boy*) geht in das Haus.
Ein Stuhl steht zwischen dem Sofa und dem Fenster.
Herr Schmidt wohnt oben; er wohnt über mir.
Ich wohne unter ihm.
Er stellt (*places*) den Stuhl neben das Fenster.

Er setzt (*puts*) die Katze (*cat*) auf den Stuhl.
Das Hündchen (*puppy*) läuft (*runs*) hinter das Sofa.
Das Bild (*picture*) hängt (*hangs*) an der Wand.
Der Bleistift fällt (*falls*) unter den Stuhl.

[handwritten margin notes: stelle - steht, to lie stationary, legen to lie, legen to lay]

2. Accusative Noun > Dative Noun

Ich stelle den Stuhl neben die Tür.

Er stellt den Stuhl neben das Fenster.
Wir stellen den Stuhl neben das Sofa.
Sie stellt den Stuhl neben den Tisch.
Ich stelle den Stuhl neben die Steh-lampe (*floor lamp*).

Der Stuhl steht neben der Tür.

Der Stuhl steht neben dem Fenster.
Der Stuhl steht neben dem Sofa.
Der Stuhl steht neben dem Tisch.
Der Stuhl steht neben der Stehlampe.

3. Question-Answer

Wohin legt der Lehrer das Buch? (*auf . . . Tisch*)

Der Lehrer legt das Buch auf den Tisch.

Wo liegt das Buch?

Das Buch liegt auf dem Tisch.

Wohin legt er die Zeitung? (auf . . . Stuhl)

Er legt die Zeitung auf den Stuhl.

Wo liegt die Zeitung?

Die Zeitung liegt auf dem Stuhl.

Wohin legt er die Kreide? (auf . . . Papier)

Er legt die Kreide auf das Papier.

Wo liegt die Kreide?

Die Kreide liegt auf dem Papier.

Wohin legt er den Bleistift? (auf . . . Buch)

Er legt den Bleistift auf das Buch.

Wo liegt der Bleistift?

Der Bleistift liegt auf dem Buch.

Wohin geht der Junge? (*in . . . Haus*)

Der Junge geht in das Haus.

Wo ist der Junge?

Der Junge ist in dem Haus.

Wohin geht der Tourist? (in . . . Hotel)

Der Tourist geht in das Hotel.

Wo wohnt der Tourist?

Der Tourist wohnt in dem Hotel.

Wohin hängt die Mutter das Bild? (an   *Die Mutter hängt das Bild an die Wand.*
. . . Wand)

Wo hängt das Bild?   Das Bild hängt an der Wand.
Wohin stellt sie den Stuhl? (an . . .   Sie stellt den Stuhl an das Fenster.
   Fenster)
Wo steht der Stuhl?   Der Stuhl steht an dem Fenster.
Wohin stellt sie den Tisch? (an . . .   Sie stellt den Tisch an die Wand.
   Wand)
Wo steht der Tisch?   Der Tisch steht an der Wand.

Wohin setzt der Junge die Katze? (hin-   *Der Junge setzt die Katze hinter den*
ter . . . Stuhl)   *Stuhl.*

Wo sitzt die Katze?   Die Katze sitzt hinter dem Stuhl.
Wohin läuft die Katze? (hinter . . .   Die Katze läuft hinter das Sofa.
   Sofa)
Wo ist die Katze?   Die Katze ist hinter dem Sofa.

Wohin läuft das Hündchen? (unter . . .   *Das Hündchen läuft unter den Tisch.*
   Tisch)

Wo liegt das Hündchen?   Das Hündchen liegt unter dem Tisch.
Wohin fällt der Bleistift? (unter . . .   Der Bleistift fällt unter den Stuhl.
   Stuhl)
Wo liegt der Bleistift?   Der Bleistift liegt unter dem Stuhl.

Wohin geht das Kind? (vor . . . Haus)   *Das Kind geht vor das Haus.*

Wo steht das Kind?   Das Kind steht vor dem Haus.
Wohin setzt der Junge die Katze? (vor   Der Junge setzt die Katze vor die Tür.
   . . . Tür)
Wo liegt die Katze?   Die Katze liegt vor der Tür.

Wohin stellt der Vater den Stuhl? (zwi-   *Der Vater stellt den Stuhl zwischen den*
schen . . . Tisch . . . Sofa)   *Tisch und das Sofa.*

Wo steht der Stuhl?   Der Stuhl steht zwischen dem Tisch und
                dem Sofa.

Wohin stellt er die Stehlampe? (zwi-   Er stellt die Stehlampe zwischen den
schen . . . Stuhl . . . Fenster)   Stuhl und das Fenster.
Wo steht die Stehlampe?   Die Stehlampe steht zwischen dem Stuhl
                und dem Fenster.

4. Replacement

Auf dem Tisch liegt ein Bleistift.

Unter _____.	Unter dem Tisch liegt ein Bleistift.
_____ die Kreide.	Unter dem Tisch liegt die Kreide.
Hinter _____.	Hinter dem Tisch liegt die Kreide.
_____ Stuhl _____.	Hinter dem Stuhl liegt die Kreide.
_____ das Heft.	Hinter dem Stuhl liegt das Heft.
Neben _____.	Neben dem Stuhl liegt das Heft.
_____ Wand _____.	Neben der Wand liegt das Heft.
_____ der Roman.	Neben der Wand liegt der Roman.

Ich lege den Bleistift auf den Tisch.

_____ Buch _____.	Ich lege das Buch auf den Tisch.
_____ unter _____.	Ich lege das Buch unter den Tisch.
_____ Zeitung.	Ich lege das Buch unter die Zeitung.
_____ Kreide _____.	Ich lege die Kreide unter die Zeitung.
_____ neben _____.	Ich lege die Kreide neben die Zeitung.
_____ Sofa.	Ich lege die Kreide neben das Sofa.
_____ Roman _____.	Ich lege den Roman neben das Sofa.
_____ hinter _____.	Ich lege den Roman hinter das Sofa.
_____ Stuhl.	Ich lege den Roman hinter den Stuhl.
_____ Zeitung _____.	Ich lege die Zeitung hinter den Stuhl.
_____ vor _____.	Ich lege die Zeitung vor den Stuhl.
_____ Tür.	Ich lege die Zeitung vor die Tür.

II. IDIOMS REQUIRING THE ACCUSATIVE CASE

The prepositions **an**, **auf**, and **über** govern the accusative case and have figurative meanings in the following common expressions:

Sie denkt **an mich.**	She thinks *of me.*
Sie ist stolz (eifersüchtig, neidisch) **auf mich.**	She is proud (jealous, envious) *of me.*
Wir sprechen oft **über das Wetter.**	We often speak *about the weather.*
Er wartet **auf Sie.**	He is waiting *for you.*

5. Repetition

Der Junge denkt an das Hündchen.	Erich ist neidisch auf mich.
Der Lehrer ist stolz auf die Klasse.	Ich bin nicht stolz auf ihn.
Er spricht über Deutschland.	Ist Inge eifersüchtig auf Sie?
Wir denken an Deutschland.	Warten Sie auf mich?

der Schlaf
das Bett

6. Accusative Noun > Accusative Pronoun

Wir sprechen über einen Freund. *Wir sprechen über ihn.*

Sie denkt an einen Freund. Sie denkt an ihn.
Wir warten auf eine Dame. Wir warten auf sie.
Er ist stolz auf die Klasse. Er ist stolz auf sie.
Ist sie neidisch auf Helene? Ist sie neidisch auf sie?
Denken Sie oft an Viktor? Denken Sie oft an ihn?
Wartet sie auf die Mutter? Wartet sie auf sie?
Er spricht oft über den Lehrer. Er spricht oft über ihn.

7. Question-Answer

An wen denkt der Lehrer? (*ein Student*) *Er denkt an einen Studenten.*

Auf wen wartet sie? (der Vater) Sie wartet auf den Vater.
An wen denkt die Mutter? (das Kind) Sie denkt an das Kind.
Über wen spricht er? (das Mädchen) Er spricht über das Mädchen.
Auf wen ist sie stolz? (das Baby) Sie ist stolz auf das Baby.
Über wen sprechen Sie? (eine Frau) Ich spreche über eine Frau.
Auf wen ist sie eifersüchtig? (ein Mäd- Sie ist eifersüchtig auf ein Mädchen.
chen)
An wen denkt der Junge? (ein Freund) Er denkt an einen Freund.
Auf wen wartet das Mädchen? (eine Sie wartet auf eine Freundin.
Freundin)

III. PREPOSITIONAL CONTRACTIONS

Some prepositions are generally contracted with definite articles if the article is unstressed. The contractions used most frequently are:

am	= an dem	**im**	= in dem
ans	= an das	**ins**	= in das
aufs	= auf das	**vom**	= von dem
beim	= bei dem	**zum**	= zu dem
fürs	= für das	**zur**	= zu der

8. Repetition

Am Montag[1] kann er nicht kommen. Gehen wir zum Bahnhof?
Sprechen Sie oft im Schlaf (*sleep*)? Der Lehrer geht ans Fenster.
Er kommt vom Rathaus. Die Mutter geht ins Haus.
Lesen Sie gern im Bett (*bed*)? Das Kind geht morgens zur Schule.

[1] In reference to time, the prepositions in, an, and vor generally take the dative case.

9. Prepositional Phrase > Contraction

Geht er in das Haus?   *Geht er ins Haus?*

Ich fahre zu dem Rathaus.   Ich fahre zum Rathaus.
Das Mädchen geht zu der Apotheke.   Das Mädchen geht zur Apotheke.
In dem Sommer ist es warm.   Im Sommer ist es warm.
Er legt den Bleistift auf das Papier.   Er legt den Bleistift aufs Papier.
Ich nehme das Buch von dem Tisch.   Ich nehme das Buch vom Tisch.
Wir sitzen an dem Tisch.   Wir sitzen am Tisch.

IV. DA-COMPOUNDS   *No Case !*   *darnach*

If a pronoun that refers to an inanimate object (or objects) is used with a preposition, it is often replaced by **da-** (or by **dar-** if the preposition begins with a vowel) and is compounded with the preposition:

Schreiben Sie mit dem Bleistift? Ja, ich schreibe **damit** (*with it*).

10. Repetition

Ich habe ein Haus auf dem Land.   Hier ist das Sofa.
Ich denke oft daran.   Ich sitze oft darauf.
Der Lehrer kennt Berlin.   Das ist mein Deutschbuch.
Oft spricht er darüber.   Ich lerne viel daraus.

11. Substitution

Change prepositional phrases to **da**-compounds wherever possible.

Liegt das Buch auf dem Tisch?   *Ja, es liegt darauf.*

Schreiben Sie mit dem Kugelschreiber?   Ja, ich schreibe damit.
Sitzt er zwischen der Wand und dem   Ja, er sitzt dazwischen.
    Tisch?
Arbeitet er an Aufgabe fünf?   Ja, er arbeitet daran.
Ist sie im Haus?   Ja, sie ist darin (drinnen).
Ist die Katze hinter dem Sofa?   Ja, sie ist dahinter.
Wartet er vor dem Theater?   Ja, er wartet davor.
Denken Sie an die Liebe (*love*)?   Ja, ich denke daran.
Sprechen Sie gern über die Liebe?   Ja, ich spreche gern darüber.
Sitzen Sie gern unter dem Baum (*tree*)? Ja, ich sitze gern darunter.
Sitzt er in dem Wagen?   Ja, er sitzt darin.
Lernen Sie viel aus dem Buch?   Ja, ich lerne viel daraus.
Spricht sie oft von dem Lehrer?   Ja, sie spricht oft **von ihm.**

die Schreibmaschine

Warten Sie
Let's wait

REVIEW

English-German Patterns

Is he sitting next to the window?
Yes, he's sitting next to it.

Sitzt er neben dem Fenster?
Ja, er sitzt daneben.

Is he sitting on the chair?
Yes, he's sitting on it.

Sitzt er auf dem Stuhl?
Ja, er sitzt darauf.

Is he writing with a ballpoint pen?
Yes, he's writing with it.

Schreibt er mit einem Kugelschreiber?
Ja, er schreibt damit.

Who is standing in front of the bookstore?
Who is standing in front of it?

Wer steht vor der Buchhandlung?

Wer steht davor?

Does the boy lay the book on the chair?
Yes, he often lays the book on it.

Legt der Junge das Buch auf den Stuhl?
Ja, er legt das Buch oft darauf.

Are we working on Lesson Five? (*an*)
Yes, we are working on it.

Arbeiten wir an Aufgabe fünf?
Ja, wir arbeiten daran.

The ballpoint pen is lying behind the
typewriter.
The newspaper is under the table.
The pencil is lying in front of the chair.
The boy is playing in front of the house.

Der Kugelschreiber liegt hinter der
Schreibmaschine.
Die Zeitung ist unter dem Tisch.
Der Bleistift liegt vor dem Stuhl.
Der Junge spielt vor dem Haus.

The picture is hanging on the wall.
The cat is lying behind the sofa.
He lays the newspaper on the table.
The pencil is lying under the chair.
She places the chair near the window.
He sets the cat on the chair.
He lives in a hotel.
Who is standing at the door?
Shall I go to the door?

Das Bild hängt an der Wand.
Die Katze liegt hinter dem Sofa.
Er legt die Zeitung auf den Tisch.
Der Bleistift liegt unter dem Stuhl.
Sie stellt den Stuhl neben das Fenster.
Er setzt die Katze auf den Stuhl.
Er wohnt in einem Hotel.
Wer steht an der Tür?
Soll ich an die Tür gehen? *— über*

Are you thinking about the lesson?
Is she thinking about the baby?
Is the teacher proud of the class?
Do we often speak about the weather?
Is she jealous of you?

Denken Sie an die Aufgabe?
Denkt sie an das Baby?
Ist der Lehrer stolz auf die Klasse?
Sprechen wir oft über das Wetter?
Ist sie eifersüchtig auf Sie?

He's coming on Monday.
She's coming on Thursday.
In winter we study.
Is Uncle Fritz coming in July?
Peter is coming at three thirty.

Er kommt am Montag.
Sie kommt am Donnerstag.
Im Winter studieren wir.
Kommt Onkel Fritz im Juli?
Peter kommt um halb vier.

Now I can understand a lot.	Jetzt kann ich viel verstehen.
Today we are learning German.	Heute lernen wir Deutsch.
Tomorrow he is coming home.	Morgen kommt er nach Hause.
On Wednesday she has to stay home.	Am Mittwoch muß sie zu Hause bleiben.
Now I understand what he is saying.	Jetzt verstehe ich, was er sagt.
He's going home now.	Er geht jetzt nach Hause.
She's going home tomorrow.	Sie geht morgen nach Hause.
We're going home at four o'clock.	Wir gehen um vier Uhr nach Hause.
Peter goes to school at seven thirty.	Peter geht um halb acht zur Schule.
We're not going home now.	Wir gehen jetzt nicht nach Hause.
Erika doesn't go to school now.	Erika geht jetzt nicht zur Schule.
Rudi isn't working now.	Rudi arbeitet jetzt nicht.
Hans isn't home today.	Hans ist heute nicht zu Hause.
He doesn't want to help us.	Er will uns nicht helfen.
She doesn't want to answer me.	Sie will mir nicht antworten.
He doesn't want to thank her.	Er will ihr nicht danken.
We don't want to believe them.	Wir wollen ihnen nicht glauben.

General Questions

1. Ist es Montag?   2. Ist es Sommer?   3. Wann sind Sie geboren?   4. Haben Sie heute abend eine Verabredung?   5. Haben Sie eine Sekretärin?   6. Möchten Sie eine hübsche Sekretärin haben?   7. Wohnen Sie bei einer Tante?   8. Finden Sie Deutsch interessant?   9. Was ist Ihr Hauptfach?   10. Haben Sie manchmal Schwierigkeiten?   11. Seit wann wohnen Sie schon hier in der Stadt?   12. Wie gefällt sie Ihnen?   13. Reisen Sie im Sommer nach Europa?   14. Sind Sie Student oder Tourist?

Directed Questions

1. Fragen Sie Herrn ——, wo er im Sommer arbeitet!
2. Fragen Sie Fräulein ——, ob sie auf einen Freund wartet!
3. Fragen Sie Herrn ——, ob er neben einem Mädchen sitzt!
4. Fragen Sie Herrn ——, ob der Lehrer unter dem Tisch sitzt!
5. Fragen Sie Fräulein ——, ob sie heute abend ein Rendezvous hat!
6. Fragen Sie Herrn ——, ob die Woche zehn Tage hat!
7. Fragen Sie Fräulein ——, wann sie eine Reise macht!
8. Fragen Sie Fräulein ——, ob sie eine Blondine (Blonde) ist!

womit

VERB SUMMARY

watet or much

INFINITIVE						
denken (*think*)		denke		denkt		denken
fallen (*fall*)		falle		**fällt**		fallen
hängen (*hang*)		hänge		hängt		hängen
laufen (*run*)		laufe		**läuft**		laufen
legen (*lay, put*)		lege		legt		legen
liegen (*lie*)		liege	er	liegt	wir	liegen
reisen (*travel*)	ich	reise	sie	reist	sie	reisen
sehen (*see*)		sehe	es	**sieht**	Sie	sehen
setzen (*set, put*)		setze		setzt		setzen
sitzen (*sit*)		sitze		sitzt		sitzen
stellen (*place*)		stelle		stellt		stellen
vergessen (*forget*)		vergesse		**vergißt**		vergessen
warten (*wait*)		warte		wartet		warten

DEUTSCHE HOCHSCHULEN

Im allgemeinen[1] achtet man[2] einen Professor in Deutschland mehr als einen Politiker, General, Filmstar oder Fußballspieler. Unter den Staatsmännern[3] sind viele ehemalige[4] Professoren. Oft hat ein Politiker, wie Willy Brandt (A), Gelegenheit,[5] mit einer Gruppe von Studenten die politische Situation zu besprechen.

Politician

[1] in general   [2] one respects   [3] statesmen   [4] former   [5] opportunity

A

Mit dem Abschlußzeugnis[6] einer Höheren Schule hat man das Recht,[7] ohne Aufnahmeprüfung[8] jede deutsche Universität zu besuchen. Jeder Student muß viele Vorlesungen besuchen; es besteht[9] jedoch[10] kein Vorlesungszwang,[11] das heißt, der Student braucht nicht[12] in die Vorlesungen zu gehen, wenn er nicht will. Bevor er ein Seminar besuchen darf, muß er eine Prüfung machen.[13] Nach acht bis zehn Semestern, und nachdem[14] er seine Doktorarbeit (Dissertation) geschrieben hat, kommt er zu den großen mündlichen Doktorprüfungen.[15] Wenn er diese Prüfungen besteht,[16] ist er „Doktor". An einigen Hochschulen gibt es eine Diplomprüfung. Wenn ein Student sie besteht, bekommt er ein Diplom und ist z. B. Diplomchemiker,[17] Diplomingenieur[18] oder Diplomkaufmann.[19] Er kann an der Universität auch ein Referendarexamen[20] machen, das erste Examen für Berufe[21] im öffentlichen Dienst.[22]

Deutsche Universitäten haben gewöhnlich vier Fakultäten:[23] die theologische (nicht an allen Universitäten zu finden), rechtswissenschaftliche,[24] medizinische und philosophische Fakultät. Bekanntmachungen[25] der Fakultäten findet man am „Schwarzen Brett"[26] (B).

[6] certificate of graduation   [7] right   [8] entrance examination   [9] there is (exists)
[10] however   [11] compulsory lecture attendance   [12] does not need
[13] take an examination   [14] after   [15] oral doctoral examinations   [16] passes
[17] college graduate with an advanced degree in chemistry   [18] college graduate with an advanced degree in engineering   [19] college graduate with an advanced degree in business administration and/or economics   [20] qualifying examination for public office
[21] professions, occupations   [22] public service   [23] colleges   [24] jurisprudential, legal
[25] announcements   [26] black bulletin board

B

C

An der Spitze[27] der Universität steht der Rektor,[28] an der Spitze der Fakultät der Dekan.[29] Ganz anders als hierzulande[30] aber ist die Wahl[31] des Rektors und des Dekans, denn sie werden in Deutschland von den Professoren gewählt,[32] und zwar[33] nur für ein Jahr.

Die meisten deutschen Universitäten haben viele neue Gebäude (C, neues Seminargebäude der Universität Hamburg). Für viele Amerikaner ist es überraschend,[34] daß deutsche Universitäten keinen Campus haben; ihre Gebäude liegen oft in verschiedenen Stadtteilen.[35]

[27] head [28] president [29] dean [30] quite different from this country
[31] election [32] are elected [33] to be sure [34] surprising [35] different parts of the city

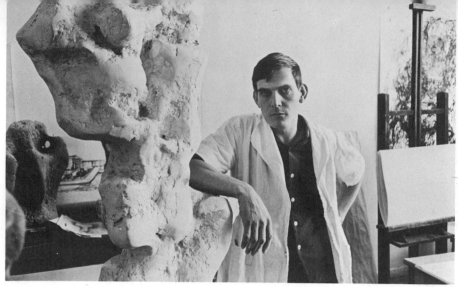

D

Deutschland hat auch viele technische Hochschulen, sowie[36] Hochschulen für Lehrerbildung[37] (Pädagogische Akademien), Bergakademien,[38] Forstakademien[39] und Kunstakademien,[40] Musikhochschulen, Tierärztliche[41] Hochschulen und Handelshochschulen.[42] In Deutschland ist es kaum[43] möglich, wie bei uns, Musik oder Kunst an einer Universität zu studieren;[44] man besucht eine Kunstakademie oder eine Musikhochschule. Unter den modernen Künstlern[45] spielen junge Männer wie Gerson Fehrenbach (D) eine große Rolle. Er und andere junge Berliner treffen sich[46] abends in Nachtlokalen[47] und besprechen die Kunst unserer Zeit (E, Edens Saloon).

[36] as well as   [37] teacher training   [38] schools of mining   [39] schools of forestry   [40] art academies   [41] veterinary   [42] business colleges   [43] hardly   [44] only musicology and art history are offered   [45] artists   [46] meet   [47] nightclubs

E

dann – then – now & then
denn – then – for (part cons)
wann – when – at what time
wenn – when, whenever

AUFGABE SECHS

TENNIS ODER SCHWIMMEN?

Rudi Wolf und Bruno Lehmann kennen einander seit einigen Wochen.
Die beiden hören Professor Benns Vorlesungen über die deutsche Lyrik.
Heute sehen sie einander wieder, aber diesmal auf der Straße vor dem
Studentenheim, wo Bruno wohnt.

[1] LEHMANN: Guten Tag! Schönes Wetter heute, nicht wahr?

[2] WOLF: Ja, einfach herrlich, trotz des Regens in der Nacht.

[3] LEHMANN: Haben Sie Lust, Tennis zu spielen? Der Tennisplatz ist gleich um die Ecke.

[4] WOLF: Ich möchte schon, aber ich spiele nicht gut.

[5] LEHMANN: Das glaube ich nicht. Alle Amerikaner spielen gut.

[6] WOLF: Ich habe wirklich mehr Glück als Talent.

[7] LEHMANN: Schauen Sie mal die beiden Mädchen dort drüben! Sie gehen wahrscheinlich schwimmen.

[8] WOLF: Kann sein. Wenigstens gehen sie in der Richtung des Schwimmbads.

[9] LEHMANN: Können Sie gut schwimmen?

[10] WOLF: Wie ein Fisch! Besonders, wenn ein schönes Mädchen um Hilfe ruft.

[11] LEHMANN: Wenn ich im Wasser bin, rufen alle Mädchen um Hilfe.

[12] WOLF: Gut! Dann werde ich sie retten.

[13] LEHMANN: Das ist doch Luise Ulmer und ihre Schwester Anna! Kennen Sie sie?

[14] WOLF: Ja, Anna kenne ich besser als Luise. Ich höre, Sie interessieren sich für Anna.

[15] LEHMANN: O nein, Anna ist eigentlich sehr nett, aber Luise gefällt mir besser.

[16] WOLF: Wirklich? Da bin ich aber froh, denn ich habe Anna sehr gern.

[17] LEHMANN: Warum gehen wir nicht auch schwimmen?

[18] WOLF: Gute Idee! Gehen wir also!

LESSON 6

TENNIS OR SWIMMING?

Rudi Wolf and Bruno Lehmann have known each other for several weeks. The two attend Professor Benn's lectures about German lyric poetry. Today they see each other again, but this time on the street in front of the student hostel where Bruno lives.

[1] LEHMANN: Hello! Nice weather today, isn't it?

[2] WOLF: Yes, simply magnificent, in spite of the rain during the night.

[3] LEHMANN: Would you like to play tennis? The tennis court is just around the corner.

[4] WOLF: I'd certainly like to, but I don't play well.

[5] LEHMANN: That I don't believe. All Americans play well.

[6] WOLF: I really have more luck than talent.

[7] LEHMANN: Look at the two girls over there! They are probably going swimming.

[8] WOLF: Maybe. At least they're going in the direction of the swimming pool.

[9] LEHMANN: Can you swim well?

[10] WOLF: Like a fish! Especially when a beautiful girl calls for help.

[11] LEHMANN: When I'm in the water, all the girls call for help.

[12] WOLF: Good! Then I'll save them.

[13] LEHMANN: Why, that's Luise Ulmer and her sister Anna! Do you know them?

[14] WOLF: Yes, I know Anna better than Luise. I hear you're interested in Anna.

[15] LEHMANN: Oh no, Anna is actually very nice, but I like Luise better.

[16] WOLF: Really? I'm glad then, for I like Anna a lot.

[17] LEHMANN: Why don't we go swimming too?

[18] WOLF: Good idea! Let's go!

VOCABULARY BUILDING

Family Groups

Meine Familie
Mein Vater
Meine Mutter } wohnt hier.
Mein Bruder
Meine Schwester

Mein Großvater
Meine Großmutter
Mein Onkel } wohnt dort.
Meine Tante
Mein Vetter[1]
Meine Kusine

husband

Mein Mann[2]
Meine Frau[3]
Mein Sohn[4]
Meine Tochter[5] } bleibt heute zu Hause.
Der Junge (Knabe)[6]
Das Mädchen
Das Kind
Das Baby

The possessive adjective **mein** takes the same endings as **ein** and **kein**.

Climate and Weather

Wie ist das Wetter heute? Es ist {
warm.
kalt.
kühl.
heiß.[7]
schön.
wunderbar.
herrlich.[8]
angenehm.[9]
unangenehm.
}

Climate

Es donnert.[10]
Es blitzt.[11]
Es regnet.[12]
Es schneit.[13]
Es hagelt.[14]
Es ist windig.[15]

Der Wind ist stark.[16]
Es ist sonnig.[17]
Die Sonne scheint heute.
Der Sonnenschein ist warm.
Das Klima ist sehr angenehm.
Die Temperatur ist oft sehr hoch.[18]

[1] cousin (male) [2] husband [3] wife [4] son [5] daughter [6] boy [7] hot
[8] magnificent, splendid [9] pleasant [10] It's thundering [11] lightens [12] rains
[13] snows [14] hails [15] windy [16] strong [17] sunny [18] high

PRONUNCIATION DRILL

The sounds [s] (spelled s, ss, ß,) and [z] (spelled s)

When final and medially before **t**, the German letter **s** represents the sound [s] in *sight;* elsewhere it is pronounced like **z** in *zebra.* Practice with your model the following words:

[s]	[z]	[z]	[z]	[z]
das	so	sein	Else	Besen
was	sagen	sechs	Hänsel	Weser
Nest	suchen	Sohn	bremsen	Esel
best	seit	Sommer	einsam	Hose
Lust	Sie	Suppe	also	leise

Practice vertically and horizontally:

lesen	reisen	blasen	lösen	niesen
liest	reist	bläst	löst	niest
las	reiste	blies	löste	nieste
gelesen	gereist	geblasen	gelöst	geniest

The consonant letters **ss** and **ß** also represent the sound [s]. The symbol **ß,** called *ess-tsett,* occurs after long vowels or diphthongs, at the end of words or syllables, and before consonants. The digraph **ss** occurs only between short vowels. Practice with your model the following combinations and note why **ss** is used in some words and **ß** in others.

lassen	Bissen	Soße	wissen	essen	müssen
laß	Biß	Muße	weiß	ißt	muß
ließ	bißchen	Fleiß	wußte	aß	mußte

DIALOGUE VARIATIONS

A. Möchten Sie heute Tennis spielen?
B. Natürlich, wenn es nicht zu warm wird.
A. Wenn Sie es zu warm und schwül[1] finden, könnten[2] wir doch schwimmen gehen.
B. Wie weit ist es zum Schwimmbad?
A. Ungefähr zwei Kilometer. Mit dem Rad sind wir in zehn Minuten dort.
B. Abgemacht! Gehen wir!

A. Wohin gehen Sie?
B. Ich habe ein Rendezvous mit Rolfs Schwester.
A. Wie heißt sie?

[1] sultry   [2] could

unfortunately

B. Rosa. Kennen Sie Rosa?

A. Nein, leider[3] nicht.

B. Sie ist wirklich gar nicht hübsch, tanzt sehr schlecht[4] und ist einfach lang-weilig.[5]

A. So? Dann will ich sie lieber[6] nicht kennenlernen. *and rather*

A. Sind Sie auf dem Weg[7] zum Schwimmbad?

B. Nein, wir gehen im Park spazieren.[8]

A. Wir? Haben Sie eine Verabredung mit einem jungen Mann?

B. Gewiß.[9] Er wartet dort drüben auf mich.

A. Hat er vielleicht einen guten Freund?

B. Das kann sein. Ich werde ihn fragen.

A. Viel Vergnügen![10]

B. Danke. Auf Wiedersehen!

CONVERSATIONAL PATTERNS

I. GENITIVE CASE *Possessive*

Genitive Articles

des Mannes (*of the* man)	**des** Buches (*of the* book)	**der** Frau (*of the* woman)
eines Mannes (*of a* man)	**eines** Buches (*of a* book)	**einer** Frau (*of a* woman)
keines Mannes (*of no* man)	**keines** Buches (*of no* book)	**keiner** Frau (*of no* woman)

The genitive case expresses possession or relationship. Usually the *possessor* stands after the *thing possessed*.

Das Buch **des Kindes** liegt auf dem Tisch.	*The child's* book . . .
Das Haus **der Frau** ist klein.	*The woman's* house . . .
Der Vater **des Mädchens** ist nicht zu Hause.	*The father of the girl* . . .

Masculine and neuter nouns generally add -s in the genitive singular: **des Bruders, des Mädchens**. If the noun ends in a sibilant sound, -es is used: **des Hauses, des Blitzes** (*of the lightning*). Monosyllabic masculine and neuter nouns usually add -es: **des Freundes, des Mannes, des Kindes**. In spoken German, however, the e is frequently not pronounced. Feminine nouns always remain unchanged in the singular.

Note that proper names add -s, without an apostrophe, in the genitive:

Karls Bleistift, **Karlas** Mutter, *etc.*

The only exception is the proper noun that ends in a *sibilant* (s, ss, ß, tz), in which case either a genitive article (**des Fritz**) or a preposition (**von Fritz**) is used.

---

[3] unfortunately   [4] badly   [5] boring   [6] rather   [7] way
[8] we are going walking   [9] certainly   [10] Have a good time!

1. Repetition

Das Buch des Lehrers liegt hier.
Das Buch eines Lehrers liegt hier.
Das Heft der Studentin liegt hier.
Das Heft einer Studentin liegt hier.

Der Hut (*hat*) des Kindes liegt hier.
Der Hut eines Kindes liegt hier.
Kennen Sie den Freund meines
Onkels?

2. Definite Article > Indefinite Article

Hier ist das Buch des Lehrers.

Hier ist der Tisch der Lehrerin.
Hier ist das Geld des Mannes.
Hier ist der Hut der Frau.
Hier ist der Hut des Kindes.
Hier ist das Heft der Studentin.

Hier ist das Buch eines Lehrers.

Hier ist der Tisch einer Lehrerin.
Hier ist das Geld eines Mannes.
Hier ist der Hut einer Frau.
Hier ist der Hut eines Kindes.
Hier ist das Heft einer Studentin.

3. Question-Answer

Wessen (whose) *Buch ist das?* (*Lehrer*)

Wessen Bleistift ist das? (Studentin)
Wessen Roman ist das? (Mädchen)
Wessen Hut ist das? (Kind)
Wessen Kugelschreiber ist das? (Lehre-rin)
Wessen Freund ist das? (Mädchen)

Es ist das Buch des Lehrers.

Es ist der Bleistift der Studentin.
Es ist der Roman des Mädchens.
Es ist der Hut des Kindes.
Es ist der Kugelschreiber der Lehrerin.

Es ist der Freund des Mädchens.

4. Substitution

Der Bruder des Lehrers ist Arzt. (*die
Lehrerin*)

Der Vater meiner Lehrerin ist Apothe-ker. (mein Lehrer)
Der Freund meines Vaters ist Arzt. (mein Onkel)
Die Freundin meiner Schwester heißt Hilde. (meine Kusine)
Der Lehrer meiner Tochter heißt Erich Schmidt. (mein Sohn)
Dort drüben wohnt die Schwester der Lehrerin. (der Lehrer)
Der Lehrer meines Vetters wohnt dort drüben. (meine Kusine)

Der Bruder der Lehrerin ist Arzt.

Der Vater meines Lehrers ist Apotheker.

Der Freund meines Onkels ist Arzt.

Die Freundin meiner Kusine heißt Hilde.

Der Lehrer meines Sohnes heißt Erich Schmidt.
Dort drüben wohnt die Schwester des Lehrers.
Der Lehrer meiner Kusine wohnt dort drüben.

II. GENITIVE PREPOSITIONS

The genitive is also used with certain prepositions. Those frequently used are:

(an)statt *instead of*	während *during*
trotz *in spite of*	wegen *because of*

5. Repetition

Während eines Semesters lernt man (*one*) viel.

Wegen der Arbeit kann er heute nicht kommen.

Morgen kommt meine Schwester statt meines Bruders.

Was machen Sie während des Sommers?

Trotz meines Hungers esse ich nur wenig.

Wegen meiner Mutter muß ich zu Hause bleiben.

6. Genitive Turnabout

Heute kommt meine Mutter statt meines Vaters.

Heute kommt mein Bruder statt meiner Schwester.

Heute kommt meine Tante statt meines Onkels.

Heute kommt mein Großvater statt meiner Großmutter.

Heute kommt die Lehrerin statt des Lehrers.

Heute kommt ein Student statt einer Studentin.

Heute kommt mein Vater statt meiner Mutter.

Heute kommt meine Schwester statt meines Bruders.

Heute kommt mein Onkel statt meiner Tante.

Heute kommt meine Großmutter statt meines Großvaters.

Heute kommt der Lehrer statt der Lehrerin.

Heute kommt eine Studentin statt eines Studenten.

7. Noun Substitution

Wegen (die Schule) kann ich nicht kommen.

_____ (das Klima) _____.

_____ (die Arbeit) _____.

_____ (meine Mutter) _____.

_____ (das Examen) _____.

Wegen der Schule kann ich nicht kommen.

Wegen des Klimas kann ich nicht kommen.

Wegen der Arbeit kann ich nicht kommen.

Wegen meiner Mutter kann ich nicht kommen.

Wegen des Examens kann ich nicht kommen.

Trotz (meine Arbeit) gehe ich schwimmen.   Trotz meiner Arbeit gehe ich schwimmen.

—— (das Examen) ————.   Trotz des Examens gehe ich schwimmen.

—— (der Regen) ————.   Trotz des Regens gehe ich schwimmen.

—— (die Warnung meines Arztes) ——.   Trotz der Warnung meines Arztes gehe ich schwimmen.

III. FUTURE TENSE

The future tense is formed with the present tense of **werden** plus an infinitive at the end of the clause:

Ich **werde** zu Hause **bleiben.**   *I shall stay home.*

Er
Sie } **wird** zu Hause **bleiben.**   He
Es   She } *will stay home.*
                                         It

Wir
Sie } **werden** zu Hause **bleiben.**   We   shall
Sie   They }   } *stay home.*
                                           You } will

Note that **werden** means *become* when used alone, but when it precedes an infinitive, as illustrated above, it means *shall* or *will*.

Das Wetter **wird** (*is becoming*) kalt.

The present tense is frequently used in place of the future, especially if there is an adverb that indicates future time:

Morgen fahre ich mit der Straßenbahn.
Er kommt heute abend nach Hause.

8. Repetition

Ich werde meinen Vetter besuchen.
Meine Frau wird heute nicht zu Hause sein.
Heute wird es regnen.
Morgen wird es schön sein.

Wir werden bald essen.
Wann wird mein Großvater kommen?
Ich werde meiner Schwester helfen.
Mein Sohn und meine Tochter werden nicht gehen.

9. Present > Future

Wir sind zu Hause.   *Wir werden zu Hause sein.*

Er arbeitet.	Er wird arbeiten.
Wir gehen fischen.	Wir werden fischen gehen.
Die Sonne scheint.	Die Sonne wird scheinen.
Meine Kusine besucht uns.	Meine Kusine wird uns besuchen.
Es ist kühl.	Es wird kühl sein.

IV. INTERROGATIVE PRONOUNS

People

NOM.	wer?	*who?*	Wer kommt heute?
ACC.	wen?	*whom?*	Wen sehen Sie auf der Straße?
DAT.	wem?	*whom?*	Mit wem sprechen Sie?
GEN.	wessen?	*whose?*	Wessen Buch ist das?

Things

NOM.	was?	*what?*	Was ist das?
ACC.	was?	*what?*	Was hat er in der Hand?
DAT.	——	——	(See Section V.)
GEN.	wessen?	*of what?*	(Seldom used.)

10. Repetition

Wer wird Ihnen helfen?	Bei wem wohnen Sie?
An wen denken Sie?	Wessen Hut ist das?
Für wen arbeiten Sie?	Was ist denn los?
Wem helfen Sie?	Was wollen Sie?

11. Statement > Question

Mein Onkel Joachim gibt mir Geld.   *Wer gibt Ihnen Geld?*
   (who?)

Ich helfe meinem Deutschlehrer.   Wem helfen Sie?
   (*whom?*)

Karl Theodors Bruder wird nach   Wessen Bruder wird nach Deutschland
   Deutschland reisen. (*whose?*)   reisen?

gefragt

Hannelore sehe ich nicht oft. (*whom?*)   Wen sehen Sie nicht oft?

Herr Speidel hat nach Ihnen gefragt. (*who?*)   Wer hat nach mir gefragt?

Ich gehe zu meinem Onkel Sebastian. (*to whom?*)   Zu wem gehen Sie?

Ich denke an Walter Eisenstedt. (*of whom?*)   An wen denken Sie?

Bärbel Schempps Vetter ist dort drüben. (*whose?*)   Wessen Vetter ist dort drüben?

V. *WO*-COMPOUNDS

inanimate objects

When the interrogative pronoun **was** is preceded by a preposition, it is replaced by **wo-** (**wor-** before vowels) and is compounded with the preposition:

Womit (*with what*) schreiben Sie?
Worauf (*on what*) sitzt er?

worüber

12. Repetition

Womit schreiben Sie gewöhnlich?   Woran denken Sie?
Worauf warten wir?   Wovon spricht der Lehrer?
Wofür danken Sie Peter?   Woran arbeiten Sie?
at

13. Statement > Question with *Wo*-compound

Ich fahre mit dem Zug.   *Womit fahren Sie?*

Ich warte auf den Bus.   Worauf warten Sie?
Wir arbeiten an Aufgabe sechs.   Woran arbeiten Sie?
Ich denke an die Aufgabe.   Woran denken Sie?
Ich schreibe gewöhnlich mit einem Kugelschreiber.   Womit schreiben Sie gewöhnlich?
Ich spreche gern über Politik.   Worüber sprechen Sie gern?

dieses — This (handwritten)

VI. THE VERBS *WISSEN, KENNEN,* AND *KÖNNEN* — modal (handwritten)

Wissen expresses *knowledge of fact:*

Ich weiß das.
Wir **wissen**, wer er ist.

I *know* that.
We *know* who he is.

$$\left.\begin{array}{c} \text{ich} \\ \text{er} \\ \text{sie} \\ \text{es} \end{array}\right\} \text{weiß} \qquad \left.\begin{array}{c} \text{wir} \\ \text{sie} \\ \text{Sie} \end{array}\right\} \text{wissen}$$

Kennen means *to know* in the sense of *to be acquainted with:*

Ich **kenne** den Mann nicht.
Kennen Sie dieses Buch?

I don't *know* the man.
Are you *acquainted* with this book?

This (handwritten)

$$\left.\begin{array}{c} \text{ich } \textbf{kenne} \\[4pt] \left.\begin{array}{c} \text{er} \\ \text{sie} \\ \text{es} \end{array}\right\} \text{kennt} \end{array}\right. \qquad \left.\begin{array}{c} \text{wir} \\ \text{sie} \\ \text{Sie} \end{array}\right\} \text{kennen}$$

Are Able (handwritten)

The modal **können** is also used to mean *know* or *have a skill* in expressions such as:

Ich **kann** (*know*) Deutsch.
Ich **kann** Mathematik gut.
Ich **kann** das Gedicht nicht. *I don't know (can't recite) the poem.*

Poem (handwritten)

14. Repetition

Ich kenne den Mann gut.
Ich weiß, wie er heißt.
Er kennt mich gut.
Er weiß, wo ich wohne.

Anna kann Deutsch; das wissen wir.
Sie kann auch Mathematik.
Ich weiß, wie man Sprachen lernt.
Kennen Sie die Stadt Ulm?

15. Question-Answer

Können Sie Deutsch?

Ja, ich kann Deutsch.

Kennen Sie Chicago?
Kennen Sie mich?
Wissen Sie, wie ich heiße?
Können Sie Mathematik?

Ja, ich kenne Chicago.
Ja, ich kenne Sie.
Ja, ich weiß, wie Sie heißen.
Ja, ich kann Mathematik.

das Schach — chess

Wissen Sie, wo Karl wohnt?	*Nein, ich weiß nicht, wo er wohnt.*
Kennen Sie diese Dame?	Nein, ich kenne sie nicht.
Wissen Sie, wie der Junge heißt?	Nein, ich weiß nicht, wie er heißt.
Kennen Sie Herrn Schmidt?	Nein, ich kenne ihn nicht.
Können Sie Russisch? (kein)	Nein, ich kann kein Russisch.

REVIEW

English-German Patterns

my aunt's car (*Wagen*)	der Wagen meiner Tante
the teacher's book	das Buch des Lehrers
the girl's brother	der Bruder des Mädchens
the co-ed's notebook	das Heft der Studentin
the brother of the teacher	der Bruder des Lehrers
the teacher's sister	die Schwester des Lehrers
my uncle's friend	der Freund meines Onkels
the house of my friend	das Haus meines Freundes
my cousin's (*f.*) teacher	der Lehrer meiner Kusine
my daughter's girl friend	die Freundin meiner Tochter
my son's teacher (*f.*)	die Lehrerin meines Sohnes
the child's pencil	der Bleistift des Kindes
the friend (*f.*) of my wife	die Freundin meiner Frau
It's thundering.	Es donnert.
It's raining.	Es regnet.
It's snowing.	Es schneit.
It's lightning.	Es blitzt.
The sun isn't shining today.	Die Sonne scheint heute nicht.
It is windy.	Es ist windig.
Do you like to swim?	Schwimmen Sie gern?
Do you like to dance?	Tanzen Sie gern?
Do you like to fish?	Fischen Sie gern?
Do you like to play tennis?	Spielen Sie gern Tennis?
Do you like to play chess (*Schach*)?	Spielen Sie gern Schach?
I work during the day.	Ich arbeite während des Tages.
The student works during the summer.	Der Student arbeitet während des Sommers.
He is here despite the rain.	Er ist hier trotz des Regens.
My son is coming instead of my daughter.	Mein Sohn kommt statt meiner Tochter.
Because of my family I want to go today.	Wegen meiner Familie will ich heute gehen.

Tomorrow I shall stay at home.	Morgen werde ich zu Hause bleiben.
I want to stay at home.	Ich will zu Hause bleiben.
My cousin (f.) will be here tomorrow.	Meine Kusine wird morgen hier sein.
I shall go swimming.	Ich werde schwimmen gehen.
I want to go swimming.	Ich will schwimmen gehen.
It is getting warm.	Es wird warm.
What do you write with?	Womit schreiben Sie?
What are you working on?	Woran arbeiten Sie?
What is he speaking about?	Worüber (wovon) spricht er?
What are they thinking about?	Woran denken sie?
What are you thanking him for?	Wofür (für was) danken Sie ihm?
With whom are you dancing?	Mit wem tanzen Sie?
Of whom are you speaking?	Von wem sprechen Sie?
Whom is he calling?	Wen ruft er?
Whose hat is that?	Wessen Hut ist das?
What are you doing today?	Was tun (machen) Sie heute?
Who is singing this evening?	Wer singt heute abend?
Do you know where he works?	Wissen Sie, wo er arbeitet?
Does she know him?	Kennt sie ihn?
Does she know where he lives?	Weiß sie, wo er wohnt?
Does he know German?	Kann er Deutsch?

General Questions

1. Spielen Sie gern Tennis?   2. Gehen Sie oft schwimmen?   3. Haben Sie Lust, eine Reise zu machen?   4. Wohin möchten Sie reisen?   5. Wie ist das Wetter heute?   6. Regnet es?   7. Scheint die Sonne Tag und Nacht?   8. Ist das Klima in Kalifornien unangenehm?   9. Haben Sie mehr Glück als Talent, wenn Sie Karten (cards) spielen?   10. Was tun Sie, wenn ein Mädchen um Hilfe ruft? 11. Wie weit ist es zum Schwimmbad?   12. Haben Sie eine Verabredung mit der Tochter des Lehrers?   13. Sind Sie die Schwester (der Bruder) meines Freundes? 14. Tanzen Sie gut oder schlecht?   15. Finden Sie einige Mädchen (Herren) langweilig?

Directed Questions

1. Fragen Sie Herrn ——, wann er zu Bett geht!
2. Fragen Sie Fräulein ——, auf wen sie wartet!
3. Fragen Sie Herrn ——, womit er schreibt!
4. Fragen Sie Herrn ——, ob das Wetter kalt ist!
5. Fragen Sie Fräulein ——, ob sie tanzen möchte!
6. Fragen Sie Fräulein ——, ob sie alle Herren langweilig findet!
7. Fragen Sie Fräulein ——, woran sie denkt!
8. Fragen Sie Herrn ——, wann er wieder fischen geht!

VERB SUMMARY

INFINITIVE

		ich		er sie es		wir sie Sie
erkennen (*recognize*)			erkenne		erkennt		erkennen
fischen (*fish*)			fische		fischt		fischen
hören (*hear*)			höre		hört		hören
interessieren (*interest*)			interessiere		interessiert		interessieren
merken (*note*)			merke		merkt		merken
retten (*rescue*)			rette		rett**et**		retten
rufen (*call*)			rufe		ruft		rufen
schauen (*look*)			schaue		schaut		schauen
scheinen (*seem*)			scheine		scheint		scheinen
wissen (*know a fact*)			**weiß**		**weiß**		wissen

	es
blitzen (*lighten*)	blitzt
donnern (*thunder*)	donnert
hageln (*hail*)	hagelt
regnen (*rain*)	reg**net**
scheinen (*shine*)	scheint
schneien (*snow*)	schneit

A

B

DER SPORT

In Deutschland, wie in anderen europäischen Ländern, ist Fußball der große Volkssport.[1] Er spielt dieselbe[2] Rolle wie *baseball* bei uns. Wir haben dasselbe Spiel, aber wir nennen es *soccer*. Fast[3] jeder deutsche Schuljunge ist ein begeisterter[4] Fußballspieler. Alle großen Städte haben ein Stadion,[5] in dem Zehntausende[6] dem Spiel zuschauen[7] können. Oft kommt die gegnerische Mannschaft[8] aus einem Nachbarland,[9] wie Dänemark oder Italien. Bei diesem Meisterschaftsspiel[10] im großen Olympiastadion in Berlin (A) ist jeder Platz besetzt.[11] Dieses große Stadion wurde[12] während der Hitler-Zeit für die Olympiade[13] des Jahres 1936 erbaut.[14] Ost- und Westdeutschland sind, wie bekannt,[15] zwei verschiedene Staaten,[16] aber die olympischen Wettkämpfer[17] aus Ostdeutschland und Westdeutschland vertreten[18] nur *ein Deutschland*.

Wie in anderen Ländern haben viele Männer großes Interesse für den Boxsport[19] und das Ringen,[20] während die meisten Frauen diese Sportarten[21] für roh halten.[22] Allgemein aber ist das Interesse für Leichtathletik:[23] Laufen, Hochsprung,[24] Weitsprung,[25] Speerwerfen[26] usw. (B, das Rheinstadion in Düsseldorf).

[1] national sport   [2] the same   [3] almost   [4] enthusiastic   [5] stadium
[6] tens of thousands   [7] watch   [8] opposing team   [9] neighboring country
[10] championship game   [11] occupied   [12] was   [13] Olympics   [14] constructed
[15] as is known   [16] different states   [17] competitors   [18] represent   [19] boxing
[20] wrestling   [21] types of sports   [22] consider rough, cruel   [23] track   [24] high jump
[25] broad jump   [26] javelin throwing

C

Das Segeln[27] macht viel Spaß[28] und wird immer beliebter.[29] Auf jedem deutschen, österreichischen und schweizerischen See[30] sieht man viele Segelboote.[31] Auf dem schönen Bodensee[32] (C) ist das Segeln besonders beliebt.[33]

Die deutschen Schiläufer[34] finden ihr Paradies in den Bayrischen Alpen.[35] Garmisch-Partenkirchen ist ein Winterkurort[36] und ein Zentrum[37] für den

[27] sailing [28] fun [29] more and more popular [30] lake [31] sailboats
[32] Lake Constance [33] especially popular [34] skiers [35] Bavarian Alps
[36] winter health resort [37] center

D

Wintersport (D). Im Jahre 1936 fanden hier die olympischen Winterspiele statt.[38] Innsbruck, eine österreichische Stadt, die nicht weit von der Grenze[39] liegt, hatte 1964 dieselbe Ehre.[40] In der Schweiz wie in Österreich fahren an einem Winterwochenende so viele Schiläufer in die Berge, daß jeder Zug extra Wagen haben muß. Auch das Bergsteigen[41] ist ein beliebter Sport, vor allem in den Alpenländern (E, Berner Oberland).

[38] (fanden . . . statt) took place   [39] border   [40] honor   [41] mountain climbing

E

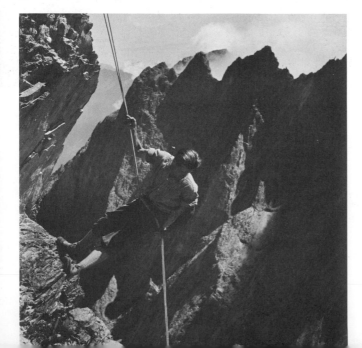

101

AUFGABE SIEBEN

AUF DER STRASSE

Rudi Wolf begegnet einem Bekannten, Klaus Menzer, auf der Straße.

[1] MENZER: Guten Tag! Wie geht es Ihnen?

[2] WOLF: Danke, gut. Und Ihnen?

[3] MENZER: Es geht. Wohin gehen Sie?

[4] WOLF: Ich muß zum Bahnhof.[1] Wollen Sie mitkommen?

[5] MENZER: Ich möchte schon, aber ich muß erst noch zur Post.[1]

[6] WOLF: Gut! Ich werde Sie begleiten. Ich will nämlich diese Briefe aufgeben.

[7] MENZER: Haben Sie schon Briefmarken?

[8] WOLF: Nein, noch nicht.

[9] MENZER: Schade, sonst könnten Sie die Briefe dort drüben in den gelben Briefkasten werfen.

[10] WOLF: Wissen Sie, ob hier irgendwo eine Bank in der Nähe ist? Ich muß einen Scheck einlösen.

[11] MENZER: Wenn es ein Reisescheck ist, dann können Sie ihn im Bahnhof einlösen.

[12] WOLF: Richtig! Manchmal bin ich genauso zerstreut wie ein Professor.

[13] MENZER: Kommen Sie nur! Wir wollen hier über die Straße gehen.

[14] WOLF: Passen Sie auf! Da kommt ein Auto!

[15] MENZER: Jetzt ist rotes Licht und die Autos müssen halten. Schnell! Beeilen wir uns!

[1] The infinitive **gehen** is understood.

LESSON 7

ON THE STREET

Rudi Wolf meets an acquaintance, Klaus Menzer, on the street.

[1] MENZER: Hello! How are you?

[2] WOLF: Fine thanks. And you?

[3] MENZER: Pretty well. Where are you going?

[4] WOLF: I have to go to the railway station. Do you want to come along?

[5] MENZER: I would certainly like to, but I have to go to the post office first.

[6] WOLF: Good! I'll go with you. I want to mail these letters, anyway.

[7] MENZER: Do you already have stamps?

[8] WOLF: No, not yet.

[9] MENZER: Too bad; otherwise you could put the letters in that yellow mailbox over there.

[10] WOLF: Do you know whether there is a bank somewhere around here? I have to cash a check.

[11] MENZER: If it's a traveler's check, then you can cash it in the station.

[12] WOLF: Right! Sometimes I'm just as absentminded as a professor.

[13] MENZER: Come on! Let's cross (over) the street here.

[14] WOLF: Watch out! There comes a car!

[15] MENZER: Now the light is red, and the cars have to stop. Quick! Let's hurry!

VOCABULARY BUILDING

Farben (Colors)

Ein Apfel ist meistens[1] rot.
Das Gras ist im Sommer grün.
Eine Banane ist gelb.
Meine Schuhe sind braun.
Kohlen[2] sind schwarz.[3]
Der Himmel[4] ist im Sommer blau.
Im Winter ist der Himmel grau.
Das Stück Papier[5] ist weiß.
Die Blumen[6] sind bunt.[7]

Conter BUNT
very colored

Die Post (Mail)

Schreiben Sie einen Brief an einen Freund?
Ich schreibe eine Postkarte an meine Mutter.
Wissen Sie die Adresse meines Lehrers?
Wo kann ich Briefmarken bekommen?
Wollen Sie ein Paket[8] aufgeben?
Gewöhnliche Post[9] oder Luftpost?[10]
Werfen Sie diesen Brief in den Briefkasten!
Da kommt der Briefträger.[11]

Die Bank (The Bank)

Gehen Sie zur Bank?
Meine Schwester ist schon auf der Bank.
Haben Sie viel Geld auf der Bank?
Ich möchte einen Scheck einlösen.
Haben Sie Reiseschecks?
Kann man hier Geld wechseln?[12]
Ich habe kein Geld bei mir.

---

[1] generally   [2] coal   [3] black   [4] sky   [5] piece of paper   [6] flowers
[7] many-colored   [8] package   [9] regular mail   [10] air mail   [11] mailman
[12] exchange

(handwritten margin notes: either; Entweder; gegenüber; opposite)

PRONUNCIATION DRILL

The sound [l] (spelled *l*)

The German l is not as relaxed as its English counterpart; the tongue comes farther forward and touches the ridge above the upper teeth. Listen to the difference between the German l and the English l:

ENGLISH	GERMAN		ENGLISH	GERMAN
keel	Kiel		built	Bild
male	Mehl		leaf	lief
coal	Kohl		light	Leid
pool	Pfuhl		plots	Platz

Practice vertically and horizontally:

lachen	blind	Flamme	mahlen	Saal	Wahlen—Wahl
lernen	Blume	Fleck	Welle	Mehl	Schalen—Schal
lesen	glauben	Fluß	Seele	hell	fehlen—Fehl
Liebe	Plan	Pflanze	Wolle	wohl	viele—viel
loben	Klasse	Pflicht	Schüler	null	Seile—Seil
Lunge	Platz	Pflug	Zeile	kühl	holen—hohl

DIALOGUE VARIATIONS

A. Können Sie mir sagen, wie ich zur Post komme?
B. Gern. Gehen Sie die erste Straße links und dann geradeaus!
A. Wie heißt die Straße?
B. Schillerstraße. Die Post ist direkt gegenüber[1] dem Rathaus.
A. Besten Dank.
B. Nichts zu danken.

A. Verzeihung! Wissen Sie vielleicht, wo ich Geld wechseln kann?
B. Entweder[2] auf der Bank oder im Bahnhof.
A. Kann man dort auch amerikanisches Geld wechseln?
B. Selbstverständlich.[3]

A. Wissen Sie Marias Adresse?
B. Goethestraße 74, glaube ich. Schicken[4] Sie ihr einen Brief?
A. Nein, eine Ansichtskarte.[5]
B. Haben Sie schon Briefmarken?
A. Nein, noch nicht, aber ich gehe gleich zur Post.

---

[1] opposite (*dat. prep.*)   [2] either   [3] of course   [4] send   [5] picture postcard

astonished
Be surprised

favor

Back

B. Würden Sie mir bitte einen Gefallen[6] tun?
A. Ja, natürlich.
B. Ich brauche[7] fünf Luftpostmarken.
A. Das mache ich gern. In einer Viertelstunde bin ich zurück.[8]

A. Was schreiben Sie?
B. Ein Gedicht.[9] Hören Sie mal![10]

> Rosen sind rot,
> Veilchen sind blau,
> Meine Frau ist sehr nett,
> Aber meine Schwiegermutter,[11] au! au!

CONVERSATIONAL PATTERNS

I. *DER*-WORDS

Nom e

The following words take the same declensional endings as the definite articles (**der, das, die**) and are generally referred to as **der**-words:

dieser   *this, pl. these*
jener   *that, pl. those (somewhat archaic)*
jeder   *each, every (no pl.)*

welcher   *which, pl. which*
mancher   *many a, pl. some*
solcher   *such a, pl. such*

The definite articles, when stressed, are sometimes used as demonstrative adjectives:

> **Der Wagen da** (*that car*) gehört meinem Freund.
> **Der Mann da** (*that man*) redet (*talks*) zu viel.

The presence of **da** lends extra force to the demonstrative. When used in reference to a person, this form may be rather impolite.

1. Repetition

NOMINATIVE

Dieser Mann ist mein Vater.
Diese Frau ist meine Mutter.
Das Buch da (jenes Buch) gehört
meiner Tochter.

ACCUSATIVE

Kennen Sie jede Studentin hier?
Kennen Sie jedes Mädchen hier?
Gehen Sie jeden Tag[1] nach Hause?

---

[6] favor   [7] need   [8] back   [9] poem   [10] Just listen!   [11] mother-in-law

[1] The accusative case is used in expressions such as this which indicate definite time or duration of time.

der Tag *from, 7, 27*

DATIVE	GENITIVE
Von welchem Mann sprechen Sie?	Ich kenne den Sohn dieses Lehrers.
Von welcher Frau sprechen Sie?	Ich kenne die Tochter dieser Frau.
Von welchem Kind sprechen Sie?	Ich habe das Buch dieses Kindes nicht.

2. Noun Substitution

Welcher Mann spricht Deutsch?

_____ (Frau) _____?	Welche Frau spricht Deutsch?
_____ (Mädchen) _____?	Welches Mädchen spricht Deutsch?
_____ (Lehrerin) _____?	Welche Lehrerin spricht Deutsch?
_____ (Kind) _____?	Welches Kind spricht Deutsch?
_____ (Student) _____?	Welcher Student spricht Deutsch?

Jeden Lehrer kenne ich nicht.

____ (Lehrerin) _____.	Jede Lehrerin kenne ich nicht.
____ (Student) _____.	Jeden Studenten kenne ich nicht.
____ (Mädchen) _____.	Jedes Mädchen kenne ich nicht.
____ (Kind) _____.	Jedes Kind kenne ich nicht.

Welchem Mann helfen Sie?

_____ (Frau) _____?	Welcher Frau helfen Sie?
_____ (Kind) _____?	Welchem Kind helfen Sie?
_____ (Bruder) _____?	Welchem Bruder helfen Sie?
_____ (Schwester) ____?	Welcher Schwester helfen Sie?

Wie heißt der Bruder dieses Lehrers?

_____ (Lehrerin)?	Wie heißt der Bruder dieser Lehrerin?
_____ (Kind)?	Wie heißt der Bruder dieses Kindes?
_____ (Mädchen)?	Wie heißt der Bruder dieses Mädchens?
_____ (Frau)?	Wie heißt der Bruder dieser Frau?

3. *Der*-words

Er tanzt gern mit _____ Studentin. (jeder)	*Er tanzt gern mit jeder Studentin.*
Nicht _____ Roman ist interessant. (jeder)	Nicht jeder Roman ist interessant.
Nicht _____ Vorlesung ist interessant. (jeder)	Nicht jede Vorlesung ist interessant.
_____ Lehrer gefällt Ihnen nicht? (welcher)	Welcher Lehrer gefällt Ihnen nicht?
_____ Sprache ist nicht schwer. (dieser)	Diese Sprache ist nicht schwer.
_____ Bleistift wollen Sie? (welcher)	Welchen Bleistift wollen Sie?

die Sprache

Mit _____ Studentin spricht er oft. (dieser)   Mit dieser Studentin spricht er oft.

Er spricht nicht mit _____ Mädchen. (jeder)   Er spricht nicht mit jedem Mädchen.

Finden Sie _____ Buch interessant? (mancher)   Finden Sie manches Buch interessant?

_____ Sprache ist schwer? (welcher)   Welche Sprache ist schwer?

Wollen Sie _____ Bleistift? (dieser)   Wollen Sie diesen Bleistift?

II. PLURAL ARTICLES *No article*

There is only one set of articles for the plural regardless of gender. Inasmuch as there is no plural form for **ein, kein** is used here to illustrate the endings. The nouns used to illustrate the plural articles (**Amerikaner, Engländer, Österreicher, Schweizer**) have no plural endings except for the addition of an **n** in the dative plural.

Plural *no gender*

NOM. & ACC.	**die** Amerikaner (*the Americans*)	keine Amerikaner (*no Americans*)
DATIVE	**den** Amerikanern	keinen Amerikanern
GENITIVE	**der** Amerikaner	keiner Amerikaner

Except for the dative, the plural articles are the same as the feminine singular articles. All nouns that do not end in **-n** or **-s** add an **-n** in the dative plural.

Der-words have the same endings in the plural as the plural definite articles.

NOM. & ACC.	(**die**)	diese Engländer (*these Englishmen*)
DATIVE	(**den**)	diesen Engländern
GENITIVE	(**der**)	dieser Engländer

4. Repetition

Wo sind die Österreicher?

Mit den Österreichern spreche ich gern.

Kennen Sie die beiden Österreicher?

Welche Österreicher meinen Sie (*do you mean*)?

Ich bin diesen Österreichern dankbar.

Mein Freund kennt keine Österreicher.

Ich kenne die Mutter der beiden Österreicher.

Manche Österreicher sprechen gut Englisch.

Mit solchen Österreichern spreche ich gern.

5. Singular > Plural

Wo ist der Schweizer?

Kennen Sie den Schweizer?
Ich warte auf den Schweizer.
Ich bin dem Schweizer dankbar.
Kennen Sie den Bruder des Schweizers?

Wie heißt dieser Engländer?

Welchen Engländer meinen Sie?
Ich bin manchem Engländer dankbar.
Kennen Sie die Mutter dieses Eng-
länders?

Wo sind die Schweizer?

Kennen Sie die Schweizer?
Ich warte auf die Schweizer.
Ich bin den Schweizern dankbar.
Kennen Sie den Bruder der Schweizer?

Wie heißen diese Engländer?

Welche Engländer meinen Sie?
Ich bin manchen Engländern dankbar.
Kennen Sie die Mutter dieser Engländer?

III. NOUNS THAT HAVE NO PLURAL ENDINGS

In German there are several ways of forming the plural of nouns. The following nouns that have been introduced add no endings to form their plurals (**das Fenster, die Fenster,** etc.):

NEUTER: das Mädchen, die Mädchen; das Zimmer, die Zimmer

MASCULINE: der Amerikaner, die Amerikaner; der Engländer, die Engländer; der Österreicher, die Österreicher, der Schweizer, die Schweizer; der Lehrer, die Lehrer; der Onkel, die Onkel; der Kugelschreiber, die Kugelschreiber; der Wagen, die Wagen

Some nouns that add no endings to form the plural do, however, add an umlaut (**der Bruder, die Brüder,** etc.):

MASCULINE: der Vater, die Väter; der Apfel, die Äpfel
FEMININE: die Mutter, die Mütter; die Tochter, die Töchter

Except for **Mutter** and **Tochter,** all these nouns are masculine or neuter and end in -el, -en, or -er.

6. Repetition

Essen Sie gern Äpfel?
Wo sind die Mütter und Väter?
Das Haus hat sieben Zimmer, nicht
wahr?
Wie viele Brüder haben Sie?

Karl spricht gern mit den Mädchen.
Wie geht es den beiden Österreichern?
Die Fenster dieser Zimmer sind groß.
Kennen Sie die Töchter meiner Lehrer?

der Apfel

7. Noun Substitution

Viele Amerikaner sind hier.

—— (Engländer) ————.	Viele Engländer sind hier.
—— (Mutter) ————.	Viele Mütter sind hier.
—— (Vater) ————.	Viele Väter sind hier.
—— (Mädchen) ————.	Viele Mädchen sind hier.
—— (Tochter) ————.	Viele Töchter sind hier.
—— (Bruder) ————.	Viele Brüder sind hier.

Acc.   *mean / think*

Welche Zimmer meinen Sie?

—— (Fenster) ————?	Welche Fenster meinen Sie?
—— (Tochter) ————?	Welche Töchter meinen Sie?
—— (Kugelschreiber) —?	Welche Kugelschreiber meinen Sie?
—— (Wagen) ————?	Welche Wagen meinen Sie?
—— (Apfel) ————?	Welche Äpfel meinen Sie?

da. pl. +N

Soll ich mit den Engländern sprechen?

———— (Mutter) ————?	Soll ich mit den Müttern sprechen?
———— (Bruder) ————?	Soll ich mit den Brüdern sprechen?
———— (Tochter) ————?	Soll ich mit den Töchtern sprechen?
———— (Vater) ————?	Soll ich mit den Vätern sprechen?
———— (Mädchen) ————?	Soll ich mit den Mädchen sprechen?

Ich kenne den Bruder dieser Amerikaner.

———————— (Engländer).	Ich kenne den Bruder dieser Engländer.
———————— (Schweizer).	Ich kenne den Bruder dieser Schweizer.
———————— (Mädchen).	Ich kenne den Bruder dieser Mädchen.
———————— (Lehrer).	Ich kenne den Bruder dieser Lehrer.

8. Singular > Plural

Ich spreche mit dem Schweizer.	*Ich spreche mit den Schweizern.*
Spricht er mit der Mutter?	Spricht er mit den Müttern?
Mein Lehrer weiß viel.	Meine Lehrer wissen viel.
Wollen Sie diesen Apfel?	Wollen Sie diese Äpfel?
Welches Zimmer meinen Sie?	Welche Zimmer meinen Sie?
In welchem Zimmer arbeitet er?	In welchen Zimmern arbeitet er?
Dieses Mädchen kenne ich.	Diese Mädchen kenne ich.

IV. NOUN PLURALS WITH -e

The following common nouns add **-e** to form their plurals (**das Jahr, die Jahre**, etc.):

NEUTER: das Heft, die Hefte; das Schiff, die Schiffe; das Wort, die Worte (_connected words in a phrase or sentence_)

MASCULINE: der Abend, die Abende; der Autobus, die Autobusse; der Bleistift, die Bleistifte; der Brief, die Briefe; der Freund, die Freunde; der Tag, die Tage; der Tisch, die Tische

Several nouns add an umlaut in addition to **-e** (**der Baum, die Bäume,** etc.):

MASCULINE: der Hut, die Hüte; der Sohn, die Söhne; der Stuhl, die Stühle; der Zug, die Züge

FEMININE: die Nacht, die Nächte; die Stadt, die Städte; die Wand, die Wände

9. Repetition

Manche Städte haben wenige (_few_) Bäume.

In diesen Zimmern sind viele Stühle.

Heute schreibe ich Briefe an Freunde.

Bleistifte, Briefe, Hefte und Hüte liegen auf den Tischen und Stühlen.

Welche Farbe (_color_) haben die Stühle und Tische?

10. Noun Substitution

Diese Schiffe fahren schnell.

____ (Zug) _____.

____ (Autobus) _____.

____ (Bus) _____.

Diese Züge fahren schnell.

Diese Autobusse fahren schnell.

Diese Busse fahren schnell.

Liese hat viele Bleistifte.

_____ (Freund).

_____ (Heft).

_____ (Hut).

Liese hat viele Freunde.

Liese hat viele Hefte.

Liese hat viele Hüte.

Auf den Tischen sehe ich Hefte.

_____ (Bleistift).

_____ (Brief).

_____ (Hut).

Auf den Tischen sehe ich Bleistifte.

Auf den Tischen sehe ich Briefe.

Auf den Tischen sehe ich Hüte.

einige - some

11. Singular > Plural

Was hängt an der Wand?	*Was hängt an den Wänden?*
Ich kenne diese Stadt gut.	Ich kenne diese Städte gut.
Der Zug ist lang.	Die Züge sind lang.
Sehen Sie den Stuhl da?	Sehen Sie die Stühle da?
> Er spricht mit meinem Sohn.	Er spricht mit meinen Söhnen.
Wo liegt mein Hut?	Wo liegen meine Hüte?
Was liegt auf dem Stuhl?	Was liegt auf den Stühlen?
Unter dem Baum sitzen einige Mädchen.	Unter den Bäumen sitzen einige Mädchen.

some

V. NOUN PLURALS WITH -er ¨

The nouns that add -er in forming their plurals also add an umlaut in the stem syllable whenever possible:

NEUTER: das Bild, die Bilder; das Kind, die Kinder; das Buch, die Bücher; das Haus, die Häuser; das Fahrrad, die Fahrräder; das Schwimmbad, die Schwimmbäder; das Wort, die Wörter (*isolated or unconnected words*)
MASCULINE: der Mann, die Männer

12. Repetition

Viele Bilder hängen an den Wänden.	Diese Stadt hat zwei Schwimmbäder.
Die Häuser dieser Städte sind alt.	Ich spreche gern mit Kindern.
In welchen Häusern wohnen die Studenten?	Diese Männer sind meine Freunde.
	Kennen Sie die Söhne dieser Männer?
Viele Fahrräder stehen vor den Häusern.	

13. Singular > Plural

Hier ist mein Bild.	*Hier sind meine Bilder.*
Das liest man in keinem Buch.	Das liest man in keinen Büchern.
Es steht in diesem Buch.	Es steht in diesen Büchern.
Ich weiß nicht, wo das Haus ist.	Ich weiß nicht, wo die Häuser sind.
Wissen Sie, wer in diesem Haus wohnt?	Wissen Sie, wer in diesen Häusern wohnt?
Welches Haus gehört Professor Müller?	Welche Häuser gehören Professor Müller?
Das Fahrrad gehört mir nicht.	Die Fahrräder gehören mir nicht.
Ich habe kein Kind.	Ich habe keine Kinder.

Welchen Mann kennen Sie? Welche Männer kennen Sie?
Ich spreche gern mit diesem Kind. Ich spreche gern mit diesen Kindern.
Kennen Sie die Freunde meines Kindes? Kennen Sie die Freunde meiner Kinder?
Kennen Sie die Kinder dieses Mannes? Kennen Sie die Kinder dieser Männer?
Mancher Mann weiß das. Manche Männer wissen das.

VI. DER-WORDS AS PRONOUNS

When used as pronouns, the **der**-words (**der, das, die, dieser, jener,** etc.) take their usual declensional endings:

Die Studenten sind schon hier, und **jeder** hat ein Buch.

Da sind die Bücher. **Welches** möchten Sie denn lesen?

Kennen Sie diese Frau? Nein, **die** kenne ich nicht.

Das is often used at or near the beginning of a sentence to refer to nouns of all genders and numbers:

Das ist mein Bruder.
Das ist meine Schwester.
Das (*those*) sind meine Bücher.

The pronoun **dies** is sometimes used in a similar manner:

Dies (*this*) ist mein Buch; **dies** (*these*) sind meine Bücher.

14. Repetition

Kennen Sie Rolf? Ja, **den** kenne ich.
Ist die Prüfung (*exam*) schwer? Ja, **die** ist schwer.
Das sind meine Eltern (*parents*).

Kennen Sie jedes Mädchen in der Klasse? Nein, **jedes** kenne ich nicht.
Kennen Sie jeden Lehrer in der Schule? Nein, **jeden** kenne ich nicht.

15. Statement > Question

Hier sind die Bücher. *Welches wollen Sie?*

Hier sind die Bleistifte. Welchen wollen Sie?
Hier sind die Hefte. Welches wollen Sie?
Hier sind die Äpfel. Welches wollen Sie?
Hier sind die Kugelschreiber. Welchen wollen Sie?
Hier sind die Zimmer. Welches wollen Sie?

16. Question-Answer

Kennen Sie jeden Lehrer?   *Nein, ich kenne nicht jeden.*

_____ (Lehrerin)?   Nein, ich kenne nicht jede.
_____ (Kind)?   Nein, ich kenne nicht jedes.
_____ (Vetter)?   Nein, ich kenne nicht jeden.

Kennen Sie Oskar?   *Ja, den kenne ich gut!*

Kennen Sie Trudi?   Ja, die kenne ich gut!
Kennen Sie Kurt und Dieter?   Ja, die kenne ich gut!
Kennen Sie den Deutschlehrer?   Ja, den kenne ich gut!

17. Singular > Plural

Das ist mein Bruder.   *Das sind meine Brüder.*

Das ist mein Apfel.   Das sind meine Äpfel.
Das ist mein Schulbuch.   Das sind meine Schulbücher.
Das ist meine Tochter.   Das sind meine Töchter.

REVIEW

English-German Patterns

I'm writing to my friends. (*an* + accusa-   Ich schreibe an meine Freunde.
tive)

Do you know the address of these   Wissen Sie die Adresse dieser Freunde?
friends?

I don't know the address of every friend.   Ich kenne nicht die Adresse jedes
Freundes.

Put (*stecken*) this letter in that mailbox,   Stecken Sie diesen Brief in den Brief-
please.   kasten da (dort), bitte!

the friends of these men   die Freunde dieser Männer
the books of my children   die Bücher meiner Kinder
the children of this man   die Kinder dieses Mannes
the fathers of these girls   die Väter dieser Mädchen
the teachers of my sons   die Lehrer meiner Söhne

in every lesson (*dat.*)   in jeder Aufgabe
with such men   mit solchen Männern
from which man?   von welchem Mann?
in many a city (*dat.*)   in mancher Stadt

on these walls (*dat.*) — an diesen Wänden
under those trees (*acc.*) — unter die Bäume da (jene Bäume)
with every girl — mit jedem Mädchen
at the home of many a friend — bei manchem Freund
next to that gentleman (*dat.*) — neben dem Herrn da (jenem Herrn)
on which chair? (*dat.*) — auf welchem Stuhl?
with these pictures — mit diesen Bildern

My teacher has two sons and three daughters. — Mein Lehrer hat zwei Söhne und drei Töchter.
He likes to talk about children. (*über*) — Er spricht gern über Kinder.
How many brothers do you have? — Wie viele Brüder haben Sie?
Do you have two cars? (*Wagen*) — Haben Sie zwei Wagen?

These notebooks are green. — Diese Hefte sind grün.
Those apples are not red. — Die Äpfel da (jene) sind nicht rot.
Which ones do you mean? — Welche meinen Sie?
Those on the table. — Die auf dem Tisch.
This one isn't red; it's yellow. — Dieser ist nicht rot, er ist gelb.

My house has seven rooms. — Mein Haus hat sieben Zimmer.
The windows in these rooms are large. — Die Fenster in diesen Zimmern sind groß.

Some houses have only five rooms. (*manche*) — Manche Häuser haben nur fünf Zimmer.
In my classroom (there) are two tables and twenty-five chairs. — In meinem Klassenzimmer sind zwei Tische und fünfundzwanzig Stühle.
The teacher hangs many pictures on the walls. — Der Lehrer hängt viele Bilder an die Wände.

Do you have money in the bank? — Haben Sie Geld auf der Bank?
Does she work at the bank? — Arbeitet sie auf der Bank?
Does he work at the post office? — Arbeitet er auf der Post?
Are you going to the post office? — Gehen Sie zur Post?

Where can one change money? — Wo kann man Geld wechseln?
Where can one buy stamps? — Wo kann man Briefmarken kaufen?
Where can one mail letters? — Wo kann man Briefe aufgeben?
Where can I cash a check? — Wo kann ich einen Scheck einlösen?

General Questions

1. Wie geht es Ihnen? 2. Wohin gehen Sie heute abend? 3. Wie weit ist der Bahnhof von hier? 4. Wo kann man Briefe aufgeben? 5. Haben Sie Briefmarken? 6. Wo kann man einen Scheck einlösen? 7. Sind Sie manchmal zerstreut? 8. Sind alle Professoren zerstreut? 9. Beeilen Sie sich, wenn Sie über die Straße gehen? 10. Ist eine Banane grün, schwarz oder gelb? 11. Ist jedes Stück Papier weiß?

Directed Questions

1. Fragen Sie Herrn ——, ob alle Äpfel rot sind!
2. Fragen Sie Herrn ——, wie oft der Briefträger kommt!
3. Fragen Sie Fräulein ——, ob sie die Adresse des Lehrers weiß!
4. Fragen Sie Herrn ——, ob er viel Geld auf der Bank hat!
5. Fragen Sie Fräulein ——, ob die Post gegenüber dem Rathaus ist!
6. Fragen Sie Herrn ——, ob alle Rosen rot sind!
7. Fragen Sie Fräulein ——, ob alle Männer freundlich sind!
8. Fragen Sie Herrn ——, ob eine Schwiegermutter immer sehr nett ist!

VERB SUMMARY

INFINITIVE	ich	er sie es	wir sie Sie
begegnen (*meet, dat.*)	begegne	begegnet	begegnen
begleiten (*accompany*)	begleite	begleitet	begleiten
brauchen (*need*)	brauche	braucht	brauchen
halten (*hold*)	halte	**hält**	halten
meinen (*mean, think*)	meine	meint	meinen
reden (*talk*)	rede	redet	reden
schicken (*send*)	schicke	schickt	schicken
stecken (*put*)	stecke	steckt	stecken
wechseln (*change*)	wechsle	wechselt	wechseln
werfen (*throw*)	werfe	**wirft**	werfen

A

AUF DER STRASSE

Wie so viele amerikanische Studentinnen muß auch Inge Schalla arbeiten, um sich ihr Studiengeld[1] zu verdienen[2] (A). Samstags und sonntags verkauft sie Zeitungen. An Werktagen arbeitet sie als kaufmännischer Lehrling[3] in einem Büro. Abends lernt sie fleißig Kurzschrift.[4]

In einer Großstadt sind die Kinder oft in Gefahr,[5] wenn sie über die Straße gehen. Um diesen Kindern zu helfen, haben jetzt viele Städte junge Schülerlotsen[6] (B). Einige alte Straßen, wie die Straße auf dem Foto, sind aus Kopfsteinpflaster.[7] Wenn es regnet, verläuft sich[8] das Wasser im Sand zwischen den Steinen.[9]

[1] school money   [2] earn   [3] as a commercial apprentice   [4] shorthand
[5] danger   [6] traffic aides   [7] cobblestone pavement   [8] runs away   [9] stones

B

D

Überall, wo man Deutsch spricht, sieht man Blumen[10] vor den Fenstern (C). Die Schilder aus Schmiedeeisen[11] in Appenzell, Nordostschweiz, erinnern an das Mittelalter.[12] Damals konnten die meisten Bürger noch nicht lesen. Nur wenige[13] konnten z.B. das Wort *Löwe*[14] lesen, aber das Abbild[15] eines Löwen konnte jeder verstehen. Mit diesen Schildern machte man den Namen des Geschäfts bekannt. Heute dienen solche Schilder nur zur Verzierung[16] eines Geschäfts. Die Drogerie[17] (auf dem Foto) ist nicht dasselbe wie eine Apotheke.[18] In einer Drogerie kauft man Seife,[19] Zahnpasta,[20] Rasierapparate,[21] Gesichtskreme,[22] Salben[23] und anderes mehr. Nur in einer Apotheke kann man Medizin kaufen.

Die Arbeit eines Verkehrspolizisten[24] ist gar nicht leicht, besonders wenn er in einer Stadt wie Bonn arbeitet (D). Da Bonn die Bundeshauptstadt[25] ist, fahren viele Menschen dorthin, um die Parlamentsgebäude[26] und andere Sehenswürdigkeiten[27] zu besichtigen.[28]

[10] flowers   [11] signs of wrought iron   [12] remind one of the Middle Ages
[13] a few   [14] lion   [15] image   [16] decoration   [17] drugstore   [18] pharmacy
[19] soap   [20] toothpaste   [21] razors   [22] face creams   [23] salves
[24] traffic policeman   [25] capital of West Germany   [26] parliament buildings
[27] places of interest   [28] see

E

Die Hauptstraße[29] Westberlins heißt der Kurfürstendamm (E) oder „Kudamm", wie die Berliner sagen. Warum Damm?[30] Im Mittelalter war Berlin sumpfig;[31] man fuhr daher[32] auf den trockenen Flußdämmen.[33] Der Kurfürstendamm ist nach dem Kurfürsten[34] von Brandenburg benannt.[35] An dieser breiten Straße befinden sich[36] viele elegante Cafés, Kinos und Geschäfte.[37]

[29] main street   [30] dam, embankment   [31] swampy   [32] therefore
[33] dry, river embankments   [34] prince elector   [35] named   [36] are   [37] stores

AUFGABE ACHT

UNTER FREUNDEN

Bruno Lehmann besucht Rudi Wolf in seinem Zimmer und spricht mit ihm über dieses und jenes.

¹ WOLF: [Es klopft.]   Herein!

² LEHMANN: Guten Abend!   Stör' ich?

³ WOLF: Nein, gar nicht.   Setzen Sie sich doch!   Was gibt's Neues?

⁴ LEHMANN: Wenig.   Wo ist Ihr Nachbar, Hans Rösch?

⁵ WOLF: Keine Ahnung.   Vielleicht ist er immer noch im Konzert.

⁶ LEHMANN: Im Konzert?   Ich würde lieber ins Kino gehen!

⁷ WOLF: Mit Luise Ulmer?   Ich höre, Sie interessieren sich noch für Luise.

⁸ LEHMANN: Und ob!   Wir gehen morgen abend ins Kino.

⁹ WOLF: So?   Ich wünsche Ihnen viel Spaß!

¹⁰ LEHMANN: Danke.   Übrigens, was sagen Sie zu diesem Regenwetter?

¹¹ WOLF: Schrecklich!   Meine Füße sind noch naß.   H—ha—hatschi!

¹² LEHMANN: Gesundheit!   Hoffentlich erkälten Sie sich nicht.

¹³ WOLF: Zu spät!   Mein Hals tut mir weh, und Kopfschmerzen habe ich auch!

¹⁴ LEHMANN: Am besten, Sie gehen gleich zu Bett!   Morgen fängt eine neue Woche an.

¹⁵ WOLF: Ja, ich weiß, und ich freue mich schon darauf.   Es wird schon mit dem Schnupfen gehen.

¹⁶ LEHMANN: Gute Nacht!   Ich will auch ins Bett.   Schlafen Sie gut!

¹⁷ WOLF: Danke, gleichfalls.

LESSON 8

AMONG FRIENDS

Bruno Lehmann visits Rudi Wolf in his room and talks with him about this and that.

[1] WOLF: [Someone knocks.] Come in!

[2] LEHMANN: Good evening! Am I disturbing you?

[3] WOLF: No, not at all. Sit down! What's new?

[4] LEHMANN: Not much (little). Where's your neighbor, Hans Rösch?

[5] WOLF: (I have) no idea. Perhaps he's still at the concert.

[6] LEHMANN: At the concert? I'd rather go to the movies!

[7] WOLF: With Luise Ulmer? I hear you're still interested in Luise.

[8] LEHMANN: And how! We're going to the movies tomorrow night.

[9] WOLF: Is that so? Have lots of fun!

[10] LEHMANN: Thanks. By the way, how do you like this rainy weather?

[11] WOLF: Terrible! My feet are still wet. A—ach—achoo!

[12] LEHMANN: Gesundheit! Let's hope you're not catching cold!

[13] WOLF: Too late! My throat is sore, and I have a headache, too.

[14] LEHMANN: You'd better go straight to bed. Tomorrow a new week begins.

[15] WOLF: Yes, I know, and I'm surely looking forward to it. My cold won't trouble me.

[16] LEHMANN: Good night! I want to get to bed, too. Have a good sleep!

[17] WOLF: Thanks. You do the same (likewise).

nüstern - cough

VOCABULARY BUILDING

Der menschliche Körper (The Human Body)

Jeder normale Mensch[1] hat

- zwei Augen. (das Auge)[2]
- zwei Ohren. (das Ohr)[3]   DAS
- zwei Beine. (das Bein)[4] *leg*
- zwei Knie. (das Knie)
- zwei Arme. (der Arm)   Der
- zwei Ellbogen. (der Ellbogen)
- zwei Füße. (der Fuß) *die Füße*
- zwei Hände. (die Hand)
- zwei Schultern. (die Schulter)
- zwei Lippen. (die Lippe)   Die

Er hat aber nur

- ein Gesicht.[5]   DAS *Gesicht*
- ein Kinn.[6]   *das Kinn*
- ein Herz.[7]   *das Herz*
- einen Kopf.[8]
- einen Hals.[9]
- einen Magen.[10] *stomache*   *der*
- einen Mund.[11]
- eine Zunge.[12]   *fem die*
- eine Nase.[13]

Er hat auch zehn Finger und zehn Zehen. (der Finger, die Zehe)[14]
Das Haar dieses Mädchens gefällt mir.
Finden Sie manchmal Haare in der Suppe?[15]

Gesundheit (Health)

Wie fühlen Sie sich?

- Sehr schlecht![16]   *Sold*
- Ich fühle mich heute viel besser.
- Ich fühle mich nicht sehr wohl.[17]

Was fehlt Ihnen?[18]   Ich habe

- Zahnschmerzen (Zahnweh).[19]
- Halsschmerzen (Halsweh).
- Kopfschmerzen (Kopfweh).

Haben Sie

- einen Schnupfen?[20]
- eine Erkältung?[21]
- sich erkältet?
- Fieber?

Nehmen Sie

- diese Medizin!
- diese Kopfschmerztabletten!
- diese Pillen!

[1] human being   [2] eye   [3] ear   [4] leg   [5] face   [6] chin   [7] heart   [8] head
[9] neck   [10] stomach   [11] mouth   [12] tongue   [13] nose   [14] toe   [15] soup
[16] Very bad!   [17] well   [18] What's the matter?   [19] toothache   [20] head cold
[21] cold

PRONUNCIATION DRILL

Diphthongs

A diphthong is a combination of two vowels pronounced in one syllable. German diphthongs are very similar to their English counterparts except that they are never drawled.

au [aʊ]   like ow in *cow* except that the first element [a] is very short.

ei [aɪ]   (also spelled **ai, ey, ay**) like i in *kite* except that the first element is very short.

eu [ɔɪ]   (also spelled **äu**) like oi in *oil* except that there is no drawl.

Listen to the difference between the English and German diphthongs in the following words of similar sound or meaning:

ENGLISH	GERMAN	ENGLISH	GERMAN	ENGLISH	GERMAN
mouse	Maus	mine	mein	boil	Beule
louse	Laus	ice	Eis	Hoyle	heul!
house	Haus	Rhine	Rhein	ahoy	Heu
fowl	faul	fine	fein	Roy	reu!

Practice with your model the following words:

auf	aus	auch	Augen	Haufen	Haut		Daumen	Bauer
Bein	Eisen	heiß	Heim	Geige	Eis		Seife	weinen
Eule	Euter	Häuser	Keule	Bräute	Scheune	Feuer		Läuse

DIALOGUE VARIATIONS

A. Wohin gehen Sie?

B. Ich muß zum Arzt.[1]

A. So? Was ist denn los?

B. Ich fühle mich nicht wohl.

A. Sie sind ja ganz bläß![2] Soll ich ein Taxi rufen?

B. Nein danke, der Arzt wohnt gleich um die Ecke.

A. Ich wünsche Ihnen gute Besserung.[3]

B. Danke, danke.

A. Nehmen Sie doch bitte Platz,[4] Herr Axmann! Was fehlt Ihnen denn?

B. Ich habe keine Ahnung; ich fühle mich sehr schwach,[5] Herr Doktor.

A. So? Zeigen Sie mal Ihre Zunge! Hm! Sehr belegt.[6] Haben Sie Halsschmerzen?

B. Das nicht, aber mein Kopf ist sehr heiß.

---

[1] go to the doctor   [2] pale   [3] I wish you a speedy recovery.   [4] Sit down!
[5] weak   [6] coated

A. Lassen Sie mich[7] Ihren Puls fühlen!
B. Geht er schnell, Herr Doktor?
A. Ja, aber machen Sie sich keine Sorgen![8] Sie haben eine leichte Grippe.[9]
B. Was kann ich dagegen machen?
A. Nehmen Sie diese Pillen und gehen Sie gleich zu Bett!
B. Danke sehr, Herr Doktor.

CONVERSATIONAL PATTERNS

I. *EIN*-WORDS

The possessive adjectives have the same endings as **ein** and **kein**. For this reason they are usually called **ein**-words.

mein	*my*	unser	*our*
sein	*his*	ihr	*their*
ihr	*her*	**Ihr**	*your (sing. and pl.)*
sein	*its*		

1. Repetition

Mein Arzt heißt Doktor Gerken.   **Unsere** Großmutter fühlt sich nicht wohl.
Sein Sohn arbeitet auf der Bank.   **Ihre** (*her*) Medizin liegt auf dem Tisch.

2. *Ein*-word Substitution

Das ist meine Krankenschwester (nurse).

_____ (unser) _____.	Das ist unsere Krankenschwester.
_____ (sein) _____.	Das ist seine Krankenschwester.
_____ (ihr, *her*) _____.	Das ist ihre Krankenschwester.
_____ (Ihr) _____.	Das ist Ihre Krankenschwester.

Das ist sein Arzt.

_____ (unser) _____.	Das ist unser Arzt.
_____ (mein) _____.	Das ist mein Arzt.
_____ (ihr, *their*) _____.	Das ist ihr Arzt.

[7] let me   [8] Don't worry!   [9] touch of the flu

Kennen Sie meinen Vater?

——————— (unser) ——?   Kennen Sie unseren Vater?
——————— (sein) ——?   Kennen Sie seinen Vater?
——————— (ihr, *their*) ——?   Kennen Sie ihren Vater?

Wollen Sie mit unserer Mutter sprechen?

——————— (sein) ——————?   Wollen Sie mit seiner Mutter sprechen?
——————— (ihr, *her*) ——————?   Wollen Sie mit ihrer Mutter sprechen?
——————— (mein) ——————?   Wollen Sie mit meiner Mutter sprechen?
——————— (Ihr) ——————?   Wollen Sie mit Ihrer Mutter sprechen?

Wollen Sie mit meinem Arzt sprechen?

——————— (unser) ——————?   Wollen Sie mit unserem Arzt sprechen?
——————— (ihr, *their*) ——————?   Wollen Sie mit ihrem Arzt sprechen?
——————— (sein) ——————?   Wollen Sie mit seinem Arzt sprechen?

Das ist der Arzt ihrer (*their*) Mutter.

——————— (unser) ——————.   Das ist der Arzt unserer Mutter.
——————— (sein) ——————.   Das ist der Arzt seiner Mutter.
——————— (mein) ——————.   Das ist der Arzt meiner Mutter.

Hier ist das Buch meines Kindes.

——————— (ihr, *her*) ——.   Hier ist das Buch ihres Kindes.
——————— (sein) ——.   Hier ist das Buch seines Kindes.
——————— (unser) ——.   Hier ist das Buch unseres Kindes.
——————— (Ihr) ——.   Hier ist das Buch Ihres Kindes.

Meine Eltern sind hier.

(Unser) ——————.   Unsere Eltern sind hier.
(Sein) ——————.   Seine Eltern sind hier.
(Ihr, *their*) ——————.   Ihre Eltern sind hier.

Kennen Sie meine Freunde?

——————— (unser) ——?   Kennen Sie unsere Freunde?
——————— (sein) ——?   Kennen Sie seine Freunde?
——————— (ihr, *their*) ——?   Kennen Sie ihre Freunde?

Sprechen Sie oft mit meinen Eltern?

_____ (unser) _____? Sprechen Sie oft mit unseren Eltern?
_____ (sein) _____? Sprechen Sie oft mit seinen Eltern?
_____ (ihr, *her*) ___? Sprechen Sie oft mit ihren Eltern?

Kennen Sie die Lehrer meiner Kinder?

_____ (unser) _____? Kennen Sie die Lehrer unserer Kinder?
_____ (sein) _____? Kennen Sie die Lehrer seiner Kinder?
_____ (ihr, *their*) ___? Kennen Sie die Lehrer ihrer Kinder?
_____ (Ihr) _____? Kennen Sie die Lehrer Ihrer Kinder?

3. Mein > unser

Karl ist mein Freund.   *Karl ist unser Freund.*

Karl und Hans sind meine Freunde.   Karl und Hans sind unsere Freunde.
Karl kennt meinen Vater.   Karl kennt unseren Vater.
Er kennt meine Eltern.   Er kennt unsere Eltern.
Er spricht oft mit meinem Vater.   Er spricht oft mit unserem Vater.
Er spricht oft mit meinen Brüdern.   Er spricht oft mit unseren Brüdern.
Das Haus meines Freundes ist groß.   Das Haus unseres Freundes ist groß.
Das Haus meiner Eltern ist groß.   Das Haus unserer Eltern ist groß.

4. Question-Answer

Haben Sie meinen Bleistift?   *Nein, ich habe Ihren Bleistift nicht.*

Haben Sie meine Bücher?   Nein, ich habe Ihre Bücher nicht.
Haben Sie mein Heft?   Nein, ich habe Ihr Heft nicht.
Kennen Sie meinen Vater?   Nein, ich kenne Ihren Vater nicht.
Kennen Sie den Bruder meines Vaters? Nein, ich kenne den Bruder Ihres Vaters
                                      nicht.

Kennen Sie meine Lehrerin?   Nein, ich kenne Ihre Lehrerin nicht.

Ist das sein Bleistift?   *Nein, es ist nicht sein Bleistift, sondern*
                                      ihr Bleistift.

Ist das seine Mutter?   Nein, es ist nicht seine Mutter, sondern
                                      ihre Mutter.

Ist das der Freund seines Vaters?   Nein, es ist nicht der Freund seines
                                      Vaters, sondern ihres Vaters.
Kennen Sie seinen Vater?   Nein, ich kenne nicht seinen Vater,
                                      sondern ihren Vater.

die füllfeder

Ist das der Wagen Ihres Vaters?

Nein, es ist nicht der Wagen meines Vaters, sondern ihres (of their) *Vaters.*

Ist das Ihr Bleistift?

Nein, es ist nicht mein Bleistift, sondern ihr Bleistift.

Ist das Ihre Mutter?

Nein, es ist nicht meine Mutter, sondern ihre Mutter.

Schreiben Sie Ihrem Freund?

Nein, ich schreibe nicht meinem Freund, sondern ihrem Freund.

Gehört dieses Buch Ihrem Lehrer?

Nein, es gehört nicht meinem Lehrer, sondern ihrem Lehrer.

Ist das die Mutter Ihrer Freundin?

Nein, es ist nicht die Mutter meiner Freundin, sondern ihrer Freundin.

II. *EIN*-WORDS AS PRONOUNS

Possessive adjectives, as well as **ein** and **kein,** are sometimes used as pronouns, in which case they take the same endings as the **der**-words; however, in spoken German the **e** preceding the ending **-s** is often omitted.

Nur zwei Männer sind hier; **einer** (*one*) ist krank.
Meine Mutter ist hier, aber **seine** (*his*) kommt heute abend.
Wo ist Ihr Buch? **Mein(e)s** ist zu Hause.

5. Repetition

Mein Vater ist hier. Wo ist **Ihrer?**
Meiner ist zu Hause.
Ich habe ein Buch, Karl hat auch **eins,** aber Gert hat **keins.**

Stefans Lehrer spricht Spanisch, aber **unserer** spricht Deutsch.
Ich möchte Ihnen **eines** sagen.
Da liegt sein Buch. Wo ist **Ihres?**

6. Question-Answer

Ist das Ihr Heft?

Ja, das ist meines.

Haben Sie einen Bleistift?

Ja, ich habe einen.

Haben Sie ein Buch?

Ja, ich habe eines.

Ist das Ihre (*pl.*) Schreibmaschine?

Ja, das ist unsere.

Ist das sein Kugelschreiber?

Ja, das ist seiner.

Haben Sie eine Füllfeder (*fountain pen*)?

Ja, ich habe eine.

III. NOUN PLURALS WITH *-n, -en, -nen*

The following nouns add **-n** to form their plurals:

FEMININE: die Aufgabe, die Aufgaben; die Blume, die Blumen; die Briefmarke, die Briefmarken; die Farbe, die Farben; die Klasse, die Klassen; die Krawatte, die Krawatten; die Kusine, die Kusinen; die Lippe, die Lippen; die Minute, die Minuten; die Pille, die Pillen; die Rose, die Rosen; die Schule, die Schulen; die Straße, die Straßen; die Stunde, die Stunden; die Tante, die Tanten; die Woche, die Wochen; die Nummer, die Nummern; die Schulter, die Schultern; die Schwester, die Schwestern

MASCULINE: der Junge, die Jungen; der Knabe, die Knaben; der Neffe, die Neffen; der Vetter, die Vettern

Some nouns add **-en** to form their plurals (**die Tür, die Türen,** etc.):

FEMININE: die Frau, die Frauen; die Universität die Universitäten; die Buchhandlung, die Buchhandlungen; die Vorlesung, die Vorlesungen; die Zeitung, die Zeitungen

MASCULINE: der Herr, die Herren; der Mensch, die Menschen; der Student, die Studenten; der Professor, die Professoren (*shift of stress*)

Those nouns that end in **-in** add **-nen** to form their plurals (**die Studentin, die Studentinnen,** etc.):

FEMININE: die Freundin, die Freundinnen; die Sekretärin, die Sekretärinnen

The nouns **Junge, Knabe, Neffe,** and **Herr** also add **-n** in the accusative, dative, and genitive singular; **Mensch** and **Student** add **-en.**

7. Repetition

Wie viele Sprachen sprechen Sie?
Kennen Sie seine Kusinen?
Gustav hat viele Freundinnen.
Wie viele Universitäten gibt es bei Ihnen?

Jeder Mensch hat zwei Lippen und zwei Schultern.
Diese Aufgaben sind leicht, nicht wahr?
Kennen Sie diese Jungen?
Finden Sie die Vorlesungen interessant?

8. Singular > Plural

Wollen Sie diese Briefmarke?

Gefällt Ihnen die Farbe dieser Krawatte?
Ist das die Freundin seiner Schwester?

Wollen Sie diese Briefmarken?

Gefallen Ihnen die Farben dieser Krawatten?
Sind das die Freundinnen seiner Schwestern?

Steht das in der Zeitung?	Steht das in den Zeitungen?
Kennen Sie unseren Vetter gut?	Kennen Sie unsere Vettern gut?
Unsere Schule ist modern.	Unsere Schulen sind modern.
Diese Straße ist breit (broad).	Diese Straßen sind breit.
Nehmen Sie diese Pille!	Nehmen Sie diese Pillen!
Welche Rose gefällt Ihnen?	Welche Rosen gefallen Ihnen?
Bei welcher Buchhandlung kaufen Sie Ihre Bücher?	Bei welchen Buchhandlungen kaufen Sie Ihre Bücher?
Wie heißt Ihre Sekretärin?	Wie heißen Ihre Sekretärinnen?
Ich kann diese Frau nicht verstehen.	Ich kann diese Frauen nicht verstehen.
Warten Sie auf diesen Herrn?	Warten Sie auf diese Herren?
Ist die Vorlesung interessant?	Sind die Vorlesungen interessant?
Wie lange kennen Sie schon diese Familie?	Wie lange kennen Sie schon diese Familien?
Welche Universität will er besuchen?	Welche Universitäten will er besuchen?

IV. NOUN PLURALS WITH -s

The following nouns of foreign origin that have already been introduced add -s in the plural:

NEUTER: das Auto, die Autos; das Baby, die Babys; das Büro, die Büros; das Hotel, die Hotels; das Restaurant, die Restaurants; das Sofa, die Sofas; das Taxi, die Taxis

MASCULINE: der Scheck, die Schecks

FAMILIES: Schmidts, Müllers, etc.

9. Repetition

Ich reise nie ohne Reiseschecks.	Meyers und Schmidts sind meine Freunde.
Vor dem Bahnhof stehen viele Taxis und Autos.	Die Hotels mancher Städte sind nicht groß.
Um sechs Uhr kommen viele Menschen aus den Büros.	Touristen wohnen in Hotels und essen in Restaurants.

10. Noun Substitution

In dieser Stadt gibt es viele Autos.

_____ (Büro).	In dieser Stadt gibt es viele Büros.
_____ (Hotel).	In dieser Stadt gibt es viele Hotels.
_____ (Restaurant).	In dieser Stadt gibt es viele Restaurants.
_____ (Baby).	In dieser Stadt gibt es viele Babys.

Plurals ——
Die A JN
Den D er
Dev GCN

das Datum

V. REFLEXIVE PRONOUNS

When the subject and the pronoun object of a verb denote one and the same person or thing, the pronoun object is called a reflexive pronoun. Note in the examples below that there is only one new form to be learned, the reflexive pronoun **sich.**

3 rd person
Acc

Ich wasche **mich** (*myself*).

Er			(*himself*).	Wir		uns (*ourselves*).
Sie	} wäscht **sich** {		(*herself*).	Sie	} waschen {	sich (*themselves*).
Es			(*itself*).	Sie		sich (*yourself, yourselves*).

Although there are many transitive verbs in both English and German that can be used reflexively, such verbs are more common in German. Certain verbs *always* take the reflexive construction to convey a particular meaning: **Ich erkälte mich** (*I catch cold*), **er freut sich** (*he is glad*), **wir fühlen uns viel besser** (*we feel much better*).

If the reflexive pronoun is used as an indirect object, the regular dative pronoun serves as a reflexive except for the substitution of **sich** in the third person.

Ich kaufe **mir** (*myself*) ein Buch.

Er				Wir		uns	
Sie	} kauft **sich** ein Buch.			Sie	} kaufen {	sich	} ein Buch.
Es				Sie		sich	

Note in the above sentences that the same rules of word order apply to reflexive pronouns as to all other object pronouns.

11. Repetition

Rasieren Sie sich (*do you shave*) jeden Morgen?

Interessieren Sie sich für Politik?

Erkälten Sie sich oft?

Setzen Sie sich, bitte!

Er freut sich auf (*looks forward to*) die Deutschstunde.

Er freut sich über (*is happy about*) die Kinder.

Er kann sich an das Klima nicht gewöhnen (*get used to*).

Ich kann mich an das Datum (*date*) nicht erinnern (*remember*).

Er wird sich ein Radio kaufen.

Jeden Morgen putze ich mir die Zähne (*brush my teeth*).

Ich fühle mich nicht wohl.

12. Pronoun Substitution

Ich interessiere mich für Politik.

Er _____.	Er interessiert sich für Politik.
Wir _____.	Wir interessieren uns für Politik.
Sie (they) _____.	Sie interessieren sich für Politik.
Willi _____.	Willi interessiert sich für Politik.

Er erkältet sich oft.

Ich _____.	Ich erkälte mich oft.
Wir _____.	Wir erkälten uns oft.
Dora _____.	Dora erkältet sich oft.
Meine Schwestern _____.	Meine Schwestern erkälten sich oft.

Ich interessiere mich für alles.	*Er interessiert sich für nichts.*
Ich freue mich auf alles.	Er freut sich auf nichts.
Ich erinnere mich an alles.	Er erinnert sich an nichts.
Ich gewöhne mich an alles.	Er gewöhnt sich an nichts.
Ich kaufe mir alles.	Er kauft sich nichts.
Ich freue mich über alles.	Er freut sich über nichts.

13. Question-Answer

Wofür interessieren Sie sich? (Sprachen)	*Ich interessiere mich für Sprachen.*
Worüber freuen Sie sich? (mein Wagen)	Ich freue mich über meinen Wagen.
Wie fühlt er sich? (besser)	Er fühlt sich besser.
Wie oft erkälten Sie sich? (zu oft)	Ich erkälte mich zu oft.
Wie oft rasieren Sie sich? (jeden Morgen)	Ich rasiere mich jeden Morgen.
Woran können Sie sich nicht erinnern? (an das Wort)	Ich kann mich an das Wort nicht erinnern.
Woran können Sie (*pl.*) sich nicht gewöhnen? (das Klima)	Wir können uns an das Klima nicht gewöhnen.
Worauf freuen sie sich? (auf den Sommer)	Sie freuen sich auf den Sommer.
Wohin setzt sie sich gewöhnlich? (auf das Sofa)	Sie setzt sich gewöhnlich auf das Sofa.
Was werden Sie sich kaufen? (ein Buch)	Ich werde mir ein Buch kaufen.
Wie oft verspäten Sie sich? (nie)	Ich verspäte mich nie.

VI. SUBSTITUTION OF DEFINITE ARTICLES
FOR <u>POSSESSIVE ADJECTIVES</u> *or clothing*

With <u>parts of the body</u>, <u>the definite article</u> or the <u>dative reflexive</u> plus definite article is often used instead of the possessive adjective.

Hand aufs Herz!	Cross your (my) heart.
Er läßt sich (*dat.*) die Haare schneiden.	He's having his hair cut.
Ich putze mir die Zähne.	I brush my teeth.

14. Repetition *through*

Er spricht durch **die** Nase.

Ich habe **mir** <u>den</u> Arm gebrochen.

Er nickt mit **dem** Kopf (*nods*).

Sie winkt mit **der** Hand (*waves*).

Es liegt **mir** auf **der** Zunge (*I've got it on the tip of my tongue*).

Sie wäscht **sich** die Hände.

Er steckt **die** Hand in **die** Tasche (*pocket*).

These diese
Their ihret

REVIEW

English-German Patterns

What is wrong with your secretary?

Do you know our doctor?

> Does your cousin know their family?

Was ist los mit Ihrer Sekretärin?

Kennen Sie unseren Arzt?

Kennt Ihr Vetter ihre Familie?

He buys my sister flowers.

I am waiting for these gentlemen.

The lectures of these professors are interesting.

Er kauft meiner Schwester Blumen.

Ich warte auf diese Herren.

Die Vorlesungen dieser Professoren sind interessant.

> his professor's books
> for their families
in our lessons (*dat.*)
with our sisters
except these students
the children of these women
at the home of her friend
the stamps on their letters (*dat.*)
without our father
without his mother
without our teachers (*f.*)
the teacher of my children
on our streets (*dat.*)

die Bücher seines Professors
für ihre Familien
in unseren Aufgaben
mit unseren Schwestern
außer diesen Studenten
die Kinder dieser Frauen
bei ihrem Freund
die Briefmarken auf ihren Briefen
ohne unseren Vater
ohne seine Mutter
ohne unsere <u>Lehrerinnen</u>
der Lehrer meiner Kinder
auf unseren Straßen

in our newspapers	in unseren Zeitungen
her uncle's money	das Geld ihres Onkels
his aunt's hats	die Hüte seiner Tante
because of the roses	wegen der Rosen
on the blackboards (*dat.*)	an den Tafeln
in the hotels (*dat.*)	in den Hotels

He's been working for two years.	Er arbeitet schon seit zwei Jahren.
We've been reading for two hours.	Wir lesen schon seit zwei Stunden.
She's been speaking German for two years.	Sie spricht Deutsch schon seit zwei Jahren.
He's been studying for three weeks.	Er studiert schon seit drei Wochen.
Karl's been living here for four months.	Karl wohnt hier schon seit vier Monaten.

I remember the book.	Ich erinnere mich an das Buch.
She's getting used to the climate.	Sie gewöhnt sich an das Klima.
He catches cold often.	Er erkältet sich oft.
I'm glad to see you.	Ich freue mich, Sie zu sehen.
We are looking forward to the summer.	Wir freuen uns auf den Sommer.

What do you want to buy yourself?	Was wollen Sie sich kaufen?
I want to buy myself two neckties.	Ich will mir zwei Krawatten kaufen.
How often do you brush your teeth?	Wie oft putzen Sie sich die Zähne?
She doesn't feel well today.	Sie fühlt sich heute nicht wohl.

Her father is here. Where is his?	Ihr Vater ist hier. Wo ist seiner?
Do you have a pencil? I have one.	Haben Sie einen Bleistift? Ich habe einen.
Do you have your book? Mine is home.	Haben Sie Ihr Buch? Meins ist zu Hause.

The human being has two eyes, ears, legs, arms, hands, and shoulders.	Der Mensch hat zwei Augen, Ohren, Beine, Arme, Hände und Schultern.
He has only one tongue, one nose, one stomach, one neck, one head, one mouth, and one heart.	Er hat nur eine Zunge, eine Nase, einen Magen, einen Hals, einen Kopf, einen Mund und ein Herz.
He has ten fingers, ten toes, and thirty-two teeth.	Er hat zehn Finger, zehn Zehen und zweiunddreißig Zähne.

General Questions

1. Was sagen Sie, wenn ein Freund an die Tür klopft?   2. Störe ich Sie, wenn ich eine Frage stelle (*ask a question*)?   3. Setzen Sie sich gewöhnlich auf den Tisch, wenn Sie essen?   4. Gehen Sie oft ins Kino?   5. Interessieren Sie sich für Musik? 6. Erkälten Sie sich oft im Frühjahr?   7. Gehen Sie immer um neun Uhr zu Bett? 8. Wann fängt eine neue Woche an?

Directed Questions

1. Fragen Sie Fräulein ——, ob jeder normale Mensch drei Ohren hat!
2. Fragen Sie Herrn ——, ob er sich das Bein gebrochen hat!
3. Fragen Sie Herrn ——, wie er sich heute fühlt!
4. Fragen Sie Fräulein ——, ob sie sich auf den Sommer freut!
5. Fragen Sie Fräulein ——, ob sie Fieber hat!
6. Fragen Sie Herrn ——, wie oft er Kopfschmerzen hat!
7. Fragen Sie Fräulein ——, wie ihre Zimmerfreundin heißt!
8. Fragen Sie Fräulein ——, ob sie dem Lehrer die Zunge zeigt, wenn er ihr ein „D" gibt!

beginn
anfangen
Es fängt
wir fangen

VERB SUMMARY

Ususually used r reflexive

INFINITIVE					ich		sie es	er		wir sie Sie		
erinnern (re-mind)	erinnere							erinnert				erinnern
fehlen (be missing)	fehle							fehlt				fehlen
fühlen (feel)	fühle							fühlt				fühlen
klopfen (knock)	klopfe							klopft				klopfen
lassen (let, have)	lasse							**läßt**				lassen
nicken (nod)	nicke							nickt				nicken
putzen (clean, shine)	putze							putzt				putzen
rasieren (shave)	rasiere							rasiert				rasieren
schlafen (sleep)	schlafe							**schläft**				schlafen
stören (disturb)	störe							stört				stören
waschen (wash)	wasche							**wäscht**				waschen
winken (wave)	winke							winkt				winken

Reflexive

			ich	mich	er		sich	wir sie Sie		uns sich
erinnern (re-member)	erinnere					erinnert			erinnern	
erkälten (catch cold)	erkälte					erkältet			erkälten	
freuen (be glad)	freue					freut			freuen	
gewöhnen (get used to)	gewöhne					gewöhnt			gewöhnen	
verspäten (be late)	verspäte					verspätet			verspäten	

A

FREUNDSCHAFT

Gute Freunde treffen sich gern[1] abends in einem Wirtshaus[2] oder in einer Weinstube.[3] Gäste,[4] die jahrelang dasselbe Wirtshaus besuchen, sitzen mit alten Freunden an einem für sie reservierten Tisch, dem „Stammtisch". Für sie ist das Wirtshaus ein zweites Zuhause.[5] Sie plaudern[6] stundenlang über einem Glas Wein oder Bier. Die alten Leute (A) hören dem Musiker zu,[7] aber die beiden jungen Leute sind wohl verliebt[8] und haben nur füreinander[9] Augen und Ohren.

[1] like to meet   [2] inn   [3] wine restaurant   [4] guests, patrons   [5] home
[6] chat   [7] listen to the musician   [8] probably in love   [9] for each other

B

136

C

In den deutschsprachigen Ländern geben sich Freunde und Bekannte[10] viel öfter die Hand als bei uns. Sogar Frauen und Kinder schütteln sich die Hand[11] (B). In den Parkanlagen[12] sind an sonnigen Nachmittagen die meisten Bänke[13] besetzt. Die alten Leute treffen sich im Park, um über die guten alten Zeiten zu sprechen (C), die Jungen suchen überall[14] Spaß und finden ihn (D).

[10] acquaintances   [11] shake hands   [12] park grounds   [13] benches
[14] everywhere

D

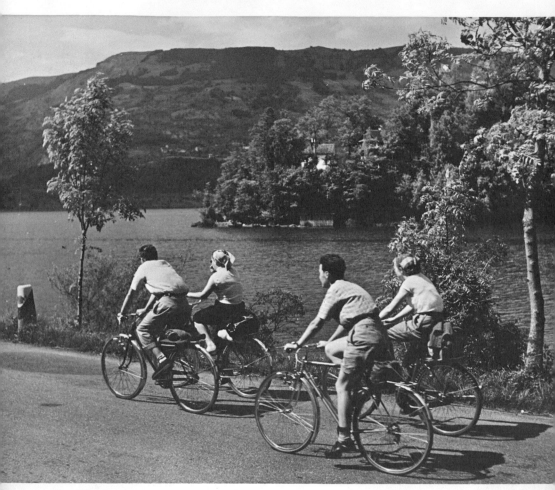

E

Junge Leute machen bei gutem Wetter gern eine Radtour. Sie nehmen ein paar Butterbrote[15] mit, oder sie kaufen sich in einem Wirtshaus etwas zu essen, denn Wirtshäuser gibt es überall. Manchmal fahren sie langsam nebeneinander, damit sie plaudern können (E).

[15] sandwiches

AUFGABE NEUN

BEIM AUFSTEHEN

Rudi Wolf ist ziemlich müde und kann die Augen kaum aufmachen.
Sein Nachbar im Studentenheim, Hans Rösch, kommt vorbei, um Rudi
aufzuwecken.

[1] RÖSCH: Na, endlich wachen Sie auf!

[2] WOLF: Endlich?   Es ist doch immer noch dunkel!

[3] RÖSCH: Natürlich!   Sie haben ja auch die Augen noch nicht aufge-
macht.

[4] WOLF: [Beginnt sich anzuziehen]   Wie spät ist es denn eigentlich?

[5] RÖSCH: Ungefähr halb sieben.   Wie fühlen Sie sich heute morgen?

[6] WOLF: Danke, es geht mir viel besser.   Müssen Sie immer so früh
aufstehen?

[7] RÖSCH: Selbstverständlich.   „Morgenstund' hat Gold im Mund'."

[8] WOLF: Wann sind Sie übrigens gestern abend zurückgekommen?

[9] RÖSCH: Gegen Mitternacht.   Das Konzert war einfach herrlich!

[10] WOLF: Nächstes Mal gehe ich bestimmt mit.

[11] RÖSCH: Schön!   Ist Ihre Jacke im Kleiderschrank?   Sie müssen sich
nämlich beeilen.

[12] WOLF: Nein, die habe ich an die Tür gehängt.

[13] RÖSCH: Ich will schon nach unten gehen und im Speisezimmer auf
Sie warten.

[14] WOLF: Nur noch einen Augenblick, bitte!   Ich will mir nur die
Hände waschen und komme dann gleich mit.

[15] RÖSCH: Gut!   Sie können sich dann nach dem Frühstück rasieren.

LESSON 9

GETTING UP

Rudi Wolf is rather tired and can hardly open his eyes. His neighbor in the student hostel, Hans Rösch, comes by to wake Rudi up.

[1] RÖSCH: Well, you're finally waking up!

[2] WOLF: Finally?   Why it's still dark.

[3] RÖSCH: Of course!   You haven't opened your eyes yet.

[4] WOLF: [Begins to get dressed]   What time is it actually?

[5] RÖSCH: About six thirty.   How do you feel this morning?

[6] WOLF: I am much better, thanks.   Do you always have to get up so early?

[7] RÖSCH: Of course.   "The early bird gets the worm."   (The morning hour has gold in its mouth.)

[8] WOLF: By the way, when did you get in (come back) last night?

[9] RÖSCH: About midnight.   The concert was simply magnificent.

[10] WOLF: Next time I'll definitely go with you.

[11] RÖSCH: Fine!   Is your coat in the wardrobe?   You'll have to hurry, you know.

[12] WOLF: No, I hung it on the door.

[13] RÖSCH: I'll go downstairs and wait for you in the dining room.

[14] WOLF: Just a moment, please!   I just want to wash my hands, and then I'll come right with you.

[15] RÖSCH: Good!   You can shave after breakfast, then.

VOCABULARY BUILDING

Kleidung (Clothing)

Wo ist
{
das Hemd?[1] *shirt*
das Kleid?[2] *dress*
das Abendkleid?
das Kostüm?[3]
das Taschentuch?[4] *handkerchief*
}

Der Rock[5] *skirt*
Der Anzug *suit*
Der Schlafanzug
Der Hut
Der Mantel[6]
Der Regenmantel
} ist hier.

der Strumpf
der Schuh
der Handschuh
Badeswim

Wo kann ich
{
eine Bluse[7]
eine Handtasche[8]
eine Hose[9] *singular*
eine Jacke
eine Sportjacke
} kaufen?

die Socke

Gibt es einen Ausverkauf[10] im Warenhaus?[11]

Ich kaufe mir
{
ein Paar Schuhe.
ein Paar Handschuhe.[12]
ein Paar Socken.
ein Paar Strümpfe.[13]
}

der Strumpf

ein paar - a couple of
Paar - pr.

der Schuh
der Handschuh
die Socke

German Particles   *Tone words*

English has several adverbial particles, such as *well, well then, indeed, after all, of course, you know,* which are difficult for the foreigner to use properly. In like manner, German has the particles **also, denn, doch, ja, nämlich,** and **schon,** which are used idiomatically in German to convey subtle shades of meaning and which are difficult for non-Germans to use correctly. Frequently it is hard to find good English translations for these expressions, other than a gesture or facial expression.

Also often means *therefore* and *well then* in the sense of summing up:

Also! Beginnen wir Aufgabe sieben!   Well then, let's begin Lesson Seven.
Sie wollen **also** nicht kommen?   You won't come then?

Denn implies an intense interest on the part of the speaker:

Wo ist sie **denn?**   Where *can* she be?
Wie heißt er **denn?**   What *is* his name?

---

[1] shirt   [2] dress   [3] woman's suit, costume   [4] handkerchief   [5] skirt
[6] overcoat   [7] blouse   [8] purse   [9] trousers   [10] sale   [11] department store
[12] gloves   [13] stockings

Doch implies a strong assertion or a contradiction:

Das Semester fängt **doch** erst morgen an!   Why, the semester doesn't begin until tomorrow!

Sie wollen nicht kommen?—**Doch!**   You don't want to come? Of course I do!

Ja often adds force to the verb or another particle:

Kommen Sie ja nicht zu spät!   Be sure you're not late!

Sie wissen es ja doch!   Why, you know it all right!

Nämlich often implies *I want you to know:*

Mein Geschäft ist **nämlich** nicht weit von hier.   My store is not far from here, you know.

Schon often makes the statement more emphatic:

Er wird es **schon** wissen.   He'll know it all right.

Hans wird **schon** kommen.   Hans will be sure to come.

PRONUNCIATION DRILL

The sound [ʃ] (spelled *sch*; also *s* before *t* and *p* at the beginning of syllables)

Sch is like **sh** in *shine* except that the lips are more rounded. Listen, and then practice with your model:

ENGLISH	GERMAN		ENGLISH	GERMAN
she	Schi		fishing	fischen
sheer	Schier		caution	naschen
ship	Schiff		flashy	Flasche
shine	Schein		washing	waschen
fish	Fisch		rushing	rauschen

Practice horizontally and vertically:

Schaf	Schatten	schätzen	Schimmer	schon	Schule	schön
Flasche	waschen	fischen	zischen	Dusche	lauschen	Wäsche
rasch	englisch	Gemisch	Geräusch	Mensch	Fleisch	falsch

At the beginning of a word or syllable, the letters **st** and **sp** usually represent the sounds [ʃt] and [ʃp] respectively. Practice horizontally and vertically:

Stamm	Stahl	Stadt	Staat	stehlen	spät
bestellen	bestimmt	Verstand	gestanden	zerstören	verstehen
Spaß	Speer	spinnen	Spuk	Speise	Spule
ersparen	verspielen	zerspringen	anspornen	versprechen	Ansprache

DIALOGUE VARIATIONS

A. Guten Morgen! Haben Sie gut geschlafen?

B. Zu gut. Ich habe nicht einmal[1] den Wecker[2] gehört.

A. Wer hat Sie denn geweckt?[3]

B. Mein Zimmerfreund. Er steht gewöhnlich früh auf.

A. Wann sind Sie denn gestern abend zu Bett gegangen?[4]

B. Gegen Mitternacht.

A. So? Kein Wunder, daß Sie (sich) verschlafen haben.[5]

B. Ja, ich bin noch immer ein bißchen schläfrig.[6] Hoffentlich kann ich während der Vorlesungen wach[7] bleiben.

A. Haben Sie sich schon rasiert?

B. Nein, ich will mir erst die Hände waschen.

A. Was für einen Rasierapparat[8] haben Sie?

B. Einen elektrischen.

A. Sie haben es wirklich gut.

B. Wieso?

A. Sie brauchen kein heißes Wasser, um[9] sich zu rasieren.

B. Vielleicht haben Sie recht; ich habe es wirklich gut.

A. Haben Sie Ihren Anzug in den Kleiderschrank gehängt?

B. Nein, nur das Hemd. Meine Jacke und meine Hose habe ich auf den Stuhl gelegt.

A. Ist das ein neues[10] Hemd? Es sieht sehr schön aus.[11]

B. Ja, meine Mutter hat mir dieses Hemd, eine Krawatte und zwei Paar Socken zum Geburtstag geschickt.[12]

A. Was Sie nicht sagen![13] Ich habe nur einen Schlafanzug bekommen.

CONVERSATIONAL PATTERNS

I. PRESENT PERFECT TENSE OF REGULAR VERBS

In German the present perfect tense is much broader in scope than in English; it is generally used in question-answer situations when referring to past events and in reporting an event as a fact, detached from its context:

Was haben Sie gesagt?	What did you say?
Ich habe gar nichts gesagt.	I didn't say anything at all.
Es hat gestern geregnet.	It rained yesterday.
Ich habe Hans schon danach gefragt.	I have already asked Hans about it.

Note that the pattern used for all present perfect forms in this lesson is: a form of **haben** plus past participle.

---

[1] not even   [2] alarm clock   [3] awakened   [4] when did you go   [5] have overslept
[6] sleepy   [7] awake   [8] what kind of razor   [9] in order   [10] new   [11] looks
[12] sent for my birthday   [13] You don't say!

1. Repetition

Haben Sie den Anzug gekauft?	Haben Sie die Aufgabe gelernt?
Nein, ich habe ihn nicht gekauft.	Nein, ich habe sie nicht gelernt.
Haben Sie das Buch gesucht?	Haben Sie den Lehrer gefragt?
Nein, ich habe es nicht gesucht.	Nein, ich habe ihn nicht gefragt.

2. Present > Present Perfect

Ich kaufe das Hemd.   *Ich habe das Hemd gekauft.*

Die Dame kauft einen Hut.	Die Dame hat einen Hut gekauft.
Ich suche eine Bluse.	Ich habe eine Bluse gesucht.
Er sucht einen Regenmantel.	Er hat einen Regenmantel gesucht.
Wir lernen diese Aufgabe.	Wir haben diese Aufgabe gelernt.
Was lernt Fritz heute?	Was hat Fritz heute gelernt?
Was fragt der Lehrer?	Was hat der Lehrer gefragt?

II. FORMING PAST PARTICIPLES

Most German verbs have a simple pattern for forming past participles:

ge + stem + t

(ge/sag/t, ge/wohn/t, ge/hab/t, etc.)

This is the pattern for regular verbs. Of the regular verbs, the following have already been introduced:

blitzen	fühlen	leben	sagen	suchen
brauchen	glauben	legen	schauen	tanzen
danken	haben[1]	lernen	schneien	wechseln
donnern	hängen	lieben	setzen	winken
fischen	hören	machen	spielen	wohnen
fragen	kaufen	meinen	stecken	wünschen
freuen	klopfen	nicken	stören	zeigen

If the stem of a regular verb ends in **t, d,** or two separately pronounced consonants, **-et** is added to the stem in forming the past participle. The following verbs add **-et:**

antworten		geantwortet	baden (*bathe*)	gebadet
arbeiten	er hat	gearbeitet	retten	gerettet
öffnen		geöffnet	warten	gewartet

kosten	es hat	gekostet	regnen	es hat	geregnet

[1] Often treated as a semi-irregular verb.

3. Repetition

Haben Sie heute Tennis gespielt?
Nein, ich habe keine Zeit gehabt.
Wer hat das Fenster geöffnet?
Ich habe es geöffnet.

Wann haben Sie sich dieses Kleid ge-
kauft?
Ich habe es mir gestern gekauft.
Wie lange hat er gearbeitet?
Er hat den ganzen Tag gearbeitet.

4. Question-Answer

Wird er die Aufgabe lernen?

Werden Sie ihn fragen?
Wird sie das Fenster öffnen?
Werden Sie heute baden?
Wird er das Haus kaufen?
Werden Sie es dem Lehrer sagen?
Werden Sie es mir zeigen?
Werden Sie mit Maria tanzen?
Werden Sie mir antworten?
Wird er dem Lehrer danken?

Er hat sie schon gelernt.

Ich habe ihn schon gefragt.
Sie hat es schon geöffnet.
Ich habe heute schon gebadet.
Er hat es schon gekauft.
Ich habe es ihm schon gesagt.
Ich habe es Ihnen schon gezeigt.
Ich habe mit ihr schon getanzt.
Ich habe Ihnen schon geantwortet.
Er hat ihm schon gedankt.

5. Present > Present Perfect

Warum antwortet er dem Lehrer nicht?

Ich danke ihm immer für seine Hilfe.

Er kauft sich eine Jacke.
Sie kauft sich einen Rock.
Wechselt er das Geld?
Regnet es?
Zeigt er dem Lehrer sein Heft?
Warten Sie auf einen Freund?
Suchen Sie eine Handtasche?
Er legt das Taschentuch auf den Tisch.

Es donnert.
Wir lernen neue Wörter.
Ich kaufe mir einen Anzug.

Warum hat er dem Lehrer nicht geant-
wortet?

Ich habe ihm immer für seine Hilfe
gedankt.
Er hat sich eine Jacke gekauft.
Sie hat sich einen Rock gekauft.
Hat er das Geld gewechselt?
Hat es geregnet?
Hat er dem Lehrer sein Heft gezeigt?
Haben Sie auf einen Freund gewartet?
Haben Sie eine Handtasche gesucht?
Er hat das Taschentuch auf den Tisch
gelegt.
Es hat gedonnert.
Wir haben neue Wörter gelernt.
Ich habe mir einen Anzug gekauft.

Vorgestern (Day before yesterday)
Nach mittag-afternoon

6. Future > Present Perfect

Er wird einen Anzug kaufen.   *Er hat einen Anzug gekauft.*

Ich werde meiner Mutter die Jacke zeigen.	Ich habe meiner Mutter die Jacke gezeigt.
Wir werden etwas lernen.	Wir haben etwas gelernt.
Er wird seine Hose auf den Stuhl legen.	Er hat seine Hose auf den Stuhl gelegt.
Joachim und Peter werden schwer arbeiten.	Joachim und Peter haben schwer gearbeitet.
Was werden Sie machen?	Was haben Sie gemacht?
Liese wird sich eine Bluse kaufen.	Liese hat sich eine Bluse gekauft.
Was werden Sie sagen?	Was haben Sie gesagt?
Ich werde mir eine Schreibmaschine kaufen.	Ich habe mir eine Schreibmaschine gekauft.
Es wird donnern.	Es hat gedonnert.
Sie wird auf mich warten.	Sie hat auf mich gewartet.
Trudi wird sich freuen.	Trudi hat sich gefreut.

7. Replacement

Wie lange hat er gestern getanzt?

_____ Sie _____?	Wie lange haben Sie gestern getanzt?
_____ vorgestern (*day before yesterday*) _____?	Wie lange haben Sie vorgestern getanzt?
_____ gearbeitet?	Wie lange haben Sie vorgestern gearbeitet?
Wo haben _____?	Wo haben Sie vorgestern gearbeitet?
_____ sein Freund _____?	Wo hat sein Freund vorgestern gearbeitet?
_____ heute morgen ____?	Wo hat sein Freund heute morgen gearbeitet?
_____ gespielt?	Wo hat sein Freund heute morgen gespielt?

Es hat gestern abend geregnet.

After noon

_____ heute morgen _____.	Es hat heute morgen geregnet.
_____ gedonnert.	Es hat heute morgen gedonnert.
_____ heute nachmittag _____.	Es hat heute nachmittag gedonnert.
_____ geblitzt.	Es hat heute nachmittag geblitzt.
_____ heute früh (*early today*) _____.	Es hat heute früh geblitzt.
_____ gehagelt.	Es hat heute früh gehagelt.
_____ vor zwei Tagen _____.	Es hat vor zwei Tagen gehagelt.

III. VERBS OF FOREIGN ORIGIN

Most verbs of foreign origin are regular in their conjugation except for the omission of the ge- prefix in the past participle:

analysieren (*analyze*)		analysiert	studieren		studiert
diktieren (*dictate*)		diktiert	telefonieren	er hat	telefoniert
korrespondieren	er hat	korrespondiert	telegrafieren		telegrafiert
(*correspond*)					
korrigieren (*correct*)		korrigiert			

amüsieren		amüsiert
interessieren	er hat **sich**	interessiert
rasieren		rasiert

8. Repetition

Wie lange haben Sie studiert?

Sie hat mir von Frankfurt telegrafiert.

Hat sie schon telefoniert?

Haben Sie sich schon rasiert?

Er hat sich nie für Mathematik interessiert.

Der Lehrer hat den Fehler (*mistake*) korrigiert.

Haben Sie sich heute amüsiert?

Haben Sie das Problem analysiert?

Mit dieser Firma (*firm*) haben wir oft korrespondiert.

Hat der Lehrer den Satz (*sentence*) diktiert?

9. Present > Present Perfect

Der Lehrer diktiert einen Satz.

Fritz amüsiert sich sehr.

Wir korrespondieren mit dieser Firma.

Der Professor analysiert das Problem.

Der Lehrer korrigiert die Hefte.

Er interessiert sich für Politik.

Hugo rasiert sich heute nicht.

Telefoniert er heute?

Er telegrafiert nicht oft.

Der Lehrer hat einen Satz diktiert.

Fritz hat sich sehr amüsiert.

Wir haben mit dieser Firma korrespondiert.

Der Professor hat das Problem analysiert.

Der Lehrer hat die Hefte korrigiert.

Er hat sich für Politik interessiert.

Hugo hat sich heute nicht rasiert.

Hat er heute telefoniert?

Er hat nicht oft telegrafiert.

10. Future > Present Perfect

Er wird auf der Universität studieren.   *Er hat auf der Universität studiert.*

Wofür wird er sich interessieren?   Wofür hat er sich interessiert?

Der Lehrer wird die Klassenarbeit (*classwork*) korrigieren.   Der Lehrer hat die Klassenarbeit korrigiert.

Er wird sich heute nachmittag rasieren.   Er hat sich heute nachmittag rasiert.

Er wird mit seiner Freundin telefonieren.   Er hat mit seiner Freundin telefoniert.

Sie wird ihrem Vater telegrafieren.   Sie hat ihrem Vater telegrafiert.

Wird er den Satz diktieren?   Hat er den Satz diktiert?

Wir werden uns in der Deutschstunde amüsieren.   Wir haben uns in der Deutschstunde amüsiert.

IV. REGULAR VERBS WITH INSEPARABLE PREFIXES

Many German verbs begin with an unaccented prefix such as **be-** (be-suchen), **emp-** (**empfehlen**, *recommend*), **ent-** (**entgehen**, *escape*), **er-** (erzählen), **ge-** (gehören), **ver-** (versuchen), **zer-** (zerbrechen, *break to pieces*). These prefixes change the meaning of the verb and remain attached to it in all tenses. All verbs of this type omit the **ge-** prefix in the past participle.

begleiten		begleitet		erzählen			erzählt
bemerken (*notice*)	er hat	bemerkt		gehören	er hat		gehört
besuchen		besucht		verkaufen (*sell*)			verkauft
erklären		erklärt		versuchen			versucht

			erinnern			erinnert
			erkälten	er hat sich		erkältet
			gewöhnen			gewöhnt

11. Repetition

Er hat mich gestern besucht.   Haben Sie ihm Ihre Bücher verkauft?

Er hat sich an das Wort erinnert.   Haben Sie einen Fehler bemerkt?

Der Lehrer hat das Problem erklärt.   Wer hat Sie begleitet?

12. Present > Present Perfect

Er gewöhnt sich an das Wetter.   *Er hat sich an das Wetter gewöhnt.*

Sie versucht Wiener Schnitzel.   Sie hat Wiener Schnitzel versucht.

Was verkauft er Ihnen?   Was hat er Ihnen verkauft?

der Titel *title*

Erinnern Sie sich an das Datum?	Haben Sie sich an das Datum erinnert?
Was erklärt der Lehrer heute?	Was hat der Lehrer heute erklärt?
Erkälten Sie sich oft?	Haben Sie sich oft erkältet?
Wen besuchen Sie?	Wen haben Sie besucht?
Bemerken Sie etwas?	Haben Sie etwas bemerkt?
Gehört es Ihnen?	Hat es Ihnen gehört?

13. Future > Present Perfect

Er wird mir sein Rad verkaufen. | *Er hat mir sein Rad verkauft.*

Er wird sich nach und nach (*gradually*) an unser Klima gewöhnen.	Er hat sich nach und nach an unser Klima gewöhnt.
Wird er sich an den Titel (*title*) erinnern?	Hat er sich an den Titel erinnert?
Was wird er den Studenten erklären?	Was hat er den Studenten erklärt?
Werden Sie sich bei diesem Wetter erkälten?	Haben Sie sich bei diesem Wetter erkältet?
Wann wird er Sie besuchen?	Wann hat er Sie besucht?
Wird er unsere Fehler bemerken?	Hat er unsere Fehler bemerkt?
Wird er versuchen, Deutsch zu lernen?	Hat er versucht, Deutsch zu lernen?
Wird er eine Geschichte erzählen?	Hat er eine Geschichte erzählt?

V. DIMINUTIVES   Always Neuter das " Masi.-Chen use (either)

The suffixes -chen and -lein are added to nouns to form diminutives. Usually these diminutives, which are always neuter, have an umlaut if the stem vowel is capable of change. They may also be used to express affection rather than smallness:

die Stadt	das Städtchen (*small city*)
das Buch	das Büchlein (*small book*)
der Brief	das Brieflein (*short letter*)
die Mutter	das Mütterchen (*small or dear mother*)
der Schlaf	das Schläfchen (*nap*)

14. Repetition

Hinter dem Häuschen liegt ein Garten.	Er hat das Brieflein gar nicht bemerkt.
Kennen Sie das Fräulein?	Sehen Sie das Bäumchen da drüben?
Das Kindlein spielt vor dem Sofa.	Ich liebe mein Mütterchen.

VI. ES GIBT *There is — are*

[handwritten: new ACCU CASE]
[handwritten margin: der Fehler, die Firma, der Hut]

Es gibt means *there is*, or *there are* in reference to general existence:

Es gibt einen Gott.	*There is* a God.
In jeder Zeitung **gibt es** Fehler.	*There are* mistakes in every newspaper.

Es is the true subject, and the noun that follows is always in the <u>accusative</u> case.

For a limited area, rather than for general existence, use **sein** or a verb that indicates location:

Viele Studenten **sind** in diesem Zimmer.	*There are* many students in this room.
Ein Buch **liegt** auf dem Tisch.	*There is* a book on the table.

[handwritten: Es sind / Es ist } Es gibt]

15. Repetition

Morgen gibt es Regen.
Es gibt keine Bank hier.
Was gibt's Neues?
Was gibt's zum Abendessen (*for dinner*)?

[handwritten: Dative?]

REVIEW

English-German Patterns

Did he buy himself a book?	Hat er sich ein Buch gekauft?
Did she buy herself a hat?	Hat sie sich einen Hut gekauft?
Did he have a good time?	Hat er sich amüsiert?
Did you remember the word?	Haben Sie sich an das Wort erinnert?
Did he catch cold?	Hat er sich erkältet?
The teacher corrected the mistakes.	Der Lehrer hat die Fehler korrigiert.
He became interested in politics.	Er hat sich für Politik interessiert.
My brother telegraphed this morning.	Mein Bruder hat heute morgen telegrafiert.
Has she already telephoned?	Hat sie schon telefoniert?
Have you corresponded with this firm?	Haben Sie mit dieser Firma korrespondiert?

What did you learn today?	Was haben Sie heute gelernt?
What did he hear today?	Was hat er heute gehört?
What did she look for today?	Was hat sie heute gesucht?
What did he ask?	Was hat er gefragt?

There is a God.	Es gibt einen Gott.
There are such people. (*Menschen*)	Es gibt solche Menschen. ? Dative
What is there for dinner?	Was gibt's zum Abendessen?
There is Wiener Schnitzel this evening.	Es gibt heute abend Wiener Schnitzel.
What's new?	Was gibt's Neues?
Tomorrow there will be rain.	Morgen gibt es Regen.

He answered the teacher.	Er hat dem Lehrer geantwortet.
We thanked him for the book.	Wir haben ihm für das Buch gedankt.
> The teacher told the class a story.	Der Lehrer hat der Klasse eine Geschichte erzählt.
~ I bought his bicycle.	Ich habe sein Fahrrad gekauft.

Did he answer you?	Hat er Ihnen geantwortet?
Did you thank him for the book?	Haben Sie ihm für das Buch gedankt?
Did he sell you the bicycle?	Hat er Ihnen das Rad verkauft?
What did he tell you? (*sagen*)	Was hat er Ihnen gesagt?

So was gibt es nicht

General Questions

1. Sind Sie oft ziemlich müde?   2. Wie heißt Ihr Zimmerfreund, Herr ——?
3. Wie spät ist es?   4. Wo ist Ihre Jacke?   5. Werfen Sie Ihre Kleider (*clothes*)
auf den Fußboden (*floor*), wenn Sie ins Bett gehen?   6. Haben Sie gestern abend
Ihre Kleider an die Tür gehängt?   7. Essen Sie Ihr Frühstück im Bett?   8. Wann
haben Sie sich heute rasiert, Herr ——?   9. Haben Sie sich das Gesicht nach dem
Frühstück gewaschen?   10. Wann haben Sie sich die Zähne geputzt?

Directed Questions

1. Fragen Sie Herrn ——, wer ihn heute geweckt hat!
2. Fragen Sie Herrn ——, ob er heißes Wasser braucht, um sich zu rasieren!
3. Fragen Sie Fräulein ——, wohin sie ihre Handtasche gelegt hat!
4. Fragen Sie Fräulein ——, ob sie ein Abendkleid hat!
5. Fragen Sie Herrn ——, wie oft er seine Socken wäscht!
6. Fragen Sie Herrn ——, ob er heute morgen einen Spaziergang gemacht hat!
7. Fragen Sie Fräulein ——, ob sie die Aufgabe für heute gelernt hat!
8. Fragen Sie Fräulein ——, ob sie sich für Männer interessiert!

VERB SUMMARY

INFINITIVE		PRESENT		PRES. PERF.
amüsieren (*amuse; refl., have a good time*)		amüsiert		amüsiert
analysieren (*analyze*)		analysiert		analysiert
baden (*bathe*)		badet		gebadet
bemerken (*notice*)		bemerkt		bemerkt
diktieren (*dictate*)	er	diktiert	er hat	diktiert
korrespondieren (*correspond*)		korrespondiert		korrespondiert
korrigieren (*correct*)		korrigiert		korrigiert
öffnen (*open*)		öffnet		geöffnet
telefonieren (*telephone*)		telefoniert		telefoniert
verschlafen[1] (*oversleep*)		verschläft		verschlafen
wecken (*wake*)		weckt		geweckt

[1] Often reflexive.

A B

C D

VOLKSTRACHTEN IN DEN DEUTSCHSPRACHIGEN LÄNDERN

Bei Volksfesten[1] und in Trachtengebieten[2] in Deutschland (A, & B, im Schwarzwald[3]), Österreich und der Schweiz (C, Vindonissa, Nordwest-schweiz) sieht man noch heute die traditionelle Kleidung[4] der Bauern.[5] Wie ein alter Brunnen[6] oder ein Fachwerkhaus,[7] zeigen uns auch die Volkstrachten[8] etwas von der Kultur der Vergangenheit;[9] sie gehen auf Moden *fashion* der höheren Gesellschaftsschichten[10] des 17. und des 18. Jahrhunderts zurück.[11]

Diese Bauern aus Nordwestdeutschland (D) tanzen auf einem Volksfest mitten in[12] Berlin. Der Mann trägt Wollstrümpfe,[13] eine warme wollene Hose[14] und einen Mantel über seiner Weste, denn auch im Sommer ist das Wetter in Norddeutschland oft kühl. Über dem langen Rock trägt die Frau eine Schürze.[15]

[1] folk festivals   [2] regional-costume areas   [3] Black Forest   [4] clothing
[5] of the farmers   [6] well, fountain   [7] half-timbered house   [8] folk costumes
[9] past   [10] styles of the higher social classes   [11] (*gehen . . . zurück*) go back to
[12] in the middle of   [13] woolen stockings   [14] woolen trousers   [15] apron

In Bayern[16] und Österreich sieht man auch in den Städten Dirndlkleider[17] und ab und zu[18] eine Lederhose[19] (E). Die Lederhose ist besonders für die Jungen sehr praktisch; man braucht sie nicht zu waschen, und es ist fast unmöglich, sie abzutragen.[20] In Bayern und Österreich ist der Schuhplattler (ein Volkstanz) (F) bei Volksfesten sehr beliebt. Diese Bauerntracht[21] besteht aus[22] einer Lederhose mit breiten Hosenträgern,[23] einem weißen Hemd und einem grünen Jägerhut.[24]

E
F

[16] Bavaria   [17] dirndl (peasant-style) dresses   [18] now and then   [19] short leather pants   [20] to wear them out [21] peasant costume   [22] consists of [23] broad suspenders   [24] hunting hat

AUFGABE ZEHN

BEIM FRÜHSTÜCK

Dann und wann sitzen Rudi Wolf und Hans Rösch nebeneinander am Frühstückstisch. Rudi hat immer großen Hunger und kann ohne Spiegeleier auf Schinken kaum auskommen.

[1] RÖSCH: Haben Sie schon gebadet?

[2] WOLF: Noch nicht, ich habe mich auch nicht rasiert.   Morgen muß ich unbedingt früher aufstehen.   Was gibt's zum Frühstück?

[3] RÖSCH: Das Gewöhnliche: Kaffee oder Kakao und Brötchen.   Was möchten Sie trinken?

[4] WOLF: Der Kaffee riecht gut, aber ich ziehe eine Tasse Kakao vor.

[5] RÖSCH: Bitte, reichen Sie mir Sahne und Zucker!

[6] WOLF: Gewiß.   Was für eine Marmelade ist denn das?

[7] RÖSCH: Es ist Erdbeermarmelade, glaub' ich.   Sie schmeckt gut.

[8] WOLF: Hm!   Vielleicht sollte ich sie versuchen.   Bitte, reichen Sie mir doch noch ein Brötchen und die Butter!

[9] RÖSCH: Gern.   Haben Sie immer noch Hunger?

[10] WOLF: Morgens bin ich immer hungrig.   Ohne Spiegeleier auf Schinken zum Frühstück bin ich nur ein halber Mensch.

[11] RÖSCH: Armer Kerl!   Kein Wunder, daß Sie Wolf heißen.

[12] WOLF: Lassen Sie die Späße!   Ich sterbe vor Hunger!   Hier in Deutschland habe ich noch nie genug zum Frühstück bekommen.

[13] RÖSCH: Haben Sie gestern in der Mensa zu Mittag gegessen?

[14] WOLF: Ja, das Essen war besonders gut.

[15] RÖSCH: Vielleicht können wir uns heute mittag dort treffen, dann können wir zusammen essen.   Wollen Sie?

[16] WOLF: Schön!   Bis Mittag dann!

155

LESSON 10

AT BREAKFAST

Now and then Rudi Wolf and Hans Rösch sit next to each other at the breakfast table. Rudi is always very hungry and can hardly get along without ham and fried eggs.

[1] RÖSCH: Have you had your bath yet?

[2] WOLF: Not yet;   I haven't shaved either.   Tomorrow I must definitely get up earlier.   What is there for breakfast?

[3] RÖSCH: The usual things: coffee or cocoa and rolls.   What would you like to drink?

[4] WOLF: The coffee smells good, but I prefer a cup of cocoa.

[5] RÖSCH: Please pass me the cream and sugar.

[6] WOLF: Certainly.   What kind of jam is that?

[7] RÖSCH: It's strawberry jam, I believe.   It tastes good.

[8] WOLF: Hm!   Perhaps I should try it.   Please pass me another roll and the butter.

[9] RÖSCH: Sure.   Are you still hungry?

[10] WOLF: I'm always hungry in the morning.   Without ham and fried eggs for breakfast I'm only half a man.

[11] RÖSCH: You poor guy!   It's no wonder your name is Wolf.

[12] WOLF: Stop kidding!   I'm dying of hunger!   Here in Germany, I've never yet had enough for breakfast.

[13] RÖSCH: Did you eat lunch in the student restaurant yesterday?

[14] WOLF: Yes, the food was especially good.

[15] RÖSCH: Perhaps we can meet there at noon today; then we can eat together.   Do you want to?

[16] WOLF: Fine!   See you at noon!

VOCABULARY BUILDING

Frühstück (Breakfast)

Was wollen Sie trinken?
- Ein Glas Orangensaft (Apfelsinensaft).[1]
- Ein Glas Milch.
- Eine Tasse Kakao.
- Eine Tasse Schokolade.
- Eine Tasse Kaffee.
- Eine Tasse Tee.

Bitte, reichen Sie mir
- noch ein Brötchen (eine Semmel)!
- das Brot![2]
- die Butter!
- die Marmelade!
- die Sahne!
- den Honig![3]
- den Zucker!
- den Schinken!
- den Speck![4]
- den Toast!
- die Eier[5] (das Ei)!

Cleaning Up

Können Sie mir sagen, wo
- das Badezimmer[6]
- die Dusche (das Brausebad)[7]
- das Badetuch[8]
- das Handtuch[9]
- die Seife[10]
- die Zahnpasta[11]
- die Zahnbürste[12]
- der Kamm[13]
- der Rasierapparat

ist?

Wann
- putzen Sie sich die Zähne?
- putzen Sie sich die Schuhe?
- waschen Sie sich das Gesicht?

Wie oft baden Sie?
Rasieren Sie sich morgens oder abends?
Machen Sie selbst[14] das Bett?
Kämmen Sie sich die Haare?[15]

[1] orange juice [2] bread [3] honey [4] bacon [5] eggs [6] bathroom
[7] shower [8] bath towel [9] hand towel [10] soap [11] toothpaste
[12] toothbrush [13] comb [14] yourself [15] Do you comb your hair?

Wänn

PRONUNCIATION DRILL

The sound [ts] (spelled *z, tz, c, ds* in final position, *ts*, and *t* in the suffix *-tion*); review of long and short vowels

The sound [ts] is pronounced like **ts** in *hats*. Limber up your tongue with this sentence: *He smacks his fists against the posts and still insists he sees the ghosts.* Practice the following words vertically and horizontally:

Blitz	Zacke	Celle	sitzen	schwitzen	Generation
Tanz	zart	Zelle	Katze	setzen	Nation
Netz	zaubern	Cäsar	Hitze	verletzen	Inflation
Lands	zorn	Cicero	Warze	wälzen	Station
nichts	Zucht	Ziffer	kitzeln	ritzen	Revolution

Review long and short vowels by pronouncing the following words:

Bahn—Bann	Aal—All	Kahn—kann	Dame—Damm
bieten—bitten	lieben—Lippen	Wien—Wind	Miene—Minne
Meere—merken	wegen—wecken	dehnen—denn	Väter—Vetter
Uhr—Urne	Kur—kurz	Huhn—Hund	Mut—Mutter
vor—fort	Rose—Rosse	Mode—Motte	Tor—Torte

DIALOGUE VARIATIONS

A. Haben Sie Willi gesehen?
B. Ich glaube, er ist nach unten gegangen.
A. Ist es möglich, daß er einen Spaziergang[1] macht, weil[2] er keinen Appetit hat?

dependent clause

B. Unmöglich! Er ist gewöhnlich hungrig wie ein Bär! Ah, jetzt erinnere ich mich! Er hatte einen Brief in der Hand. Er hat ihn sicher[3] zur Post gebracht.
A. Gut! Dann wird er ja wohl[4] bald zurückkommen.

A. Mein Herr, was darf ich Ihnen bringen?
B. Ein großes Glas Orangensaft, bitte.
A. Gern. Darf es sonst noch etwas sein?[5]
B. Ja, zwei Eier auf Schinken.
A. Möchten Sie Spiegelei, Rührei[6] oder vielleicht Omelett?
B. Bitte, bringen Sie mir Spiegeleier auf Schinken und auch etwas Toast.
A. Und was wünschen Sie zu trinken? Kaffee, Tee, Schokolade oder Milch?
B. Heiße Schokolade, bitte, mit Sahne und Zucker.
A. Sofort, bitte.

A. Können Sie mir sagen, wo das Badezimmer ist?
B. Um die Ecke und dann die erste Tür links.

Immediately

---

[1] walk   [2] because   [3] surely   [4] probably   [5] Anything else?   [6] scrambled eggs

Sofort Kaffee

A. Danke. Muß ich mein Badetuch mitnehmen?

B. Nein, nicht nötig.[7] Das Hausmädchen[8] wird Ihnen Badetuch und Seife geben.

A. Hoffentlich ist das Wasser heiß. Ich bade nämlich nicht gern kalt.

B. Keine Angst![9] Ich habe eben erst[10] gebadet, und das Wasser war sehr warm.

A. Das ist gut! Ich hoffe,[11] es reicht noch für mich.

CONVERSATIONAL PATTERNS

I. PRESENT PERFECT OF IRREGULAR VERBS

Irregular verbs are more troublesome than regular verbs inasmuch as one must memorize the past participles. Certain verbs, as you will note below, follow a similar pattern in forming their past participles, but there is no general rule for forming them. The following irregular verbs have already been introduced:

INFINITIVE		PRESENT		PRESENT PERFECT
halten		hält		gehalten
lassen		läßt		gelassen
schlafen		schläft		geschlafen
waschen		wäscht		gewaschen
essen		ißt		gegessen
geben		gibt		gegeben
lesen		liest		gelesen
sehen		sieht		gesehen
helfen		hilft		geholfen
nehmen		nimmt		genommen
sprechen		spricht		gesprochen
treffen	er	trifft	er hat	getroffen
riechen		riecht		gerochen
finden		findet		gefunden
singen		singt		gesungen
trinken		trinkt		getrunken
liegen		liegt		gelegen
sitzen		sitzt		gesessen
schreiben		schreibt		geschrieben
heißen		heißt		geheißen—
rufen		ruft		gerufen
stehen		steht		gestanden
tun		tut		getan

Was **haben** Sie heute morgen **geschrieben**?

Er hat oft mit mir **gesprochen**.

[7] necessary [8] maid [9] Don't worry! [10] just now [11] hope

1. Repetition

Ich halte mein Wort.
Ich habe mein Wort gehalten.
Was tun Sie heute?
Was haben Sie heute getan?
Dora schläft neun Stunden.
Dora hat neun Stunden geschlafen.
Ich wasche mir die Hände.
Ich habe mir die Hände gewaschen.
Er gibt mir Geld.
Er hat mir Geld gegeben.
Lesen Sie diese Zeitung?

Haben Sie diese Zeitung gelesen?
Ich sehe den Mann nicht.
Ich habe den Mann nicht gesehen.
Der Lehrer hilft uns viel.
Der Lehrer hat uns viel geholfen.
Er nimmt das Buch vom Tisch.
Er hat das Buch vom Tisch genommen.
Sprechen Sie oft mit diesem Mann?
Haben Sie oft mit diesem Mann gesprochen?

2. Verb Substitution

Haben Sie die Seife gesehen? (*nehmen*)   *Haben Sie die Seife genommen?*

Haben Sie den Satz geschrieben? (lesen)
Haben Sie etwas gegessen? (trinken)
Haben Sie etwas gesucht? (finden)
Was haben Sie gemacht? (tun)
Wo hat er gelegen? (sitzen)
Wann haben Sie ihn gesehen? (treffen)
Wer hat gesprochen? (singen)
Wer hat geschrieben? (rufen)
Hat er hier gesessen? (stehen)
Hat sie den Brief gelesen? (schreiben)
Was haben Sie in der Hand gehabt? (halten)
Was haben Sie genommen? (geben)

Haben Sie den Satz gelesen?
Haben Sie etwas getrunken?
Haben Sie etwas gefunden?
Was haben Sie getan?
Wo hat er gesessen?
Wann haben Sie ihn getroffen?
Wer hat gesungen?
Wer hat gerufen?
Hat er hier gestanden?
Hat sie den Brief geschrieben?
Was haben Sie in der Hand gehalten?
Was haben Sie gegeben?

3. Present > Present Perfect

Er hält den Rasierapparat in der Hand.   *Er hat den Rasierapparat in der Hand gehalten.*

Läßt er Sie in Ruhe (*in peace*)?
Ich wasche mir die Hände.
Sehen Sie das Handtuch?
Die Zahnpasta liegt auf dem Tisch.

Die Stehlampe steht an der Wand.

Sprechen Sie oft mit ihm?

Hat er Sie in Ruhe gelassen?
Ich habe mir die Hände gewaschen.
Haben Sie das Handtuch gesehen?
Die Zahnpasta hat auf dem Tisch gelegen.

Die Stehlampe hat an der Wand gestanden.

Haben Sie oft mit ihm gesprochen?

(handwritten margin note: Brausebad = shower, das)

Wie lange schlafen Sie gewöhnlich?	Wie lange haben Sie gewöhnlich geschlafen?
Was tun Sie heute?	Was haben Sie heute getan?
Essen Sie Eier zum Frühstück?	Haben Sie Eier zum Frühstück gegessen?
Gibt er Ihnen immer Geld?	Hat er Ihnen immer Geld gegeben?
Singen Sie oft?	Haben Sie oft gesungen?
Er hilft uns viel.	Er hat uns viel geholfen.
Nehmen Sie die Pillen?	Haben Sie die Pillen genommen?
Trinken Sie Kaffee zum Frühstück?	Haben Sie Kaffee zum Frühstück getrunken?

4. Future > Present Perfect

Er wird noch ein Brötchen essen.	*Er hat noch ein Brötchen gegessen.*
Werden Sie ihn heute sehen?	Haben Sie ihn heute gesehen?
Ich werde meiner Mutter schreiben.	Ich habe meiner Mutter geschrieben.
Wird das heute in der Zeitung stehen?	Hat das heute in der Zeitung gestanden?
Wir werden hier sitzen.	Wir haben hier gesessen.
Werden Sie mit ihm darüber sprechen?	Haben Sie mit ihm darüber gesprochen?
Er wird ein Brausebad nehmen.	Er hat ein Brausebad genommen.
Werden Sie ihm helfen?	Haben Sie ihm geholfen?
Die Mutter wird das Kind waschen.	Die Mutter hat das Kind gewaschen.

(handwritten margin note left of "Werden Sie ihm helfen?": wel)

5. Replacement

Heute haben wir einem Freund geholfen.

_____ er _____.	Heute hat er einem Freund geholfen.
_____ Freundin _____.	Heute hat er einer Freundin geholfen.
_____ geschrieben.	Heute hat er einer Freundin geschrieben.

Er hat neun Stunden geschlafen.

_____ zu Hause _____.	Er hat zu Hause geschlafen.
_____ gegessen.	Er hat zu Hause gegessen.
Wir _____.	Wir haben zu Hause gegessen.

Sie hat mir einen Bleistift gegeben.

_____ Brief _____.	Sie hat mir einen Brief gegeben.
_____ geschrieben.	Sie hat mir einen Brief geschrieben.
_____ eine Postkarte _____.	Sie hat mir eine Postkarte geschrieben.

Strong

II. IRREGULAR VERBS WITH INSEPARABLE PREFIXES

A few of the irregular verbs that have already been introduced have inseparable prefixes, which means that they add no ge- prefix in forming the past participle:

INFINITIVE	PRESENT	PRESENT PERFECT
beginnen	beginnt	begonnen
bekommen	bekommt	bekommen
besprechen	bespricht	besprochen
gefallen (*dat.*)	gefällt	gefallen
vergessen	er { vergißt	er hat { vergessen
verschlafen	verschläft	verschlafen
verstehen	versteht	verstanden
verzeihen (*dat.*)	verzeiht	verziehen

get receive — bekommen
Discuss besprechen
Please gefallen
forget vergessen
forgive verzeiht

Haben Sie ihn verstanden?
Ich habe es nie vergessen.

6. Repetition

Wir beginnen um neun Uhr.
Wir haben um neun Uhr begonnen.
Was bekommen Sie?
Was haben Sie bekommen?
Diese Stadt gefällt mir.
Diese Stadt hat mir gefallen.
Er vergißt mich.
Er hat mich vergessen.
Verstehen Sie mich?
Haben Sie mich verstanden?
Der Lehrer bespricht das Buch.
Der Lehrer hat das Buch besprochen.

7. Present > Present Perfect

Wann beginnen Sie?   *Wann haben Sie begonnen?*

Bekommen Sie jede Woche einen Brief?   Haben Sie jede Woche einen Brief bekommen?

Wie gefällt Ihnen Berlin?   Wie hat Ihnen Berlin gefallen?
Verstehen Sie den Lehrer?   Haben Sie den Lehrer verstanden?

8. Future > Present Perfect

Ich werde Frauen nie verstehen.   *Ich habe Frauen nie verstanden.*

Das werde ich nie vergessen.   Das habe ich nie vergessen.
Klara wird mir nie gefallen.   Klara hat mir nie gefallen.
Ich werde Geld bekommen.   Ich habe Geld bekommen.
Wann wird die Schule beginnen?   Wann hat die Schule begonnen?
Wann wird der Lehrer die Aufgabe be-   Wann hat der Lehrer die Aufgabe
sprechen?   besprochen?

haben takes object

III. THE AUXILIARY VERB *SEIN*

Eng. only have
haben or sein
most motion verbs they condition chg.
chem. chg.

Most verbs require the auxiliary verb **haben** in forming the present
perfect tense; however, a few intransitive verbs (verbs that cannot take a
direct object) that show either a change of place or a change of condition
take the auxiliary verb **sein**. The following verbs, which have already been
introduced, belong in this category:

common words to Boeme + Werden

INFINITIVE	PRESENT	PRES. PERF.
bleiben	bleibt	geblieben
fahren	fährt	gefahren
fallen	fällt — *Difficult*	gefallen
fliegen (*to fly*)	fliegt	geflogen
gehen	geht	gegangen
kommen — *come*	kommt	gekommen
laufen	er { läuft	er ist { gelaufen
reisen	reist	gereist
schwimmen	schwimmt	geschwommen
sein	ist	gewesen
sterben — *die*	stirbt	gestorben
werden *become*	wird *shall or will*	geworden

Ist er nach Hause **gekommen**?   *Has* he *come* home?
Sind Sie schnell dahin **gelaufen**?   *Did* you *run* there fast?

Note that the verbs **sein** and **bleiben** take a form of **sein** as their auxiliary
even though they do not show change of place or condition. **Fahren** takes
haben as an auxiliary when it has a direct object:

Er **ist** in die Stadt **gefahren**.   He *traveled* into the city.
Er **hat** einen Volkswagen **gefahren**.   He *drove* a Volkswagen.

9. Repetition

Das fällt mir schwer (*is difficult*).
Das ist mir schwer gefallen.
Ich reise mit dem Flugzeug.
Ich bin mit dem Flugzeug gereist.
Heute bleibt er zu Hause.
Heute ist er zu Hause geblieben.
Fliegen Sie oft nach Hamburg?
Sind Sie oft nach Hamburg geflogen?

Wohin geht Jakob?
Wohin ist Jakob gegangen?
Er kommt spät nach Hause.
Er ist spät nach Hause gekommen.
Kurt läuft schnell.
Kurt ist schnell gelaufen.
Ist Hugo hier?
Ist Hugo hier gewesen?

10. Question-Answer

Wird Hans bald nach Hause laufen?

Hans? Er ist doch schon nach Hause gelaufen.

Wird Ilse in die Stadt gehen?

Ilse? Sie ist doch schon in die Stadt gegangen.

Wird Fritz kommen?
Wird Albert nach Deutschland fahren?

Fritz? Er ist doch schon gekommen.
Albert? Er ist doch schon nach Deutschland gefahren.

Wird Max nach Europa fliegen?

Max? Er ist doch schon nach Europa geflogen.

Wird Helmut bald hier sein?

Helmut? Er ist doch schon hier gewesen.

11. Present > Present Perfect

Er ist krank.

Er ist krank gewesen.

Viele sterben im Krieg (*war*).
Viele Soldaten (*soldiers*) fallen.
Es wird kalt.
Kurt bleibt zu Hause.
Viele Touristen fliegen nach Österreich.

Viele sind im Krieg gestorben.
Viele Soldaten sind gefallen.
Es ist kalt geworden.
Kurt ist zu Hause geblieben.
Viele Touristen sind nach Österreich geflogen.

Das Mädchen schwimmt über den Englischen Kanal (*channel*).
Viele Amerikaner reisen während des Sommers.
Wie geht es?
Wann fährt er nach Hause?
Es fällt ihm schwer.

Das Mädchen ist über den Englischen Kanal geschwommen.
Viele Amerikaner sind während des Sommers gereist.
Wie ist es gegangen?
Wann ist er nach Hause gefahren?
Es ist ihm schwer gefallen.

12. Replacement

Er ist gestern nach Hause gegangen.

Ich _____.	Ich bin gestern nach Hause gegangen.
_____ gekommen.	Ich bin gestern nach Hause gekommen.
Wir _____.	Wir sind gestern nach Hause gekommen.
_____ gefahren.	Wir sind gestern nach Hause gefahren.
Sie (they) _____.	Sie sind gestern nach Hause gefahren.
_____ gelaufen.	Sie sind gestern nach Hause gelaufen.
Er _____.	Er ist gestern nach Hause gelaufen.
_____ geflogen.	Er ist gestern nach Hause geflogen.
Wir _____.	Wir sind gestern nach Hause geflogen.

Er ist zu Hause gewesen.

Wir _____.	Wir sind zu Hause gewesen.
_____ geblieben.	Wir sind zu Hause geblieben.
Ich _____.	Ich bin zu Hause geblieben.
Mein Großvater _____.	Mein Großvater ist zu Hause geblieben.
_____ gestorben.	Mein Großvater ist zu Hause gestorben.

IV. SEMI-IRREGULAR VERBS

Semi-irregular verbs change their stems in forming their past participles just as irregular verbs do; however, they add -t rather than en.

INFINITIVE		PRESENT		PRES. PERF.
bringen		bringt		gebracht
denken	er	denkt	er hat	gedacht
kennen		kennt		gekannt
wissen		weiß		gewußt

13. Repetition

Wer bringt die Marmelade?
Wer hat die Marmelade gebracht?
Denken Sie an das Frühstück?
Haben Sie an das Frühstück gedacht?

Den Vetter meines Vaters kenne ich nicht gut.
Den Vetter meines Vaters habe ich nicht gut gekannt.

14. Question-Answer

Haben Sie das gewußt?

_____ (daran denken)?
_____ (es bringen)?
_____ (ihn kennen)?

Nein, ich habe das nicht gewußt.

Nein, ich habe nicht daran gedacht.
Nein, ich habe es nicht gebracht.
Nein, ich habe ihn nicht gekannt.

das Semester

(to know / to see)

15. Present > Present Perfect

Er weiß es schon.   *Er hat es schon gewußt.*

Denken Sie oft an die Aufgabe?   Haben Sie oft an die Aufgabe gedacht?

Er bringt seinen Freund zum Bahnhof.   Er hat seinen Freund zum Bahnhof gebracht.

Sie kennt uns nicht gut.   Sie hat uns nicht gut gekannt.

16. Future > Present Perfect

Ich werde es wissen.   *Ich habe es gewußt.*

Werden Sie ihm das Buch bringen?   Haben Sie ihm das Buch gebracht?

Werden Sie daran denken?   Haben Sie daran gedacht?

Wird er die Kinder zur Schule bringen?   Hat er die Kinder zur Schule gebracht?

REVIEW

English-German Patterns

Did you sleep well?   Haben Sie gut geschlafen?

Has he already eaten?   Hat er schon gegessen?

Have you seen Elsa?   Haben Sie Elsa gesehen?

Has she read the book?   Hat sie das Buch gelesen?

Did you take the book?   Haben Sie das Buch genommen?

Did she give you the book?   Hat sie Ihnen das Buch gegeben?

Did you find your razor?   Haben Sie Ihren Rasierapparat gefunden?

Where did they sit?   Wo haben sie gesessen?

Did you write the letter?   Haben Sie den Brief geschrieben?

What did you drink?   Was haben Sie getrunken?

What did he do yesterday?   Was hat er gestern getan?

Did Liese speak with Hugo?   Hat Liese mit Hugo gesprochen?

Have you washed your hands?   Haben Sie sich die Hände gewaschen?

Did you help Hans?   Haben Sie Hans geholfen?

He didn't forget me.   Er hat mich nicht vergessen.

I didn't understand him.   Ich habe ihn nicht verstanden.

Did he get a letter today?   Hat er heute einen Brief bekommen?

When did the semester begin?   Wann hat das Semester begonnen?

Did she appeal to you? (*gefallen*)   Hat sie Ihnen gefallen?

Did you oversleep?   Haben Sie verschlafen?

His son has already gone home.   Sein Sohn ist schon nach Hause gegangen.

My grandfather died yesterday.   Mein Großvater ist gestern gestorben.

Erich has been here, hasn't he?   Erich ist hier gewesen, nicht wahr?

It has become cold.	Es ist kalt geworden.
Many people died in the war.	Viele Menschen sind im Krieg gestorben.
Why did your daughter stay home?	Warum ist Ihre Tochter zu Hause geblieben?
What did he bring you?	Was hat er Ihnen gebracht?
Did you think about us?	Haben Sie an uns gedacht?
I knew this city well.	Ich habe diese Stadt gut gekannt.
I thought of you.	Ich habe an Sie gedacht.
Did you know that?	Haben Sie das gewußt?

General Questions

1. Wer sitzt neben Ihnen am Frühstückstisch? 2. Haben Sie manchmal großen Hunger? 3. Was haben Sie heute morgen zum Frühstück gegessen? 4. Haben Sie je (*ever*) vergessen, am Samstagabend zu baden? 5. Wo haben Sie gestern zu Mittag gegessen? 6. Kann man in einer Badewanne (*bathtub*) gut schwimmen? 7. Haben Sie sich heute morgen die Schuhe geputzt? 8. Kämmen Sie sich die Haare, bevor Sie zu Bett gehen? 9. Haben Sie einen Kamm in der Tasche? 10. Haben Sie heute morgen das Bett selbst gemacht?

Directed Questions

1. Fragen Sie Herrn ——, ob er singt, wenn er badet!
2. Fragen Sie Fräulein ——, ob sie nur Pillen zum Frühstück gegessen hat!
3. Fragen Sie Fräulein ——, ob sie vor Hunger stirbt! *sterben*
4. Fragen Sie Herrn ——, was er zum Frühstück trinkt!
5. Fragen Sie Fräulein ——, wie oft sie einen langen Spaziergang macht!
6. Fragen Sie Herrn ——, ob er sich morgens oder abends rasiert!
7. Fragen Sie Herrn ——, ob er gestern krank gewesen ist!
8. Fragen Sie Herrn ——, ob man Frauen verstehen kann!

VERB SUMMARY

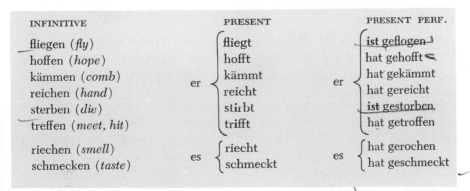

INFINITIVE		PRESENT		PRESENT PERF.
fliegen (*fly*)		fliegt		ist geflogen
hoffen (*hope*)		hofft		hat gehofft
kämmen (*comb*)	er	kämmt	er	hat gekämmt
reichen (*hand*)		reicht		hat gereicht
sterben (*die*)		stirbt		ist gestorben
treffen (*meet, hit*)		trifft		hat getroffen
riechen (*smell*)	es	riecht	es	hat gerochen
schmecken (*taste*)		schmeckt		hat geschmeckt

A

ARBEIT MACHT DAS LEBEN SÜSS

Für viele Ausländer[1] symbolisiert der Volkswagen die deutsche Industrie (A). Im Jahre 1963 war der deutsche „Maikäfer"[2] 25 Jahre alt. Vor 25 Jahren war die Stadt Wolfsburg, die „Volkswagenstadt", nur ein kleines Dorf.[3] Heute ist sie eine moderne Industriestadt. Die große Entwicklung[4] der deutschen Industrie in den letzten zwei Jahrzehnten[5] nennt man[6] das „Wirtschaftswunder".[7]

Oft sieht man in Deutschland Modernes und Traditionelles eng beieinander.[8] Der Mann auf dem Dach[9] (B) ist ein Schornsteinfeger.[10] Die traditionelle Kleidung des Schornsteinfegers ist ein schwarzer Anzug und ein Zylinder.[11]

[1] foreigners   [2] beetle   [3] village   [4] development   [5] decades   [6] one calls
[7] economic miracle   [8] close together   [9] roof   [10] chimney sweep   [11] top hat

168

B C

In dem Dorf Dörnach gibt es eine Frauenfeuerwehr[12] (C), denn alle Männer arbeiten in einer Fabrik[13] außerhalb[14] des Dorfes. Hier sehen wir die Frauen in ihren Uniformen bei der Übung.[15]

Da im letzten Krieg viele Männer gefallen sind[16] (etwa 3¼ Millionen) und da[17] der Mangel[18] an Arbeitskräften[19] in Deutschland sehr groß ist, arbeiten heute mehr als 50% aller Frauen im Alter[20] von 15 bis 50 Jahren außerhalb ihrer Wohnung[21] (D).

[12] women's fire department   [13] factory   [14] outside of   [15] practice
[16] have fallen (died)   [17] since   [18] lack   [19] manpower   [20] age   [21] outside of their apartment, home

D

E
F

Heutzutage[22] suchen viele Studenten während der Ferien[23] Arbeit, um sich das Studiengeld zu verdienen. Sie waschen Geschirr[24] in Hotels und Restaurants, wenden ihre Sprachkenntnisse[25] als Fremdenführer[26] in den Großstädten und Touristenorten[27] an[28] und arbeiten in Fabriken und Büros. Das Mädchen auf dem Foto (E) will Architektin werden und arbeitet an einer Mauer,[29] um mit allen Einzelheiten[30] des Bauens[31] vertraut[32] zu werden.

Etwa ein Drittel[33] der Studenten der Medizin und der Zahnheilkunde[34] sind Mädchen. An der Universitätszahnklinik in Bonn studieren mehr als 300 Studenten und Studentinnen. Zwei Semester lang arbeiten sie an „Patienten aus Aluminium" (F). Erst[35] im sechsten Semester können sie mit der praktischen Arbeit am menschlichen Kiefer[36] beginnen. Die Männer wollen es vielleicht nicht zugeben,[37] aber die Frauen spielen heutzutage eine große Rolle auf allen Gebieten[38] des menschlichen Lebens.

[22] nowadays   [23] vacation
[24] dishes   [25] knowledge of languages
[26] tourist guides   [27] tourist areas
[28] (wenden . . . an) use   [29] wall
[30] details   [31] of building
[32] familiar   [33] about one third, third
[34] dentistry   [35] only, not until
[36] human jaw   [37] admit   [38] areas

AUFGABE ELF

VOR DER MENSA

In der vergangenen Woche hat Rudi Wolf eine Reise nach Berlin und Nordwestdeutschland gemacht. Heute begegnet er Anna Ulmer vor der Mensa.

1 WOLF: Anna Ulmer!   Wie schön, Sie wieder zu sehen!

2 FRÄULEIN ULMER: Guten Tag!   Wie war die Reise?

3 WOLF: Herrlich und aufregend!   Erwarten Sie jemand?

4 FRL. ULMER: Meine Schwester kommt gleich zurück; sie ist eben in die Bibliothek gegangen, um ihre Bücher abzuholen.

5 WOLF: Darf ich fragen, wo Sie heute zu Mittag essen?

6 FRL. ULMER: Wir essen wahrscheinlich in der Mensa.

7 WOLF: Finden Sie nicht auch, daß das Essen in der Mensa meistens gut und billig ist?

8 FRL. ULMER: Ja, anderswo ist es viel teurer.

9 WOLF: Erinnern Sie sich an das kleine Café im Park, in dem wir einmal Apfelstrudel gegessen haben?

10 FRL. ULMER: Das vergesse ich nie.   Der Kellner sah uns so komisch an, als Sie sich eine Doppelportion Apfelstrudel mit Eis darauf bestellten.

11 WOLF: Wie wäre es, wenn wir heute zu Mittag wieder dahin gingen?

12 FRL. ULMER: Das geht leider nicht.   Ich habe eine Vorlesung um ein Uhr.

13 WOLF: Aber Sie haben doch schon lange nicht mehr geschwänzt, oder . . . ?

14 FRL. ULMER: Nein, eigentlich nicht.

15 WOLF: Ich schlage vor, daß wir uns in zehn Minuten am Brunnen treffen.   Haben Sie Lust?

16 FRL. ULMER: Wunderbar!   Aber erst muß ich meiner Schwester sagen, was wir vorhaben.

LESSON 11

IN FRONT OF THE STUDENT RESTAURANT

During the past week Rudi Wolf has taken a trip to Berlin and north-western Germany. Today he meets Anna Ulmer in front of the student restaurant.

[1] WOLF: Anna Ulmer! How nice to see you again!

[2] MISS ULMER: Hello! How was the trip?

[3] WOLF: Wonderful and exciting! Are you waiting for someone?

[4] MISS ULMER: My sister is coming right back; she just went into the library in order to pick up her books.

[5] WOLF: May I ask where you are eating lunch today?

[6] MISS ULMER: We'll probably eat in the student restaurant.

[7] WOLF: Don't you find, too, that the food in the student restaurant is generally good and cheap?

[8] MISS ULMER: Yes, it's much more expensive elsewhere.

[9] WOLF: Do you remember the little café in the park where we had apple strudel once?

[10] MISS ULMER: I'll never forget that! The waiter looked at us so strangely when you ordered a double portion of apple strudel with ice cream on it.

[11] WOLF: How would it be if we were to go there again at noon?

[12] MISS ULMER: Unfortunately, I can't (that won't go). I have a lecture at one o'clock.

[13] WOLF: But you haven't cut class for a long time now, or . . . ?

[14] MISS ULMER: No, not really.

[15] WOLF: I suggest that we meet at the fountain in ten minutes. Would you like to?

[16] MISS ULMER: Wonderful! But first I must tell my sister what we're planning to do.

VOCABULARY BUILDING

Verabredungen (Appointments)

Soll ich
{
Sie vor dem Theater treffen?
Sie später anrufen?[1]
um acht Uhr vorbeikommen?
Sie heute abend abholen?[2]
}

Es tut mir leid, daß ich mich verspätet habe.
Ich bin gewöhnlich pünktlich.[3]

Meine Uhr
{
geht nach.[4]
geht vor.[5]
geht nicht.
}

Wollen Sie
{
nicht hereinkommen?
nicht Platz nehmen?
nicht einen Augenblick warten?
}

Ich habe nichts Besonderes vor.[6]
Ich bin heute nachmittag frei.
Danke sehr für die Einladung.[7]
Er hat mich noch nicht eingeladen.[8]
Haben Sie es eilig?[9]
Ich habe eine Verabredung mit einem Freund.
Haben Sie ein Rendezvous mit einem hübschen Mädchen?
Kommen Sie bald wieder vorbei!

In der Schule

Er geht[10] seit August in die Schule.
Geht Hans heute zur Schule?
Karl ist im Kindergarten.
Besucht Ihre Tochter die Volksschule[11]
oder die Oberschule?[12]

Haben wir jeden Tag eine Prüfung?
Ich hoffe, ich werde nicht durchfallen.[13]
Schwänzen die Kinder manchmal?
Wie lange dauern die Sommerferien?[14]

Auf der Universität

Wann fängt das Semester an?
Welche Vorlesungen hören Sie?
Wann hält Herr Professor Werner Vorlesungen?
Werden Sie das Examen bestehen?[15]
Haben Sie je geschwänzt?
Müssen Sie manchmal büffeln?[16]

[1] phone   [2] pick you up   [3] punctual   [4] is slow   [5] is fast
[6] I have no special plans.   [7] invitation   [8] invited   [9] Are you in a hurry?
[10] has been going   [11] elementary school   [12] secondary school   [13] fail, "flunk"
[14] How long does the summer vacation last?   [15] pass   [16] cram

foreign v is v

PRONUNCIATION DRILL

The sound [f] (spelled *f, v, ph*) and the sound [v] (spelled *v, w*)

German **f, v,** and **ph** represent the sound [f] in *fight*.

[f]	Feder	Film	Fieber	fünf	Philosophie
	Vetter	viel	vierzig	Vogel	Photo
	fett	vier	Vieh	vor	Physiologie

German **v** in words of foreign origin such as **Verb** and German **w** represent the sound [v] in *victory*.

[v]	wann	Verb	Wände	Vanille	Wonne
	wenig	Winter	Wiese	Wort	*Venice* Venedig
	Welt	Villa	Woche	Weise	waschen
	Schwan	Schwester	zwanzig	Zwilling	November
	schwarz	schwimmen	Zweck	Zweifel *short story* Novelle
	schwer	Schwindel	zwischen	zwingen	Provinz

Note, however, that the letter **v** in final position represents the sound [f], e.g., Nerv, Motiv.

novel — Roman

DIALOGUE VARIATIONS

especially

A. Was haben Sie heute abend vor? *probably guess*
B. Nichts Besonderes. Ich werde mir wohl nur die Haare waschen.
A. Möchten Sie mit mir ins Kino gehen?
B. Gern. Wann kommen Sie denn vorbei?
A. Ich werde Sie um sieben Uhr abholen,— *meet you*
B. Fein! Ich freue mich darauf.
A. Dann bis heute abend!

A. Ich höre, einige Studenten machen morgen einen Ausflug[1] nach dem Starnberger See.[2]
B. Möchten Sie nicht mit? Es ist immer sehr lustig.[3]
A. Danke für die Einladung! Was machen Sie dort, wenn ich fragen darf?
B. Schwimmen. Nehmen Sie Ihren Badeanzug mit!
A. Wie kommen Sie denn hin?
B. Mit dem Rad. In zwei Stunden sind wir da.
A. Schön! Ich möchte gern mitkommen. Wann fahren wir ab?
B. Morgen früh[4] um sechs Uhr. Wir treffen uns am Brunnen.
A. Danke nochmals![5] Ich werde bestimmt da sein.

[1] excursion   [2] Lake Starnberg   [3] a lot of fun   [4] early in the morning   [5] again

A. Sind Sie mit Ihren Vorlesungen immer noch zufrieden?

B. Ja, sie sind ausgezeichnet! Ist es wirklich wahr, daß wir am Ende des Semesters keine Prüfungen haben?

A. Sie nicht, nur die älteren Semester.[6]

B. Stimmt es,[7] daß das Schuljahr hier in Deutschland auch nur aus zwei Semestern besteht?[8]

A. Ja, unser Sommersemester fängt im Mai an und endet im Juli; unser Wintersemester fängt im November an und endet im Februar.

B. Dazwischen[9] liegen dann Ferien?

A. Jawohl! Dann haben wir viel Zeit zum Lesen[10] und die Professoren haben viel Zeit zum Schreiben.

CONVERSATIONAL PATTERNS

I. VERBS WITH SEPARABLE PREFIXES

Both English and German have separable verbs. These consist of a verb plus an adverbial element,[1] as one can see by the following examples in English:

> I always *get up* early.
> She *is coming back* tomorrow.
> Please *look* this *over.*
> *Sit down* now.

In German the separable prefix is separated from its verb and placed at the end of all independent clauses in the present tense, past tense (to be studied later), and the imperative. In all other tenses, dependent clauses, infinitives, and infinitive phrases, the prefix precedes the verb and is attached to it. Study the following examples:

aufmachen (*to open*)	**abfahren** (*to depart*)
Er macht die Tür **auf.**	Er fährt heute **ab.**
Er wird die Tür **aufmachen.**	Er wird heute **abfahren.**
Er hat die Tür **aufgemacht.**	Er ist heute **abgefahren.**
Um (*in order*) die Tür **aufzumachen,** ...	Um heute **abzufahren,** . . . (*infinitive*
(*infinitive phrase*)	*phrase*)
Machen Sie die Tür **auf!**	**Fahren** Sie heute **ab!**

Note that **zu** is placed between the prefix and the infinitive in infinitive phrases. Remember also that the prefix of a separable verb always receives the stress: *ankommen, aufstehen,* etc.

---

[6] older students [7] Is it right . . . ? [8] consists [9] in between
[10] time for reading

---

[1] While many separable prefixes are identical in form with prepositions, their function and sentence position differentiate them sharply from prepositions.

1. Repetition

Ich höre heute gut zu (*listen well*).
Ich werde morgen gut zuhören.
Ich habe gestern gut zugehört.
Hören Sie gut zu!
Wann stehen Sie auf (*get up*)?
Wann werden Sie morgen aufstehen?
Wann sind Sie gestern aufgestanden?
Stehen Sie auf!
Um früh aufzustehen, stelle ich den Wecker (*set the alarm*).

Kommt Ihr Bruder mit?
Nein, er kommt nicht mit.
Wird er morgen mitkommen?
Nein, er wird morgen nicht mitkommen.
Ist er je mitgekommen?
Nein, er ist nie mitgekommen.
Kommen Sie mit?
Kommen Sie mit!
Wollen Sie mitkommen?
Nein, ich will nicht mitkommen.

II. COMMON SEPARABLE VERBS

PREFIX	MEANING	SEPARABLE VERB	MEANING
ab	off, away	abfahren	depart
		abholen	pick up
		abstellen	turn off (radio)
an	at, on	anfangen	begin
		ankommen	arrive
		anrufen	telephone
		anschauen	look at
		ansehen	look at
		anstellen	turn on (radio)
		anziehen	dress, put on
auf	up	aufhören	stop, cease
		aufmachen	open
		aufpassen	pay attention
		aufstehen	stand up, arise
		aufwachen	wake up
aus	out	auskommen	get along, manage
		aussehen	look, appear
		aussteigen	climb out, get out
durch	through	durchfallen	fail an exam
ein	in	einladen	invite
		einlösen	cash
		einsteigen	climb in, get in

PREFIX	MEANING	SEPARABLE VERB	MEANING
her	*toward the speaker*	hereinkommen	*come in*
hin	*away from the speaker*	hinausgehen	*go out*
kennen	*know*	kennenlernen	*get to know*
mit	*with, along*	mitbringen	*bring along*
		mitgehen	*go along*
		mitkommen	*come along*
		mitnehmen	*take along*
vor	*in front of, before*	vorhaben	*plan to do*
		vorlesen	*read aloud*
		vorschlagen	*propose, suggest*
		vorstellen	*introduce*
		vorziehen	*prefer*
vorbei	*by, past*	vorbeikommen	*come by, past*
zu	*to*	zuhören	*listen*
		zumachen	*close*
zurück	*back*	zurückkommen	*come back*

2. Repetition

Er steht jeden Tag früh auf.
Er wird heute früh aufstehen.
Er ist um sechs Uhr aufgestanden.
Wann kommt er heute an?
Wann wird er morgen ankommen?
Wann ist er gestern angekommen?
Er stellt das Radio an.
Er wird das Radio anstellen.
Er hat das Radio angestellt.
Wann soll ich Sie abholen?
Passen Sie auf!

Er kommt am Freitag zurück.
Er wird am Freitag zurückkommen.
Er ist am Freitag zurückgekommen.
Wann kommt er gewöhnlich vorbei?
Wann wird er heute vorbeikommen?
Wann ist er gestern vorbeigekommen?
Er stellt mir seine Freunde vor.
Er wird mir seine Freunde vorstellen.
Er hat mir seine Freunde vorgestellt.
Ich muß morgen abfahren.
Lesen Sie diesen Satz vor!

III. SENTENCE PATTERNS FOR REGULAR VERBS WITH SEPARABLE PREFIXES

INFINITIVE	PRESENT	FUTURE	PRESENT PERFECT
abholen	Er { holt ihn ab.	Er wird { ...abholen.	Er { hat ...abgeholt.
aufwachen	wacht ...auf.	...aufwachen.	ist ...aufgewacht.
zuhören	hört gut zu.	...zuhören.	hat ...zugehört.

eben — even

3. Repetition

Wann soll er mich abholen?
Machen Sie das Buch auf!
Passen Sie auf!   Da kommt der Zug!
Wachen Sie immer früh auf?
Heute muß ich einen Scheck einlösen.
Möchten Sie ihn kennenlernen?

Ich möchte Ihnen meinen Freund vor-
stellen.
Bitte, machen Sie das Fenster zu!
Was haben Sie heute vor?
Schauen Sie das Buch an!

4. Question-Answer

Wird Albert das Fenster zumachen?

Wird Lili das Radio anstellen? *pick up*
Wird Jakob seinen Vetter bald abholen?
Wird das Baby bald aufwachen?
Wird er seine Freunde vorstellen?
   reflective

Er macht es eben (gerade) zu.

Sie stellt es eben an.
Er holt ihn eben ab.
Es wacht eben auf.
Er stellt sie eben vor.

Wird er Fritz abholen?

Wird das Kind bald aufwachen?
Werden Sie das Fenster zumachen?
Wird er seinen Freund vorstellen?
Werden Sie diese Studentin kennenler-
nen?

Er hat ihn schon abgeholt.

Es ist schon aufgewacht.
Ich habe es schon zugemacht.
Er hat ihn schon vorgestellt.
Ich habe sie schon kennengelernt.

Soll ich meinen Freund vorstellen?

Darf ich Sie um vier Uhr abholen?
Soll ich das Fenster aufmachen?
Soll ich meinen Scheck einlösen?
Soll ich die Tür zumachen?
Darf ich jetzt aufhören?

Ja, stellen Sie ihn vor!

Ja, holen Sie mich um vier Uhr ab!
Ja, machen Sie es auf!
Ja, lösen Sie ihn ein!
Ja, machen Sie sie zu!
Ja, hören Sie jetzt auf!

IV. SENTENCE PATTERNS FOR IRREGULAR VERBS WITH SEPARABLE PREFIXES

INFINITIVE	PRESENT	FUTURE	PRESENT PERFECT
anrufen	Er { ruft uns an.	Er wird { . . . anrufen.	Er { hat . . . angerufen.
aussehen	sieht gut aus.	. . . aussehen.	hat . . . ausgesehen.
mitgehen	geht heute mit.	. . . mitgehen.	ist . . . mitgegangen.

menü - sp. q the day
sp iese Karte - Menu
bestellet - ardeu

? = verken
die Ferien always plural

5. Repetition

Haben Sie ihn schon eingeladen?

Sie hat ihre Schuhe angezogen.

Wir haben Aufgabe elf angefangen.

Haben Sie den Brief schon aufgegeben?

Das Mädchen sieht hübsch aus.

look = aussehen

4 o'clock

Können Sie um vier Uhr vorbeikommen?

Wann kommen Sie zurück? *BACK*

Nehmen Sie dieses Buch mit!

Soll ich Sie morgen anrufen?

Kommen Sie heute mit?

6. Present > Present Perfect

Was schlagen Sie vor?

Wann stehen Sie auf?

Gehen Sie mit?

Kommt er bald zurück?

Kommen Sie heute vorbei?

Was nehmen Sie mit?

Wann kommt er an?

Wen laden Sie ein?

Warum rufen Sie ihn jetzt an?
why

suggest

Was haben Sie vorgeschlagen?

Wann sind Sie aufgestanden?

Sind Sie mitgegangen?

Ist er bald zurückgekommen?

Sind Sie heute vorbeigekommen?

Was haben Sie mitgenommen?

Wann ist er angekommen?

Wen haben Sie eingeladen?

Warum haben Sie ihn jetzt angerufen?

aufstanden like sein

7. Question-Answer

Wann wird Emil abfahren?

Wann wird die Sommerschule anfangen?

Wann werden Ihre Freunde vorbeikommen?

Wann werden die Kinder aufstehen?

Wann werden Sie Rolf anrufen?

Wann werden wir Elsa zum Mittagessen einladen? *invite*

Wann wird Willi seine Schulbücher mitnehmen?

Wird der Lehrer diese Geschichte vorlesen?

Wann fangen die Ferien an?
vacation

Er ist schon abgefahren.

Sie hat schon angefangen.

Sie sind schon vorbeigekommen.

Sie sind schon aufgestanden.

Ich habe ihn schon angerufen.

Wir haben sie schon eingeladen.

Er hat sie schon mitgenommen.

Er hat sie schon vorgelesen.

Sie haben schon angefangen.

Darf ich aufstehen?

Darf ich einen Satz vorlesen?

Darf ich Franz einladen?

Soll ich ihn anrufen?

Darf ich anfangen?

Dürfen wir vorbeikommen?

Bitte, stehen Sie auf!

Bitte, lesen Sie ihn vor!

Bitte, laden Sie ihn ein!

Bitte, rufen Sie ihn an!

Bitte, fangen Sie an!

Bitte, kommen Sie vorbei!

Wann fängt das Kino an?   *Es hat schon angefangen.*

Wann kommt Hans zurück?   Er ist schon zurückgekommen.
Wann geht Helene mit?   Sie ist schon mitgegangen.
Wann steht Jürgen auf?   Er ist schon aufgestanden.
Wann wird Kätchen vorbeikommen? Sie ist schon vorbeigekommen.
Wann wird der Zug abfahren?   Er ist schon abgefahren.

8. Replacement

Er wird heute zurückkommen.
Wir _____.   Wir werden heute zurückkommen.
___ möchten _____.   Wir möchten heute zurückkommen.
_____ mitgehen.   Wir möchten heute mitgehen.
___ müssen _____.   Wir müssen heute mitgehen.
Erna _____.   Erna muß heute mitgehen.
_____ vorbeikommen.   Erna muß heute vorbeikommen.
___ kann _____.   Erna kann heute vorbeikommen.
_____ anfangen.   Erna kann heute anfangen.
Lore und Lili _____.   Lore und Lili können heute anfangen.
___ dürfen _____.   Lore und Lili dürfen heute anfangen.

REVIEW

English-German Patterns

He's opening the window.   Er macht das Fenster auf.
She's closing the door.   Sie macht die Tür zu.
I'm cashing a check.   Ich löse einen Scheck ein.
They are introducing their friend.   Sie stellen ihren Freund vor.
We are planning something. (*vorhaben*) Wir haben etwas vor.

Wake up!   Wachen Sie auf!
Watch out!   Passen Sie auf!
Introduce her to me!   Stellen Sie sie mir vor!
Pick me up at quarter after seven!   Holen Sie mich um Viertel nach sieben ab!

Begin now!   Fangen Sie jetzt an!
Please close the window!   Bitte, machen Sie das Fenster zu!
Go out!   Gehen Sie hinaus!
Come back!   Kommen Sie zurück!
Look at him!   Schauen Sie ihn an!
Bring your friend along!   Bringen Sie Ihren Freund mit!
Stand up, please!   Stehen Sie bitte auf!
Please mail my letter!   Bitte, geben Sie meinen Brief auf!

When did he arrive? — Wann ist er angekommen?

When did he begin? — Wann hat er angefangen?

What did he look like? (*wie*) — Wie hat er ausgesehen?

Did he go along? — Ist er mitgegangen?

Which book did she prefer? — Welches Buch hat sie vorgezogen?

Has he come by already? — Ist er schon vorbeigekommen?

Did he invite you? — Hat er Sie eingeladen?

Where did we start? (*anfangen*) — Wo haben wir angefangen?

Did you phone your girl friend? — Haben Sie Ihre Freundin angerufen?

Did he get off the train? — Ist er aus dem Zug ausgestiegen?

I shall return. — Ich werde zurückkommen.

I want to go in. — Ich will hineingehen.

She wants to begin now. — Sie will jetzt anfangen.

I have permission to invite them. — Ich darf sie einladen.

They must come along. — Sie müssen mitkommen.

You must take along a coat. — Sie müssen einen Mantel mitnehmen.

He can come by at three o'clock. — Er kann um drei Uhr vorbeikommen.

The baby wants to stand up. — Das Baby will aufstehen.

When shall I get up? — Wann soll ich aufstehen?

We are supposed to get up at six. — Wir sollen um sechs Uhr aufstehen.

I shall return at quarter to nine. — Ich werde um Viertel vor neun zurückkommen.

Emil goes to school. — Emil geht in die (zur) Schule.

Trudi is in kindergarten. — Trudi ist im Kindergarten.

Peter attends a secondary school. — Peter besucht eine Oberschule.

I'm taking an examination today. — Ich mache heute eine Prüfung.

I shall not fail. — Ich werde nicht durchfallen.

I never cut class. — Ich schwänze nie.

Do you have a date? — Haben Sie ein Rendezvous?

My watch is slow. — Meine Uhr geht nach.

Fritz is usually punctual. — Fritz ist gewöhnlich pünktlich.

Shall I meet you at the corner? — Soll ich Sie an der Ecke treffen?

I am free this afternoon. — Ich bin heute nachmittag frei.

General Questions

1. Sind Sie letzte (*last*) Woche nach Berlin gereist? 2. Haben Sie heute einige Bücher von der Bibliothek abgeholt? 3. Haben Sie im letzten Monat geschwänzt? 4. Haben Sie Lust, einen Spaziergang im Park zu machen? 5. Was haben Sie heute abend vor? 6. Haben Sie es eilig, oder sind Sie jetzt frei? 7. Wie oft laden Sie einen Freund (eine Freundin) zum Abendessen ein? 8. Fallen Sie bei Prüfungen manchmal durch? 9. Wann fängt das nächste Semester an? 10. Um wieviel Uhr sind Sie heute morgen aufgestanden?

Directed Questions

1. Fragen Sie Fräulein ——, wann sie einen Ausflug machen möchte!
2. Fragen Sie Herrn ——, ob er viel Zeit zum Spielen hat!
3. Fragen Sie Herrn ——, ob er immer pünktlich zur Deutschstunde kommt!
4. Fragen Sie Fräulein ——, ob ihre Mutter gewöhnlich mitkommt, wenn sie ein Rendezvous hat!
5. Fragen Sie Fräulein ——, wann sie aufwacht!
6. Fragen Sie Herrn ——, ob er alle Studentinnen in der Klasse kennengelernt hat!
7. Fragen Sie Herrn ——, ob er immer gut aufpaßt!
8. Fragen Sie Herrn ——, wie oft er seine Freundin anruft!

VERB SUMMARY

INFINITIVE		PRESENT		PRES. PERF.
bestehen (*pass an exam*)		besteht		bestanden
bestellen (*order*)		bestellt		bestellt
erwarten (*expect*)	er	erwartet	er hat	erwartet
schwänzen (*cut class*)		schwänzt		geschwänzt
vermissen (*miss*)		vermißt		vermißt
dauern (*last*)		dauert		gedauert
enden (*end*)	es	endet	es hat	geendet
stimmen (*be correct*)		stimmt		gestimmt

AUF DER REISE

Auf der Reise durch Deutschland sieht man an einem Tag Dutzende[1] von solch idyllischen Dörfern und Städtchen wie Besigheim (A). Sie sehen heute noch genauso aus[2] wie vor Hunderten von Jahren.[3]

[1] dozens   [2] (*sehen . . . aus*) look, appear   [3] hundreds of years ago

A

finally
still

Wenn man ein neues Haus baut oder ein altes Haus renoviert und wenn man dann endlich das Dach aufsetzt,[4] feiert[5] man noch heute, wie vor Jahrhunderten, das Richtfest.[6] Ein Kranz[7] oder ein kleiner Tannenbaum[8] auf einer Stange[9] symbolisiert die Hoffnung,[10] daß das Haus lange stehen möge[11] (B). Der Hausbesitzer[12] muß für die Arbeiter Bier kaufen, aber wenn er zu geizig[13] ist, nageln ihm die Zimmerleute[14] einen Besen[15] auf das Dach. Dann weiß alle Welt,[16] daß der Hausbesitzer ein Geizhals[17] ist.

[4] erects the roof   [5] celebrates   [6] ceremony at completion of rafter construction
[7] wreath   [8] fir tree   [9] pole   [10] hope   [11] may   [12] homeowner
[13] stingy   [14] the carpenters nail   [15] broom   [16] all the world   [17] tightwad

B

C

D

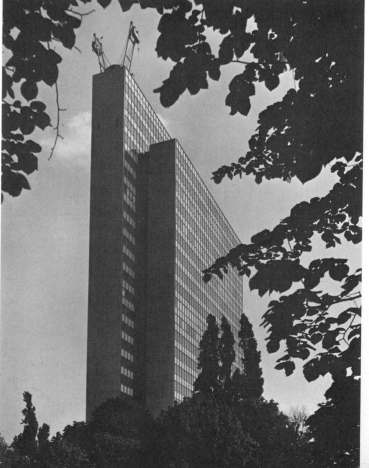

Die Stadt Frankfurt am Main ist mehr als tausend Jahre alt. Im Mittelalter war hier eine Furt,[18] durch welche die Franken über den Fluß Main[19]
ritten.[20] Frankfurt am Main ist bekannt als die Krönungsstadt[21] deutscher
Kaiser und die Geburtsstadt Goethes. Seit Jahrhunderten hält man hier jedes
Jahr die weltbekannte Frankfurter Messe[22] ab.[23] Auf diesem Bild (C) sehen
wir den Römer, Frankfurts mittelalterliches Rathaus.

Düsseldorf, einmal ein kleines Dorf an der Stelle,[24] wo das Flüßchen
Düssel in den Rhein fließt, ist heute eine Großstadt mit mehr als 700 000
Einwohnern.[25] Das Thyssen-Haus (D) ist eines der höchsten Gebäude in
Deutschland. Düsseldorf liegt am Rande des Ruhrgebietes,[26] einem der
größten Industriezentren Europas.

Hamburg ist die zweitgrößte deutsche Stadt. Diese alte Hansestadt[27] hat
einen der größten Häfen[28] Europas (E). In Hamburg befinden sich mehr
Konsulate als in irgendeiner[29] Stadt der Welt, außer in New York. Zwischen
den Jahren 1186 und 1918 war Hamburg eine Stadt-Republik; heute ist es
eines der elf Länder der Bundesrepublik.

[18] ford   [19] Main River   [20] rode   [21] coronation city   [22] fair
[23] (*hält . . . ab*) they have been holding   [24] spot, place   [25] inhabitants   [26] at the
edge of the Ruhr area (an industrial area in northwestern Germany)   [27] Hansa city
[28] harbors   [29] any

E

F

G

In einer alten deutschen Stadt stehen der Dom und das Rathaus gewöhnlich am Marktplatz,[30] wie in Bremen (F). Im frühen Mittelalter waren die „Domstädte" Ausgangspunkte[31] für die Verbreitung[32] des Christentums. Die meisten dieser Städte sind Großstädte geworden, wie Bremen, Köln und Frankfurt. Unter Bremens Rathaus mit der schönen Renaissancefassade liegt der älteste und größte Ratskeller[33] in Deutschland. Noch heute kann man dort gut essen und trinken.

Die Kaiser-Wilhelm-Gedächtniskirche[34] (G) ist heute die einzige[35] Ruine des zweiten Weltkrieges in diesem Teil[36] Berlins. Sie wird eine Ruine bleiben, denn sie soll an die Furchtbarkeit[37] des Krieges erinnern. Viele moderne Geschäftshäuser befinden sich in Berlin-West. Studenten der Architektur kommen aus allen Teilen der Welt nach Berlin, um die neuen Gebäude zu sehen. Der Architekt der Kongreßhalle[38] (H) ist der Amerikaner Hugh Stubbins. In diesem „Beton-Schmetterling"[39] gruppieren sich Ausstellungsräume,[40] Konferenzräume, ein Theater und ein Restaurant um das Hauptauditorium.[41] Beinahe alle Touristen besuchen dieses wohlbekannte, ultramoderne Gebäude. Die Gebäude im Hanseviertel[42] wurden für die internationale Bauausstellung[43] des Jahres 1957 gebaut.[44] Die Architekten dieser Gebäude stammen aus[45] 22 Nationen. Heute ist Berlin nicht nur eine schöne Stadt, sondern auch eine der wichtigsten[46] Industriestädte Deutschlands.

[30] marketplace   [31] points of departure   [32] spread   [33] town hall restaurant
[34] Emperor Wilhelm Memorial Church   [35] only   [36] part   [37] frightfulness
[38] Convention Hall   [39] concrete butterfly   [40] exhibition rooms
[41] main auditorium   [42] Hansa Quarter   [43] architectural exhibition
[44] (wurden . . . gebaut) were built   [45] come from, originate   [46] most important

H

AUFGABE ZWÖLF

EIN SPAZIERGANG

Rudi Wolf findet es sehr angenehm, mit einem hübschen Mädchen spazieren zu gehen. Wenn er nur nicht so hungrig wäre!

¹ WOLF: Sie sehen heute sehr schick aus.

² FRL. ULMER: Danke schön.   Es ist sehr nett von Ihnen, mir das zu sagen.

³ WOLF: Ist das ein neuer Rock?

⁴ FRL. ULMER: Nein, nur die Bluse ist neu; den Rock habe ich schon vor drei Wochen gekauft, als ich ihn in einem Schaufenster sah.

⁵ WOLF: Raten Sie mal, was ich meiner Schwester kaufen möchte!

⁶ FRL. ULMER: Ein Dirndl?

⁷ WOLF: Erraten!   Wissen Sie, wo ich eins preiswert kaufen kann?

⁸ FRL. ULMER: Es gibt da ein kleines Geschäft gleich beim Rathaus um die Ecke; dort kann man gewöhnlich gut kaufen.

⁹ WOLF: Fein!   Ich gehe gleich morgen hin.   Meine Schwester hat nämlich im nächsten Monat Geburtstag.

¹⁰ FRL. ULMER: Wie alt ist Ihre Schwester?   Ist sie älter als Sie?

¹¹ WOLF: Nein, jünger.   Sie ist erst sechzehn, aber sie sieht älter aus.

¹² FRL. ULMER: Ah, was für ein herrlicher Tag für einen Spaziergang!

¹³ WOLF: Das finde ich auch.   Geht's hier zum Park?   Je weiter ich gehe, desto hungriger werde ich.

¹⁴ FRL. ULMER: Wenn Sie wollen, können wir dort drüben im Gasthof zum Schwarzen Bären essen.

¹⁵ WOLF: Wunderbar!   Ich bin wirklich hungrig wie ein Bär!

188

LESSON 12

A WALK

Rudi Wolf finds it very pleasant to go walking with a pretty girl. If he were just not so hungry!

¹ WOLF: You look very sharp today.

² MISS ULMER: Thank you.   It's very nice of you to say that to me.

³ WOLF: Is that a new skirt?

⁴ MISS ULMER: No, only the blouse is new; I bought the skirt three weeks ago when I saw it in a shop window.

⁵ WOLF: Guess what I'd like to buy my sister.

⁶ MISS ULMER: A dirndl?

⁷ WOLF: You guessed it!   Do you know where I can buy one reasonably?

⁸ MISS ULMER: There's a small shop just around the corner from the city hall.   One can usually get a good buy there.

⁹ WOLF: Fine!   I'll go there the first thing tomorrow.   My sister has a birthday next month, you see.

¹⁰ MISS ULMER: How old is your sister?   Is she older than you?

¹¹ WOLF: No, younger.   She's only sixteen, but she looks older.

¹² MISS ULMER: Ah, what a beautiful day for a walk!

¹³ WOLF: It surely is.   Is this the way to the park?   The farther I go, the hungrier I get.

¹⁴ MISS ULMER: If you want to, we can eat over there in the Black Bear Inn.

¹⁵ WOLF: Wonderful!   I'm really hungry as a bear.

VOCABULARY BUILDING

Das Alter (Age)

Wann {sind Sie / ist er / ist sie} *sien* geboren?   {Ich bin / Er ist / Sie ist} im Oktober geboren.

Wie alt ist er? Er ist {
einundzwanzig (Jahre alt).
nicht älter als dreißig.
beinah vierzig. *almost*
noch ziemlich jung.
viel jünger als ich.
genauso alt wie ich. *same*
}

Sie sehen nicht so alt aus, wie Sie sind.
Für wie alt halten Sie mich?
Heute ist mein Geburtstag.

Congrat ehte
(Ich wünsche Ihnen) {viel Glück![1] / alles Gute![2]}

Ich gratuliere (Ihnen).[3]

Some

Einkaufen (Shopping)

Gehen Sie heute einkaufen?[4]
Ja, ich muß einige Einkäufe[5] machen, denn morgen ist Sonntag.

Was wünschen Sie, bitte? Ich möchte {
ein Kleid
eine Bluse
einen Hut
eine Jacke
Schuhe
} anprobieren.[6]   *Past*

Die Schuhe passen[7] mir nicht.
Welche Größe (Schuhnummer)[8] haben Sie?
Das Kleid paßt Ihnen ausgezeichnet. *excellent*
Es steht Ihnen gut.[9]

ex
Es kostet genau zehn Mark siebzig.[10] Das ist {
aber sehr teuer![11]
aber billig![12]
ja sehr preiswert! *bargain*
}

---

[1] happiness, luck   [2] everything that's good   [3] I congratulate you.   [4] shopping
[5] some purchases   [6] try on   [7] fit   [8] size   [9] It looks good on you.
[10] 10 marks and 70 pfennigs   [11] expensive   [12] cheap

PRONUNCIATION DRILL

The sound [ŋ] (spelled *ng*) and the combination [kv] (spelled *qu*); review of *ü* and *ö*

The spelling combination **ng** represents the sound [ŋ] heard in English *singer,* never the combination [ŋg] heard in *finger.* Practice with your model: Sänger, länger, Hunger, jünger, bange, Zange, Engel.

Practice the combination [kv] by pronouncing the following words: Quelle, Qual, Qualität, Quartett, bequem, Äquator, Quantität, Quatsch.

Review **ü** and **ö** in the following combinations:

Riemen—rühmen	vier—für	spielen—spülen	Ziege—Züge
missen—müssen	sticken—stücken	Bitte—Bütte	Binde—Bünde
beten—böten	Hefe—Höfe	kehren—Chöre	Esel—Ösel
Welfe—Wölfe	kennen—können	Kellner—Köln	Männchen—Mönche

DIALOGUE VARIATIONS

A. Guten Tag, mein Herr! Womit kann ich (Ihnen) dienen?[1]

B. Ich hätte gern[2] eine Krawatte.

A. Wollen Sie mir bitte folgen?[3] Wir haben hinten im Geschäft[4] eine große Auswahl.[5] Gefällt Ihnen diese Krawatte?

B. Ich fürchte,[6] das ist nicht ganz, was ich suche.

A. Wie gefällt Ihnen denn diese Farbe?

B. Die gefällt mir recht gut.

A. Was kostet diese Handtasche?

B. Genau zwanzig Mark, meine Dame.

A. Das ist ziemlich viel für eine Handtasche, finden Sie nicht?

B. Oh nein, im Gegenteil.[7] In diesem Fall[8] ist das sehr preiswert. Sie hat vorher[9] dreißig Mark gekostet.

A. Na schön, ich möchte sie mitnehmen.

B. Bezahlen Sie bitte an der Kasse![10] Sie ist links neben der Tür. Auf Wiedersehen!

A. Entschuldigen Sie, bitte![11] Geht's in dieser Richtung zum Tiergarten?[12]

B. Ganz recht! Rechts um die Ecke und dann immer geradeaus.

A. Wie weit ist es noch?

B. Zu Fuß, ungefähr zwanzig Minuten.

[1] serve [2] would like [3] follow [4] in the back of the shop [5] selection
[6] fear [7] on the contrary [8] in this case [9] formerly
[10] Please pay at the cashier's. [11] Pardon me please! [12] zoo

A. Kann man mit der Straßenbahn dahin fahren?
B. Gewiß. Nehmen Sie Nummer fünf, sie wird in drei Minuten kommen.
A. Wo ist die nächste Haltestelle?
B. Gleich um die Ecke, gegenüber der alten Kirche.[13]
A. Danke schön.
B. Nichts zu danken. Auf Wiedersehen!

CONVERSATIONAL PATTERNS

I. DEPENDENT OR SUBORDINATE CLAUSES

A dependent clause cannot stand alone; it is incomplete without the main clause of the sentence:

Wenn ich den Lehrer sehe, . . . (*dependent clause, incomplete sentence*).
Whenever I see the teacher, . . .

Wenn ich den Lehrer sehe (*dependent clause*), begrüße ich ihn (*main clause, complete sentence*).
Whenever I see the teacher, I greet him.

The following conjunctions always introduce dependent clauses:

als	*when*	ob	*whether*
bevor, ehe	*before*	obwohl, obgleich	*although*
bis	*until*	seitdem	*since (temporal)*
da, weil	*because, since*	sobald	*as soon as*
daß	*that*	während	*while*
nachdem	*after*	wenn	*if, whenever*

In clauses introduced by any of the above subordinating conjunctions, the inflected or conjugated verb stands at the end of the clause:

Ich weiß, **daß** mein Freund krank **ist.**
Wir bleiben hier, **weil** meine Schwester nicht **gehen will.**

In a dependent clause the prefix of a separable verb precedes and is attached to the rest of the verb:

Wenn er früh **aufsteht,** wird er bald müde.

Note the inverted word order (verb-subject) in the main clause whenever the dependent clause begins the sentence:

Obgleich er zu Hause ist, **sehen wir** ihn nicht oft.

[13] church

1. Repetition

Ich weiß, daß er zwanzig Jahre alt ist.
Ich weiß, daß er eine Jacke anprobieren
  will.
Er weiß, daß ich nicht kommen kann.
Er weiß, daß sie mitkommen wird.
Er sagt, daß er das Buch gelesen hat.

Er sagt, daß er einen Brief bekommen
  hat.
Ich warte, bis er zurückkommt.
Ich warte, bis er fertig (*finished*) ist.
Ich lese, während er Tennis spielt.

2. Present > Future

Ich weiß, daß es teuer ist.

Ich weiß, daß es teuer sein wird.

Wir wissen, daß er zurückkommt.
Wissen Sie, was ich heute lese?
Er weiß, daß ich einige Einkäufe mache.

Wissen Sie, ob er einkaufen geht?

Wir wissen, daß er zurückkommen wird.
Wissen Sie, was ich heute lesen werde?
Er weiß, daß ich einige Einkäufe
  machen werde.

Wissen Sie, ob er einkaufen gehen wird?

3. Present > Present Perfect

Er weiß, daß ich hier bin.

Er weiß, daß ich hier gewesen bin.

Ich weiß, daß er zurückkommt.
Ich weiß, daß er Tennis spielt.
Wissen Sie, daß er Geburtstag hat?

Weiß sie, ob er heute abfährt?

Ich weiß, daß er zurückgekommen ist.
Ich weiß, daß er Tennis gespielt hat.
Wissen Sie, daß er Geburtstag gehabt
  hat?

Weiß sie, ob er heute abgefahren ist?

4. *Während* in First Clause

Ich lese die Zeitung.
Er spielt Tennis.

Während ich die Zeitung lese, spielt er
  Tennis.

Ich sitze in der Sonne.
Er schwimmt.

Während ich in der Sonne sitze,
  schwimmt er.

Ich schreibe Briefe.
Er telefoniert mit einem Freund.

Während ich Briefe schreibe, telefoniert
  er mit einem Freund.

Wir besprechen die Aufgabe.
Sie geht einkaufen.

Während wir die Aufgabe besprechen,
  geht sie einkaufen.

Wir arbeiten an Aufgabe zwölf.
Er liest einen Roman.

Während wir an Aufgabe zwölf arbeiten, liest er einen Roman.

Trage - carry
das Geschirr - dishes

5. *Während* in Second Clause

Ich mache meine Hausarbeit.
Er spricht mit einem Mädchen.

Ich mache meine Hausarbeit, während er mit einem Mädchen spricht.

Ich putze mir die Zähne.
Er wäscht sich die Hände.

Ich putze mir die Zähne, während er sich die Hände wäscht.

Ich studiere auf der Universität.
Er arbeitet in einem Büro.

Ich studiere auf der Universität, während er in einem Büro arbeitet.

Ich hole einen Freund vom Bahnhof ab.
Er schreibt einen Brief.

Ich hole einen Freund vom Bahnhof ab, während er einen Brief schreibt.

Ich probiere eine neue Jacke an.
Er schaut sich die Krawatten an.

Ich probiere eine neue Jacke an, während er sich die Krawatten anschaut.

If or whenever

6. *Wenn* in First Clause

Es regnet.
Ich bleibe zu Hause.

Wenn es regnet, bleibe ich zu Hause.

Es schneit heute.
Ich muß zu Hause bleiben.

Wenn es heute schneit, muß ich zu Hause bleiben.

Er sieht mich.
Er grüßt (*greets*) mich.

Wenn er mich sieht, grüßt er mich.

Ich gehe einkaufen.
Ich trage einen Mantel.

Wenn ich einkaufen gehe, trage ich einen Mantel.

Ich bin krank.
Ich gehe zu einem Arzt.

Wenn ich krank bin, gehe ich zu einem Arzt.

7. *Sobald* in First Clause

you them

Ich habe mit ihm gesprochen.
Ich werde zu Ihnen kommen.

Sobald ich mit ihm gesprochen habe, werde ich zu Ihnen kommen.

Er hat die Zeitung gelesen.
Er wird sie Ihnen zurückgeben.

Sobald er die Zeitung gelesen hat, wird er sie Ihnen zurückgeben.

Ich habe meine Schularbeiten gemacht.
Ich kann gehen.

Sobald ich meine Schularbeiten gemacht habe, kann ich gehen.

Inge hat das Geschirr (*dishes*) gewaschen.
Sie kann hinausgehen.

Sobald Inge das Geschirr gewaschen hat, kann sie hinausgehen.

Ich habe gegessen.
Ich gehe an die Arbeit.

Sobald ich gegessen habe, gehe ich an die Arbeit.

8. *Bis* in Second Clause

Ich warte.
Er kommt zurück.

Ich bleibe hier.
Er ruft mich an.

Ich werde arbeiten.
Ich werde müde.

Er muß im Krankenhaus bleiben.
Er ist wieder gesund (*well*).

Ich warte, bis er zurückkommt.

Ich bleibe hier, bis er mich anruft.

Ich werde arbeiten, bis ich müde werde.

Er muß im Krankenhaus bleiben, bis er
wieder gesund ist.

9. *Weil* or *da* in Second Clause

Ich lerne Deutsch.
Ich will nach Deutschland reisen.

Er arbeitet schnell.
Er will früh nach Hause gehen.

Er lernt Sprachen.
Er will Diplomat werden.

Ich schreibe an meine Eltern.
Es ist meine Pflicht (*duty*).

Ich denke oft an meine Freundin.
Ich habe sie gern.

Ich lerne Deutsch, weil (da) ich nach
Deutschland reisen will.

Er arbeitet schnell, weil (da) er früh
nach Hause gehen will.

Er lernt Sprachen, weil (da) er Diplomat werden will.

Ich schreibe an meine Eltern, weil (da)
es meine Pflicht ist.

Ich denke oft an meine Freundin, weil
(da) ich sie gern habe.

10. *Obgleich* or *obwohl* in First Clause

Er hat wenig Geld.
Er geht jede Woche ins Kino.

Er kennt mich gut.
Er begrüßt mich selten (*seldom*).

Es regnet stark.
Die Frau geht einkaufen.

Er spricht schon zwei Sprachen.
Er will auch noch Deutsch lernen.

Sie probiert viele Blusen an.
Sie will keine kaufen.

Obgleich (obwohl) er wenig Geld hat,
geht er jede Woche ins Kino.

Obgleich (obwohl) er mich gut kennt,
begrüßt er mich selten.

Obgleich (obwohl) es stark regnet, geht
die Frau einkaufen.

Obgleich (obwohl) er schon zwei
Sprachen spricht, will er auch noch
Deutsch lernen.

Obgleich (obwohl) sie viele Blusen anprobiert, will sie keine kaufen.

Before

11. *Ehe* or *bevor* in First Clause

Ich gehe zu Bett. A
Ich putze mir die Zähne.

Bevor (ehe) ich zu Bett gehe, putze ich
mir die Zähne.

Ich komme zur Deutschstunde.
Ich mache meine Hausarbeiten.

Bevor (ehe) ich zur Deutschstunde
komme, mache ich meine Hausarbeiten.

Ich betrete *(enter)* das Zimmer meines
Freundes.
Ich klopfe an die Tür.

Bevor (ehe) ich das Zimmer meines
Freundes betrete, klopfe ich an die
Tür.

Es donnert.
Es blitzt immer.

Bevor (ehe) es donnert, blitzt es immer.

12. *Seitdem* in Second Clause

Ich habe ihn noch nicht gesehen.
Ich bin zurück.

Ich habe ihn nicht gesehen, seitdem ich
zurück bin.

Wir wissen mehr über Deutschland.
Wir lernen Deutsch.

Wir wissen mehr über Deutschland,
seitdem wir Deutsch lernen.

Ich habe viele neue Freunde kennengelernt.
Ich lerne Deutsch.

Ich habe viele neue Freunde kennengelernt, seitdem ich Deutsch lerne.

Ich verstehe meine Muttersprache viel
besser.
Ich lerne Deutsch.

Ich verstehe meine Muttersprache viel
besser, seitdem ich Deutsch lerne.

13. Replacement

Ich weiß, daß er gegangen ist.

Wir _____.

Wir wissen, daß er gegangen ist.

_____ abgefahren _____.

Wir wissen, daß er abgefahren ist.

_____ sie *(they)* ___.

Wir wissen, daß sie abgefahren sind.

_____ fliegen werden.

Wir wissen, daß sie fliegen werden.

_____ Hans _____.

Wir wissen, daß Hans fliegen wird.

_____ geflogen ist.

Wir wissen, daß Hans geflogen ist.

_____ Hans und Hugo _____.

Wir wissen, daß Hans und Hugo geflogen sind.

II. INTERROGATIVES AS SUBORDINATING CONJUNCTIONS

Interrogatives such as **wer, was, welch, wie, wann, warum, wo** (including derivatives **womit, wohin,** etc.) can introduce indirect as well as direct questions. Whenever they are used to introduce indirect questions, these interrogatives function as subordinating conjunctions; consequently, the verb is placed at the end of the subordinate clause.

14. Repetition

Wissen Sie, wie alt dieser Mann ist?

Wissen Sie, wer Geburtstag hat?

Wissen Sie, welche Schuhnummer Sie haben?

Wissen Sie, wann Hans zurückkommen wird?

Weiß Peter, welchen Bleistift Rolf genommen hat?

Wissen Sie, warum Luise die Bluse gekauft hat?

Wissen Sie, wie dieser Herr heißt?

Weiß er, wann die Deutschstunde beginnt?

Ich weiß nicht, wo mein Buch ist.

Wissen Sie, wieviel diese Jacke kostet?

Wissen Sie, worüber der Lehrer gesprochen hat?

15. Question-Answer

Wissen Sie, wie meine Schwester heißt?

Nein, ich weiß nicht, wie Ihre Schwester heißt.

Wissen Sie, wo meine Freunde wohnen?

Nein, ich weiß nicht, wo Ihre Freunde wohnen.

Wissen Sie, wie viele Geschwister (*brothers and sisters*) er hat?

Nein, ich weiß nicht, wie viele Geschwister er hat.

Wissen Sie, woran ich jetzt denke?

Nein, ich weiß nicht, woran Sie jetzt denken.

Wissen Sie, wie das Mädchen heißt?

Nein, ich weiß nicht, wie das Mädchen heißt.

Wissen Sie, wann dieser Student gestern nach Hause gekommen ist?

Nein, ich weiß nicht, wann dieser Student gestern nach Hause gekommen ist.

16. Direct Question > Indirect Question

Wo ist Karl geboren?	*Wissen Sie, wo Karl geboren ist?*
Wo liegt Deutschland?	Wissen Sie, wo Deutschland liegt?
Wer wird morgen hier sein?	Wissen Sie, wer morgen hier sein wird?
Wie heißt dieser Mann?	Wissen Sie, wie dieser Mann heißt?
Was wollen Sie werden?	Wissen Sie, was Sie werden wollen?
Wer ist heute nicht hier?	Wissen Sie, wer heute nicht hier ist?
Wessen Bleistift ist das?	Wissen Sie, wessen Bleistift das ist?
Warum freut sich der Lehrer?	Wissen Sie, warum sich der Lehrer freut?
Wohin gehe ich nach der Deutschstunde?	Wissen Sie, wohin ich nach der Deutschstunde gehe?

Warum lernen Sie Deutsch?	*Karl fragt, warum Sie Deutsch lernen.*
Gefällt Ihnen diese Stadt? (ob)	Karl fragt, ob Ihnen diese Stadt gefällt.
Gehen Sie heute abend ins Kino? (ob)	Karl fragt, ob Sie heute abend ins Kino gehen.
Welche Vorlesungen hören Sie jetzt?	Karl fragt, welche Vorlesungen Sie jetzt hören.
Wann werden Sie nach Hause gehen?	Karl fragt, wann Sie nach Hause gehen werden.

Gefällt Ihnen Deutsch?	*Kurt will wissen, ob Ihnen Deutsch gefällt.*
Wie alt ist das Mädchen?	Kurt will wissen, wie alt das Mädchen ist.
Wie viele Geschwister hat sie?	Kurt will wissen, wie viele Geschwister sie hat.
Tanzt sie gern? (ob)	Kurt will wissen, ob sie gern tanzt.
Wie lange spricht sie schon Deutsch?	Kurt will wissen, wie lange sie schon Deutsch spricht.

III. WORD ORDER OF INFINITIVE PHRASES

In all infinitive phrases, the verb comes last:

Er bleibt zu Hause, um ein Buch **zu lesen.**

17. Repetition

Er kommt so früh wie möglich, um mit mir einkaufen zu gehen.

Er kommt so früh wie möglich, um Aufgabe elf zu wiederholen (*review*).

Er kommt so früh wie möglich, um meinen Freund kennenzulernen.

Sie geht nach Hause, ohne mir das Buch zu geben.

IV. THE INTENSIFYING PRONOUNS *SELBST* AND *SELBER*

Selbst and **selber,** which mean *myself, yourself, himself,* etc., do not take endings; they are intensifying pronouns, not reflexives, and are used as follows:

> **Er selbst (selber)** hat mir das Buch gegeben.
> He *himself* gave me the book.

Selbst (but never **selber**) may introduce a sentence, in which case it means *even:*

> **Selbst** im Winter geht er zu Fuß.
> *Even* in winter he goes on foot.

18. Repetition

Ich weiß das selbst.

Selbst meine Tochter lacht (*laughs*) darüber.

Der Lehrer hat es mir selbst gesagt.

Selbst kleine Kinder sprechen Deutsch.

Er hilft sich selbst.

Können Sie es selber machen?

19. Question-Answer

Hat der Lehrer es erklärt?

Haben Sie es gekauft?

Hat er es gesagt?

Hat sie es gesehen?

Haben Sie dieses Brot gebacken (*baked*)?

Lacht der Lehrer manchmal?

Sprechen Kinder Deutsch?

Können kleine Kinder schwimmen?

Können Sie es verstehen?

Will Rolf mitkommen?

Jawohl, er hat es selbst (selber) erklärt.

Jawohl, ich habe es selbst (selber) gekauft.

Jawohl, er hat es selbst (selber) gesagt.

Jawohl, sie hat es selbst (selber) gesehen.

Jawohl, ich habe es selbst (selber) gebacken.

Ja, selbst der Lehrer lacht manchmal.

Ja, selbst Kinder sprechen Deutsch.

Ja, selbst kleine Kinder können schwimmen.

Ja, selbst ich kann es verstehen.

Ja, selbst Rolf will mitkommen.

REVIEW

English-German Patterns

Do you know when he will come?	Wissen Sie, wann er kommen wird?
Do you know where she lives?	Wissen Sie, wo sie wohnt?
Do you know who this man is?	Wissen Sie, wer dieser Mann ist?
Do you know whose book that is?	Wissen Sie, wessen Buch das ist?
Do you know what time it is?	Wissen Sie, wieviel Uhr (wie spät) es ist?
Do you know what her name is?	Wissen Sie, wie sie heißt?
Do you know who can help me?	Wissen Sie, wer mir helfen kann?
Do you know whether he can come?	Wissen Sie, ob er kommen kann?
Do you know whether he will be here?	Wissen Sie, ob er hier sein wird?
Do you know whether he has already ordered the apple strudel?	Wissen Sie, ob er den Apfelstrudel schon bestellt hat?
Do you know if he speaks German?	Wissen Sie, ob er Deutsch spricht?
I know that he is here.	Ich weiß, daß er hier ist.
I know that he has been here.	Ich weiß, daß er hier gewesen ist.
I know that he will be here.	Ich weiß, daß er hier sein wird.
I know that he can be here.	Ich weiß, daß er hier sein kann.
I know that he wants to be here.	Ich weiß, daß er hier sein will.
I shall wait until he returns.	Ich werde warten, bis er zurückkommt.
I shall wait until he departs.	Ich werde warten, bis er abfährt.
I shall wait until he writes.	Ich werde warten, bis er schreibt.
I shall wait until I can speak with him.	Ich werde warten, bis ich mit ihm sprechen kann.
I read while he visits his friends.	Ich lese, während er seine Freunde besucht.
I read although I am tired.	Ich lese, obgleich (obwohl) ich müde bin.
I read until I become tired.	Ich lese, bis ich müde werde.
I read whenever it rains.	Ich lese, wenn es regnet.
I read because I want to learn.	Ich lese, weil (da) ich lernen will.
I read as soon as I come home.	Ich lese, sobald ich nach Hause komme.
I read a lot since I've been living here (*present tense*).	Ich lese viel, seitdem ich hier wohne.

She stays home in order to help her mother.	Sie bleibt zu Hause, um ihrer Mutter zu helfen.
He comes to school early in order to read the lesson once more.	Er kommt früh zur Schule, um die Aufgabe noch einmal zu lesen.
He stands up in order to close the door.	Er steht auf, um die Tür zuzumachen.
Where were you born?	Wo sind Sie geboren?
I am as old as you.	Ich bin so alt wie Sie.
Today is my birthday.	Heute ist mein Geburtstag.
Congratulations!	Ich gratuliere (Ihnen).
You don't look old.	Sie sehen nicht alt aus.
They are still rather young.	Sie sind noch ziemlich jung.
She looks young.	Sie sieht jung aus.
The shoes don't fit me.	Die Schuhe passen mir nicht.
The blouse looks good on you.	Die Bluse steht Ihnen gut.
I would like to try on the hat.	Ich möchte den Hut anprobieren.
I must make some purchases.	Ich muß einige Einkäufe machen.
Did you do it yourself?	Haben Sie es selbst (selber) gemacht?
Did he give it to you himself?	Hat er es Ihnen selbst (selber) gegeben?
Even I know that.	Selbst ich weiß das.
He wrote it himself.	Er hat es selbst (selber) geschrieben.

General Questions

1. Gehen Sie gern spazieren, wenn der Mond (*moon*) scheint?   2. Sehen alle Mädchen sehr schick aus?   3. Tragen (*wear*) Sie heute eine neue Bluse?   4. Haben Sie im nächsten Monat Geburtstag?   5. Wann sind Sie geboren?   6. Wie alt ist Ihr Vater?   7. Für wie alt halten Sie den jungen Mann neben Ihnen? 8. Gehen Sie gern mit Frauen einkaufen?   9. Bezahlt man an der Kasse, wenn man in einem Restaurant ißt?   10. Gibt's einen Tiergarten hier in dieser Stadt?

Directed Questions

1. Fragen Sie Fräulein ——, ob sie heute einen neuen Rock trägt!
2. Fragen Sie Fräulein ——, wie oft sie Geburtstag hat!
3. Fragen Sie Herrn ——, ob er hungrig wie ein Bär ist!
4. Fragen Sie Fräulein ——, ob sie je ein Dirndl gekauft hat!
5. Fragen Sie Herrn ——, welche Schuhnummer er hat!
6. Fragen Sie Fräulein ——, ob sie gern Hüte anprobiert!
7. Fragen Sie Fräulein ——, ob sie die Aufgabe für heute wiederholt hat!
8. Fragen Sie Herrn ——, ob heute ein herrlicher Tag für einen Spaziergang ist!

VERB SUMMARY

INFINITIVE		PRESENT		PRES. PERFECT
anprobieren (*try on*)		probiert ... an		hat anprobiert
backen (*bake*)		bäckt		hat gebacken
begrüßen (*greet*)		begrüßt		hat begrüßt
betreten (*enter*)		betritt		hat betreten
bezahlen (*pay for*)		bezahlt		hat bezahlt
dienen (*serve, dat.*)		dient		hat gedient
entschuldigen (*excuse*)		entschuldigt		hat entschuldigt
folgen (*follow, dat.*)		folgt		ist gefolgt
fürchten (*fear*)	er	fürchtet	er	hat gefürchtet
gratulieren (*congratulate, dat.*)		gratuliert		hat gratuliert
grüßen (*greet*)		grüßt		hat gegrüßt
hingehen (*go there*)		geht ... hin		ist hingegangen
lachen (*laugh*)		lacht		hat gelacht
passen (*fit, suit, dat.*)		paßt		hat gepaßt
raten (*guess at; advise, dat.*)		rät		hat geraten
tragen (*wear, carry*)		trägt		hat getragen
wiederholen (*repeat, review*)		wiederholt		hat wiederholt

DAS WANDERN

Trotz des Autos ist das Wandern[1] bei den deutschsprachigen Völkern immer noch sehr beliebt. In Düsseldorf z.B. bleiben an einem schönen Sonntagnachmittag nur wenige Leute zu Hause (A). In den Städten geht man gern in einem Park spazieren, oder man spaziert an den Geschäftshäusern vorbei, um zu sehen, was es alles zu kaufen gibt.

In der Schweiz ist das Wandern bei alt und jung besonders beliebt (B, Schweizer Mädchen in den Bergen). Viele Menschen können es kaum erwarten,[2] bis der Frühling da ist, damit sie eine Bergtour machen können (C, Vorfrühling am Thunersee[3]). Auch deutschen Schulkindern

[1] walking, hiking　　[2] await　　[3] Lake Thun

A

B C

D

(D) macht das Wandern viel Spaß. Zwei von ihnen sehen wir hier auf einem Waldweg.

Die deutschsprachigen Völker besitzen von jeher[4] große Wanderlust. Kein Wunder, denn ihre Länder gleichen[5] einer schönen Parklandschaft,[6] die zum Wandern einlädt. Um der deutschen Jugend[7] zu helfen, die Schönheiten[8] ihres Landes besser kennenzulernen, baut man in Deutschland seit 1909 Jugendherbergen.[9] Heute gibt es in Städten, an Flüssen und in den Bergen mehr als 700 Jugendherbergen. Für wenig Geld kann der junge Mensch durch das ganze Land wandern. (Die Übernachtung[10] in einer Herberge[11] kostet etwa eine Mark.)

Nach dem Muster[12] der deutschen Jugendherbergen haben jetzt 32 andere Nationen Jugendherbergen gebaut, und es besteht[13] nun eine internationale Jugendherbergsorganisation. In den Jugendherbergen lernt sich die Jugend der ganzen Welt kennen. Nicht alle Jugendherbergen sind in

[4] time immemorial　　[5] resemble　　[6] park scenery　　[7] youth　　[8] beauties
[9] youth hostels　　[10] night's lodging　　[11] hostel　　[12] model, pattern　　[13] there exists

204

E

was will

alten Gebäuden und romantischen Burgen.[14] Die Herberge in Nürnberg ist neu, wurde aber im alten Stil[15] gebaut (E). Wenn Erwachsene[16] billig[17] reisen wollen, müssen sie ein Zelt[18] mitnehmen. Schöne Zeltplätze[19] gibt es heute überall.

[14] castles   [15] style   [16] adults   [17] cheap   [18] tent   [19] camping places

AUFGABE DREIZEHN

IM RESTAURANT

Rudi Wolf und Anna Ulmer bekommen etwas Gutes zum Mittagessen im Gasthof zum Schwarzen Bären.

¹ KELLNER: Guten Tag, meine Herrschaften!

² WOLF: Guten Tag!   Ist noch ein Tisch frei, von dem wir eine schöne Aussicht auf den Park haben?

³ KELLNER: Ja, mein Herr.   Wollen Sie bitte mitkommen?   Wie gefällt Ihnen dieser kleine Tisch am Fenster?

⁴ WOLF: Danke sehr!   Hier ist es gemütlich.

⁵ KELLNER: Was wollen Sie trinken?   Unsere Biere und Weine sind besonders gut.

⁶ FRL. ULMER: Ich möchte nur ein Glas Traubensaft.

⁷ WOLF: Gut!   Also, Herr Ober, zweimal Traubensaft, bitte!

⁸ KELLNER: Darf ich unser Tagesgericht empfehlen, oder möchten Sie lieber nach der Karte speisen?

⁹ FRL. ULMER: Was haben Sie als Tagesgericht?

¹⁰ KELLNER.   Tomatensuppe mit Reis, dann Schweinebraten mit Bratkartoffeln und grünen Bohnen und Pudding oder Eis als Nachtisch.

¹¹ WOLF: Und wieviel kostet das?

¹² KELLNER: Drei Mark sechzig, dazu zehn Prozent Bedienung.

¹³ FRL. ULMER: Bitte, ich möchte das Tagesgericht und Eis.

¹⁴ WOLF: Schön!   Herr Ober, bitte, zweimal Tagesgericht und als Nachspeise Eis.

¹⁵ KELLNER: Bitte sehr.   Es kommt sofort.

[Später]

¹⁶ WOLF: Herr Ober, zahlen, bitte!

¹⁷ KELLNER: Hier ist die Rechnung.   Im ganzen macht es acht Mark achtzig.   Vielen Dank.   Auf Wiedersehen!

¹⁸ WOLF UND FRL. ULMER: Auf Wiedersehen!

LESSON 13

IN THE RESTAURANT

Rudi Wolf and Anna Ulmer get something good for their noon meal in the Black Bear Inn.

¹ WAITER: Good day!   (**Herrschaften** means *my lady and sir,* but this form would not be used in English.)

² WOLF: Good day!   Is there a table that will give us a nice view of the park?

³ WAITER: Yes, sir.   Do you want to come this way, please?   How do you like this small table by the window?

⁴ WOLF: Thank you very much.   It's pleasant here.

⁵ WAITER: What do you want to drink?   Our beers and wines are especially good.

⁶ MISS ULMER: I would like just a glass of grape juice.

⁷ WOLF: Good.   Well then, waiter (**Oberkellner,** head waiter), two glasses of grape juice, please.

⁸ WAITER: May I recommend our special meal, or would you prefer to dine à la carte?

⁹ MISS ULMER: What is your special?

¹⁰ WAITER: Tomato soup with rice, then roast pork with fried potatoes and green beans, and pudding or ice cream for dessert.

¹¹ WOLF: And how much does that cost?

¹² WAITER: Three marks sixty (pfennigs); service, in addition, is ten percent.

¹³ MISS ULMER: I would like the special and ice cream, please.

¹⁴ WOLF: Fine!   Waiter, two specials, please, and ice cream for dessert.

¹⁵ WAITER: Yes, sir.   Right away.

[Later]

¹⁶ WOLF: Waiter, the bill please.

¹⁷ WAITER: Here is the bill.   Everything included, it comes to eight marks eighty (pfennigs).   Thanks very much.   Good-by!

¹⁸ WOLF AND MISS ULMER: Good-by!

207

VOCABULARY BUILDING

Mittagessen und Abendessen (Noon and Evening Meals)

Was für Suppen haben Sie? {
- Tomatensuppe.
- Gulaschsuppe.
- Hühnersuppe mit Nudeln.[1]
- Fleischbrühe.[2]

Was möchten Sie zu Mittag essen?

Die

- Ein Brathuhn[3]
- Wiener Schnitzel
- Beefsteak
- Schweinebraten[4]
- Eine Bratwurst[5]
- Ein Paar Frankfurter
- Eine kalte Platte[6]

mit {
- Reis[7]
- Kartoffeln[8]
- Senf[9]

und

- *der* Salat. *¹ salat* *mit*
- gemischtem Salat.
- *die* jungen Erbsen.[10] *Peas*
- *die* grünen Bohnen.
- *das* Gemüse.[11] *vegetables*
- *das* Sauerkraut.

- *das* Obst.[12] *fruit*
- *die* Birnen.[13] *Pears*
- Weintrauben.[14]
- Pflaumen.[15] *Plums*
- Pudding.
- *das* Eis. *wh. cream*
- eine Torte mit Schlagsahne.[16]
- Käse.[17]

Zum Nachtisch / Als Nachspeise } haben wir {

Was möchten Sie trinken? {
- *der* Eine Tasse Kaffee.
- *der* Apfelsaft.
- *das* Traubensaft.
- Ein Bier.
- Eine Coca-Cola.
- Einen Sprudel.[18] *soda water*
- Ein Glas Mineralwasser.
- Ein Glas frisches Wasser.
- Eine Flasche Wein.[19]

Herr Ober, ich habe {
- keine Speisekarte.[20] *menu*
- keine Serviette.[21]
- kein Glas.
- keinen Teller.[22] *plate*
- kein Messer.[23] *das*
- keinen Löffel.[24] *der*
- keine Gabel.[25] *die*

Gavel

---

[1] chicken noodle soup   [2] clear soup, broth   [3] fried chicken   [4] roast pork
[5] fried sausage   [6] cold cuts   [7] rice   [8] potatoes   [9] mustard   [10] peas
[11] vegetables   [12] fruit   [13] pears   [14] grapes   [15] plums
[16] cake with whipped cream   [17] cheese   [18] soda water   [19] bottle of wine
[20] menu   [21] napkin   [22] plate   [23] knife   [24] spoon   [25] fork

PRONUNCIATION DRILL

The combinations *pf* and *kn;* review of *ach-* and *ich-*sounds

In the combinations **pf** and **kn,** the sounds represented by both letters are pronounced. Practice with your model:

fehlen—empfehlen fahl—Pfahl fort—Pforte Pfuhl Pfund Pfropf Pforte
Knie Knabe Knecht knicken knacken Knopf Knochen kneten kneipen

Review the **ach-** and **ich-**sounds in the following words:

Macht—Mächte	lachen—lächeln	Bach—Bäche	mochte—möchte
Woche—wöchentlich	Tochter—Töchter	Buch—Bücher	Frucht—Früchte

Licht	sechzehn	rechnen	Pflicht	endlich	sicher
leicht	riechen	feucht	Milch	Kindchen	gleich
Mäuschen	bißchen	fertig	sonnig	lustig	Eiche

DIALOGUE VARIATIONS

A. Guten Tag! Haben Sie heute schon gegessen?

B. Nein, noch nicht, ich habe noch keine Zeit gehabt.

A. Darf ich Sie dann vielleicht zu einer Bratwurst und einem Bier einladen?

B. Oh ja, das ist eine gute Idee. Dort drüben am Stand schmecken sie besonders gut.

A. Wenn wir uns beeilen, können wir später noch ein bißchen plaudern.[1]

A. Ich habe aber Hunger!

B. Also gehen wir jetzt essen!

A. Wollen wir wieder in den Ratskeller[2] gehen? Das Essen[3] ist dort sehr preiswert und gut.

B. Die Wiener Schnitzel sind dort ausgezeichnet.

A. Wissen Sie was? Wenn ich jetzt Geburtstag hätte, würde ich ein Brathuhn mit Reis und gemischtem Salat essen, eine Flasche eiskalten Apfelsaft trinken und zum Nachtisch einen Eisbecher[4] mit Früchten[5] und Schlagsahne bestellen.

B. Das paßt gut. Ich habe heute Geburtstag. Darf ich Sie also einladen?

[1] chat [2] city hall restaurant [3] food [4] dish of ice cream [5] fruits

[handwritten margin notes: Gender - Antecedent / Case - Clause Const. / die Luete]

CONVERSATIONAL PATTERNS

I. RELATIVE PRONOUNS

[handwritten: Refers to antecedent]

Relative pronouns have the same forms as the definite articles except for **dessen** instead of **des**, **deren** (feminine genitive and genitive plural) instead of **der**, and **denen** (dative plural) instead of **den**.

[handwritten margin: inflective verbs at end]

	MASCULINE	NEUTER	FEMININE	PLURAL
NOM.	der	das	die	die
ACC.	den	das	die	die
DAT.	dem	dem	der	denen
GEN.	dessen	dessen	deren	deren

A relative pronoun agrees in number and gender with its antecedent; its case, however, is determined by the manner in which it is used in its own clause:

Der Mann, der (*who*) mich heute besucht, ist mein Freund.
Das Buch, das (*that*) Sie auf den Tisch gelegt haben, gehört mir.
Die junge Dame, mit **der** (*whom*) er spricht, ist meine Schwester.
Der Student, dessen (*whose*) Ring sie trägt, geht ins Krankenhaus.
Die Leute, die (*who*) da drüben stehen, sind gute Freunde von uns.

All relative clauses are dependent clauses. For this reason, they are set off by commas and require dependent word order. (See sentences above.)

1. Repetition

NOMINATIVE	ACCUSATIVE
Kennen Sie den Mann, **der** da drüben steht?	Der Mann, **den** Sie da drüben sehen, heißt Erich Schmidt.
Kennen Sie die Frau, **die** da drüben steht?	Die Studentin, **die** Sie da drüben sehen, heißt Olga Pfeffer.
Kennen Sie das Kind, **das** da drüben steht?	Das Mädchen, **das** Sie da drüben sehen, heißt Inge.
Kennen Sie die Leute, **die** da drüben stehen?	Die Männer, **die** Sie da drüben sehen, heißen Müller und Fischer.

DATIVE

Der Mann, mit **dem** Sie gesprochen haben, ist mein Onkel.

Die Studentin, mit **der** Sie gesprochen haben, ist meine Kusine.

Das Kind, mit **dem** Sie gesprochen haben, wohnt nicht weit von hier.

Die Leute, mit **denen** Sie gesprochen haben, kommen aus Berlin.

GENITIVE

Der Mann, **dessen** Buch auf dem Tisch liegt, heißt Kurt Meyer.

Die Frau, **deren** Buch auf dem Tisch liegt, heißt Rosa Ehlers.

Das Mädchen, **dessen** Vater Professor ist, heißt Paula Fiedler.

Die Studenten, **deren** Hefte auf dem Tisch liegen, dürfen nach Hause gehen.

2. Question-Answer

Ist das die Frau, die Spanisch spricht?

Nein, das ist nicht die Frau, die Spanisch spricht.

_____ der Kellner, _____?

Nein, das ist nicht der Kellner, der Spanisch spricht.

_____ das Kind, _____?

Nein, das ist nicht das Kind, das Spanisch spricht.

_____ die Studenten, _____?

Nein, das sind nicht die Studenten, die Spanisch sprechen.

_____ die Leute (*people*), _____?

Nein, das sind nicht die Leute, die Spanisch sprechen.

Ist das das Obst, das ich bestellt habe?

Ja, das ist das Obst, das Sie bestellt haben.

_____ der Pudding, _____?

Ja, das ist der Pudding, den Sie bestellt haben.

_____ die Tomatensuppe, _____?

Ja, das ist die Tomatensuppe, die Sie bestellt haben.

_____ die Kartoffeln, _____?

Ja, das sind die Kartoffeln, die Sie bestellt haben.

_____ der Salat, _____?

Ja, das ist der Salat, den Sie bestellt haben.

_____ die grünen Bohnen, _____?

Ja, das sind die grünen Bohnen, die Sie bestellt haben.

Ist das der Mann, mit dem Sie Deutsch gesprochen haben?

Nein, das ist nicht der Mann, mit dem ich Deutsch gesprochen habe.

_____ die Frau, _____?

Nein, das ist nicht die Frau, mit der ich Deutsch gesprochen habe.

——— das Kind, _____?   Nein, das ist nicht das Kind, mit dem ich Deutsch gesprochen habe.

——— die Leute, _____?   Nein, das sind nicht die Leute, mit denen ich Deutsch gesprochen habe.

——— die Männer, _____?   Nein, das sind nicht die Männer, mit denen ich Deutsch gesprochen habe.

Ist das der Mann, dessen Schwester Sie kennen?   *Nein, das ist nicht der Mann, dessen Schwester ich kenne.*

——— die Dame, _____?   Nein, das ist nicht die Dame, deren Schwester ich kenne.

——— das Mädchen, _____?   Nein, das ist nicht das Mädchen, dessen Schwester ich kenne.

——— die Frauen, _____?   Nein, das sind nicht die Frauen, deren Schwester ich kenne.

——— das Kind, _____?   Nein, das ist nicht das Kind, dessen Schwester ich kenne.

3. Independent Clause > Relative Clause

Connect the independent clauses by inserting a relative pronoun.

Der Mann ist mein Bruder.
Er steht dort an der Wand.

Der Mann, der dort an der Wand steht, ist mein Bruder.

Die Studentin ist meine Schwester.
Sie steht vor der Bibliothek.

Die Studentin, die vor der Bibliothek steht, ist meine Schwester.

Das Mädchen ist meine Kusine.
Sie sitzt in dem Volkswagen.

Das Mädchen, das in dem Volkswagen sitzt, ist meine Kusine.

Der Student ist mein Freund.
Er kommt eben aus der Bibliothek heraus.

Der Student, der eben aus der Bibliothek herauskommt, ist mein Freund.

Das ist der Käse.
Ich habe ihn bestellt.

Das ist der Käse, den ich bestellt habe.

Das ist der Schweinebraten.
Ich habe ihn bestellt.

Das ist der Schweinebraten, den ich bestellt habe.

Er bringt die Torte.
Sie (*you*) haben sie bestellt.

Er bringt die Torte, die Sie bestellt haben.

Er bringt die Hühnersuppe.
Wir haben sie bestellt.

Er bringt die Hühnersuppe, die wir bestellt haben.

Das ist unser Lehrer.
Ich habe mit ihm gesprochen.

Das ist unser Lehrer, mit dem ich gesprochen habe.

Wie heißt die Sekretärin?
Ich habe mit ihr gerade gesprochen.

Wie heißt die Sekretärin, mit der ich gerade gesprochen habe?

Wer sind die Männer?
Sie (*you*) haben mit ihnen gesprochen.

Wer sind die Männer, mit denen Sie gesprochen haben?

Das ist der Onkel.
Ich wohne bei ihm.

Das ist der Onkel, bei dem ich wohne.

Ist das die Straßenbahnlinie?
Sie müssen mit ihr fahren.

Ist das die Straßenbahnlinie, mit der Sie fahren müssen?

Das ist der Mann.
Ich kenne seine Tochter.

Das ist der Mann, dessen Tochter ich kenne.

Das ist die Frau.
Ich kenne ihre Tochter.

Das ist die Frau, deren Tochter ich kenne.

Das ist das Kind.
Ich kenne seine Schwester.

Das ist das Kind, dessen Schwester ich kenne.

Das sind die Männer.
Ich kenne ihre Söhne.

Das sind die Männer, deren Söhne ich kenne.

II. *WO*-COMPOUNDS

Compounds of **wo-** plus preposition (**wor-** before prepositions beginning with a vowel) are *occasionally* used in place of the relative pronouns when referring to inanimate objects:

Die Feder, mit der (womit) er schreibt, ist schwarz.
The pen with which he is writing is black.

Der Stuhl, auf dem (worauf) er sitzt, ist zu klein.
The chair on which he is sitting is too small.

4. Repetition

Das ist eine Krankheit (*disease*), **über die (worüber)** wir nicht viel wissen.

Der Bleistift, **mit dem (womit)** ich schreibe, ist ein Geschenk (*present*).

Das Haus, **in dem (worin)** wir wohnen, ist zweihundert Jahre alt.

Er kommt oft vorbei, **wofür** ich ihm dankbar bin.

Das ist der Brief, **auf den (worauf)** ich so lange gewartet habe.

Wo ist der Tisch, **auf dem (worauf)** seine Bücher liegen?

III. INDEFINITE RELATIVE PRONOUNS

The indefinite relative pronouns are **wer** (for persons) and **was** (for things), the same forms that are used as interrogative pronouns:

	PERSONS	THINGS
NOM.	wer	was
ACC.	wen	was
DAT.	wem	——
GEN.	wessen	wessen

Wer (*whoever*) is used only when there is no definite antecedent:

Wer nicht hier ist, wird die Aufgabe nicht verstehen.

Was (*whatever*) is also used when there is no antecedent:

Was er tut, ist immer gut.

Was is used when the antecedent is an indefinite neuter pronoun such as **alles, etwas,** and **nichts:**

Das ist **etwas, was** (*that*) ich nicht verstehen kann.

Was is used if the antecedent is a neuter adjective used as a noun:

Das ist **das Beste, was** (*that*) ich je gesehen habe.

Was is used when the antecedent is a whole clause:

Er will zu Fuß gehen, was (*which*) ihn zu sehr ermüden (*tire*) wird.

5. Repetition

Wer mir hilft, ist mein Freund.

Was man nicht im Kopfe hat, muß man in den Beinen haben.

Was ich nicht weiß, macht mich nicht heiß.

Wer nicht hören will, muß fühlen.

Sehen Sie hier etwas, **was** Ihnen gefällt?

Das ist etwas, **was** ich nicht verstehe.

Nicht alles, **was** man liest, ist wahr (*true*).

Ich gebe ihm immer das Beste, **was** ich habe.

Mein Freund lernt Deutsch, **was** mich sehr freut.

6. Wer as a Relative Pronoun

Man hilft mir. Man ist mein Freund. *Wer mir hilft, ist mein Freund.*

Man sieht das. Man will es kaufen.

Wer das sieht, will es kaufen.

Man kommt zu spät. Man wird keinen Platz bekommen.

Wer zu spät kommt, wird keinen Platz bekommen.

Man ist nicht für mich. Man ist gegen mich.

Wer nicht für mich ist, ist gegen mich.

Man liest das. Man wird wissen, worüber ich schreibe.

Wer das liest, wird wissen, worüber ich schreibe.

Man will Deutsch lernen. Man muß Deutsch üben (*practice*).

Wer Deutsch lernen will, muß Deutsch üben.

Man will reisen. Man muß Geld haben.

Wer reisen will, muß Geld haben.

7. Was as a Relative Pronoun

Er liest etwas. Es interessiert ihn. *Er liest etwas, was ihn interessiert.*

Ich sehe hier etwas. Es gefällt mir.

Ich sehe hier etwas, was mir gefällt.

Das ist das Beste. Ich habe es gesehen.

Das ist das Beste, was ich gesehen habe.

Er besucht mich oft. Es freut mich sehr.

Er besucht mich oft, was mich sehr freut.

Er glaubt alles. Es steht in der Zeitung.

Er glaubt alles, was in der Zeitung steht.

Eine Frau sieht immer etwas. Es gefällt ihr.

Eine Frau sieht immer etwas, was ihr gefällt.

Das ist das Schönste. Wir haben es gesehen.

Das ist das Schönste, was wir gesehen haben.

REVIEW

English-German Patterns

The man about whom you spoke is my uncle.

Der Mann, über den Sie gesprochen haben, ist mein Onkel.

Is that the ballpoint pen that you usually write with?

Ist das der Kugelschreiber, mit dem (womit) Sie gewöhnlich schreiben?

Show me the man you work with.

Zeigen Sie mir den Mann, mit dem Sie arbeiten.

That is the teacher (*f.*) with whom we often talk.

Das ist die Lehrerin, mit der wir oft sprechen.

Here is the book about which the students are talking.

Hier ist das Buch, über das (worüber) die Studenten sprechen.

The man whose picture is (*steht*) in the paper is my uncle.

Der Mann, dessen Bild in der Zeitung steht, ist mein Onkel.

That is the man whose daughter we know.

Das ist der Mann, dessen Tochter wir kennen.

Whoever helps me is my friend.	Wer mir hilft, ist mein Freund.
Whoever reads the book will know what I am talking about.	Wer das Buch liest, wird wissen, worüber ich spreche.
Whoever knows me knows that I speak the truth (die Wahrheit).	Wer mich kennt, weiß, daß ich die Wahrheit sage.
Everything that he says is interesting.	Alles, was er sagt, ist interessant.
Tell him what you want.	Sagen Sie ihm, was Sie wollen!
Is that the ice cream that you ordered?	Ist das das Eis, das Sie bestellt haben?
Is that the dessert (Nachtisch) that he ordered?	Ist das der Nachtisch, den er bestellt hat?
Is that the soup that she ordered?	Ist das die Suppe, die sie bestellt hat?
Are those the pears that I ordered?	Sind das die Birnen, die ich bestellt habe?
I have no napkin.	Ich habe keine Serviette.
She has no knife.	Sie hat kein Messer.
He has no fork.	Er hat keine Gabel.
We have no plates.	Wir haben keine Teller.
You have no spoon.	Sie haben keinen Löffel.

General Questions

1. Bekommen Sie gewöhnlich etwas Gutes zum Mittagessen?   2. Was bestellen Sie, wenn Sie in ein Restaurant gehen?   3. Haben Sie je Traubensaft getrunken? 4. Was essen Sie gern zum Nachtisch?   5. Beeilen Sie sich, wenn man Sie zum Abendessen eingeladen hat?   6. Plaudern Sie gern mit Kindern?   7. Ist das Essen in einem Ratskeller gewöhnlich preiswert und gut?   8. Ist der Wagen, den Sie fahren, alt oder neu?   9. Wie heißt die Stadt, in der Sie jetzt wohnen?   10. Ist der Kugelschreiber, mit dem Sie schreiben, ein Geschenk?

Directed Questions

1. Fragen Sie Fräulein ——, ob sie eine Bratwurst mit Senf bestellt, wenn sie in ein elegantes Restaurant geht!
2. Fragen Sie Herrn ——, wie oft er Käse zum Nachtisch bestellt!
3. Fragen Sie Fräulein ——, ob es schicklich (proper, decent) ist, Hühnersuppe aus der Tasse zu trinken!
4. Fragen Sie Herrn ——, was er gestern zu Mittag gegessen hat!
5. Fragen Sie Fräulein ——, ob sie zum Frühstück Beefsteak ißt!
6. Fragen Sie Herrn ——, was er lieber trinkt, einen Sprudel oder ein Glas Milch!
7. Fragen Sie Herrn ——, ob es für die Linie (figure) gut ist, wenn man zu viele Kartoffeln mit Soße (gravy) ißt!
8. Fragen Sie Herrn ——, ob der Kaffee, den er bestellt, immer heiß ist!

Nicht begehre gern *Dec. 17 / 1 P.M.*

VERB SUMMARY

10–20 oral *Review Case* *conj. word order* *relative pronouns*

INFINITIVE		PRESENT		PRES. PERFECT
borgen (*borrow*)		borgt		geborgt
hinweisen (*point out*)		weist . . . hin		hingewiesen
plaudern (*chat*) *plaudere*	er	plaudert	er hat	geplaudert
speisen (*dine*)		speist		gespeist
üben (*practice*)		übt		geübt
zahlen (*pay*)		zahlt		gezahlt

Wahrheit *grammar Cases ein Pronoun word order models im ge der*

plurals verbs present – perfect *pres future*

HUNGER IST DER BESTE KOCH

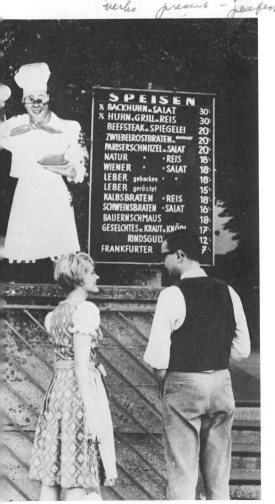

Die drei Hauptmahlzeiten[1] in den deutschsprachigen Ländern sind das Frühstück, das Mittagessen und das Abendessen (A, die große Speisekarte).[2] Viele Leute essen um zehn Uhr ein zweites Frühstück und nehmen noch eine Mahlzeit am Nachmittag ein: Kaffee oder Tee mit Brötchen, Keks[3] oder Kuchen.[4] Das Frühstück ist meist[5] einfach: Kaffee mit Brötchen, Butter und Marmelade. Das Mittagessen beginnt gewöhnlich mit einer Suppe. Das Hauptgericht[6] besteht aus[7] einer Fleischspeise[8] (Schweinefleisch, Rindfleisch,[9] Kalbfleisch[10]) mit Kartoffeln und Gemüse. Als Nachtisch ißt man Obst oder einen Pudding. Zum Abendessen gibt es häufig[11] Butterbrot mit Schinken, Wurst oder Käse. Dazu trinkt man Bier, Kaffee, Tee, Milch oder Kakao.

[1] main meals   [2] The prices are in Austrian shillings; a shilling is equal to about four cents in American money.   [3] cookies
[4] cake   [5] generally   [6] main course
[7] consists of   [8] meat dish   [9] beef
[10] veal   [11] frequently

A

B

Wasser wird während der Mahlzeit gewöhnlich nicht getrunken.[12] Die Deutschen sagen, Wasser „verrostet"[13] den Magen.[14] Beim Essen hält man die Gabel in der linken und das Messer in der rechten Hand.

In den Großstädten und auch auf dem Lande gibt es Restaurants für jeden Geschmack.[15] Die jungen Leute, die wir hier sehen (B), essen im Jagdschloß Niederwald[16] bei Rüdesheim.

Der Donnerstag ist in den meisten europäischen Städten seit dem Mittelalter Markttag. Am frühen Morgen bringen die Bauern Obst, Gemüse, Eier, Geflügel[17] und andere landwirtschaftliche[18] Produkte in die Stadt, um sie auf dem Marktplatz zu verkaufen. Die Hausfrauen gehen an diesem Tage früh auf den Markt, um für die Woche einzukaufen. Sie haben große Auswahl[19] und gehen von Stand zu Stand, bis sie alles gefunden haben, was sie suchen. Gegen Mittag beginnen die Bauern ihre Kisten[20] auf die Wagen zu laden,[21] um wieder auf das Land zu fahren. In Wertheim (C) ist der Marktplatz ziemlich eng.[22] Jeder Verkäufer scheint beschäftigt[23] zu sein.

Die alte Großmutter (D) auf dem Marktplatz hilft ihrer Tochter bei der Arbeit; sie hält ihre kleine Enkelin[24] auf dem Knie und verkauft gleichzeitig[25] Hühner.

[12] (*wird . . . getrunken*) is drunk   [13] rusts   [14] stomach   [15] taste
[16] Niederwald hunting castle   [17] poultry   [18] agricultural   [19] selection   [20] boxes, crates   [21] load   [22] narrow   [23] busy   [24] granddaughter   [25] at the same time

218

C

Dieses Schaufenster sieht appetitlich aus (E). In diesem Geschäft werden nur Fleisch, Wurstwaren[26] und Speck verkauft. In den deutschsprachigen Ländern ißt man viel mehr Wurst als bei uns. Man findet das Wort „Wurst" sogar in Redewendungen.[27] Der Ausdruck „Das ist mir Wurst" bedeutet „Das ist mir gleich".[28] In den Großstädten kann man heutzutage beinah alles in einem Supermarkt einkaufen, gerade so wie bei uns. Da Deutschland ein Mitgliedstaat[29] der Europäischen Wirtschaftsgemeinschaft[30] ist, kann man in den Geschäften viele ausländische Waren[31] kaufen.

[26] sausages   [27] idioms   [28] that's all the same to me   [29] member state
[30] Common Market   [31] foreign wares

D   E

AUFGABE VIERZEHN

IM THEATER

Rudi und Anna freuen sich schon lange auf die Aufführung von Goethes „Faust". Der alte Platzanweiser hat sie eben an ihre Plätze im Theater geführt.

¹ RUDI: Schauen Sie mal!   Fast jeder Platz ist schon besetzt.

² ANNA: Wann haben Sie sich die Plätze reservieren lassen?

³ RUDI: Vor drei Wochen.   Ich habe die Eintrittskarten heute morgen an der Kasse abgeholt.

⁴ ANNA: Es freut mich, daß wir wieder auf der Galerie sitzen.   Von hier aus kann man die Bühne gut übersehen.

⁵ RUDI: Für „Faust" wollte ich eigentlich bessere Plätze haben, aber die Karten fürs Parkett waren schon ausverkauft.

⁶ ANNA: Ich finde es hier sehr schön.   Wann fängt die Aufführung an?

⁷ RUDI: Um acht Uhr.

⁸ ANNA: Dann haben wir noch ein paar Minuten Zeit, uns die eleganten Abendkleider zu betrachten.

⁹ RUDI: In der dritten Reihe sitzt ein lustiges Ehepaar.   Sehen Sie den kleinen Mann mit der großen, dicken Frau?

¹⁰ ANNA: Meinen Sie die große Frau mit dem schwarzen Kleid?

¹¹ RUDI: Ja, ihr Mann trägt einen grauen Anzug.   Jetzt dreht sie sich um!

¹² ANNA: Ach, ja.   Wie in aller Welt haben die sich wohl kennengelernt?

¹³ RUDI: Vielleicht war sie reich.   Da kommt eine hübsche junge Dame!

¹⁴ ANNA: Genug!   Schauen wir das Programm an!

¹⁵ RUDI: Bitte, seien Sie nicht böse auf mich!   Ich necke Sie nur gern.

¹⁶ ANNA: Psst!   Die Lichter gehen aus.

220

LESSON 14

IN THE THEATER

Rudi and Anna have been looking forward to the performance of Goethe's Faust *for some time now. The old usher has just led them to their seats in the theater.*

[1] RUDI: Just look! Almost every seat is already occupied.

[2] ANNA: When did you reserve the seats?

[3] RUDI: Three weeks ago. I picked up the tickets this morning at the box office.

[4] ANNA: I'm glad that we're sitting in the gallery again. From here one can see the stage well.

[5] RUDI: For *Faust* I really wanted to have better seats, but the tickets for the orchestra stalls were already sold out.

[6] ANNA: I find it very nice here. When does the performance begin?

[7] RUDI: At eight o'clock.

[8] ANNA: Then we still have a few minutes to look at the elegant evening clothes.

[9] RUDI: There's an amusing couple sitting in the third row. Do you see the little man with the big fat wife?

[10] ANNA: Do you mean the large woman with the black dress?

[11] RUDI: Yes, her husband is wearing a gray suit. Now she's turning around.

[12] ANNA: Oh, yes. How in the world did *they* get to know each other?

[13] RUDI: Perhaps she was rich. There comes a pretty young lady.

[14] ANNA: That's enough! Let's look at the program.

[15] RUDI: Please don't be angry at me. I just like to tease you.

[16] ANNA: Sh! The lights are going out.

[handwritten margin note: Theater - stage / Kino - movies]

VOCABULARY BUILDING

Das Theater

[handwritten: Same as Drama]
[handwritten: Comedy]
[handwritten: Tragedy]

Das Drama
Das Schauspiel[1]
Das Lustspiel (die Komödie)
Das Trauerspiel (die Tragödie)

} wird im Theater aufgeführt.[2]   *[handwritten: Stage]*

Viele Leute gehen gern ins Theater.

Wie heißt { der Schauspieler?[3]   *[handwritten: Actors]*
die Schauspielerin? }

Die Eintrittskarten kauft man gewöhnlich an der Theaterkasse.[4]   *[handwritten: Ticketoffice]*
Selten gibt man dem Platzanweiser (der Platzanweiserin) ein Trinkgeld.[5]   *[handwritten: Tip]*
Während der Aufführung ist das Rauchen[6] verboten.[7]   *[handwritten: smoke   forbid   verbieten]*

Nur in der Pause darf man   *[handwritten: intermission]*
{ eine Zigarette
eine Zigarre
eine Pfeife[8] } rauchen.

Das Kino

[handwritten: prefer (comparative) rather]

Viele Leute gehen lieber[9] ins Kino.

Im Kino sehen wir { die Wochenschau.[10]   *[handwritten: News]*
einen Kulturfilm.
den Hauptfilm.[11]   *[handwritten: main]*
einen Farbfilm. }   *[handwritten: color]*

Einige { Filmschauspieler
Filmstars } sind besonders beliebt.[12]

---

[1] serious play that generally has a happy ending   [2] is performed   [3] actor
[4] ticket office   [5] tip   [6] smoking   [7] forbidden   [8] pipe   [9] prefer to go
[10] news of the week   [11] main feature   [12] popular

DIALOGUE VARIATIONS

A. Was haben Sie heute nachmittag vor?

B. Ich werde jetzt einige Bücher zur Bibliothek bringen, dann gehe ich wahrscheinlich nach Hause.

A. Das klingt[1] ganz langweilig.[2]

B. Ist es aber nicht! Erich wird mich um halb sieben abholen. Wir werden dann ins Kino gehen.

A. Wie heißt der Film?

B. Ich habe den Titel vergessen, aber es soll ein sehr romantischer Film aus Hollywood sein.

A. Ach ja, der[3] im neuen Bahnhofskino! Ich habe gehört, daß besonders die Tänze und Lieder im Film einfach fabelhaft[4] sind.

A. Gehen Sie gern ins Theater?

B. O ja! Jeden Monat sehe ich mir ein neues Stück[5] an.

A. Was wird denn meistens gespielt?

B. Das kann man nicht so genau sagen. Vielleicht Komödien von Molière, Dramen von Schiller oder Tragödien von Shakespeare.

A. Heute habe ich mir für sieben Mark eine Eintrittskarte an der Theaterkasse gekauft.

B. Soviel Geld haben Sie ausgegeben?[6]

A. Ja, die berühmten[7] Schauspieler des Berliner Theaters kommen.

B. Was werden sie denn aufführen?

A. Zuckmayers „Der Hauptmann von Köpenick", ein köstliches[8] Lustspiel.

B. Wenn dieses Stück aufgeführt wird, dann will ich mir auch schnell eine Karte kaufen.

CONVERSATIONAL PATTERNS

I. PREDICATE ADJECTIVES

Predicate adjectives never take endings:

Der Tisch ist **klein**.
Das Wetter ist **warm**.

---

[1] sounds   [2] boring   [3] the one   [4] fabulous   [5] play   [6] spent
[7] famous   [8] excellent

1. Repetition

Ein Fußballspieler ist gewöhnlich beliebt.

Herr Brockhaus ist ziemlich intelligent.

Die Kinder sind noch jung.

Tante Luise ist oft krank.

Diese Männer sind meistens freundlich.

II. ADJECTIVE ENDINGS AFTER *DER*-WORDS

Whenever an adjective follows a **der**-word (**der, das, die, dieser, jener**,[1] **jeder, welcher, mancher,** and **solcher**), it takes the following endings:

	MASCULINE	NEUTER	FEMININE	PLURAL
NOM.	e	e	e	en
ACC.	en	e	e	en
DAT.	en	en	en	en
GEN.	en	en	en	en

Note that all endings outside the heavy lines are **-en.** Memorize these sentences:

Der ⎫
Das ⎬ kluge
Die ⎭

⎧ Mann ⎫
⎨ Kind ⎬ lernt Deutsch.
⎩ Frau ⎭

Kennen Sie ⎰ das kluge Kind?
⎱ die kluge Frau?

2. Repetition

Kennen Sie die schöne Sängerin?

Da ist der berühmte Schauspieler.

Das neue Theater ist nicht weit von hier.

Sehen Sie den alten Platzanweiser?

Welchen alten Platzanweiser, meinen Sie?

Ich meine den mit dem langen, grauen Haar.

Bitte, helfen Sie der alten Frau!

Diese reizende (*charming*) junge Dame gefällt mir.

Heinz schreibt mit der linken Hand.

Mit solchen freundlichen Kindern spreche ich gern.

Günther kennt die Familie dieser schönen Schauspielerin.

Wie gefällt Ihnen dieser amerikanische Film?

[1] Seldom used in conversational German.

3. Adjectives

Dieser _____ Filmstar ist beliebt. (alt)

Jede _____ Frau weiß das. (normal)

Welches _____ Buch liegt hier? (wertvoll, *valuable*)

Das _____ Kino ist dort drüben. (neu)

Die _____ Studentin ist draußen. (freundlich)

Wo ist die _____ Schreibmaschine? (alt)

Haben Sie den _____ Roman gelesen? (ganz, *whole*)

Haben Sie den _____ Kugelschreiber? (grün)

Hat er das _____ Heft? (groß)

Hat Erich die _____ Jacke an? (weiß)

Wer hat den _____ Bleistift? (gelb)

Wer hat diese _____ Erbsen bestellt? (jung) [die Peas]

Wo haben Sie diese _____ Bleistifte gefunden? (neu)

Schmeicheln (flatter) *Sie jeder* _____ *Frau?* (schön)

Ich habe es unter der _____ Schreibmaschine gefunden. (alt)

In welchem _____ Buch steht das geschrieben? (berühmt)

In solchen _____ Häusern wohnen nur junge Familien. (klein)

Er ist immer freundlich zu den _____ Kindern. (klein)

Kennen Sie die Mutter dieses _____ Studenten? (deutsch)

Kennen Sie den Vater dieses _____ Mädchens? (hübsch)

Wer ist der Autor (*author*) dieses _____ Romans? (interessant)

Dieser alte Filmstar ist beliebt.

Jede normale Frau weiß das.

Welches wertvolle Buch liegt hier?

Das neue Kino ist dort drüben.

Die freundliche Studentin ist draußen.

Wo ist die alte Schreibmaschine?

Haben Sie den ganzen Roman gelesen?

Haben Sie den grünen Kugelschreiber?

Hat er das große Heft?

Hat Erich die weiße Jacke an?

Wer hat den gelben Bleistift?

Wer hat diese jungen Erbsen bestellt?

Wo haben Sie diese neuen Bleistifte gefunden?

Schmeicheln Sie jeder schönen Frau?

Ich habe es unter der alten Schreibmaschine gefunden.

In welchem berühmten Buch steht das geschrieben?

In solchen kleinen Häusern wohnen nur junge Familien.

Er ist immer freundlich zu den kleinen Kindern.

Kennen Sie die Mutter dieses deutschen Studenten?

Kennen Sie den Vater dieses hübschen Mädchens?

Wer ist der Autor dieses interessanten Romans?

Sind die Väter dieser _____ Studentinnen Professoren? (amerikanisch)

Sind die Väter dieser amerikanischen Studentinnen Professoren?

Wer möchte nicht der Lehrer solcher _____ Studenten sein? (intelligent)

Wer möchte nicht der Lehrer solcher intelligenten Studenten sein?

Wo sind die _____ Krawatten? (bunt)

Wo sind die bunten Krawatten?

Wie heißt das _____ Theater? (neu)

Wie heißt das neue Theater?

Er sitzt in dem _____ Wagen da. (grün)

Er sitzt in dem grünen Wagen da.

Mit welchen _____ Studenten haben Sie gesprochen? (ausländisch, *foreign*)

Mit welchen ausländischen Studenten haben Sie gesprochen?

Wegen dieses _____ Freundes lerne ich Deutsch. (alt)

Wegen dieses alten Freundes lerne ich Deutsch.

Kennen Sie diese _____ Stadt? (schön)

Kennen Sie diese schöne Stadt?

Ich spreche gern mit jedem _____ Kind. (klein)

Ich spreche gern mit jedem kleinen Kind.

Jeder _____ Student will soviel wie möglich lernen. (gut)

Jeder gute Student will soviel wie möglich lernen.

Haben Sie das _____ Buch gefunden? (ander)

Haben Sie das andere Buch gefunden?

Kennen Sie den _____ Dichter (*poet*) Goethe? (deutsch)

Kennen Sie den deutschen Dichter Goethe?

Er schmeichelt den _____ Mädchen gern. (hübsch)

Er schmeichelt den hübschen Mädchen gern.

Haben Sie dieses _____ Trauerspiel verstanden? (deutsch)

Haben Sie dieses deutsche Trauerspiel verstanden?

Er versteht die _____ Aufgaben. (schwer)

Er versteht die schweren Aufgaben.

Welche _____ Studentin haben Sie gestern kennengelernt? (hübsch)

Welche hübsche Studentin haben Sie gestern kennengelernt?

Solche _____ Leute möchte ich auch kennenlernen. (freundlich)

Solche freundlichen Leute möchte ich auch kennenlernen.

Diesen _____ Nachbarn bin ich dankbar. (gut)

Diesen guten Nachbarn bin ich dankbar.

Seit wann kennen Sie diese _____ Studenten? (deutsch)

Seit wann kennen Sie diese deutschen Studenten?

Kennt der Direktor jeden _____ Filmstar? (berühmt)

Kennt der Direktor jeden berühmten Filmstar?

Dieses _____ Lustspiel habe ich schon gelesen. (interessant)

Dieses interessante Lustspiel habe ich schon gelesen.

Wann haben Sie die _____ Bluse da gekauft? (blau)

Wann haben Sie die blaue Bluse da gekauft?

III. ADJECTIVE ENDINGS AFTER *EIN*-WORDS

Whenever an adjective follows an **ein**-word (**ein, kein, mein, sein, unser, ihr,** and **Ihr**), its declensional endings are the same as those used after **der**-words with only three exceptions: the neuter nominative and accusative, and the masculine nominative:

	MASCULINE	NEUTER	FEMININE	PLURAL
NOM.	er	es	e	en
ACC.	en	es	e	en
DAT.	en	en	en	en
GEN.	en	en	en	en

Memorize:

Ein { kluger Junge / kluges Mädchen } lernt Deutsch. Kennen Sie ein kluges Mädchen?

4. Repetition

Ein schöner Abend, nicht wahr?
Ich bin in einer kleinen Stadt geboren.
Sind Sie ein einziges (*only*) Kind?
Ich war ein großer Junge für mein Alter (*age*).
Meine beiden Eltern leben noch.
Kennen Sie meine kleine Schwester?
Hans ist ein alter Freund von mir.
Mein lieber (*dear*) Freund, was ist los?

Kennen Sie unsere freundlichen Nachbarn?
Sprechen Sie gern mit seinen deutschen Freunden?
Ich muß mir eine neue Jacke kaufen.
Maria ist ein nettes Mädchen.
Was für eine hübsche Freundin Sie haben!

5. Adjectives

Ein _____ Heft liegt hier. (schwarz)

Wien ist eine _____ Stadt. (schön)
Der Volkswagen ist ein _____ Auto. (deutsch)
Unsere _____ Freunde sind gestern angekommen. (gut)
Wo ist mein _____ Bleistift? (neu)
Wie gefallen Ihnen unsere _____ Städte? (schön)

Ein schwarzes Heft liegt hier.

Wien ist eine schöne Stadt.
Der Volkswagen ist ein deutsches Auto.

Unsere guten Freunde sind gestern angekommen.

Wo ist mein neuer Bleistift?
Wie gefallen Ihnen unsere schönen Städte?

Ich habe einen _____ Volkswagen. (rot)

Ich habe einen roten Volkswagen.

Wollen Sie ein _____ Mädchen kennenlernen? (reizend)

Wollen Sie ein reizendes Mädchen kennenlernen?

Da sehen Sie unseren _____ Stadtpark. (schön)

Da sehen Sie unseren schönen Stadtpark.

Ich lese ein _____ Drama. (deutsch)

Ich lese ein deutsches Drama.

Bestellen Sie eine _____ Wurst? (gebraten, fried)

Bestellen Sie eine gebratene Wurst?

Der Lehrer hat eine _____ Geschichte erzählt. (interessant)

Der Lehrer hat eine interessante Geschichte erzählt.

Sie hat sich ein _____ Kleid gekauft. (neu)

Sie hat sich ein neues Kleid gekauft.

Ich plaudere gern mit einem _____ Mädchen. (hübsch)

Ich plaudere gern mit einem hübschen Mädchen.

Sie wohnt bei einer _____ Tante. (alt)

Sie wohnt bei einer alten Tante.

Das Kind fürchtet sich vor (is afraid of) unserem _____ Hund. (schwarz)

Das Kind fürchtet sich vor unserem schwarzen Hund.

Vor unserer _____ Katze fürchtet sich niemand. (klein)

Vor unserer kleinen Katze fürchtet sich niemand.

Die Buchhandlung gehört meinen _____ Freunden. (reich)

Die Buchhandlung gehört meinen reichen Freunden.

Die Frau unseres _____ Freundes ist nach Europa gereist. (deutsch)

Die Frau unseres deutschen Freundes ist nach Europa gereist.

Haben Sie den Mann unserer _____ Lehrerin kennengelernt? (neu)

Haben Sie den Mann unserer neuen Lehrerin kennengelernt?

Hier ist die Buchhandlung meines _____ Freundes. (reich)

Hier ist die Buchhandlung meines reichen Freundes.

Luise ist die Tochter meines _____ Freundes. (gut)

Luise ist die Tochter meines guten Freundes.

Lesen Sie ein _____ Buch? (deutsch)

Lesen Sie ein deutsches Buch?

Wie gefällt Ihnen unsere _____ Stadt? (groß)

Wie gefällt Ihnen unsere große Stadt?

Heute habe ich einen _____ Brief geschrieben. (lang)

Heute habe ich einen langen Brief geschrieben.

Haben Sie meinen _____ Photoapparat (camera) gesehen? (neu)

Haben Sie meinen neuen Photoapparat gesehen?

deutlich - distinctly

leise - softly

Viele Professoren einer _____ Universität kennen einander nicht. (groß)

Viele Professoren einer großen Universität kennen einander nicht.

Er plaudert gern mit seinen _____ Freunden. (alt)

Er plaudert gern mit seinen alten Freunden.

Wo sind meine _____ Bücher? (deutsch)

Wo sind meine deutschen Bücher?

Wohnt er in einem _____ Hotel? (gut)

Wohnt er in einem guten Hotel?

Er hat eine _____ Schreibmaschine gekauft. (neu)

Er hat eine neue Schreibmaschine gekauft.

Mit seiner _____ Schreibmaschine schreibt er ganz schnell. (neu)

Mit seiner neuen Schreibmaschine schreibt er ganz schnell.

Ich sehe meine _____ Freunde nur selten. (alt)

Ich sehe meine alten Freunde nur selten.

Ein _____ Student weiß, wovon ich spreche. (klug)

Ein kluger Student weiß, wovon ich spreche.

Einen _____ Augenblick, bitte! (klein)

Einen kleinen Augenblick, bitte!

Es gibt ein _____ Café in der Nähe. (nett)

Es gibt ein nettes Café in der Nähe.

Fritz ist der Sohn eines _____ Arztes. (berühmt)

Fritz ist der Sohn eines berühmten Arztes.

IV. ADJECTIVES USED AS ADVERBS

Most adjectives may also be used as adverbs:

Dieser Student ist **fleißig** (*diligent*, adjective).
Er arbeitet **fleißig** (*diligently*, adverb).

6. Repetition

Es regnet stark.

Er singt gut.

Sprechen Sie nicht so laut!

Maria schreibt schön.

Der Lehrer spricht deutlich (*distinctly*.)

Er ist früh angekommen.

Manchmal spricht der Professor zu schnell.

Frauen sprechen oft sehr leise (*softly*).

Gestern hat er ganz unfreundlich mit mir gesprochen.

V. THE PRESENT PARTICIPLE AS AN ADJECTIVE AND AS AN ADVERB

The present participle is formed by adding **-d** to the infinitive: **folgend,** **kommend,** etc. When used as an adjective, the present participle adds the regular adjective endings:

am **folgenden** Morgen	on the *following* morning
das **brennende** Haus	the *burning* house
ein **weinendes** Kind	a *crying* child

The present participle is often used adverbially:

7 **Weinend** ist sie aus dem Haus gelaufen.

7. Repetition

Was werden Sie während des kommenden Sommers tun?

Am folgenden Montag ging (*went*) er schwimmen.

Das Hotelzimmer hat fließendes Wasser.

Singende Kinder sind glückliche Kinder.

Auf dem Bett liegt ein schlafendes Kind.

Ich plaudere gern mit meinen Deutsch sprechenden Freunden.

Ein Mann läuft aus dem brennenden Haus.

Helfen Sie dem weinenden Kind!

Er spricht fließend (*fluently*) Deutsch.

8. Verb > Participial Adjective

Besucht er uns am _____ Freitag? (*kommen*)

Besucht er uns am kommenden Freitag?

Hören Sie den _____ Hund? (bellen, *bark*)

Hören Sie den bellenden Hund?

Haben Sie das _____ Haus gesehen? (*brennen*)

Haben Sie das brennende Haus gesehen?

Das Spielzeug (*toy*) gehört dem _____ Jungen. (*weinen*)

Das Spielzeug gehört dem weinenden Jungen.

Haben Sie einen _____ Freund? (*Deutsch sprechen*)

Haben Sie einen Deutsch sprechenden Freund?

geschlossene
gebachene
gekochtes

wichtig - imp   unstressed first syllable
                  no (ge) beginning

AUFGABE VIERZEHN   231

VI. THE PAST PARTICIPLE AS AN ADJECTIVE AND AS AN ADVERB

A past participle is sometimes used as an adjective, in which case it takes the regular adjective endings:

der **geschriebene** Brief	the *written* letter
ein **gebrochenes** Bein	a *broken* leg
auf dem **gesunkenen** Schiff	on the *sunken* ship

The past participle may also be used as an adverb:

Er hat den Lehrer **wiederholt** (*repeatedly*) gefragt. *unstressed ist suf.*

9. Repetition

Kann man durch eine geschlossene (*closed*) Tür gehen?

Ich esse gern dieses frisch gebackene Brot (*freshly baked bread*).

Wollen Sie ein gekochtes (*boiled*) Ei?

Er hilft einem zurückgebliebenen (*retarded, held back in school*) Kind.

Das gesprochene Wort ist wichtig (*important*).

10. Past Participles as Adjectives

Das ist ein _____ Lied (*song*). (*oft gesungen*)
Das ist ein oft gesungenes Lied.

Er hat eine _____ Zeitung gekauft. (illustriert, *illustrated*)
Er hat eine illustrierte Zeitung gekauft.

Das ist ein _____ Roman. (viel gelesen)
Das ist ein viel gelesener Roman.

Das ist ein _____ Mann. (erfahren, *experienced*)
Das ist ein erfahrener Mann.

Ich lese ein _____ Drama. (oft aufgeführt)
Ich lese ein oft aufgeführtes Drama.

Bitte ist ein _____ Wort. (oft gebraucht, *often used*)
Bitte ist ein oft gebrauchtes Wort.

REVIEW

English-German Patterns

The old gentleman is my grandfather.	Der alte Herr ist mein Großvater.
A large book is lying on the table.	Ein großes Buch liegt auf dem Tisch.
The pretty girl is my cousin.	Das hübsche Mädchen ist meine Kusine.

These new books belong to me.
Diese neuen Bücher gehören mir.

He is a good teacher.
Er ist ein guter Lehrer.

Karl is an old friend of mine.
Karl ist ein alter Freund von mir.

An old lady is waiting at the corner.
Eine alte Dame wartet an der Ecke.

I have a new suit.
Ich habe einen neuen Anzug.

He is reading an interesting book.
Er liest ein interessantes Buch.

We have their old books.
Wir haben ihre alten Bücher.

Do you know this little girl?
Kennen Sie dieses kleine Mädchen?

Rolf knows these pretty girls.
Rolf kennt diese hübschen Mädchen.

He smokes a long black pipe.
Er raucht eine lange, schwarze Pfeife.

Have you seen my new car? (*Wagen*)
Haben Sie meinen neuen Wagen gesehen?

I seldom speak with the old gentleman.
Ich spreche selten mit dem alten Herrn.

It is too cold for these small children.
Es ist diesen kleinen Kindern zu kalt.

He likes to chat with his old friends.
Er plaudert gern mit seinen alten Freunden.

The little girl is speaking with her new friends.
Das kleine Mädchen spricht mit ihren neuen Freunden.

Do you know the mother of these little girls?
Kennen Sie die Mutter dieser kleinen Mädchen?

Do you have a German-speaking friend?
Haben Sie einen Deutsch sprechenden Freund?

Here is a boiled egg.
Hier ist ein gekochtes Ei.

The spoken word is important.
Das gesprochene Wort ist wichtig.

The written word is also important.
Das geschriebene Wort ist auch wichtig.

He is an experienced man.
Er ist ein erfahrener Mann.

Did you see the burning house?
Haben Sie das brennende Haus gesehen?

General Questions

1. Freuen Sie sich auf das nächste Semester?   2. Wenn Sie ins Theater gehen, geben Sie dem Platzanweiser oder der Platzanweiserin ein Trinkgeld?   3. Ist jeder gute Platz in diesem Klassenzimmer besetzt?   4. Sitzen Sie gern auf der Galerie?   5. Haben Sie einen kleinen Wagen, Herr ———?   6. Wie oft tragen Sie einen schwarzen Anzug?   7. Herr ———, necken Sie die jungen Mädchen gern? 8. Möchten Sie eine schöne Schauspielerin kennenlernen?   9. Rauchen Sie Zigarren oder Zigaretten?   10. Haben Sie je eine lange Reise gemacht?

Directed Questions

1. Fragen Sie Fräulein ——, ob sie eine schwarze Pfeife raucht!
2. Fragen Sie Herrn ——, wo man sich Theaterkarten kaufen kann!
3. Fragen Sie Fräulein ——, ob sie einen interessanten Film sehen möchte!
4. Fragen Sie Herrn ——, ob er ein berühmter Schauspieler ist!
5. Fragen Sie Fräulein ——, ob sie das Leben langweilig findet!
6. Fragen Sie Fräulein ——, ob sie je ein Drama von Schiller gesehen hat!
7. Fragen Sie Herrn ——, wie oft er eine rote Sportjacke trägt!
8. Fragen Sie Herrn ——, ob er immer Geld in der Tasche hat!

VERB SUMMARY

INFINITIVE		PRESENT		PRES. PERFECT
aufführen (*perform*)		führt . . . auf		hat aufgeführt
ausgehen (*go out*)		geht . . . aus		ist ausgegangen
bellen (*bark*)		bellt		hat gebellt
betrachten (*observe, consider*)		betrachtet		hat betrachtet
brechen (*break*)		bricht		hat gebrochen
brennen (*burn*)		brennt		hat gebrannt
erfahren (*find out, experience*)		erfährt		hat erfahren
fließen (*flow*)		fließt		ist geflossen
führen (*lead*)		führt		hat geführt
gebrauchen (*use*)		gebraucht		hat gebraucht
illustrieren (*illustrate*)		illustriert		hat illustriert
klingen (*sound*)	er	klingt	er	hat geklungen
necken (*tease*)		neckt		hat geneckt
rauchen (*smoke*)		raucht		hat geraucht
reservieren (*reserve*)		reserviert		hat reserviert
schließen (*close*)		schließt		hat geschlossen
schmeicheln (*flatter, dat.*)		schmeichelt		hat geschmeichelt
sinken (*sink*)		sinkt		ist gesunken
übersehen (*look over*)		übersieht		hat übersehen
umdrehen (*turn around, often refl.*)		dreht . . . um		hat umgedreht
weinen (*weep*)		weint		hat geweint

A

DRAMA

In den deutschsprachigen Ländern hat fast jede größere Stadt ihr eigenes Theater, meist das „Stadttheater" genannt,[1] in dem man Dramen, Opern und Operetten aufführt. Die Großstädte haben auch eine Oper und mehrere[2] private Theater, in denen man sich die Dramen junger, unbekannter Autoren ansehen kann. Im Jahre 1962 fanden die internationalen Studententheater-Festspiele[3] in Mainz am Rhein statt.[4] Obwohl die Aufführungen in lateinischer, griechischer und schwedischer Sprache waren, spielten die Studenten jeden Abend vor einem vollbesetzten[5] Festspielhaus. Das Bild (A) zeigt eine Szene aus der Tragödie „Agamemnon" von Aischylos, aufgeführt von Mainzer Studenten.

Seit dem Kriege haben viele Städte neue Theater und Opern gebaut. Das neue Schiller-Theater in Berlin (B) ehrt[6] Friedrich Schiller, den größten deutschen Dramatiker, dessen Dramen in der ganzen Welt bekannt sind. Als Professor für Geschichte[7] an der Universität Jena fand er den Stoff[8] für viele seiner Dramen in der Geschichte, wie z.B. für „Wallenstein",

[1] called [2] several [3] festival plays [4] (*fanden ... statt*) took place
[5] full, packed [6] honors [7] history [8] material

234

B

„Maria Stuart", „Die Jungfrau von Orleans" und „Wilhelm Tell". Auf dem Schillerplatz in Stuttgart (C) steht Thorwaldsens berühmtes[9] Schillerdenkmal,[10] das man im Jahre 1839 enthüllte.[11] Der achteckige[12] Kirchturm[13] ist ein Wahrzeichen[14] der Stadt.

[9] famous   [10] Schiller monument   [11] unveiled   [12] octagonal   [13] church tower
[14] landmark

C

D

Das alte Stück[15] von Dr. Faustus, der seine Seele[16] dem Teufel[17] verkauft, ist ein beliebtes Thema in der deutschen Literatur. Johann Wolfgang von Goethe (D), der größte Dichter[18] Deutschlands, behandelt[19] dieses Thema meisterhaft[20] in dramatischer Form. In Goethes Fassung[21] darf der Teufel Fausts Seele nur dann verlangen,[22] wenn er ihm alle seine Wünsche erfüllt,[23] und wenn Faust zu einem bestimmten[24] Augenblick sagen kann: „Verweile doch,[25] du bist so schön!" Obwohl Faust gegen Ende des Stückes diesen Wunsch ausspricht,[26] wird er doch errettet.[27] In den Worten der Engel,[28] die Fausts unsterbliche[29] Seele himmelwärts[30] tragen, finden wir die Begründung[31] für Fausts Erlösung:[32] „. . . wer immer strebend sich bemüht, den können wir erlösen."[33] Dieser Vers charakterisiert den Geist[34] des 18. Jahrhunderts, den Geist des Humanitätszeitalters.[35] Das Bild (E) zeigt den weltbekannten Schauspieler und Generalintendanten[36] Gustav Gründgens als Mephisto und Will Quadflieg als Faust.

[15] play, story   [16] soul   [17] devil   [18] poet   [19] treats   [20] masterfully
[21] version   [22] demand   [23] fulfills all of his wishes   [24] definite, given
[25] tarry a while   [26] expresses   [27] (wird . . . errettet) is saved   [28] angels
[29] immortal   [30] heavenward   [31] justification   [32] redemption   [33] whoever is always earnestly striving, him we can save   [34] spirit   [35] age of humanity
[36] theatrical manager

E

237

AUFGABE FÜNFZEHN

IM STUDENTENKELLER

Den Abend im Studentenkeller zu verbringen, ist für junge Leute immer ein lustiges Erlebnis. Anna und Rudi amüsieren sich sehr.

1 RUDI: Lieben Sie Musik?

2 ANNA: Es kommt darauf an, was Sie unter Musik verstehen. Klassische Musik höre ich immer gern.

3 RUDI: Spielen Sie nicht auch Klavier?

4 ANNA: Ja, aber nicht gut. Ich gehe lieber ins Konzert und höre zu. Und Sie?

5 RUDI: Ich auch, ab und zu. Ich bin immer erstaunt, so viele junge Leute im Konzertsaal zu finden.

6 ANNA: Aber natürlich! Viele junge Leute mögen klassische Musik.

7 RUDI: Aber wenn man hier im Studentenkeller sitzt, vergißt man, daß es noch irgend etwas außer Jazz gibt.

8 ANNA: Man braucht solche Musik eben zur Unterhaltung.

9 RUDI: Vielleicht haben Sie recht. Möchten Sie noch einmal tanzen?

10 ANNA: Ich möchte schon, aber ich muß heute abend meine Schularbeiten machen.

11 RUDI: Dann müssen wir leider schon gehen. Ich will nur eben zahlen.

12 ANNA: Hier, nehmen Sie auch mein Geld!

13 RUDI: Auf keinen Fall! Ich bezahle!

14 ANNA: Nein, das geht nicht! Wir wollen uns die Rechnung teilen, wie es unter Studenten üblich ist.

15 RUDI: Aber nicht, wenn Sie mit mir ausgehen!

238

LESSON 15

[handwritten annotations: -ung ward fem / verb becomes noun]

IN THE STUDENT "CANTEEN"

Spending an evening in a student "canteen" is always a gay experience for young people. Anna and Rudi have a very good time.

¹ RUDI: Are you fond of music?

² ANNA: It depends on what you mean by music. I always like to hear classical music.

³ RUDI: Don't you play the piano too?

⁴ ANNA: Yes, but not well. I prefer to go to a concert and listen. And you?

⁵ RUDI: I do too, now and then. I am always astonished to find so many young people in the concert hall.

⁶ ANNA: Why of course! Many young people like classical music.

⁷ RUDI: But when one sits here in the student "canteen," one forgets that there is anything besides jazz.

⁸ ANNA: One needs such music just for entertainment.

⁹ RUDI: Perhaps you are right. Would you like to dance again?

¹⁰ ANNA: I would surely like to, but I have to do my homework tonight.

¹¹ RUDI: Unfortunately, we'll have to go then. I'll just pay (the bill).

¹² ANNA: Here, take my money too.

¹³ RUDI: Not at all! I'm paying!

¹⁴ ANNA: No, you don't! Let's divide the bill, the way students usually do (as is customary among students).

¹⁵ RUDI: But not when you go out with me!

VOCABULARY BUILDING

Die Musik

Sie haben eine schöne Stimme. *Voice*

Singen Sie gern?

Kennen Sie viele berühmte Sänger?

Ich singe { Tenor. / Bariton. / Baß. }　Meine Schwester singt { Sopran. / Mezzosopran. / Alt. }

Spielen Sie ein Instrument? *das*　Ja, ich spiele { *das* Klavier. *das* / *die* Klarinette. / *die* Trompete. / *die* Geige (Violine). / *die* Mundharmonika. / *die* Ziehharmonika (Akkordeon). }

Stellen Sie { den Radioapparat[1] an! *Pull* / den Fernsehapparat[2] ab! *T V* }　*DISTANCE Far seeing*

Haben Sie { einen Plattenspieler?[3] — *record* / Tanzplatten?[4] / Langspielplatten? }

die Musik

Was für Musik hören Sie am liebsten? *? der / der* { Jazz? *der* / Schlager?[5] *Rock r soll* / klassische Musik? *die* / Volkslieder?[6] *das* / Opern?[7] *die* / Operetten? *die* / Sinfonien? *die ?* }　*die Oper / die operette*

Der Dirigent leitet[7] { das Orchester. / den Chor. }

Der Kapellmeister[8] leitet die { Kapelle.[9] *die* / Tanzkapelle.[10] }

---

[1] radio　　[2] television　　[3] record player　　[4] dance records　　[5] hit tunes
[6] folk songs　　[7] directs　　[8] band director　　[9] band　　[10] dance band

Compound Nouns

German has many compound nouns which may be readily understood, such as the examples given below. Note that the last noun in a compound determines its gender.

das Abendbrot	das Badezimmer	die Haustür
die Alltagssprache	die Banknote	das Hochhaus
der Arbeitgeber	der Blumengarten	das Kartenspiel
der Arbeitnehmer	das Butterbrot	der Kühlschrank
das Arbeitszimmer	der Dummkopf	der Liebesfilm
der Augapfel	der Familienname	das Liebeslied
der Augenarzt	der Farbfilm	die Mittagspause
die Augenbrauen (pl.)	der Filmschauspieler	der Rosenbusch
das Ausland	der Fußballspieler	die Studentensprache
der Ausländer	das Gartenhaus	der Wahrheitsucher

DIALOGUE VARIATIONS

A. Diese Tanzkapelle spielt viel zu laut.

B. Mögen Sie Musik nicht?

A. Ich mag Musik gern! Allerdings[1] kommt es darauf an, welche Art[2] von Musik man spielt.

B. Kommen Sie, wir suchen einen Platz, der nicht so nahe bei[3] der Kapelle ist.

A. Ah, dort hinten ist ein freier Tisch. Dort wird es angenehmer sein. Gehen wir!

A. Spielen Sie Klavier?

B. Ja, sehr gern. Ich spiele am liebsten klassische Musik.

A. Dann gehen Sie auch oft ins Konzert, nicht wahr?

B. Sehr oft sogar. Vorgestern[4] war ich in einem Konzert der Philharmoniker.

A. Herrlich! Was haben sie gespielt?

B. Mozart, Beethoven, Schubert und Schumann. Es war ein Jugendkonzert.

A. Ist jedes Konzert ausverkauft?

B. Ja, die meisten. Man muß oft stundenlang Schlange stehen,[5] um noch einen Stehplatz[6] zu bekommen.

A. Wenn ich nur verstehen könnte, was die moderne Jugend[7] am Jazz findet! Mit Musik hat das doch wirklich nichts zu tun.

B. Doch![8] Sehen Sie, Jazz ist einfach die Musik unserer Zeit.

A. Unserer Zeit? Jazz erinnert mich an die Musik der Afrikaner.[9]

B. Sie haben recht, es ist die Musik der Afrikaner, die wir übernommen und verändert haben.[10]

A. Aber was ist nun schön am Jazz? Bitte, sagen Sie mir das!

[1] to be sure [2] type [3] near to [4] day before yesterday
[5] stand in line for hours [6] standing room [7] youth [8] Oh yes it does!
[9] Africans [10] have taken over and changed

B. Die Antwort auf diese Frage kann ich nicht geben. Jeder hat einen anderen *taste* Geschmack.[11] *Actually* Mich macht die klassische Musik manchmal recht ernst,[12] ja sogar traurig,[13] aber . . .

A. Aber beim Jazz werden Sie froh.

B. Eben![14] Er macht mich fröhlich.[15]

CONVERSATIONAL PATTERNS

I. MORE ADJECTIVE ENDINGS

Selecting the correct adjective endings for attributive adjectives that are preceded by neither a der-word nor an ein-word is a rather simple procedure. Ask yourself: "If I were to replace the adjective with a definite article, what would the definite article be?" Then attach the ending of the definite article to the adjective. Study the following examples:

Ein Baby trinkt warm___ Milch.

If one were to use a definite article, it would be **die Milch**; therefore, the adjective ending would be **-e, warme Milch.**

Der Franzose trinkt gern rot___ Wein.

The definite article would be **den Wein**; thus the adjective ending would be **-en, roten Wein.**

Der Deutsche trinkt oft kalt___ Bier.

The definite article would be **das Bier**; thus the adjective ending would be **-es, kaltes Bier.** Note that the adjective ending for **das,** is **-es** rather than **-as.**

Er bringt ihr schön___ Blumen (*pl.*).

The definite article would be **die Blumen**; thus the adjective ending would be **-e, schöne Blumen.**

The only exception to this rule is found in the masculine and neuter genitive singular, where the adjective ending is **-en** rather than the **-es** that one would expect with the article **des:**

Er bestellt eine Tasse heißen Kaffees.

In spoken German, however, the accusative appositional form is used much more frequently than the genitive form:

Er bestellt {
eine Tasse heißen Kaffee.
ein Glas kaltes Wasser.
eine Flasche kalte Milch.
}

---

[11] taste   [12] serious   [13] sad   [14] Precisely!   [15] cheerful

1. Repetition

Schönes Wetter heute, nicht wahr?

Amerikaner trinken gern kaltes Wasser.

Fahren Sie zweiter Klasse?

Die Kinder reicher Leute sind manchmal faul (lazy).

Dieses Hotelzimmer hat fließendes Wasser.

Im Fernsehen sieht man oft alte Filme.

Ich mag kleine Kinder.

Armes Kind, was ist los?

Guten Morgen, meine Herren!

Glückliche Reise!

Schlafen Sie bei offenem Fenster?

Bitte, bringen Sie mir ein Glas frisches Wasser!

2. Adjectives

Viele _____ Lehrer lehren hier. (ausgezeichnet)

Viele ausgezeichnete Lehrer lehren hier.

_____ Kind, was ist los? (lieb)

Liebes Kind, was ist los?

Als _____ Kind war ich oft krank. (klein)

Als kleines Kind war ich oft krank.

_____ Studenten üben immer. (fleißig)

Fleißige Studenten üben immer.

Hören Sie gern _____ Opern? (deutsch)

Hören Sie gern deutsche Opern?

Trinken Sie _____ Kaffee? (stark, strong)

Trinken Sie starken Kaffee?

Ich lese gern _____ Bücher. (gut)

Ich lese gern gute Bücher.

Er liest gern _____ Geschichten. (kurz, short)

Er liest gern kurze Geschichten.

Ich habe einige _____ Freunde getroffen. (alt)

Ich habe einige alte Freunde getroffen.

Haben Sie _____ Hunger? (groß)

Haben Sie großen Hunger?

Essen Sie gern _____ Brot? (frisch)

Essen Sie gern frisches Brot?

Ich habe mehrere (several) _____ Bücher gekauft. (gut)

Ich habe mehrere gute Bücher gekauft.

Was soll man _____ Studenten sagen? (faul)

Was soll man faulen Studenten sagen?

Ich werde es Ihnen in _____ Worten sagen. (kurz)

Ich werde es Ihnen in kurzen Worten sagen.

Er ist mit einigen _____ Freunden spazieren gegangen. (lieb)

Er ist mit einigen lieben Freunden spazieren gegangen.

[handwritten top margin: mehrere - several / die Limonade - +re / voll- fullg / treu - faithful / das Tieren - Animals]

Kennen Sie ein Mädchen mit langem _____ Haar? (schwarz)	Kennen Sie ein Mädchen mit langem, schwarzem Haar?
Morgen muß ich mehreren _____ Freunden schreiben. (alt)	Morgen muß ich mehreren alten Freunden schreiben.
Jedes Jahr kaufe ich mir zwei Paar _____ Schuhe. (gut)	Jedes Jahr kaufe ich mir zwei Paar gute Schuhe.
Die Kinder vieler _____ Leute sind nicht faul. (reich)	Die Kinder vieler reicher Leute sind nicht faul.
Mit Hilfe mehrerer _____ Freunde versteht er jetzt alles. (gut)	Mit Hilfe mehrerer guter Freunde versteht er jetzt alles.
Bringen Sie mir ein Glas _____ Limonade! (kalt)	Bringen Sie mir ein Glas kalte Limonade!
In Amerika kann man sogar ein Glas _____ Buttermilch bestellen. (kalt)	In Amerika kann man sogar ein Glas kalte Buttermilch bestellen.
Das Theater war voll (*full of*) _____ Leute. (jung)	Das Theater war voll junger Leute.
Er hat viele _____ Freunde. (treu, faithful)	Er hat viele treue Freunde.
_____ Kindern hilft man gern. (klein)	Kleinen Kindern hilft man gern.
_____ Fräulein, kommen Sie her! (lieb)	Liebes Fräulein, kommen Sie her!
_____ Romane liest jeder gern. (gut)	Gute Romane liest jeder gern.
Herr Müller hat drei _____ Kinder. (klug)	Herr Müller hat drei kluge Kinder.
Mehrere _____ Studenten haben ihm geholfen. (fleißig)	Mehrere fleißige Studenten haben ihm geholfen.
Ich habe viele _____ Romane gelesen. (interessant)	Ich habe viele interessante Romane gelesen.
Fürchten Sie sich vor _____ Tieren (*dat.*)? (wild)	Fürchten Sie sich vor wilden Tieren?

[handwritten annotations: Dative / Dative pl = den / several / m. s. pl. / die / den / Pl. D.o m / Nom / Idiomatic / Nom - address / with the help of friends / Gen / D. fem p. Pl. / das Animals]

II. ADJECTIVES USED AS NOUNS

Adjectives are frequently used as nouns. When so used, they are capitalized, but they keep their regular adjective endings:

> Der **Deutsche** liebt die Musik.
> Mein **Lieber** (*my dear fellow*), was ist los?
> Der **Reiche** (*the rich man*) stirbt nicht gern.
> Ich kenne **Reiche** und **Arme** (*rich and poor people*).

Neuter adjectives are capitalized when used as nouns following the indefinite pronouns **etwas**, **nichts**, **viel**, and **wenig** and generally take the ending **-es.**

> Es ist **etwas** ganz **Gutes** (*something very good*)!
> Das ist **nichts Neues** (*nothing new*).
> Sie erzählt **viel Interessantes** (*much that is interesting*).

Alles usually requires that the following adjective be capitalized. The adjective has the ending **-e**. After **alle** (*pl.*), adjectives take the ending **-en.**

> Ich wünsche Ihnen **alles Gute** (*everything good*).
> Nicht **alle schönen** Mädchen sind dumm.

3. Repetition

Mein Guter, was machen Sie hier?
Wo ist die Kleine?
Ich werde mein Bestes tun.
Er hat den Armen immer geholfen.
Den Faulen (*pl.*) kann man oft nicht helfen.
Ich habe etwas sehr Schönes gesehen.
Wir haben nichts Besonderes vor.
Nicht alle Reichen sind glücklich.

Er wünscht ihr alles Gute!
Alles Schöne interessiert sie.
Es hat immer Reiche und Arme gegeben.
Ich kenne einen Deutschen.
Ich habe etwas Interessantes gelesen.
Ich suche das Schöne im Leben.
Ich habe nichts Neues gehört.
Nicht alle Alten haben graue Haare.

4. Adjective > Noun

Die fleißigen Studenten sind immer vorbereitet (prepared).

Die Fleißigen sind immer vorbereitet.

Mein lieber Freund, wie geht's?
Die kleinen Kinder spielen im Park.
Der alte Mann ist gestorben.
Was hat er den armen Leuten gegeben?
Was haben Sie in der rechten Hand?
Das Buch gehört dem kleinen Jungen.

Mein Lieber, wie geht's?
Die Kleinen spielen im Park.
Der Alte ist gestorben.
Was hat er den Armen gegeben?
Was haben Sie in der Rechten?
Das Buch gehört dem Kleinen.

Ich habe etwas gelesen. (interessant)	Ich habe etwas Interessantes gelesen.
Etwas ist geschehen (has happened). (wunderbar)	Etwas Wunderbares ist geschehen.
Heute ist nichts geschehen. (interessant)	Heute ist nichts Interessantes geschehen.
Er hat nichts zu sagen. (besonder)	Er hat nichts Besonderes zu sagen.
Goethe hat viel geschrieben. (schön)	Goethe hat viel Schönes geschrieben.
In diesen Büchern steht viel. (wahr)	In diesen Büchern steht viel Wahres.
Mein Vater hat wenig über den Krieg gesagt. (gut)	Mein Vater hat wenig Gutes über den Krieg gesagt.
Er wünscht mir alles. (gut)	Er wünscht mir alles Gute.
Alles interessiert mich. (schön)	Alles Schöne interessiert mich.
Sie bringt mir etwas zum Mittagessen. (gut)	Sie bringt mir etwas Gutes zum Mittagessen.

III. DERSELBE, DIESELBE, DASSELBE

The adjective **selb** (*same*) takes the same ending as any other adjective that follows a **der**-word, but is different inasmuch as it is usually attached to the definite article:

dieselbe Oper	*the same* opera
in **derselben** Operette	in *the same* operetta
dieselben Volkslieder	*the same* folk songs

5. Repetition

Das ist derselbe Schlager, den die Tanzkapelle gestern gespielt hat.	Richard und ich spielen in derselben Kapelle.
Ist das dasselbe Volkslied, das wir gestern gehört haben?	Wir lieben dieselbe Musik.

6. Derselbe

Wir wohnen in dem Haus.	Wir wohnen in demselben Haus.
Wir lesen das Buch.	Wir lesen dasselbe Buch.
Wir arbeiten in dem Büro.	Wir arbeiten in demselben Büro.
Die Musik gefällt uns.	Dieselbe Musik gefällt uns.
Er fährt den Volkswagen.	Er fährt denselben Volkswagen.
Wir gehen zum Schwimmbad.	Wir gehen zu demselben Schwimmbad.

(handwritten notes: Mal-once; unserer-unser der mean?)

Max und Josef spielen in der Tanzkapelle.

Sie ziehen die modernen Schlager vor.

Wir singen in dem Chor.

Sie besuchen die Universität.

Max und Josef spielen in derselben
  Tanzkapelle.

Sie ziehen dieselben modernen Schlager
  vor.

Wir singen in demselben Chor.

Sie besuchen dieselbe Universität.

IV. ORDINAL NUMBERS

Except for the irregularities indicated in boldface type, ordinal numerals are formed by adding -t to all cardinal numerals from 1 to 19 and -st to all others:

erst-	zwanzigst-
zweit-	einundzwanzigst-
dritt-	siebzigst-
viert-	neunundneunzigst-
acht-	hundertst-
neunzehnt-	tausendst-

(handwritten: +t ; sechste ; 1-19 t ; st all others)

All ordinal numerals are declined like other adjectives:

Das ist das **fünfte** Buch, das ich gelesen habe. (. . . *the fifth book*)
Heute ist der **achte** Mai. (. . . *the eighth of May*)
Er kommt am **zweiundzwanzigsten** Juni. (. . . *on the twenty-second of June*)

Ordinal adverbs add **-ens** to the stem of the ordinal adjective:

    erstens (*firstly, in the first place*)
    zweitens (*secondly*)
    drittens (*thirdly*)

7. Repetition

Das Semester hat am achtundzwanzig-
  sten September begonnen.

Ludwig der Vierzehnte war König von
  Frankreich.

Den wievielten haben wir heute? (*What
  is the date today?*)

Heute ist der neunte März.

Heute haben wir den neunten März.

Wann sind Sie geboren? Ich bin am
  zwölften Mai geboren.

Gestern habe ich Hugos Freundin <u>zum
  ersten Mal gesehen.</u>

Den Fernsehapparat will ich nicht
  kaufen: Erstens habe ich nicht genug
  Geld, zweitens gefällt mir das Fernsehen nicht, drittens habe ich keine
  Zeit zum Fernsehen.

(handwritten: Mal is time, idiom; ACC; TV.)

[handwritten notes in margins: "Weihnachten - Christmas", "acc unless begins", "time - Dative", "telling am, an, vor } Dative", "d.77"]

8. Ordinal Numerals

Write out the numerals.

Heute haben wir den 27. April.

Heute haben wir den siebenundzwanzigsten April.

Jeden Sommer feiern (*celebrate*) wir den 4. Juli.

Jeden Sommer feiern wir den vierten Juli.

Mein Freund ist am 8. Februar geboren.

Mein Freund ist am achten Februar geboren.

Am 25. Dezember feiern wir Weihnachten (*Christmas*).

Am fünfundzwanzigsten Dezember feiern wir Weihnachten.

Ich bin am 6. Juni geboren.

Ich bin am sechsten Juni geboren.

Am 3. November ist mein Freund in Deutschland angekommen.

Am dritten November ist mein Freund in Deutschland angekommen.

Dieser Brief trägt das Datum: „den 14. Oktober".

Dieser Brief trägt das Datum: „Den vierzehnten Oktober".

Ludwig XIV *[handwritten: der]*

Ludwig der Vierzehnte

Wilhelm II *[handwritten: der]*

Wilhelm der Zweite

Napoleon III *[handwritten: der]*

Napoleon der Dritte

REVIEW

English-German Patterns

Nice weather today, isn't it?

Schönes Wetter heute, nicht wahr?

Do you like to see old films?

Sehen Sie gern alte Filme? *[handwritten: m. pl]*

Do you like little children? (*mögen*)

Mögen Sie kleine Kinder?

Do you know this German (*man*)? *[handwritten: m. A.]*

Kennen Sie diesen Deutschen?

The children of rich people are sometimes lazy.

Die Kinder reicher Leute sind manchmal faul.

The theater was full of young people.

Das Theater war voll junger Leute.

With (the) help of several good friends he is learning German.

Mit Hilfe mehrerer guter Freunde lernt er Deutsch. *[handwritten: pl. Gen]*

On warm days I go swimming.

An warmen Tagen gehe ich schwimmen.

Does the teacher help lazy students?

Hilft der Lehrer faulen Studenten?

In (*bei*) cold weather, I wear warm clothing (*die Kleidung*).

Bei kaltem Wetter trage ich warme Kleidung.

Not all rich (people) are happy.

Nicht alle Reichen sind glücklich. *[handwritten: Reiche, pl.]*

Tell me something new! (*erzählen*)

Erzählen Sie mir etwas Neues!

I know little that is new.

Ich weiß wenig Neues.

He does much good. (*tun*)

Er tut viel Gutes.

I wish you everything that is good.

Ich wünsche Ihnen alles Gute.

Seek the true and the beautiful! — Suchen Sie das Wahre und das Schöne!

Help the poor! — Helfen Sie den Armen!

I know many Germans. — Ich kenne viele Deutsche.

Do you know these Germans? — Kennen Sie diese Deutschen?

Today is the fourteenth of April. — Heute ist der vierzehnte April.

My friend was born on the eighth of May. — Mein Freund ist am achten Mai geboren.

We celebrate Christmas on the twenty-fifth of December. — Wir feiern Weihnachten am fünfundzwanzigsten Dezember.

Yesterday I saw him for the third time. — Gestern habe ich ihn zum dritten Mal gesehen.

What happened (ist . . . geschehen) in 1492? — Was ist im Jahre vierzehnhundertzweiundneunzig geschehen?

What is the date today? — Den wievielten haben wir heute?

Today is July 24. — Heute ist der vierundzwanzigste Juli.

We live in the twentieth century (das Jahrhundert). — Wir leben im zwanzigsten Jahrhundert.

I did it for the first time. (tun) — Ich habe es zum ersten Mal getan.

It's the same man who was here yesterday. — Es ist derselbe Mann, der gestern hier war.

We were born in the same year. — Wir sind in demselben Jahr geboren.

They sing in the same chorus. — Sie singen in demselben Chor.

The same music appeals to us. — Dieselbe Musik gefällt uns.

General Questions

1. Ist es ein lustiges Erlebnis, einen Abend im Studentenkeller zu verbringen?
2. Haben wir Studentenkeller hier in Amerika?   3. Amüsieren Sie sich sehr, wenn Sie tanzen?   4. Lieben Sie moderne Musik?   5. Was für ein Instrument spielen Sie?
6. Wie oft gehen Sie ins Konzert?   7. Braucht man Jazz zum Tanzen?   8. Singen Sie gern deutsche Volkslieder?   9. Können Sie Baß singen?   10. Möchten Sie ein Instrument in einer Tanzkapelle spielen?

Directed Questions

1. Fragen Sie Fräulein ——, ob sie etwas Schönes kaufen möchte!
2. Fragen Sie Herrn ——, ob er ein Orchester leiten kann!
3. Fragen Sie Fräulein ——, wieviel Geld sie bei sich hat!
4. Fragen Sie Fräulein ——, ob sie deutschen Fußball verstehen kann!
5. Fragen Sie Herrn ——, ob er Sopran singen kann!
6. Fragen Sie Herrn ——, was für Musik er am liebsten mag!
7. Fragen Sie Fräulein ——, ob sie die Rechnung bezahlt, wenn sie ein Rendezvous mit einem jungen Mann hat!
8. Fragen Sie Herrn ——, ob er immer mit demselben Mädchen ausgeht!

VERB SUMMARY

INFINITIVE		PRESENT		PRES. PERFECT
feiern (*celebrate*)		feiert		hat gefeiert
leiten (*direct*)		leitet		hat geleitet
teilen (*share, divide*)	er	teilt	er	hat geteilt
übernehmen (*take over*)		übernimmt		hat übernommen
verändern (*change*)		verändert		hat verändert
vorbereiten (*prepare*)		bereitet . . . vor		hat vorbereitet
geschehen (*happen*)	es	geschieht	es	ist geschehen

MUSIK

„Wo man singt, da laß dich ruhig nieder,[1] böse Menschen haben keine Lieder." In den deutschsprachigen Ländern sieht man an jeder Litfaßsäule[2] (A, Frankfurt am Main) Bekanntmachungen[3] von Konzerten, Opern, Operetten und Theaterstücken.[4] Kein Wunder, denn fast jede größere Stadt hat eine Oper, ein Orchester, ein Opernensemble[5] und einen oder mehrere Gesangvereine.[6] Namen wie Bach, Händel, Mozart, Haydn, Beethoven,

[1] settle down, reside in peace   [2] pillar for posting announcements
[3] announcements   [4] plays   [5] group of operatic performers   [6] glee clubs

A

B

C

Schubert, Schumann, Mendelssohn, Brahms, Johann Strauß, Wagner und Richard Strauß sind in der ganzen Welt geachtet.[7]

Die Stadt Bonn ist nicht nur als eine Universitätsstadt und als die Hauptstadt der deutschen Bundesrepublik bekannt, sondern auch als die Geburtsstadt[8] Beethovens (B). Als guter Demokrat und Europäer, haßte[9] Beethoven jegliche[10] Form von Tyrannei. So gab er seiner Sinfonie „Buonaparte" den neuen Titel „Sinfonia Eroica", nachdem sich Napoleon zum Kaiser erklärt hatte. Auf unserem Bild (C) stehen einige junge Leute vor dem Beethovenhaus. Wie in vielen deutschen Städten sind die Bürgersteige[11] so eng, daß die Fußgänger[12] oft auf der Straße gehen müssen.

[7] esteemed   [8] birthplace   [9] hated   [10] every   [11] sidewalks   [12] pedestrians

D

Nach Bayreuth kommen jeden Sommer Musikliebende[13] aus allen Teilen der Welt, um den Richard-Wagner-Festspielen beizuwohnen.[14] Hier (D) sehen wir das berühmte Festspielhaus, wo die bekanntesten von Wagners Opern oder „Musikdramen", wie er sie nannte,[15] aufgeführt werden.[16]

In den deutschsprachigen Ländern ist Musik ein wichtiger Teil des Unterrichts.[17] Die Kinder können viele Lieder mehrstimmig singen.[18] Wenn Freunde in einem Wirtshaus beieinander sitzen oder zusammen durch einen Wald wandern, wollen sie gern singen. Auf den Volksfesten ist Musik, Gesang[19] und Tanz die Hauptsache.[20] Im Engadin in der Südostschweiz[21] musiziert man[22] während der traditionellen „Schlitteda" oder Schlitten-fahrt[23] (E).

[13] music lovers   [14] to attend   [15] called them   [16] are performed
[17] instruction   [18] sing several parts   [19] singing, song   [20] main thing
[21] southeastern Switzerland   [22] they "make" music   [23] sleigh ride

E

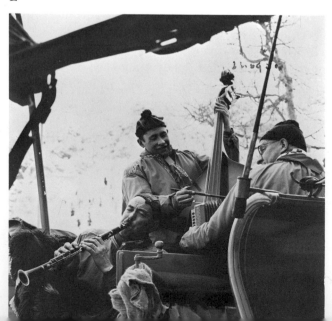

AUFGABE SECHZEHN

AUF DEM LANDE

Rudi freut sich sehr, daß ihm sein Vater Geld für einen Volkswagen geschickt hat. In drei Wochen muß er nach den Vereinigten Staaten zurückkehren, aber erst will er noch mehr von Europa sehen. Er hat Bruno Lehmann eingeladen mitzufahren.

1 LEHMANN: Als Sie mich gestern fragten, ob ich mitkommen wollte, war ich eigentlich sehr froh, denn ich habe die Schweiz schon lange nicht besucht.

2 WOLF: Wann waren Sie das letzte Mal dort?

3 LEHMANN: Als ich zehn Jahre alt war. Mein Vater und ich reisten damals nach Zürich, wo wir einige Verwandte besuchten.

4 WOLF: Sehen Sie mal das alte Bauernhaus da drüben, Bruno! Menschen und Tiere unter einem Dach!

5 LEHMANN: Es ist aber gar nicht so schlimm, wie es aussieht. Innen ist das Haus ganz sauber. Stall und Wohnräume sind getrennt.

6 WOLF: Kann sein, aber ich schlafe lieber unter Menschen.

7 LEHMANN: Da vorne ist eine Tankstelle, falls Sie tanken wollen.

8 TANKWART: Grüß Gott, meine Herren! Möchten Sie tanken?

9 WOLF: Voll bitte! Normal.

10 LEHMANN: Wo übernachten wir? In Heilbronn?

11 WOLF: Nein, keinesfalls. Ich dachte, wir würden die Nacht in Dinkelsbühl verbringen.

12 LEHMANN: Wie herrlich! Vielleicht warten schon zwei schöne Prinzessinnen auf uns brave Ritter im weißen Volkswagen.

13 WOLF: Träumer! Die Töchter des Wirtes werden wahrscheinlich ganz dick und häßlich sein.

14 TANKWART: Das macht sechzehn Mark siebzig, meine Herren. Danke schön! Gute Reise!

15 WOLF: Danke. Auf Wiedersehen!

LESSON 16

IN THE COUNTRY

Rudi is very happy that his father has sent him money for a Volkswagen. In three weeks he must return to the United States, but first he wants to see still more of Europe. He has invited Bruno Lehmann to go along.

[1] LEHMANN: When you asked me yesterday whether I wanted to come along, I was really very glad, because I haven't visited Switzerland for a long time.

[2] WOLF: When were you there the last time?

[3] LEHMANN: When I was ten years old. My father and I traveled at that time to Zürich, where we visited some relatives.

[4] WOLF: Just look at that old farmhouse over there, Bruno! People and animals under one roof!

[5] LEHMANN: It is not at all as bad as it appears. Inside, the house is very clean. The stable and living areas are separated.

[6] WOLF: Maybe, but I prefer to sleep among human beings.

[7] LEHMANN: Up ahead of us is a service station, in case you want to get gas.

[8] SERVICE STATION ATTENDANT: Good day, gentlemen! (a South German greeting) Would you like some gas?

[9] WOLF: Fill it up, please. Regular (gas).

[10] LEHMANN: Where are we spending the night? In Heilbronn?

[11] WOLF: No, certainly not. I thought we would spend the night in Dinkelsbühl.

[12] LEHMANN: How splendid! Perhaps two beautiful princesses are already waiting for us fine knights in a white Volkswagen.

[13] WOLF: Dreamer! The daughters of the innkeeper will probably be quite fat and ugly.

[14] ATTENDANT: That's sixteen marks and seventy pfennigs, gentlemen. Thank you. Have a nice trip!

[15] WOLF: Thanks. Good-by.

VOCABULARY BUILDING

Das Haus

Unser Haus besteht aus[1] sechs Zimmern. *consists* *?*

Das Wohnzimmer ist sehr schön. *Comfortable* *atmosphere*

Das Eßzimmer ist klein, aber gemütlich.[2]

Das Schlafzimmer ist an der Ostseite.[3] *Das Zimmer*

Das Badezimmer ist ganz klein.

Die Küche[4] ist hell.[5]

Die Bibliothek gehört dem Vater.

Nord *Süd*

Der
Der Tisch
Der Stuhl
Der Sessel[6]
Der Teppich[7] } befindet sich[8] im Wohnzimmer.

Das
Das Bild
Das Sofa

Die
Die Lampe

In meinem Schlafzimmer habe ich
ein Bett. *das Bett*
eine Kommode.[9]
einen Kleiderschrank. *der* *Kühlschrank*
einen Nachttisch. *der*
einen Spiegel.[10] *der*

Das
Das Waschbecken[11]
Das Badetuch
Das Handtuch
Die Seife *? ab*
Die Badewanne
Die Die Dusche (die Brause)[12]
Die Toilette
} ist im Badezimmer.

Schrank - ...

der
Meine Mutter hat einen Eisschrank[13] und einen neuen Herd.[14]

Der Bauernhof (The Farm)

das
Mein Großvater hat auf seinem Bauernhof
Farm
einen Hund. *der*
eine Katze.
drei Kühe.[15] *die* *Kuh*
ein Kalb. *Das*
zwei Pferde.[16] *das* *ein*
hundert Hühner. *die* *ein Hühn-chen*
sechs Schweine. *das*
Hahn - Rooster

---

[1] consists of   [2] comfortable   [3] east side   [4] kitchen   [5] bright   [6] armchair
[7] carpet   [8] is (found)   [9] dresser   [10] mirror   [11] washbasin   [12] shower
[13] refrigerator   [14] stove   [15] cows   [16] horses

reiten   ritt

Hinter seinem Haus wachsen[17] *grow der* { Bäume.
{ Blumen.
{ Büsche.   *der Busch*

das Feld
plants das veg
Im Garten pflanzt[18] er Gemüse: { Erbsen.
{ grüne Bohnen.   *supp Bohnen*
{ Spinat.[19]
{ Kopfsalat.[20]   *head lettuce*
{ Kohl.[21]   *cabbage*

DIALOGUE VARIATIONS

A. Als junger Mann wohnte ich jeden Sommer auf Großvaters *das* Bauernhof.
B. Machte das Ihnen Spaß?[1]
A. Und wie! Ich fütterte[2] die Hühner, ritt[3] auf den Pferden, und melkte[4] die Kühe.
B. Arbeiteten Sie auch auf dem Feld?
A. Ja, bei gutem Wetter.
B. Was machten Sie, wenn es regnete?
A. Ach, ich will nicht daran denken. Wir mußten die Kuh- und Pferdeställe ausmisten.[5]

A. Wieviel bezahlen Sie für Ihr Zimmer?
B. Hundert Mark im Monat.
A. Oh, das ist aber viel!
B. Das kann schon sein, aber dafür habe ich auch einen Teppich, einen Sessel, *Carpet   armchair* einen Schreibtisch mit einer Leselampe, ein großes Bett und sogar ein Bild in meinem Zimmer.   *even*
A. Sie Glücklicher![6]

A. Guten Tag! Möchten Sie tanken?
B. Ja, voll bitte.
A. Normal oder Super?
B. Normal, bitte.
Biegen Bend or Turn
A. Soll ich Öl und Luft nachsehen?[7]   *look after*
B. Ja, bitte. Können Sie uns vielleicht eine Auskunft[8] geben? Wie kommen wir am besten nach Dinkelsbühl und Rothenburg?
A. Biegen Sie links an der nächsten Ecke ab[9] und dann immer geradeaus!
B. Danke vielmals. Wieviel bin ich Ihnen schuldig?[10]
A. Fünfzehn Mark fünfzig.—Danke schön. Gute Reise!   *schuldig*
B. Danke. Auf Wiedersehen!

[17] grow   [18] plants   [19] spinach   [20] lettuce   [21] cabbage

[1] fun   [2] fed   [3] rode   [4] milked   [5] clean stalls   [6] You lucky fellow!
[7] check oil and air   [8] information   [9] **biegen . . . ab,** turn off
[10] How much do I owe you?

CONVERSATIONAL PATTERNS

I. NARRATIVE PAST OF REGULAR VERBS

The narrative past is generally used for telling a story or when telling of closely connected events or simultaneous happenings:

fear (handwritten)

Ich **hatte** Angst, aber endlich **klopfte** ich an die Tür. Wie erstaunt **war** ich, als mein Freund Erich an die Tür **kam.**

„Guten Abend," **sagte** ich. „Ich möchte mit Elsas Vater sprechen."

„Zu spät, mein Freund," **antwortete** Erich, „ich habe schon mit ihm gesprochen."

The pattern for forming the narrative past of regular verbs is very simple: stem plus **-t-** plus the endings **-e** (*sing.*) and **-en** (*pl.*).

$$
\left.\begin{array}{l} \text{ich} \\ \text{er} \\ \text{sie} \\ \text{es} \end{array}\right\} \text{lernte } (\textit{learned}) \qquad \left.\begin{array}{l} \text{wir} \\ \text{sie} \\ \text{Sie} \end{array}\right\} \text{lernten } (\textit{learned})
$$

Note that **ich lernte** may be translated as *I learned, I was learning,* or *I did learn.*

From now on, the tense forms of verbs will be presented in this manner:

INFINITIVE		PRESENT		NARRATIVE PAST		PRESENT PERFECT
lernen		lernt		lernte		gelernt
machen	er	macht	er	machte	er hat	gemacht
warten		wartet		wartete		gewartet

Note that verbs with stems ending in **-t** (**warten**), **-d** (**baden**), and two or more separately pronounced consonants (**öffnen**), add **-et-** plus endings to form the narrative past.

regn̷ / regnet (handwritten)

1. Repetition

Als Schüler (*as a pupil*) lernte er fleißig.
Auf dem Bauernhof lernten wir beinah jeden Tag etwas Neues.

Was machte er damals (*at that time*)?
Was machten Sie, während ich auf Sie wartete?

2. Pronoun Substitution

Damals lernte ich fleißig.

_____ er _____.
_____ wir _____.

Damals lernte er fleißig.
Damals lernten wir fleißig.

—————— sie (*she*) —.   Damals lernte sie fleißig.
—————— Karl ——.   Damals lernte Karl fleißig.
—————— sie (*they*) —.   Damals lernten sie fleißig.
—————— Sie ——.   Damals lernten Sie fleißig.

Was machte er, während ich wartete?

—————— Sie —— wir ——?   Was machten Sie, während wir warteten?

—————— Dora —— Hans ——?   Was machte Dora, während Hans wartete?

—————— sie (*they*) _ er ——?   Was machten sie, während er wartete?
—————— er —— sie (*they*) —?   Was machte er, während sie warteten?

II. LIST OF REGULAR VERBS

The following regular verbs have been introduced in the first sixteen lessons. All form their narrative past tense in the manner described in Part I of this lesson.

abholen	besuchen *consider*	freuen	leben	schneien *shine* *seem*
abstellen	betrachten	fühlen	legen *lay, place*	schwänzen
amüsieren	bezahlen	führen *lead*	leiten	setzen
analysieren	blitzen	fürchten	lernen	speisen *dine*
anmachen	borgen *borrow*	füttern *feed*	lieben	spielen
anprobieren	brauchen	gebrauchen	machen	stecken
anschauen	brummen *growl buzz*	gehören	meinen	stellen
anstellen	danken	gewöhnen	merken	stimmen *agree*
antworten	dauern	glauben	necken	stören *disturb*
arbeiten	dienen *serve*	gratulieren	öffnen	studieren
aufführen	diktieren	grüßen	passen *fit*	suchen
aufhören	donnern	haben	pflanzen	tanken
aufmachen	einlösen	hageln	plaudern	tanzen
aufpassen	enden	hängen	putzen	teilen *divide*
aufwachen	entschuldigen *excuse*	hören	rasieren	telefonieren
ausmachen	erinnern	illustrieren	rauchen	trennen *separate*
ausmisten	erkälten	interessieren	reichen *reach*	üben *practice*
baden	erwarten *expect*	kämmen	reservieren	übernachten
begegnen	erzählen *tell*	kaufen	retten *save rescue*	umdrehen *turn twist*
begleiten	fehlen	kennenlernen	sagen	verändern *change*
begrüßen	feiern	klopfen	schauen	vermissen *miss*
bellen	fischen	korrespondieren	schicken *send*	verspäten *be late*
bemerken	folgen	kosten	schmecken *taste*	versuchen *try*
bestellen	fragen	lachen	schmeicheln *flatter*	vorbereiten *prepare*

vorhaben *plan*	wechseln	wiederholen *repeat*	zahlen *pay*	zumachen *close*
vorstellen *introduce*	wecken	wohnen	zeigen *show*	
warten	weinen	wünschen	zuhören *listen*	

Although **haben** is sometimes considered a regular verb, it is somewhat irregular in the narrative past: **ich / er / sie / es hatte, wir / sie / Sie hatten.**

Regular verbs with separable prefixes have the same word order in the narrative past as they have in the present tense:

> Er **macht** das Fenster **auf.**
> Er **machte** das Fenster **auf.**
> Obgleich er das Fenster jeden Abend **aufmacht,** erkältet er sich nicht.
> Obgleich er das Fenster jeden Abend **aufmachte,** erkältete er sich nicht.

3. Repetition

Er glaubte nicht alles, was ich ihm erzählte.

Als Student setzte ich mich immer gerade vor den Professor.

Eine Zeitlang (*for a while*) korrespondierten wir mit einer Firma in Berlin.

Wagner lebte im neunzehnten Jahrhundert.

Letztes Jahr studierten viele Amerikaner in Europa.

Gestern hatte ich nichts vor.

4. Present > Narrative Past

Heute, gewöhnlich *today, usually*

Im Sommer reisen wir auf das Land (to the country).

Wir besuchen Großvaters Bauernhof.

Eine Zeitlang wohne ich bei Großvater.

In meinem Schlafzimmer habe ich nur ein Bett und einen Kleiderschrank.

Alles auf dem Hof (*farm*) gehört Großvater.

Bei gutem Wetter arbeiten wir auf dem Feld.

Manchmal regnet es.

Im Gemüsegarten pflanzt Großvater Erbsen, Bohnen, Spinat und Kopfsalat.

Ich fürchte mich vor den großen Schweinen.

Jeden Tag lerne ich etwas Neues.

Das Bauernleben macht mir viel Spaß.

Damals *at that time*

Im Sommer reisten wir auf das Land.

Wir besuchten Großvaters Bauernhof.

Eine Zeitlang wohnte ich bei Großvater.

In meinem Schlafzimmer hatte ich nur ein Bett und einen Kleiderschrank.

Alles auf dem Hof gehörte Großvater.

Bei gutem Wetter arbeiteten wir auf dem Feld.

Manchmal regnete es.

Im Gemüsegarten pflanzte Großvater Erbsen, Bohnen, Spinat und Kopfsalat.

Ich fürchtete mich vor den großen Schweinen.

Jeden Tag lernte ich etwas Neues.

Das Bauernleben machte mir viel Spaß.

5. *Während* as a Conjunction

Sie probierte Schuhe an.
Ich plauderte mit zwei Freunden.

Sie probierte Schuhe an, während ich
mit zwei Freunden plauderte.

Sie machten die Betten.
Ich machte einen Spaziergang.

Sie machten die Betten, während ich
einen Spaziergang machte.

Es schneite.
Ich war in der Schule.

Es schneite, während ich in der Schule
war.

Sie putzte die Badewanne.
Ich arbeitete in der Küche.

Sie putzte die Badewanne, während ich
in der Küche arbeitete.

Was machten Sie?
Ich suchte meinen Freund.

Was machten Sie, während ich meinen
Freund suchte. ?

6. Present > Narrative Past

Antwortet er gern auf die Fragen des
Lehrers?

Antwortete er gern auf die Fragen des
Lehrers?

Wie oft kaufen Sie sich Schuhe?
Legen die Hühner viele Eier?
Donnert es oft?
Baden Sie jeden Tag?
Wie lange dauert das Drama?
Was haben Sie vor?
Jeden Tag um fünf Uhr holen wir un-
seren Vater vom Bahnhof ab.
In der Deutschstunde passe ich immer
auf.   PAY attention
Auf Großvaters Bauernhof lerne ich
viele Tiere kennen.
Introduce > Ich stelle meine Freunde gern vor.
Was haben Sie vor?
Der Anzug paßt mir.
Oskar schwänzt ab und zu.

Wie oft kauften Sie sich Schuhe?
Legten die Hühner viele Eier?
Donnerte es oft?
Badeten Sie jeden Tag?
Wie lange dauerte das Drama?
Was hatten Sie vor?
Jeden Tag um fünf Uhr holten wir un-
seren Vater vom Bahnhof ab.
In der Deutschstunde paßte ich immer
auf.
Auf Großvaters Bauernhof lernte ich
viele Tiere kennen.
Ich stellte meine Freunde gern vor.
Was hatten Sie vor?
Der Anzug paßte mir.
Oskar schwänzte ab und zu.

7. Infinitive > Narrative Past

Was machten Sie, während ich auf Sie
wartete?
auf dem Feld arbeiten

Ich arbeitete auf dem Feld.

tanken
mit dem Hund spielen

Ich tankte.
Ich spielte mit dem Hund.

die
Bill. Rechnungen

mit einer Freundin plaudern	Ich plauderte mit einer Freundin.
ein paar Rechnungen bezahlen	Ich bezahlte ein paar Rechnungen.
einen alten Freund besuchen	Ich besuchte einen alten Freund.
Deutsch üben *practice*	Ich übte Deutsch.
sich baden (*refl.*)	Ich badete mich.
tanzen	Ich tanzte.
meine Aufgabe lernen	Ich lernte meine Aufgabe.

Was machten Ernst und Franz, während ich auf sie wartete?

Karten spielen	*Sie spielten Karten.*
sich Bücher kaufen	Sie kauften sich Bücher.
einen Freund vom Bahnhof abholen	Sie holten einen Freund vom Bahnhof ab.
sich amüsieren	Sie amüsierten sich.
ihre Hausarbeiten machen	Sie machten ihre Hausarbeiten.

WANN *quest.* — *WENN — whenever - it customary* — *Als — single definite PAST*

III. *ALS, WENN,* AND *WANN*

There are three words for *when:* **als, wenn,** and **wann**; each, however, has a special use:

1. **Als** is used for a single, definite, past action:

Als ich ihn gestern auf den Straße sah, grüßte er (*he greeted*) mich freundlich.

2. **Wenn,** in the sense of *when* or *whenever,* is used to express a customary or habitual action in the present, future, or past tense:

$$\textbf{Wenn } \text{er mich} \begin{Bmatrix} \text{sieht, grüßt} \\ \text{sah, grüßte} \end{Bmatrix} \text{er mich freundlich.}$$

Wenn is also the word for *if:*

Wenn er heute nicht hier ist, werde ich später mit ihm sprechen.

3. **Wann** is used in direct and indirect questions:

Wann arbeiten Sie auf dem Feld?
Er fragt, **wann** Sie auf dem Feld arbeiten.

fertig - ready-finished   *beschäftig - busy*
steif - stiffly

8. Repetition

Als ich jung war, wohnte ich auf einem Bauernhof.

Als mein Lehrer jung war, lebte er in Deutschland.

Als ich jung war, lernte ich Spanisch.

Wissen Sie, wann er zurückkommen wird?

Wenn er fleißig ist, wird er viel lernen.

Wenn ich in die Stadt gehe, besuche ich meinen Freund.

Wenn der Lehrer einen Satz diktiert, passen wir gut auf.

Immer wenn wir ihn besuchten, war er beschäftigt (*busy*).

Wenn es regnete, erkältete er sich gewöhnlich.

Wenn ich ihn grüßte, fragte er nach (*about*) meiner Mutter.

Wann arbeiteten Sie damals, morgens oder abends?

9. *Als* or *Wenn* in First Clause

Sie arbeiten nicht fleißig.
Sie werden durchfallen.

Ich sah ihn mit Lore.
Er grüßte gewöhnlich nicht.

Er sah mich auf der Straße.
Er grüßte immer.

Er sah mich am Montag.
Er grüßte mich nicht.

Wir sahen ihn einmal bei der Arbeit.
Er grüßte steif (*stiffly*).

Ich sah ihn am letzten Freitag.
Er grüßte mich nicht.

Wenn Sie nicht fleißig arbeiten, werden Sie durchfallen.

Wenn ich ihn mit Lore sah, grüßte er gewöhnlich nicht.

Wenn er mich auf der Straße sah, grüßte er immer.

Als er mich am Montag sah, grüßte er mich nicht.

Als wir ihn einmal bei der Arbeit sahen, grüßte er steif.

Als ich ihn am letzten Freitag sah, grüßte er mich nicht.

10. Direct Question > Indirect Question (*Wann?*)

Wann kommen Sie?

Wann beginnt die Klasse?

Wann werden Sie fertig sein?   *ready-finished*

Wann wollen Sie kommen?

Marie will wissen, wann Sie kommen.

Marie will wissen, wann die Klasse beginnt.

Marie will wissen, wann Sie fertig sein werden.

Marie will wissen, wann Sie kommen wollen.

zuvor — Before

versucht — Try

IV. PAST PERFECT TENSE

In general, the past perfect tense is used in German just as it is in English. This tense is formed by using the past tense of **haben** or **sein** plus the past participle:

hat

lernen		*ist* reisen	
ich hatte gelernt	*I had learned*	ich war gereist	*I had traveled*

er
sie } hatte gelernt
es

er
sie } war gereist
es

wir
sie } hatten gelernt
Sie

wir
sie } waren gereist
Sie

11. Repetition

Wir hatten Kohl und Kopfsalat gepflanzt.

Er hatte an der Aufgabe gearbeitet.

Sie hatte das Buch gesucht.

Er war schon nach Afrika gereist.

Nachdem ich das Fenster zugemacht hatte, setzte ich mich.

Er hatte den Brief schon beantwortet, als ich ihn gestern danach fragte.

12. Pronoun Substitution

Er hatte die Rechnung schon bezahlt.

Ich _____.	Ich hatte die Rechnung schon bezahlt.
Wir _____.	Wir hatten die Rechnung schon bezahlt.
Wer _____?	Wer hatte die Rechnung schon bezahlt?
Sie (*they*) _____.	Sie hatten die Rechnung schon bezahlt.

13. Present Perfect > Past Perfect

So etwas (such a thing) *habe ich nie zuvor* (before) *versucht.*

Zigarren hat er noch nie geraucht.

So lange haben die Hunde noch nie gebellt.

So viel haben die Kinder noch nie gelacht.

So etwas hatte ich nie zuvor versucht.

Zigarren hatte er noch nie geraucht.

So lange hatten die Hunde noch nie gebellt.

So viel hatten die Kinder noch nie gelacht.

Üblich – The customary
Übe – practice
"Übung Noun"

verdient – earned
"Übte – practicing
Verkäufer – Salesman

So schnell habe ich mich noch nie rasiert.
So viel haben wir noch nie an einem Tag gelernt.
So lange habe ich noch nie gewartet.

So schnell hatte ich mich noch nie rasiert.
So viel hatten wir noch nie an einem Tag gelernt.
So lange hatte ich noch nie gewartet.

14. *Nachdem* in First Clause

dep. conj (After)

Er hatte Deutsch gelernt.
Er reiste nach Deutschland.

Nachdem er Deutsch gelernt hatte, reiste er nach Deutschland.

Ich hatte auf dem Feld gearbeitet.
Ich war müde.

Nachdem ich auf dem Feld gearbeitet hatte, war ich müde.

Wir hatten eine Zeitlang geplaudert.
Wir tanzten.

Nachdem wir eine Zeitlang geplaudert hatten, tanzten wir.

Sie hatte viele Hüte anprobiert.
Sie kaufte endlich einen.

Nachdem sie viele Hüte anprobiert hatte, kaufte sie endlich einen.

Es hatte eine Zeitlang gedonnert.
Es regnete.

Nachdem es eine Zeitlang gedonnert hatte, regnete es.

Er hatte viel Geld verdient (*earned*).
Er bezahlte seine Rechnungen. *Bill*

Nachdem er viel Geld verdient hatte, bezahlte er seine Rechnungen.

REVIEW

English-German Patterns

What was he doing at that time?
What was he studying?
What was he playing in the orchestra?
Where was your father working?
On which street were you living?

Was machte er damals?
Was studierte er? *Dative*
Was spielte er im Orchester?
Wo arbeitete Ihr Vater?
In welcher Straße wohnten Sie?

It snowed while we were visiting them.
They played cards while I was practicing German.
I paid the bill while he chatted with the salesman.
I waited while she tried on shoes.

Es schneite, während wir sie besuchten. *Sie*
Sie spielten Karten, während ich Deutsch übte.
Ich bezahlte die Rechnung, während er mit dem Verkäufer plauderte.
Ich wartete, während sie Schuhe anprobierte.

die Firm

For a while we corresponded with the firm.
He lived for a time in Berlin.
For a while he led the orchestra.

Eine Zeitlang korrespondierten wir mit der Firma.
Er wohnte eine Zeitlang in Berlin.
Eine Zeitlang leitete er das Orchester.

Zuvor – Before
verdient – earned
beantwortet

regelmäßig – regularly
Wiederholt – reviewed
versuchte – try

For a while she paid attention in class.
For a while he did his homework regularly (*regelmäßig*).
For a while he cut classes.

Eine Zeitlang paßte sie in der Klasse auf.
Eine Zeitlang machte er seine Hausaufgaben regelmäßig.
Eine Zeitlang schwänzte er.

We were dancing.
She was playing (the) piano.
Outside it was raining.
What were they doing? (*machen*)

Wir tanzten. *das*
Sie spielte Klavier.
Draußen regnete es.
Was machten sie?

I had already answered the letter.
He had already reviewed the lesson.
She had never before (*zuvor*) danced so beautifully.
I had never accompanied her before.
Had you already opened it? (öffnen)

Ich hatte den Brief schon beantwortet.
Er hatte die Aufgabe schon wiederholt.
Sie hatte nie zuvor so schön getanzt.
Ich hatte sie nie zuvor begleitet.
Hatten Sie es schon geöffnet?

After he had become rich, he still lived in the same little house.
Although he hadn't understood anything, he tried to answer.
After he had learned German, he traveled to Germany.
As soon as he had earned enough money, he bought himself a new car.
When we visited Berlin, I was ten years old.
If she doesn't work diligently, she will fail.
Whenever he saw her, he greeted her.
She wants to know when the German class begins.
What was he doing, when she visited him last Wednesday?

Nachdem er reich geworden war, wohnte er noch in demselben kleinen Haus. *← Be kommen*
Obgleich er nichts verstanden hatte, versuchte er zu antworten.
Nachdem er Deutsch gelernt hatte, reiste er nach Deutschland.
Sobald er genug Geld verdient hatte, kaufte er sich einen neuen Wagen.
Als wir Berlin besuchten, war ich zehn Jahre alt.
Wenn sie nicht fleißig arbeitet, wird sie durchfallen. *werd*
Wenn er sie sah, grüßte er sie.
Sie will wissen, wann die Deutschstunde beginnt (anfängt). *Sp. time Dative AN in*
Was machte er, als sie ihn letzten Mittwoch besuchte? *Adj.*

General Questions

verbringen to spend time

1. Haben Sie je einen Sommer auf einem Bauernhof verbracht?   2. Was möchten Sie lieber haben, ein gutes Pferd oder ein neues Rad?   3. Möchten Sie die Schweiz besuchen?   4. Ist Kopfsalat ein Gemüse?   5. Schlafen Sie gern am Tage?   6. Wie oft muß man tanken, wenn man einen großen Wagen fährt?   7. Haben Sie je in einem Volkswagen übernachtet?   8. Können Sie am Tage in einem Klassenzimmer gut schlafen, oder spricht der Lehrer zu laut?   9. Was befindet sich in Ihrem Wohnzimmer?   10. Haben Sie zu Hause eine schwarze Katze?

Möbel   *chs = x*

Directed Questions

1. Fragen Sie Fräulein ——, ob sie je eine Kuh gemelkt hat!
2. Fragen Sie Herrn ——, ob er bei gutem Wetter auf dem Feld arbeiten möchte!
3. Fragen Sie Fräulein ——, wieviel sie im Monat für ihr Zimmer bezahlt!
4. Fragen Sie Herrn ——, ob er normales Benzin oder Super tankt!
5. Fragen Sie Fräulein ——, ob man Blumen in einem Gemüsegarten pflanzt!
6. Fragen Sie Herrn ——, wieviel Sie ihm schuldig sind!
7. Fragen Sie Fräulein ——, welche Möbel (*furniture*) sie in ihrem Schlafzimmer hat!
8. Fragen Sie Herrn ——, ob er gern in der Badewanne singt!

VERB SUMMARY

INFINITIVE	PRESENT	NARRATIVE PAST	PRES. PERFECT
abbiegen (*turn off*)	biegt . . . ab	bog . . . ab[1]	ist abgebogen
ausmisten (*clean a stable*)	mistet . . . aus	mistete . . . aus	hat ausgemistet
beantworten (*answer*)	beantwortet	beantwortete	hat beantwortet
füttern (*feed*)	füttert	fütterte	hat gefüttert
melken (*milk*)	melkt	melkte (molk)	hat gemelkt (gemolken)
mitfahren (*travel with a person*)	fährt . . . mit	fuhr . . . mit[1]	ist mitgefahren
nachsehen (*check*)	sieht . . . nach	sah . . . nach[1]	hat nachgesehen
pflanzen (*plant*)	pflanzt	pflanzte	hat gepflanzt
reiten (*ride*)	reitet	ritt[1]	ist geritten
tanken (*get gas*)	tankt	tankte	hat getankt
trennen (*separate*)	trennt	trennte	hat getrennt
übernachten (*spend the night*)	übernachtet	übernachtete	hat übernachtet
verdienen (*earn*)	verdient	verdiente	hat verdient
wachsen (*grow*)	wächst	wuchs[1] *wuchsen*	ist gewachsen
zurückkehren (*return*)	kehrt . . . zurück	kehrte . . . zurück	ist zurückgekehrt

(er)

[1] The narrative past of irregular verbs will be treated in the next lesson.

A

AUF DEM LANDE

„Man muß Heu[1] machen, solange die Sonne scheint", lautet[2] ein altes deutsches Sprichwort.[3] Es weist darauf hin,[4] daß es in Deutschland ziemlich oft regnet. Hier (A) ziehen[5] zwei Kühe einen Heuwagen, während der Bauer nebenher[6] geht, um sie zu führen.[7] Allmählich[8] ersetzt[9] der Traktor den Ochsen und das Pferd auf den Bauernhöfen.

In diesem kleinen Dorf in der Schweiz hat der Bauer Pferde statt Ochsen (B). Der große Heuwagen steht vor seinem Haus mitten im Dorf. Die Familie wohnt über den Ställen.[10] Das Heu kommt in die große

[1] hay   [2] says   [3] proverb   [4] it indicates   [5] are pulling   [6] along at the side
[7] lead   [8] gradually   [9] is replacing   [10] stalls, stables

B

C

Scheune[11] neben dem Haus. Vor dem Pferde- oder Kuhstall hat mancher Bauer einen Misthaufen[12] (C). Im Spätherbst und im Frühjahr düngt[13] er mit diesem Mist seine Felder. Ganz anders als bei uns, kommt auch die Jauche[14] auf das Feld.

In Mitteleuropa regnet es so oft, daß man das Heu und das Getreide[15] auf Stangen[16] legen muß. Die Getreidepuppen[17] auf dem Bild (D) sehen wie komische Strohmänner[18] aus, die das Feld bewachen.[19] Wenn das Heu endlich trocken ist, kommt es auf einen großen Heuhaufen[20] (E). Das kleine Strohdach[21] auf dem Haufen schützt[22] es gegen Regen und Schnee.

D
E

[11] barn   [12] manure pile   [13] fertilizes
[14] liquid manure   [15] grain   [16] poles
[17] bundles of grain that resemble human beings   [18] straw men   [19] guard
[20] haystack   [21] straw roof   [22] protects

F

Auch das Gras auf den Bergwiesen[23] hinter Oberammergau (F) wird
mehrere Male während des Sommers gemäht.[24] Man lagert[25] es in kleinen
Heuscheunen auf dem Bergabhang[26] zur Winterfütterung.[27] Wenn der
Bergabhang steil[28] ist, benutzt[29] man einen Heuschlitten,[30] um das Heu zur
Scheune zu bringen.

[23] mountain meadows   [24] (*wird . . . gemäht*) is mowed   [25] stores
[26] mountain slope   [27] winter feed   [28] steep   [29] uses   [30] hay sled

AUFGABE SIEBZEHN

HEIDELBERG

Heute befinden sich Rudi und Bruno in Heidelberg, einer schönen Universitätsstadt am Neckar. Hier trinken sie Brüderschaft und fangen an, einander zu duzen. (Rudi und Anna duzen einander schon seit einiger Zeit.)

¹ RUDI: Ich finde Heidelberg sehr schön.

² BRUNO: Ich auch. War die Aussicht vom Schloß nicht herrlich?

³ RUDI: Ja! Kein Wunder, daß alle Studenten für Heidelberg schwärmen.

⁴ BRUNO: Vielleicht können wir morgen in dem Roten Ochsen zu Mittag essen.

⁵ RUDI: Oh, das wäre ausgezeichnet!

⁶ BRUNO: Oder wenn es uns zu teuer ist, können wir wenigstens vorbeigehen und sehen, ob die Kellnerinnen hübsch sind.

⁷ RUDI: Man könnte denken, du hättest Luise schon ganz und gar vergessen.

⁸ BRUNO: Spotte nicht. Du weißt, daß ich Luise lieb habe.

⁹ RUDI: Ich scherze nur. Ich selber will die deutsche Kultur besser kennenlernen, und alle deutschen Frauen gehören dazu, nicht wahr?

¹⁰ BRUNO: Ja, mehr oder weniger. [Er geht an die Tür.]

¹¹ RUDI: Wenn du nach unten gehst, nimm bitte diesen Brief mit!

¹² BRUNO: Gern.

(Rudis Brief an Anna)

Heidelberg, den 3. August

Liebe Anna!

 Dinkelsbühl war für uns ein wunderbares, unvergeßliches Erlebnis. Genau so hatte ich mir das Mittelalter vorgestellt: Straßen mit Kopf-

270

steinpflaster, dicke Mauern und hohe Wachttürme. Wir verbrachten die Nacht in einer Jugendherberge, in der wir Gelegenheit hatten, viele junge Leute aus anderen Ländern kennenzulernen.

Heute fuhren wir durch das liebliche, grüne Neckartal nach Heidelberg. Auf dem Wege dorthin sahen wir auf einem Felde eine alte Frau, deren Kühe einen Pflug zogen. Ich wollte so gern ein Foto machen, aber wir hatten Angst, es könnte sie vielleicht beleidigen.

Heidelberg ist wirklich eine sehr romantische Stadt. Wenn Du[1] hier wärest, würde unser Aufenthalt noch viel schöner sein. Übermorgen werden wir die Rheinfahrt nach Bonn machen. Natürlich freuen wir uns darauf. Danach werden wir über Freudenstadt im Schwarzwald nach Luzern reisen. Wenn alles gut geht, werde ich Dich anrufen, sobald wir in der Schweiz ankommen.

Mit den herzlichsten Grüßen
Rudi

[1] The forms of **du** are capitalized when used in a letter.

LESSON 17

HEIDELBERG

Today Rudi and Bruno find themselves in Heidelberg, a beautiful university city on the Neckar River. Here they pledge close friendship and begin to use the familiar form of **you** *in speaking to each other. (Rudi and Anna have been using* **du** *with each other for some time.)*

[1] RUDI: I find Heidelberg very beautiful.

[2] BRUNO: Me too.   Wasn't the view from the castle magnificent?

[3] RUDI: Yes, no wonder all the students rave about Heidelberg.

[4] BRUNO: Perhaps we can eat our noon meal tomorrow in the Red Ox Inn.

[5] RUDI: Oh, that would be great!

[6] BRUNO: Or if it's too expensive for us, we can at least stop by and see whether the waitresses are pretty.

[7] RUDI: One might think you had completely forgotten Luise.

[8] BRUNO: Don't make fun of me!   You know that I'm fond of Luise.

[9] RUDI: I'm just kidding.   I myself want to become better acquainted with German culture, and all German women are a part of it, aren't they?

[10] BRUNO: Yes, more or less.   [He goes to the door.]

[11] RUDI: If you're going downstairs, please take this letter along.

[12] BRUNO: Glad to.

(Rudi's letter to Anna)

Heidelberg
August 3

Dear Anna:

For us, Dinkelsbühl was a wonderful, unforgettable experience.   It is just the way I had imagined the Middle Ages to be: cobblestone streets, thick walls, and tall watchtowers.   We spent the night in a

272

youth hostel, in which we had an opportunity to get to know many young people from other countries.

Today we traveled through the lovely green Neckar Valley to Heidelberg. On the way there, we saw in a field an old lady whose cows were pulling a plow. I wanted so much to take a picture, but we were afraid it might perhaps offend her.

Heidelberg is really a very romantic city. If you were here, our stay would be much nicer. The day after tomorrow we shall take the Rhine trip to Bonn. Naturally, we are looking forward to it. Afterwards we shall travel by way of Freudenstadt in the Black Forest to Lucerne. If all goes well, I shall phone you as soon as we arrive in Switzerland.

Love,
Rudi

VOCABULARY BUILDING

Fotografieren (Taking Pictures)

Haben Sie
- eine gute Kamera? *die*
- *der* einen neuen Photoapparat?
- *der* einen Film?
- *der* einen Farbfilm?
- *der* einen Schwarz-Weiß-Film?

Ist das
- *das* ein Foto (Photo)
- *das* ein Bild
- *das* ein Farbfoto
- *die* eine Aufnahme[1]
- *die* eine Farbaufnahme

von Ihnen?

Darf ich
- eine Aufnahme von Ihnen machen?
- Sie fotografieren (photographieren)?
- Sie knipsen?[2]

place at rest ist Osten

Reisen (Traveling)

Haben Sie
- *das* alles Gepäck?[3]
- *der* Ihren großen Koffer?[4]
- *der* Ihren Handkoffer?[5]
- *die* Ihre Aktentasche?[6]
- *die* Ihre Brieftasche?[7]
- *die* Ihre Handtasche?[8]
- *der* Ihren Reisepaß?[9]
- *der* den Stadtplan?[10]
- *der* den Reiseplan?[11]
- einen Reiseführer?[12]

Haben Sie
- Ihren Koffer gepackt?
- ihn ausgepackt?[13]

Fahren Sie
- nach Norden?
- nach Süden?
- nach Osten?
- nach Westen?

Mien Hause ist Nordlich
Nordorstlich

Ist Boston
- nördlich
- südlich
- östlich
- westlich

von hier?

Wohin reisen Sie?

Machen Sie schon wieder eine Reise?

Fahren Sie erster oder zweiter Klasse?

[1] picture   [2] snap your picture   [3] all of your luggage   [4] trunk   [5] suitcase
[6] briefcase   [7] pocketbook   [8] lady's purse   [9] passport   [10] city map
[11] itinerary   [12] guidebook, guide   [13] unpacked

Brauchen Sie einen Gepäckträger?[14]

Fahren Sie mit dem Zug?

Wann kommt der Zug an?

Wann fährt der Zug ab?

Ankunft:[15] 17:40 (17 Uhr 40)

Abfahrt:[16] 18:15 (18 Uhr 15)

Wie kommt man zur Autobahn?[17]

DIALOGUE VARIATIONS

A. Ich hätte nie gedacht, daß eine Retina solche scharfen[1] Aufnahmen machen würde.

B. Oh doch, die Retina ist nur eine der vielen guten deutschen Kameras.

A. Machen Sie Farbaufnahmen oder fotografieren Sie schwarz-weiß?

B. In solch herrlicher Landschaft[2] mit so vielen wunderbaren Farbkontrasten finde ich Farbdias[3] am besten.

A. Wo ist Bergmanns Reisebüro?

B. Gegenüber dem Rathaus. Machen Sie eine Reise?

A. Ja, ich habe Urlaub.[4]

B. Wunderbar! Wohin reisen Sie?

A. Wir hatten vor, nach Rom zu fahren, aber wegen der Hitze[5] dort wollen wir nun lieber in die Schweiz, wo es kühler ist.

B. Ach, ich würde die Schweiz auch so gerne besuchen! Wie kommen Sie dorthin, mit dem Autobus?

A. Nein, mit der Bahn.[6]

B. Erster oder zweiter Klasse?

A. Zweiter, natürlich! Es ist viel billiger und ist doch eigentlich sehr bequem.[7]

B. Na, dann gute Reise!

(Am Schalter)[8]

A. Zwei Fahrkarten[9] zweiter Klasse nach Wien,[10] bitte.

B. Hin und zurück?[11]

A. Nur hin, bitte. Wann fährt der Zug nach Wien ab? Im Hotel konnte ich keinen Fahrplan bekommen.

B. Um 17:20.

---

[14] porter [15] arrival [16] departure [17] turnpike

---

[1] clear [2] landscape [3] colored slides [4] vacation, leave [5] heat [6] by rail
[7] comfortable [8] ticket window [9] tickets [10] Vienna [11] round trip

irreg — chg vowel in stem — same end as reg. verb

A. Muß man in Salzburg umsteigen?[12]
B. Nein, dieser Zug fährt über Passau direkt nach Wien.
A. Wie lange hält der Zug in Passau?
B. Nur zehn Minuten. Sie können im Speisewagen[13] Ihr Abendessen bekommen.
A. Danke schön für die Auskunft. Und was kosten diese Karten?
B. Genau 30 Mark. Viel Vergnügen!
   pleasure

CONVERSATIONAL PATTERNS

I. NARRATIVE PAST OF IRREGULAR VERBS

The narrative past of irregular verbs is formed by changing the stem; in addition, the verb has *no* ending in the singular, but it has the usual ending -en in the plural:

sprechen

ich
er   } sprach (*spoke*)   wir
sie   sie } sprachen
es   Sie

The form **ich sprach** may be translated as: *I spoke, I was speaking,* or *I did speak.*

1. Repetition

Damals sprach ich jeden Tag mit Emil.   Sie sprach fließender als er.
Ich sprach ab und zu mit Paula.   Beide sprachen gut Deutsch.

2. Replacement

Wir sprachen über dieses und jenes.

Er _____.   Er sprach über dieses und jenes.
Ich _____ den Reiseplan.   Ich sprach über den Reiseplan.
Sie (*they*) _____.   Sie sprachen über den Reiseplan.
Wer _____ das Farbfoto?   Wer sprach über das Farbfoto?
Wir _____.   Wir sprachen über das Farbfoto.

---

[12] change trains   [13] diner

Verbs n D. object Con n Haben instead of sein (handwritten)

Trans (handwritten)

II. SUMMARY OF COMMONLY USED IRREGULAR VERBS

you welchg id stem o Narr Past (handwritten)

28 · *Tran. n object con n Haben* · *Haben* · *lern ed* · *haben en* (handwritten)

INFINITIVE	PRESENT	NARR. PAST	PRES. PERFECT
halten	hält	hielt	gehalten
lassen	läßt	ließ	gelassen *-leave*
raten *guess, advise*	rät	riet	geraten
schlafen *intrans.*	schläft	schlief	geschlafen
tragen	trägt	trug	getragen
waschen	wäscht	wusch	gewaschen
brechen *Break*	bricht	brach	gebrochen
essen	ißt	aß	gegessen
finden	findet	fand	gefunden
geben	gibt	gab	gegeben
helfen	hilft	half	geholfen
nehmen	nimmt	nahm	genommen
sprechen *intrans.*	spricht	sprach	gesprochen
treffen	trifft	traf	getroffen
werfen	wirft	warf	geworfen
lesen	liest	las	gelesen
sehen	sieht	sah	gesehen
bitten *request*	bittet	bat	gebeten
singen	singt	sang	gesungen
trinken	trinkt	trank	getrunken
liegen *intransitive*	liegt	lag	gelegen
schließen *close*	schließt	schloß	geschlossen
sitzen *intransitive*	sitzt	saß	gesessen
schreiben	schreibt	schrieb	geschrieben
heißen	heißt	hieß	geheißen
rufen *shout*	ruft	rief	gerufen
stehen *intran.*	steht	stand	gestanden
tun	tut	tat	getan

(bracket annotations: er { … } er { … } er hat { … })

legen - reg verb — lay — legte (handwritten)
liegen - irreg — lie — lag (handwritten)

3. Repetition

Damals tat er sein Bestes. *das*
Viele Leute standen vor dem Schalter.
Wir fotografierten das Rathaus.
„Guten Morgen," rief er oft.
Im Sommer schloß er seine Tür selten.
Gab es damals viel Interessantes?

Wir sangen gern Studentenlieder.
Er fand sie hübsch.
Was las er damals? *further*
Er riet mir immer, weiter zu studieren.
Er ließ sich die Haare schneiden (*had his hair cut*).

4. Present > Narrative Past

Während er schläft, lesen wir die Zeitung.

Während er schlief, lasen wir die Zeitung.

Der Lehrer steht immer vor dem Tisch, während er spricht.

Der Lehrer stand immer vor dem Tisch, während er sprach.

Während er auf Reisen ist, schreibt er nicht oft.

Während er auf Reisen war, schrieb er nicht oft.

Während sie sich die Hände wäscht, sieht sie sich im Spiegel an.

Während sie sich die Hände wusch, sah sie sich im Spiegel an.

Während wir zu Mittag essen, sprechen wir über Deutschland.

Während wir zu Mittag aßen, sprachen wir über Deutschland.

5. Present > Past Perfect and Narrative Past

Begin with **sobald.**

Er macht eine Aufnahme von mir.
Er geht nach Hause.

Sobald er eine Aufnahme von mir gemacht hatte, ging er nach Hause.

Er steht auf.
Er wäscht sich die Hände.

Sobald er aufgestanden war, wusch er sich die Hände.

Er wäscht sich die Hände.
Er geht in das Eßzimmer.

Sobald er sich die Hände gewaschen hatte, ging er in das Eßzimmer.

Er kommt herein.
Wir sprechen über den Reiseplan.

Sobald er hereingekommen war, sprachen wir über den Reiseplan.

Er findet seine Kamera.
Er knipst uns.

Sobald er seine Kamera gefunden hatte, knipste er uns.

Mein Koffer kommt.
Ich packe aus.

Sobald mein Koffer gekommen war, packte ich aus.

Wir setzen uns an den Tisch.
Wir essen.

Sobald wir uns an den Tisch gesetzt hatten, aßen wir.

6. Present > Narrative Past

Heute, gewöhnlich

Damals

Er hält sie für schön.

Er hielt sie für schön.

Ich rate ihm, weiter zu studieren.
Er läßt die Tür offen.

Ich riet ihm, weiter zu studieren.
Er ließ die Tür offen.

Er gibt seiner Mutter einen Kuß (*kiss*).

Er gab seiner Mutter einen Kuß.

Er sieht seinem Vater ähnlich (*He looks like his father*).

Er sah seinem Vater ähnlich.

Schaukelstuhl

Sie findet Mathematik schwer.	Sie fand Mathematik schwer.
Sie singt schön.	Sie sang schön.
Die Aktentasche liegt unter dem Stuhl.	Die Aktentasche lag unter dem Stuhl.
Die Großmutter sitzt im Schaukelstuhl (rocking chair).	Die Großmutter saß im Schaukelstuhl.
Wir tun unser Bestes.	Wir taten unser Bestes.
Er bricht sein Wort.	Er brach sein Wort.
Sie bittet um Geld.	Sie bat um Geld.

request

7. Infinitive > Narrative Past

Was machten Sie, während ich auf Sie wartete?

Briefe schreiben	*Ich schrieb Briefe.*
schlafen	Ich schlief.
sitzen und plaudern	Ich saß und plauderte.
eine Tasse Tee trinken	Ich trank eine Tasse Tee.
mit dem Lehrer sprechen	Ich sprach mit dem Lehrer.
den Reiseführer lesen	Ich las den Reiseführer.
ein Butterbrot essen	Ich aß ein Butterbrot.
alte Freunde treffen	Ich traf alte Freunde.
sich die Hände waschen	Ich wusch mir die Hände.
einem Freund bei seinen Hausaufgaben helfen	Ich half einem Freund bei seinen Hausaufgaben.
ein Bad nehmen	Ich nahm ein Bad.
im Park sitzen	Ich saß im Park.
an der Ecke stehen	Ich stand an der Ecke.

III. SUMMARY OF COMMON IRREGULAR *SEIN* VERBS   INTRANSITIVE

INFINITIVE	PRESENT	NARR. PAST	PRES. PERFECT
bleiben	bleibt	blieb	geblieben
fahren – I. haben	fährt	fuhr	gefahren – D.O. haben
fallen	fällt	fiel	gefallen
fliegen flee	fliegt	flog	geflogen
gehen	geht	ging	gegangen
kommen	kommt	kam	gekommen
laufen	läuft	lief	gelaufen
schwimmen	schwimmt	schwamm	geschwommen
sein	ist	war	gewesen
steigen climb	steigt	stieg	gestiegen
sterben	stirbt	starb	gestorben
werden - become	wird	**wurde**	geworden

er { ... } er { ... } er ist { ... }

8. Repetition

Nachdem sie krank geworden war, blieb
  sie oft zu Hause.
Er fuhr gewöhnlich zweiter Klasse.
Er ging immer spät nach Hause.
Er kam selten vor acht Uhr.

Jeden Sonntag ging er spazieren.
Das Kind lief hin und her.
? Als Kind schwamm ich gern.
Als er 19 Jahre alt war, wurde er Soldat.

9. Present > Narrative Past

Heute, gewöhnlich	*Damals*
Er kommt selten vor acht Uhr.	*Er kam selten vor acht Uhr.*

Wenn er krank ist, bleibt er immer zu
  Hause.
Er fährt mit dem Zug.
Ich fliege gern.
Mathematik fällt mir schwer.
Er ist mein bester Freund.
Mein Hund läuft gern.
Viele Leute sterben im Krieg.
Er geht selten in die Kirche.
Er wird leicht zornig. *ANGRY*
Die Preise (*prices*) steigen.

Wenn er krank war, blieb er immer zu
  Hause.
Er fuhr mit dem Zug.
Ich flog gern.
Mathematik fiel mir schwer.
Er war mein bester Freund.
Mein Hund lief gern.
Viele Leute starben im Krieg.
Er ging selten in die Kirche.
Er wurde leicht zornig.
Die Preise stiegen.

IV. SUMMARY OF COMMON IRREGULAR VERBS WITH INSEPARABLE PREFIXES *No. ge*

No ge

INFINITIVE		PRESENT		NARR. PAST		PRES. PERF.
beginnen		beginnt		begann		begonnen
bekommen - *get, receive*		bekommt		bekam		bekommen
besprechen - *discuss*		bespricht		besprach		besprochen
bestehen - *pass - consist of*		besteht		bestand		bestanden
erfahren - *experience*		erfährt		erfuhr		erfahren
gefallen (*dat.*) *please*		gefällt		gefiel		gefallen
vergeben (*forgive, dat.*)	er {	vergibt	er {	vergab	er hat {	vergeben
vergessen		vergißt		vergaß		vergessen
verlassen (*leave*)		verläßt		verließ		verlassen
verlieren (*lose*)		verliert		verlor		verloren
verschlafen *oversleep*		verschläft		verschlief		verschlafen
versprechen (*promise, dat.*)		verspricht		versprach		versprochen
verstehen *understand*		versteht		verstand		verstanden

Sonnen Aufgang
Entschuldigung – *pardon*

Geldnot
in need of money

Mut – *courage*

AUFGABE SIEBZEHN 281

die Person
Personen

10. Repetition

Gewöhnlich verließ er das Haus bei Sonnenaufgang (*sunrise*).

Die Klasse bestand damals aus mehr als zwanzig Studenten.

Wir besprachen den Stadtplan.

Oft befand er sich in Geldnot (*need of money*).

Ich erfuhr es durch einen Freund.

11. Present > Past Perfect and Narrative Past

Begin with **nachdem**.

Er fährt ab.
Sie vergibt ihm.

Nachdem er abgefahren war, vergab sie ihm.

Er verschläft zweimal.
Er bittet um Entschuldigung (*pardon*).

Nachdem er zweimal verschlafen hatte, bat er um Entschuldigung.

Sie tanzt mit ihm.
Er gefällt ihr nicht mehr.

Nachdem sie mit ihm getanzt hatte, gefiel er ihr nicht mehr.

Ich erinnere ihn an die Briefe.
Er vergißt, sie aufzugeben.

Nachdem ich ihn an die Briefe erinnert hatte, vergaß er, sie aufzugeben.

12. Present > Narrative Past

Heute, gewöhnlich

Versteht sie alles, was der Lehrer sagt?
Verläßt er das Haus früh?
Vergißt er immer, die Briefe seiner Frau aufzugeben?
Ich bekomme jede Woche einen Brief.
Seine Familie besteht aus vier Personen.
Er befindet sich immer in Geldnot.
Er verliert nie den Mut (*courage*).
Meine Nachbarn besprechen gern Politik.
Wann beginnen die Kinos?
Er verspricht, mir zu helfen.
Sie verschläft selten.

Damals

Verstand sie alles, was der Lehrer sagte?
Verließ er das Haus früh?
Vergaß er immer, die Briefe seiner Frau aufzugeben?
Ich bekam jede Woche einen Brief.
Seine Familie bestand aus vier Personen.
Er befand sich immer in Geldnot.
Er verlor nie den Mut.
Meine Nachbarn besprachen gern Politik.
Wann begannen die Kinos?
Er versprach, mir zu helfen.
Sie verschlief selten.

voher – Before

V. SUMMARY OF COMMON IRREGULAR VERBS *weak v.*
WITH SEPARABLE PREFIXES

INFINITIVE	PRESENT	NARR. PAST	PRES. PERFECT
abfahren	fährt ... ab	fuhr ... ab	ist abgefahren
anfangen *Begin*	fängt ... an	fing ... an	hat angefangen
ankommen *Arrive*	kommt ... an	kam ... an	ist angekommen
anrufen	ruft ... an	rief ... an	hat angerufen
ansehen	sieht ... an	sah ... an	hat angesehen
aufgeben	gibt ... auf	gab ... auf	hat aufgegeben
aufstehen	steht ... auf	stand ... auf	ist aufgestanden
auskommen	kommt ... aus	kam ... aus	ist ausgekommen
aussehen	sieht ... aus	sah ... aus	hat ausgesehen
einladen *invite* er <	lädt ... ein (*or* ladet ... ein)	er < lud ... ein (*or* ladete ... ein)	er < hat eingeladen
hereinkommen	kommt ... herein	kam ... herein	ist hereingekommen
mitgehen	geht ... mit	ging ... mit	ist mitgegangen
mitkommen	kommt ... mit	kam ... mit	ist mitgekommen
mitnehmen *to stop,*	nimmt ... mit	nahm ... mit	hat mitgenommen
stehenbleiben *remain standing*	bleibt ... stehen	blieb ... stehen	ist stehengeblieben
vorbeikommen	kommt ... vorbei	kam ... vorbei	ist vorbeigekommen
vorziehen *perfer*	zieht ... vor	zog ... vor	hat vorgezogen
zurückkommen	kommt ... zurück	kam ... zurück	ist zurückgekommen

13. Repetition

Da er eine Zeitlang krank gewesen war,
  stand er morgens immer spät auf.
Sein großer Koffer sah sehr alt aus.
Ging er gewöhnlich mit?

Er nahm seine Aktentasche mit.
Als wir noch in derselben Stadt wohnten, kam er oft vorbei.

14. Present > Narrative Past

Heute, gewöhnlich	*Damals*
Fährt er gewöhnlich um acht Uhr ab?	*Fuhr er gewöhnlich um acht Uhr ab?*
Kommt er gewöhnlich um fünf Uhr an?	Kam er gewöhnlich um fünf Uhr an?
Wann stehen Sie gewöhnlich auf?	Wann standen Sie gewöhnlich auf?
Sie kommt immer herein, ohne vorher (*before*) an die Tür zu klopfen.	Sie kam immer herein, ohne vorher an die Tür zu klopfen.

Sie kommen täglich vorbei.

Das Kino fängt um acht Uhr an.

Sie ruft ihre Mutter jede Woche einmal an.

Er sieht mich immer komisch an.

Wann kommt er gewöhnlich von der Arbeit zurück?

Gewöhnlich gibt er seine Pakete auf der Hauptpost (*main post office*) auf.

Er kommt mit seinem Geld nie aus.

Sie sieht krank aus.

Samstags laden wir immer Freunde ein.

Geht Ihre Mutter immer mit?

Kommt Rolf gewöhnlich mit?

Nehmen Sie gewöhnlich eine Kamera mit?

Wo bleiben Sie gewöhnlich stehen?

Wen ziehen Sie vor, Bach oder Beethoven?

Sie kamen täglich vorbei.

Das Kino fing um acht Uhr an.

Sie rief ihre Mutter jede Woche einmal an.

Er sah mich immer komisch an.

Wann kam er gewöhnlich von der Arbeit zurück?

Gewöhnlich gab er seine Pakete auf der Hauptpost auf.

Er kam mit seinem Geld nie aus.

Sie sah krank aus.

Samstags luden wir immer Freunde ein.

Ging Ihre Mutter immer mit?

Kam Rolf gewöhnlich mit?

Nahmen Sie gewöhnlich eine Kamera mit?

Wo blieben Sie gewöhnlich stehen?

Wen zogen Sie vor, Bach oder Beethoven?

VI. SUMMARY OF COMMON SEMI-IRREGULAR VERBS

INFINITIVE		PRESENT		NARR. PAST.		PRES. PERFECT
brennen		brennt		brannte		gebrannt
bringen		bringt		brachte		gebracht
verbringen *spend*		verbringt		verbrachte		verbracht
denken	er	denkt	er	dachte	er hat	gedacht
kennen		kennt		kannte		gekannt
erkennen *recognize*		erkennt		erkannte		erkannt
nennen (*name, call*)		nennt		nannte		genannt
wissen		weiß		wußte		gewußt

15. Repetition

Das Haus brannte schon, als wir ankamen.

Damals brachte er mir oft Obst aus seinem Garten.

Damals verbrachten wir oft einen schönen Abend in seinem Haus.

Damals dachte ich oft an den Krieg (*war*).

Ich kannte viele Studenten im Seminar.

Ich wußte damals eigentlich nicht viel.

Er nannte mich damals seinen Freund.

Sie erkannte ihn nicht.

beweisen - prove

Auswendig - By heart

Heimat - hometown

Fremd - foreign

16. Present > Narrative Past

Heute, gewöhnlich	*Damals*
Sie kennt mich nicht mehr.	*Sie kannte mich nicht mehr.*
Er bringt uns jeden Morgen eine Zeitung.	Er brachte uns jeden Morgen eine Zeitung.
Der Lehrer weiß mehr als (*than*) wir.	Der Lehrer wußte mehr als wir.
Ich denke an meine Heimat (*hometown*).	Ich dachte an meine Heimat.
Er nennt mich seinen Freund.	Er nannte mich seinen Freund.
Wo brennt es?	Wo brannte es?

VII. NARRATIVE PAST OF MODAL VERBS

INFINITIVE		PRESENT		NARR. PAST.
dürfen		darf		durfte
können		kann		konnte
mögen		mag		mochte
müssen	er	muß	er	mußte
sollen		soll		sollte
wollen		will		wollte

Plural forms and the **Sie** form add **-n** in the narrative past: **wir durften, Sie konnten,** etc.

17. Repetition

foreign

Wollte er damals eine Fremdsprache lernen?

Durften Sie Deutsch lernen?

Konnten Sie viel verstehen?

Mußten Sie jeden Tag üben?

Sollten Sie viel auswendig (*by heart*) lernen?

Mochten Sie den Lehrer?

18. Present > Narrative Past

Ich will ihn kennenlernen.	*Ich wollte ihn kennenlernen.*
Er darf mitkommen.	Er durfte mitkommen.
Sie kann das nicht verstehen.	Sie konnte das nicht verstehen.
Ich muß es tun.	Ich mußte es tun.
Können Sie das beweisen? *prove*	Konnten Sie das beweisen? *why no umleat*
Wollen Sie arbeiten?	Wollten Sie arbeiten?
Sie muß gehen.	Sie mußte gehen.

Nicht leiden — *can't understand him*
Aufsatz — composition
Auf — on, AT TO (upon)

Klara und Trudi wollen ins Theater gehen.

Ich kann ihn nicht leiden (*I can't stand him*).

Klara und Trudi wollten ins Theater gehen.

Ich konnte ihn nicht leiden.

At that time — Damals
For a time — Eine Zeitlang

REVIEW

English-German Patterns

He seldom looked at her.	Er sah sie selten an.
She called her mother every week.	Sie rief ihre Mutter jede Woche an.
The child always went along.	Das Kind ging immer mit.
He always took along a camera.	Er nahm immer eine Kamera mit.
He always arrived at eight o'clock.	Er kam immer um acht Uhr an.
He always got up early.	Er stand immer früh auf.
He wanted to pack his trunk.	Er wollte seinen großen Koffer packen.
I was permitted to snap his picture.	Ich durfte ihn knipsen.
I had to travel by train.	Ich mußte mit dem Zug fahren.
She didn't like him. *gefällt*	Sie mochte ihn nicht.
He couldn't come.	Er konnte nicht kommen.
At that time I knew the whole family.	Damals kannte ich die ganze Familie.
Did you know that already?	Wußten Sie das schon?
He was thinking about his suitcase.	Er dachte an seinen Handkoffer.
Every evening he brought us a news-paper.	Jeden Abend brachte er uns eine Zeitung.
They named the street Beethoven Street.	Sie nannten die Straße Beethovenstraße.
Whenever he was sick, he stayed home.	Wenn er krank war, blieb er zu Hause.
When I came into the room, he was reading.	Als ich ins Zimmer kam, las er.
He wrote letters while I was waiting for him.	Er schrieb Briefe, während ich auf ihn wartete.
I waited while he was writing his composition.	Ich wartete, während er seinen Aufsatz schrieb.
While I was working, they went swimming.	Während ich arbeitete, gingen sie schwimmen.
While he was in the hospital, we wrote to him regularly.	Während er im Krankenhaus war, schrieben wir ihm regelmäßig.
Although he had promised it, he didn't keep his word.	Obwohl (obgleich) er es versprochen hatte, hielt er sein Wort nicht. *promised*
As soon as they had seated themselves at the table, they began to eat.	Sobald sie sich an den Tisch gesetzt hatten, fingen sie an zu essen. ?
After he had failed, he never cut classes any more.	Nachdem er durchgefallen war, schwänzte er nie mehr. *mal ?*

gutausse hende_ hansome

General Questions

spend

1. Möchten Sie ein Wochenende (*weekend*) in Heidelberg verbringen?   2. Haben Sie je mit einem Freund (einer Freundin) Brüderschaft getrunken?   3. Haben Sie heute Post (*mail*) bekommen?   4. Darf ich Sie knipsen?   5. Haben Sie zweitausend Mark in Ihrer Brieftasche?   6. Ist die Stadt Denver nördlich von hier? 7. Wo kann man einen Stadtplan bekommen?   8. Haben Sie einen Reisepaß? 9. Was nehmen Sie mit, wenn Sie reisen?   10. Glauben Sie, daß wir morgen schönes Wetter haben?

Directed Questions

1. Fragen Sie Fräulein ——, ob sie eine gute deutsche Kamera kennt!
2. Fragen Sie Herrn ——, wann der nächste Zug ankommt!
3. Fragen Sie Fräulein ——, wo das nächste Reisebüro ist!
4. Fragen Sie Fräulein ——, ob sie für gutaussehende (*handsome*) junge Männer schwärmt!
5. Fragen Sie Fräulein ——, ob sie Angst hat, wenn sie allein reist.   *Alone*
6. Fragen Sie Fräulein ——, ob sie je eine Nacht in einer Jugendherberge verbracht hat!
7. Fragen Sie Herrn ——, ob er gewöhnlich erster oder zweiter Klasse fährt!

VERB SUMMARY

INFINITIVE	PRESENT	NARR. PAST.	PRES. PERFECT
auspacken (*unpack*)	packt . . . aus	packte . . . aus	hat ausgepackt
beleidigen (*offend*)	beleidigt	beleidigte	hat beleidigt
duzen (*use the familiar du*)	duzt	duzte	hat geduzt
erkennen (*recognize*)	erkennt	erkannte	hat erkannt
fotografieren (*photograph*)	fotografiert	fotografierte	hat fotografiert
knipsen (*snap a picture*)	knipst	knipste	hat geknipst
küssen (*kiss*)	küßt	küßte	hat geküßt
packen (*pack*)	packt	packté	hat gepackt
scherzen (*joke*)	scherzt	scherzte	hat gescherzt
schneiden (*cut*)	schneidet	schnitt	hat geschnitten
schwärmen (*rave, be enthusiastic*)	schwärmt	schwärmte	hat geschwärmt
spotten (*make fun of*)	spottet	spottete	hat gespottet
umsteigen (*change cars, trains, etc.*)	steigt . . .um	stieg . . . um	ist umgestiegen
vergeben (*forgive*)	vergibt	vergab	hat vergeben
verlassen (*leave, forsake*)	verläßt	verließ	hat verlassen
versprechen (*promise, dat. of person*)	verspricht	versprach	hat versprochen
ziehen (*pull, draw*)	zieht	zog	hat gezogen

A

MITTELALTERLICHES DEUTSCHLAND

Es ist leicht zu verstehen, warum es in einem deutschen Studentenlied lautet: „Ich hab' mein Herz in Heidelberg verloren",[1] denn diese alte Universitätsstadt ist schön gelegen[2] zwischen dem Neckar und der alten Schloßruine[3] (A), die heute die Hauptsehenswürdigkeit[4] der Stadt ist. Im Mittelalter wurde das Stadttor nachts geschlossen.[5] Jetzt ist es nur noch ein Denkmal[6] vergangener Jahrhunderte.[7] Die Universität Heidelberg (1386 gegründet)[8] ist die älteste im heutigen Deutschland und eine der berühmtesten in ganz Europa.

[1] lost [2] situated [3] castle ruin [4] main attraction
[5] (*wurde . . . nachts geschlossen*) was closed at night [6] monument
[7] of past centuries [8] founded

D

Das süddeutsche Städtchen Dinkelsbühl (B) ist eine Museumsstadt; das heißt, alles ist, wie es im Mittelalter war, und niemand darf ohne die Erlaubnis[9] der Regierung[10] ein neues Haus bauen oder ein altes renovieren. Da die Stadt immer noch einen Graben, eine Stadtmauer und Wachttürme hat, kommen viele Leute aus allen Teilen Europas hierher, um eine echte[11] mittelalterliche Stadt zu sehen. Das alte Stadttor, die Mauer und zwei Wachttürme sind auf diesem Bild zu sehen.

Im Mittelalter kamen alle Leute zum Stadtbrunnen, um Wasser zu holen (C). Die meisten Häuser und Höfe haben heute fließendes[12] Wasser; man hat Blumen auf den alten Brunnen[13] gepflanzt. Hinter dem Brunnen sehen wir einen Bauern mit seinem Ochsengespann[14] auf dem Weg nach Hause. Wahrscheinlich ist er eben durch das Stadttor gefahren.

Rothenburg (D) ist eine mittelalterliche Stadt, die nicht weit von Dinkelsbühl liegt. Auch hier ist alles, wie es im Mittelalter war: Graben, Stadtmauer, Wachttürme und schöne alte Fachwerkhäuser.[15] Obwohl jeden Sommer viele Touristen Dinkelsbühl und Rothenburg besuchen, stören sie das Leben der Bauern nicht. Jeden Tag fahren die Bauern durch die Stadttore auf ihre Felder außerhalb der Stadt.

[9] permission [10] of the government [11] genuine [12] running
[13] well, fountain [14] team of oxen [15] half-timbered houses

E

Auch heute noch wohnt eine Familie in diesem alten Turmhaus (E), denn Blumen wachsen vor den Fenstern. In Kriegszeiten[16] mußten Bürger[17] der Stadt Tag und Nacht auf diesen hohen Türmen Wache stehen.[18]

[16] times of war   [17] citizens   [18] stand guard

AUFGABE ACHTZEHN

AM ROMANTISCHEN RHEIN

idiom – singular

most of the
Die meisten Leute finden eine Nacht in Rüdesheim am Rhein ein ein-
maliges Erlebnis. Jung und alt singt und tanzt bis drei oder vier Uhr
morgens in diesem bekannten Weinort. Aus diesem Grunde ist es
schwer, Nachtruhe zu finden.

[1] BRUNO: Ach, ich bin heute müde! Mir ist, als ob wir die ganze
Nacht getanzt hätten.

[2] RUDI: Nicht die ganze Nacht, wir sind schon um zwei Uhr ins Bett
gegangen.

[3] BRUNO: Es wäre schön, wenn wir noch eine Nacht hier am Rhein
verbringen könnten.

[4] RUDI: Ja, wenn wir nur mehr Zeit hätten! Wann fährt unser
Dampfer an der Lorelei vorbei? Ich möchte auf jeden Fall
diese blonde Sirene kennenlernen.

[5] BRUNO: Wenn das Schiff nicht fünf Minuten Verspätung hätte,
wären wir schon da. [Scherzend] Aber bitte, kein Rendezvous
mit dieser Blondine!

[6] RUDI: Warum nicht? Hätten wir mehr Zeit, so würde ich den
Felsen besteigen, dann könnten die Lorelei und ich ein schönes
Duett singen.

[7] BRUNO: Du bist ganz verrückt!

[8] RUDI: Wie wäre es, wenn wir etwas zu essen bestellten? Ich sterbe
vor Hunger.

[9] BRUNO: Schon wieder? [Neckend] Du bist doch schon gestern
gestorben!

[10] RUDI: Herr Ober, einmal Fisch mit Tomatensalat, bitte.

[11] OBER: Leider haben wir keine warmen Mahlzeiten mehr.

[12] RUDI: Könnten wir vielleicht zweimal Torte mit Schlagsahne bestellen?

[13] OBER: Jawohl! Das kann ich sofort bringen.

otherwise

[14] RUDI: Bruno, man fängt an, „die Lorelei" zu singen! Schnell, sonst
werden wir den Loreleifelsen nicht sehen können!

291

LESSON 18

ON THE ROMANTIC RHINE

Most people find a night in Rüdesheim on the Rhine a unique experience. Young and old sing and dance until three or four o'clock in the morning in this well-known wine town. For this reason, it is hard to get a good night's rest.

¹ BRUNO: Gee, I'm tired today. It seems to me as though we had danced all night.

² RUDI: Not the whole night; we got to bed at two o'clock.

³ BRUNO: It would be nice if we could spend another night here on the Rhine.

⁴ RUDI: Yes, if we only had more time! When does our steamer pass by the Lorelei? I would definitely like to get to know this blond siren.

⁵ BRUNO: If the ship were not five minutes late, we would already be there. [Jokingly] But please, no date with this blond!

⁶ RUDI: Why not? If we had more time, I would climb the rock (cliff); then Lorelei and I could sing a beautiful duet.

⁷ BRUNO: You're completely mad!

⁸ RUDI: How would it be if we ordered something to eat? I'm dying of hunger.

⁹ BRUNO: Again? [Teasingly] You just died yesterday.

¹⁰ RUDI: Waiter, a serving of fish with tomato salad, please.

¹¹ WAITER: Unfortunately, we don't have any more warm meals.

¹² RUDI: Could we, perhaps, order two pieces of cake with whipped cream?

¹³ WAITER: Yes indeed! I can bring that right away.

¹⁴ RUDI: Bruno, they are beginning to sing "The Lorelei"! Hurry, or we won't be able to see the Lorelei Rock!

VOCABULARY BUILDING

Feste (Festivals)

Die drei größten kirchlichen Feste sind Weihnachten,[1] Ostern[2] und Pfingsten.[3]

Zu[4] Weihnachten sprechen wir vom
- Weihnachtsabend.
- Weihnachtstag.
- Heiligen[5] Abend.
- Weihnachtsbaum.
- Tannenbaum.[6]

Der Weihnachtsmann
(oder)
Das Christkind
}
bringt den Kindern Weihnachtsgeschenke.[7]

Zu Weihnachten hört man immer wieder:[8]

Fröhliche Weihnachten![9]
(oder)
Frohe Weihnacht!

Nicht viel später feiert man Sylvesterabend[10] und Neujahr. Dann ruft man seinen Freunden, Bekannten und Verwandten[11] zu:

Viel Glück zum Neuen Jahr!
(oder)
Alles Gute im Neuen Jahr!
(oder)
Ein gutes Neues Jahr!

DIALOGUE VARIATIONS

A. Wohin reisen Sie heute?

B. Wir fahren mit dem Rheindampfer von Bingen nach Bonn.

A. Gibt's auf der Rheinfahrt viel zu sehen?

B. O ja! Auf beinahe jedem Berg kann man alte Burgen aus dem Mittelalter sehen.

A. Wer wohnt heute darin?

B. Einige sind nur Ruinen, andere benutzt[1] man als Jugendherbergen und Museen.[2]

A. Wie romantisch! Vielleicht können wir in einer mittelalterlichen Burg übernachten.

B. Wunderbar! Ich freue mich schon darauf.

---

[1] Christmas [2] Easter [3] Pentecost [4] at [5] holy [6] fir tree, Christmas tree
[7] Christmas presents [8] again and again [9] Merry Christmas
[10] New Year's Eve [11] relatives

---

[1] uses [2] museums

A. Haben Sie Heimweh?[3]

B. Ja, wenn ich an Weihnachten denke, habe ich immer Heimweh nach Deutschland.

A. Wann kehren Sie nach Deutschland zurück?

B. Sobald ich genug Geld gespart[4] habe.

A. Warum fahren wir nicht im nächsten Sommer mit einer Studentengruppe
dorthin? Eine Studienreise[5] kostet wirklich sehr wenig.

B. So? Das klingt ganz interessant. Vielleicht kann ich das machen.

A. Wozu[6] brauchen die Deutschen eigentlich zwei Tage Pfingsten?

B. Am ersten Tag gehen sie in die Kirche.

A. Und was machen sie am zweiten Tag?

B. Sie erholen sich[7] von der Arbeit und ruhen sich aus.[8]

A. Hm! Wie machen Sie denn das?

B. Ganz einfach. Sie wandern[9] mit der Familie und freuen sich am Sonnenschein.

A. Sie meinen wirklich „wandern", zu Fuß gehen?

B. Warum nicht? Wenn sie wandern, dann sehen sie mehr von den Schönheiten
der Natur.[10]

A. Ja, das mag schon stimmen.[11]

CONVERSATIONAL PATTERNS

I. IMAGINATIVE SUBJUNCTIVE OF
REGULAR VERBS—PRESENT TIME

The indicative mood expresses a factual statement; the imperative, a
command or request; and the subjunctive, uncertainty, doubt, and imagina-
tion.

INDICATIVE: Er macht eine Reise.

IMPERATIVE: Machen Sie eine Reise!

SUBJUNCTIVE: Wenn er Zeit hätte, würde er eine Reise machen.

In both English and German, a *real condition* leaves open the possibility
of fulfillment:

Wenn er Zeit **hat, wird** er eine Reise machen.
If he *has* time, he *will take* a trip.

Perhaps he has time. If he does, he will take a trip. This is a real condition.

The subjunctive is used, however, when an *unreal* condition or completely
imaginative statement is expressed:

Wenn er Zeit **hätte, würde** er eine Reise **machen.**
If he *had* time, he *would take* a trip.

---

[3] Are you homesick?   [4] saved   [5] study tour   [6] why   [7] relax
[8] rest up   [9] go hiking   [10] beauties of nature   [11] may be right

This is not a real condition, because he does *not* have time. Such unreal or contrary-to-fact conditions imply that the condition is not being fulfilled and is not likely to be fulfilled; in other words, it is a completely imaginative situation.

Both English and German use the <u>narrative past tense</u> form of regular verbs to form the *imaginative subjunctive of present time:*[1]

ich / er / sie / es	{	fragte glaubte **hätte**[2] legte — *? lay, place* liebte spielte *Present always*	wir / sie / Sie	{	fragten glaubten **hätten**[2] legten liebten spielten

With regular verbs, **würde** plus infinitive is generally used in a <u>result</u> clause. This construction with **würde** (*would*) is often called the *conditional*.

> Wenn ich viel Geld **hätte, würde** ich mir ein neues Auto **kaufen.**
> If I *had* a lot of money, I *would buy* myself a new car.

Result clause — würde + infinitive

1. Repetition

Wenn er mich **fragte, würde** ich ihm **antworten.** — If he *asked* me, I *would answer* him.

Wenn er in der Klasse **aufpaßte, würde** er etwas **lernen.** — If he *paid* attention in class, he *would learn* something.

Wenn er fleißig **arbeitete, würde** er es **lernen.** — If he *worked* hard, he *would learn* it.

(werden   wird   würde   ist geworden)
(sein   ist   war   ist gewesen)

Fact   Suppisitim
2. Indicative > Subjunctive

Change from real condition to unreal condition.

have
If I had time, I will want

Wenn ich Zeit habe, werde ich Sie begleiten. — *Wenn ich Zeit hätte, würde ich Sie begleiten.*

er

Wenn er genug Geld hat, wird er die Universität besuchen. — Wenn er genug Geld hätte, würde er die Universität besuchen.

ich

Wenn sie mich besuchen, werde ich mich freuen. — Wenn sie mich besuchten, würde ich mich freuen.

Wenn sie sich besser fühlt, wird sie uns besuchen. — Wenn sie sich besser fühlte, würde sie uns besuchen.

Wenn er noch in Bremen wohnt, werden wir ihn besuchen. — Wenn er noch in Bremen wohnte, würden wir ihn besuchen.

---

[1] Although the subjunctive forms of regular verbs are the same as the narrative past forms, the situation refers to the present—hence the term *subjunctive of present time.*

[2] The use of **hätte(n)** rather than **hatte(n)** is an exception to the rule; but, as mentioned before, **haben** is sometimes considered a semi-irregular verb.

[handwritten at top: heiraten - marry / stören - disturb / Tennisschläger - tennis racket]

Wenn sie ihn liebt, wird sie ihn heiraten (*marry*).

Wenn sie ihn liebte, würde sie ihn heiraten.

Wenn er das glaubt, wird er alles glauben.

Wenn er das glaubte, würde er alles glauben.

Wenn er mehr arbeitet, wird er mehr lernen.

Wenn er mehr arbeitete, würde er mehr lernen.

Wenn ich Zeit habe, werde ich den Kindern eine Geschichte erzählen.

Wenn ich Zeit hätte, würde ich den Kindern eine Geschichte erzählen.

Wenn wir das Baby stören, wird es aufwachen.

Wenn wir das Baby störten, würde es aufwachen.

II. WORD ORDER VARIATIONS IN THE SUBJUNCTIVE

[handwritten: WENN omitted - inverted word order + so or dann]

Occasionally **wenn** is omitted when expressing an unreal condition. In such cases, inverted word order must be used. When **wenn** is omitted, **so** or **dann** is frequently used to introduce the following clause:

Hätte er genug Geld, so **würde** er sich einen neuen Anzug **kaufen.**
Had he enough money, (as a result) he *would buy* himself a new suit.

A sentence may also begin with the result clause:

Er **würde** sich einen neuen Anzug **kaufen,** wenn er genug Geld **hätte.**

[handwritten in left margin: or dann]

3. Repetition

Hätte er Zeit, so würde er mich besuchen.

Er würde einen Brief diktieren, wenn er Zeit hätte.

Hätte er Geld, so würde er mir etwas kaufen.

Er würde es nicht glauben, wenn wir es ihm sagten.

Hätten wir Tennisschläger (*tennis rackets*), so würden wir Tennis spielen.

Sie würde sich nicht so oft erkälten, wenn sie die Fenster zumachte.

4. Word Order

Omit wenn.

Wenn ich Geld hätte, würde ich ein Rad kaufen.

Hätte ich Geld, so würde ich ein Rad kaufen.

Wenn ich Zeit hätte, würde ich mich rasieren.

Hätte ich Zeit, so würde ich mich rasieren.

Wenn ich Zeit und Geld hätte, würde ich nach Deutschland reisen.

Hätte ich Zeit und Geld, so würde ich nach Deutschland reisen.

Wenn wir einen Wagen hätten, würden wir nicht mehr warten.

Hätten wir einen Wagen, so würden wir nicht mehr warten.

Begin with result clause.

Wenn ich mehr Zeit hätte, würde ich Ihre Frage beantworten.

Ich würde Ihre Frage beantworten, wenn ich mehr Zeit hätte.

Wenn er Geld hätte, würde er Medizin studieren. study

Er würde Medizin studieren, wenn er Geld hätte.

Wenn er sie besuchte, würde sie sich freuen.

Sie würde sich freuen, wenn er sie besuchte.

Wenn ich Geld brauchte, würde ich meinen Eltern telefonieren.

Ich würde meinen Eltern telefonieren, wenn ich Geld brauchte.

III. SUBJUNCTIVE OF WISH

In expressing a wish that is not likely to be fulfilled, the result clause of an unreal condition is omitted:

Wenn ich nur ein neues Auto hätte!
If I only *had* a new car!

Sometimes **wenn** is omitted, in which case the conjugated verb begins the sentence:

Hätte ich nur ein neues Auto!

5. Repetition

Wenn ich nur Geld hätte!	Wenn er in der Klasse nur aufpaßte!
Wenn ich nur Zeit hätte!	Wenn er nur nicht schwänzte!
Wenn sie mir nur glaubte!	Hätte sie nur eine hübsche Schwester!

6. Statement > Wish

Er glaubt mir nicht.

Wenn er mir nur glaubte!

Sie interessiert sich nicht für Sport.
Sie macht ihre Hausarbeit nicht.
Er arbeitet nicht fleißig.
Er paßt nicht auf.
Er tanzt nicht gut.

Wenn sie sich nur für Sport interessierte!
Wenn sie nur ihre Hausarbeit machte!
Wenn er nur fleißig arbeitete!
Wenn er nur aufpaßte!
Wenn er nur gut tanzte!

Ich habe kein Geld.

Hätte ich nur Geld!

Ich habe keine Zeit.
Ich habe keine Schreibmaschine.
Er hat keinen Wagen.
Sie hat kein Wörterbuch (*dictionary*).

Hätte ich nur Zeit!
Hätte ich nur eine Schreibmaschine!
Hätte er nur einen Wagen!
Hätte sie nur ein Wörterbuch!

bedauren - regret
leisten - accomplish
geleistet
würden - would - future

IV. IMAGINATIVE SUBJUNCTIVE OF REGULAR VERBS—PAST TIME

The imaginative subjunctive of past time is generally formed by using:

hätte(n) + past participle

Verbs that take the auxiliary **sein,** however, have:

wäre(n) + past participle

haben

Wenn er fleißiger **gearbeitet hätte, hätte** er mehr **gelernt.**
If he *had worked* more diligently, he *would have learned* more.

sein

Wenn er nach Deutschland **gereist wäre, hätte er** sich einen Volkswagen **gekauft.**
If he *had traveled* to Germany, he *would have bought* himself a Volkswagen.

Although it is possible to use a form of **würde** in the result clause, this form is rather long and unpopular in conversational German:

Wenn er fleißig **gearbeitet hätte, würde** er es **gelernt haben.**
If he *had worked* diligently, he *would have learned* it.

7. Repetition

Sa

Wenn sie das Fenster zugemacht hätte, hätte sie sich nicht erkältet. *past past*

Wenn er Geld gehabt hätte, hätte er eine Reise gemacht.

Wenn ich nur fleißiger gearbeitet hätte! *?, hard harder*

Hätte er aufgepaßt, so hätte er etwas gelernt.

Wäre er gestern dahin gereist, so hätten sie ihn vom Bahnhof abgeholt.

Hätten wir nur fleißiger gearbeitet!

8. Present Time > Past Time

C.F.   *If he had*
                              SUB.

Wenn er Geld hätte, würde er eine Reise machen.

Wenn Sie Elsa besuchten, würden Sie ihren Vater kennenlernen. *would Become*

Wenn Sie fleißiger arbeiteten, würden Sie mehr **leisten** (*accomplish*).

Wenn Sie nicht schwänzten, würden Sie mehr lernen.

Wenn er nicht rauchte, würde sich seine Frau freuen.

Wenn Sie dieses Buch kauften, würden Sie es nie **bedauern** (*regret*).

Die Bauern (*farmers*) würden sich freuen, wenn es regnete.

Ich würde nicht antworten, wenn er mich fragte.

Wenn er Geld gehabt hätte, hätte er eine Reise gemacht.

Wenn Sie Elsa besucht hätten, hätten Sie ihren Vater kennengelernt.

Wenn Sie fleißiger gearbeitet hätten, hätten Sie mehr geleistet.

Wenn Sie nicht geschwänzt hätten, hätten Sie mehr gelernt.

Wenn er nicht geraucht hätte, hätte sich seine Frau gefreut.

Wenn Sie dieses Buch gekauft hätten, hätten Sie es nie bedauert.

Die Bauern hätten sich gefreut, wenn es geregnet hätte.

Ich hätte nicht geantwortet, wenn er mich gefragt hätte.

Past Part -   *ring rang rung*   *Past Part.*   *I would not have answered,*
Past had + ed   *if he had asked me, or*
                                                                          if he would have asked me

Present = e + " news Past. en (vowel chg)

V. IMAGINATIVE SUBJUNCTIVE OF
IRREGULAR VERBS—PRESENT AND PAST TIME

The subjunctive of present time for irregular verbs is formed by adding
an umlaut, if possible, to the narrative past form and by adding the ending
-e in the singular and -en in the plural (verb summaries in Lesson 17):

ich / er / sie / es		wir / sie / Sie	
	äße (essen)		äßen
	bliebe (bleiben)		blieben
	fände (finden)		fänden
	ginge (gehen)		gingen
	käme (kommen)		kämen
	sähe (sehen)		sähen
	schliefe (schlafen)		schliefen
	schriebe (schreiben)		schrieben
	spräche (sprechen)		sprächen
	täte (tun)		täten
	tränke (trinken)		tränken
	wäre (sein)		wären

Wenn er heute hier **wäre, würde** er es **tun.**
If he *were* here today, he *would do* it.

In written German and in formal spoken German, the subjunctive form of
the irregular verb is often used in the result clause:

Wenn er heute hier wäre, **tä**te er es.

The forms **hätte** and **wäre** are also used much more frequently than **würde**
. . . **haben** and **würde . . . sein:**

Past = hätte(n) or wäre(n) aux. + Past Part.

Wenn heute Sonntag **wäre, hätte** ich keine Vorlesungen.
Wenn er jetzt **käme, wäre** ich glücklich.

The imaginative subjunctive of past time is formed just as it is for regular
verbs: **hätte(n)** or **wäre(n)** plus past participle:

Wenn er hier **gewesen wäre,**
hätte er es getan.
(*or*)
würde er es getan haben.

If he *had been* here, he *would have done* it.

As mentioned in Part IV, the **würde** form for past time is long and is used
rather infrequently in conversational German.

9. Repetition

Wenn er sein Bestes täte, würden wir ihm helfen.

Wenn er sein Bestes getan hätte, hätten wir ihm geholfen.

Ich würde das auf keinen Fall schreiben.

Ich hätte das auf keinen Fall geschrieben.

Wenn er jetzt käme, wäre ich zu schläfrig, mit ihm zu sprechen.

Wenn er gestern gekommen wäre, wäre ich zu schläfrig gewesen, mit ihm zu sprechen.

Wenn er nur zurückkäme!

Wenn er nur zurückgekommen wäre!

Wäre ich nur nicht so schläfrig!

Wäre ich nur nicht so schläfrig gewesen!

10. Present Time > Past Time

Wenn er nicht so viel äße, würde er nicht so dick werden.

Er wäre besser informiert, wenn er die Zeitung läse.

Wenn er mir schriebe, würde ich mich freuen.

Wenn er früher zu Bett ginge, wäre er nicht so müde.

Er würde sich besser fühlen, wenn er mehr schliefe.

Wenn er lauter spräche, würden wir ihn besser verstehen.

Wenn er nicht so viel gegessen hätte, wäre er nicht so dick geworden.

Er wäre besser informiert gewesen, wenn er die Zeitung gelesen hätte.

Wenn er mir geschrieben hätte, hätte ich mich gefreut.

Wenn er früher zu Bett gegangen wäre, wäre er nicht so müde gewesen.

Er hätte sich besser gefühlt, wenn er mehr geschlafen hätte.

Wenn er lauter gesprochen hätte, hätten wir ihn besser verstanden.

11. Past Time > Present Time

Wenn es nicht geregnet hätte, wäre ich aufs Land (to the country) *gefahren.*

Wenn das Wetter warm gewesen wäre, wären wir schwimmen gegangen.

Wenn er diesen Zug genommen hätte, wäre er schneller nach Hamburg gekommen.

Wenn Sie länger geschlafen hätten, wären Sie nicht so müde gewesen.

Hätte er Ferien gehabt, so wären wir fischen gegangen.

Wäre er vorbeigekommen, so hätte ich ihn zum Abendessen eingeladen.

Wenn Sie mitgegangen wären, hätten Sie meinen Freund kennengelernt.

Wenn ich an Ihrer Stelle (*in your place*) gewesen wäre, hätte ich es getan.

Wenn es nicht regnete, würde ich aufs Land fahren.

Wenn das Wetter warm wäre, würden wir schwimmen gehen.

Wenn er diesen Zug nähme, würde er schneller nach Hamburg kommen.

Wenn Sie länger schliefen, wären Sie nicht so müde.

Hätte er Ferien, so würden wir fischen gehen.

Käme er vorbei, so würde ich ihn zum Abendessen einladen.

Wenn Sie mitgingen, würden Sie meinen Freund kennenlernen.

Wenn ich an Ihrer Stelle wäre, würde ich es tun.

VI. IMAGINATIVE SUBJUNCTIVE OF SEMI-IRREGULAR VERBS—PRESENT AND PAST TIME

The subjunctive of present time for these verbs is formed by umlauting, if possible, the stem vowel of the narrative past verb form:

ich / er / sie / es	brächte (bringen) dächte (denken) verbrächte (verbringen) wüßte (wissen)	wir / sie / Sie	brächten dächten verbrächten wüßten

(handwritten note: Nme, Brennen, kennen, nennen)

Wenn er den Sommer hier **verbrächte**, würden wir ihn gut kennenlernen.
If he *spent* the summer here, we would get to know him well.

The verbs **brennen, kennen,** and **nennen** do not have imaginative subjunctive forms that are commonly used in spoken German. The subjunctive idea is generally expressed with **würde, sollte, wollte, könnte,** etc., plus the infinitive.

(handwritten: Würde, Sollte, Wollte, Könnte + infinitive)

The imaginative subjunctive of the irregular verbs **helfen, stehen, schwimmen, sterben,** and **werfen** is frequently expressed in the same way in spoken German.

(handwritten: helfen, stehen, schwimmen, sterben, werfen)

Wenn ich ihn besser **kennen würde**, würde ich ihn danach fragen.
If I *knew* him better, I would ask him about it.

(handwritten: future form of werden wird würde geworden / sein ist wäre gewesen; To Become, Will future)

12. Repetition

Wenn er mir ein Geschenk brächte, würde ich mich freuen.

Wenn ich nur alles wüßte, was in dem Buch steht!

Würden Sie sich erkälten, wenn Sie eine Nacht im Schnee verbrächten?

Was würden Sie tun, wenn Ihr Haus brennen würde?

Ich würde mich freuen, wenn er mich „Freund" nennen wollte.

Ich dächte, es wäre Zeit zu gehen.

13. Statement > Wish

Ich weiß es nicht.

Wenn ich es nur wüßte!

Er bringt es nie mit.
Er denkt nie daran.
Meine Taschenlampe (*flashlight*) brennt nicht. (*Use* würde.)

Wenn er es nur mitbrächte!
Wenn er nur daran dächte!
Wenn meine Taschenlampe nur brennen würde!

Bitten – request

VII. IMAGINATIVE SUBJUNCTIVE OF MODAL VERBS—PRESENT TIME

The subjunctive of present time for the modal verbs (except **sollen** and **wollen**) is formed by umlauting the stem vowel of the narrative past form:

ich / er / sie / es		wir / sie / Sie	
	dürfte (dürfen)		dürften
	könnte (können)		könnten
	möchte (mögen)		möchten
	müßte (müssen)		müßten
	sollte (sollen)		**sollten**
	wollte (wollen)		**wollten**

Wenn er **möchte, könnte** er die Nacht bei uns **verbringen.**
If he *would like to,* he *could spend* the night with us.

These subjunctive verb forms are more formal and polite than the indicative.

14. Repetition

Wenn Sie Ihr Buch hätten, könnten wir
 jetzt anfangen.
Dürfte ich Sie um ein Stück Kreide
 bitten? request
Wir gehen schwimmen; möchten Sie
 mit?
Könnten Sie mir sagen, wie man schnell
 reich werden könnte?
Was sollte (*should*) ich sagen?
Ich müßte jetzt eigentlich auch gehen.

15. Indicative > Subjunctive

Wenn er Zeit hat, kann er gehen.   *Wenn er Zeit hätte, könnte er gehen.*

Wenn er diesen Zug verpaßt (*misses*), muß er noch zwei Stunden warten.	Wenn er diesen Zug verpaßte, müßte er noch zwei Stunden warten.
Darf ich Ihnen helfen?	Dürfte ich Ihnen helfen?
Jeder Student soll täglich zwei Stunden üben.	Jeder Student sollte täglich zwei Stunden üben.
Kann das wahr sein?	Könnte das wahr sein?
Er kann gehen, wenn er will.	Er könnte gehen, wenn er wollte.
Darf ich mich neben Sie setzen?	Dürfte ich mich neben Sie setzen?

VIII. USE OF THE SUBJUNCTIVE
AFTER *ALS OB* AND *ALS WENN*

Both **als ob** and **als wenn** mean *as if* or *as though* and generally introduce imaginative situations:

> Er sah aus, **als ob** (als wenn) er müde **wäre.**
> He looked *as if* he *were* tired.

> Er tat, **als ob** (als wenn) er mich nicht **gesehen hätte.**
> He acted *as though* he *had* not *seen* me.

It is also permissible to drop the **ob or wenn** and use inverted word order:

> Er sah aus, **als wäre** er müde.
> He looked *as if* he *were* tired.

16. Repetition

Sie sehen aus, als ob Sie hungrig wären.
Er sah aus, als wäre er zornig.
Die Kinder taten, als hätten sie ihre Mutter nicht gehört.

Tun Sie, als wären Sie zu Hause!
Er sieht aus, als wäre er zornig.
Er tat, als wenn er alles wüßte.

17. Infinitive > Subjunctive

Fritz sieht aus, als ob er zornig (sein).

Oskar sah aus, als wenn er müde (sein).
Sie tat, als ob sie ihn (lieben).
Sie tat, als ob sie es gelesen (haben).

Fritz sieht aus, als ob er zornig wäre.

Oskar sah aus, als wenn er müde wäre.
Sie tat, als ob sie ihn liebte.
Sie tat, als ob sie es gelesen hätte.

REVIEW

English-German Patterns

If he asked me, I would answer him.

Wenn er mich fragte, würde ich ihm antworten.

He would learn more if he worked more.

Er würde mehr lernen, wenn er mehr arbeitete.

If I had time, I would go swimming.

Wenn ich Zeit hätte, würde ich schwimmen gehen.

If the book hadn't cost so much, I would have bought it.

Wenn das Buch nicht so viel gekostet hätte, hätte ich es gekauft.

We wouldn't work if he came today.

Wir würden nicht arbeiten, wenn er heute käme.

danach — about it
ganz allein — all alone
acted — tat

If I were you, I wouldn't do it! *(machen)*	Wenn ich Sie wäre, würde ich es nicht machen.
If he went now, I would go along.	Wenn er jetzt ginge, würde ich mitgehen.
If he forgot his book, I would give him mine.	Wenn er sein Buch vergäße, würde ich ihm meines geben.
Had he been older, we would have taken him along.	Wäre er älter gewesen, so hätten wir ihn mitgenommen.
If I were only rich!	Wenn ich nur reich wäre!
If she only loved me!	Wenn sie mich nur liebte!
Had I only stayed home!	Wäre ich nur zu Hause geblieben!
If I had only kept my mouth shut! *(den Mund halten)*	Wenn ich nur den Mund gehalten hätte!
If I had known him well, I would have asked him about it. *(danach)*	Wenn ich ihn gut gekannt hätte, hätte ich ihn danach gefragt.
Even *(selbst)* if I knew it, I wouldn't tell it to you. *(sagen)*	Selbst wenn ich es wüßte, würde ich es Ihnen nicht sagen.
I would be happy if he would call me his friend.	Ich würde mich freuen, wenn er mich seinen Freund nennen würde.
What would you say if I brought you a big red apple?	Was würden Sie sagen, wenn ich Ihnen einen großen roten Apfel brächte?
What would you do if tomorrow were Christmas? *(tun)*	Was würden Sie tun, wenn morgen Weihnachten wäre?
What would we do if there were no Christmas trees *(Weihnachtsbaum)*?	Was würden wir tun, wenn es keine Weihnachtsbäume gäbe?
Would you cry *(weinen)* if you received no Christmas presents?	Würden Sie weinen, wenn Sie keine Weihnachtsgeschenke bekämen?
What would you do if you were all alone *(ganz allein)* on New Year's Eve?	Was würden Sie tun, wenn Sie am Sylvesterabend ganz allein wären?
Could you help me?	Könnten Sie mir helfen?
What should I do?	Was sollte ich tun?
What would you like to do?	Was möchten Sie tun?
You should practice every day.	Sie sollten jeden Tag üben.
He looks as if he were sick. *(als ob)*	Er sieht aus, als ob er krank wäre.
He acted as if he knew everything. (omit *ob*)	Er tat, als wüßte er alles.
He acted as if he had a lot of money. *(als wenn)*	Er tat, als wenn er viel Geld hätte.
He acted as if he had attended the university. *(als wenn)*	Er tat, als wenn er die Universität besucht hätte.

[handwritten annotations at top: a. Würde – Present – result clause / unless said = wäre er müde / Würde takes auf + infin / würde + infin... / Sehnsucht – longing]

General Questions

1. Möchten Sie eine Nacht am Rhein verbringen?   2. Wären Sie müde, wenn Sie die ganze Nacht getanzt hätten?   3. Finden Sie es schwer, ein Duett zu singen, besonders wenn Sie ganz allein sind?   4. Was würden Sie jetzt vorziehen, ein Fischgericht mit Tomatensalat oder eine große Torte mit Schlagsahne?   5. Können Sie drei große kirchliche Feste nennen?   6. Haben Sie einen Weihnachtsbaum in Ihrem Garten?   7. Von wem bekommen Sie Weihnachtsgeschenke?   8. Haben Sie manchmal Heimweh?   9. Wievel Geld haben Sie im letzten Sommer gespart? Tausend Dollar?   10. Haben Sie jeden Sommer wenigstens zwei Wochen Ferien?

[handwritten: at least]

Directed Questions

1. Fragen Sie Herrn ——, ob er zu Weihnachten einen Volkswagen in seinem Strumpf finden möchte!
2. Fragen Sie Fräulein ——, ob sie je Sehnsucht (*longing*) nach alten Freunden hat!
3. Fragen Sie Fräulein ——, wann sie eine Studienreise nach Europa macht!
4. Fragen Sie Herrn ——, ob er je ein Rendezvous mit einer blonden Sirene haben möchte!
5. Fragen Sie Fräulein ——, ob man sich im Kino ausruhen kann!
6. Fragen Sie Herrn ——, wie oft er in die Kirche geht!
7. Fragen Sie Herrn ——, ob er in einer Burgruine wohnt!
8. Fragen Sie Fräulein ——, was für eine Wohnung ihr besser gefallen würde, eine alte, romantische Burg oder ein neues, modernes Haus!

VERB SUMMARY

INFINITIVE		PRESENT		NARR. PAST		PRES. PERFECT
bedauern (*regret*)		bedauert		bedauerte		hat bedauert
benutzen (*use*)		benutzt		benutzte		hat benutzt
besteigen (*climb*)		besteigt		bestieg		hat bestiegen
heiraten (*marry*)	er	heiratet	er	heiratete	er	hat geheiratet
leisten (*accomplish*)		leistet		leistete		hat geleistet
sparen (*save*)		spart		sparte		hat gespart
verpassen (*miss*)		verpaßt		verpaßte		hat verpaßt
wandern (*hike*)		wandert		wanderte		ist gewandert
ausruhen (*rest up*)	er	ruht sich aus	er	ruhte sich aus	er	hat sich ausgeruht
erholen (*recover*)		erholt sich		erholte sich		hat sich erholt

[handwritten at bottom: wenn er hungrig wäre, würde er essen / wenn er hungrig gewesen wäre, hätte er gegessen]

A

DEUTSCHE FESTE

In den deutschsprachigen Ländern feiert man Weihnachten und Ostern ungefähr wie bei uns, denn der Weihnachtsbaum, der Osterhase[1] und das Osterei[2] wurden von deutschen Einwanderern[3] nach Amerika gebracht. Unsere Weihnachtsfeier[4] wäre undenkbar[5] ohne das Lied „Stille Nacht,

[1] Easter rabbit [2] Easter egg [3] immigrants [4] Christmas celebration
[5] inconceivable

B

heilige[6] Nacht", das in Oberndorf in Österreich komponiert wurde. Heute steht dort eine schöne Gedächtniskapelle[7] (A). In Deutschland, Österreich und der Schweiz kommt aber Sankt Nikolaus mit seinen Geschenken[8] schon am sechsten Dezember. Zu Weihnachten warten die Kinder gespannt[9] auf den Besuch des Christkinds (B).

Zu Ostern bekommen die Kinder Eier, die ihnen der Osterhase bringt. Er versteckt[10] sie im Garten oder in der Wohnung, und am Ostermorgen sucht jung und alt danach. Der Gottesdienst[11] in den Kirchen feiert von Ostersamstag auf Ostersonntag die Auferstehung[12] Christi.[13] Zu Pfingsten gehen die meisten Leute am ersten Feiertag[14] in die Kirche, aber am zweiten Tag machen sie Ausflüge in die Berge oder wandern durch Feld und Wald.

Die Fastnacht,[15] der Fasching oder der Karneval ist das große Fest vor der Fastenzeit,[16] die in katholischen Ländern am Aschermittwoch,[17] 40 Tage vor Ostern, beginnt. Nur im Süden und im Rheinland, wo die meisten Katholiken wohnen, ist der Karneval ein großes Volksfest. In Großstädten wie Düsseldorf, Köln, Mainz und München gibt es Festzüge,[18] Maskenbälle[19] und bunte[20] Programme in den Wirtshäusern und Nachtlokalen. In den Festzügen sieht man oft Teufel,[21] Dämonen und allerlei[22] Gespenster.[23] Dieser „Teufel" (C) versucht die Kinder zu erschrecken.[24]

[6] holy   [7] memorial chapel   [8] presents   [9] excitedly   [10] hides
[11] religious service   [12] resurrection   [13] of Christ   [14] holiday
[15] Shrove Tuesday   [16] Lent   [17] Ash Wednesday   [18] parades   [19] masked balls
[20] gay, lively   [21] devils   [22] all kinds of   [23] ghosts, evil spirits   [24] frighten

C

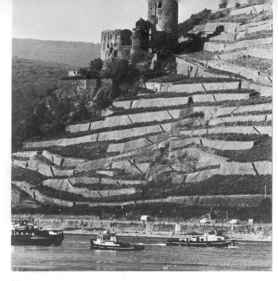

wichtig - imp

D

Am Rhein, der in der Schweiz entspringt[25] und dann durch Westdeutschland und die Niederlande[26] fließt, liegen Weinberge,[27] Weindörfer, alte
Burgruinen, Großstädte, Wiesen[28] und Fabriken. Seit dem Mittelalter ist
der Rhein eine wichtige internationale Wasserstraße zwischen der Schweiz
und der Nordsee. Auf den Bergen über den Dörfern wachen[29] die alten
Burgruinen (D) der Raubritter,[30] die vor Jahrhunderten jeden vorbeifahr-
enden Schiffer[31] zwangen,[32] Zoll[33] zu bezahlen. In den vielen kleinen Dörfern,
die an beiden Rheinufern zwischen Rüdesheim und Koblenz liegen, wohnen
Weinbauern, die in den Weinbergen arbeiten. Nach der Weinlese[34] im

[25] originates   [26] Netherlands   [27] vineyards   [28] meadows   [29] stand guard
[30] robber knights   [31] boatman   [32] forced   [33] toll, duty   [34] grape harvest

E

F

Herbst feiern die Dörfer im Rhein- und Moseltal, wie Winningen im Moseltal (E), Weinfeste.

Jedes Jahr seit 1833 feiern die Münchener in den ersten Oktobertagen das Oktoberfest, das größte deutsche Volksfest. Millionen von Touristen kommen alljährlich[35] nach München, um die zahllosen[36] Attraktionen zu bewundern (F) und sich an den Festzügen (G), bunten Programmen und Bällen in den Nachtlokalen und in den Parks zu erfreuen.[37] Der Hauptanziehungspunkt[38] des ganzen Festes ist das Münchner Bier, das unter riesigen[39] Zelten auf der Theresienwiese[40] ausgeschenkt wird.[41]

[35] yearly   [36] countless   [37] enjoy   [38] main attraction   [39] gigantic
[40] meadow on the outskirts of Munich   [41] is sold

G

AUFGABE NEUNZEHN

IN DER SCHWEIZ

Im Sommer ist es schwer, ein freies Zimmer in Luzern zu finden, denn Luzern ist die Lieblingsstadt vieler Touristen. In Alpnachstad, einer kleinen Stadt am Vierwaldstätter See, finden Rudi und Bruno ein freies Zimmer.

[1] BRUNO: Haben Sie ein Zimmer frei?

[2] WIRTIN: Was für ein Zimmer wünschen Sie? Ein Einzelzimmer?

[3] BRUNO: Nein, ein Doppelzimmer mit Bad. Mein Freund sucht gerade einen Parkplatz für seinen Wagen.

[4] WIRTIN: Es tut mir leid, die Doppelzimmer mit Bad sind schon alle belegt. Ich habe aber ein sehr schönes Zimmer mit fließendem Wasser im dritten Stock, wenn es Ihnen gefällt.

[5] BRUNO: Gut! Wir werden es nehmen. Hat das Zimmer ein Telefon?

[6] WIRTIN: Nein, aber eine Telefonzelle ist direkt hinter Ihnen. Hier ist der Schlüssel für Ihr Zimmer. Sie haben Nummer 36.

[7] BRUNO: Können Sie mir, bitte, sagen, wie man am besten zum Gipfel des Pilatus kommt?

[8] WIRTIN: Mit der Zahnradbahn von Station Alpnachstad.

[9] BRUNO: Gibt's auch eine Seilbahn? Ein Freund von mir sagte, er wäre einmal mit einer Seilbahn hinaufgefahren.

[10] WIRTIN: Von Kriens ist das möglich, aber nicht von Alpnachstad.

[11] BRUNO: Ah, jetzt erinnere ich mich! Er sagte, er hätte die Seilbahn von der Bergspitze nach Kriens genommen und wäre dann mit der Straßenbahn nach Luzern gefahren.

[12] WIRTIN: Das ist ein guter Reiseplan. Sie könnten es auch so machen und dann mit dem Schiff von Luzern zurückkommen.

[13] BRUNO: Danke schön für den Vorschlag!

[14] WIRTIN: Bitte schön.

310

LESSON 19

IN SWITZERLAND

In summer it is difficult to find a vacant room in Lucerne, for Lucerne is the favorite city of many tourists. In Alpnachstad, a small town by Lake Lucerne, Rudi and Bruno find a vacant room.

1 BRUNO: Do you have a vacant room?

2 LANDLADY: What kind of a room do you wish? A single room?

3 BRUNO: No, a double room with bath. My friend is looking for a parking place for his car now.

4 LANDLADY: I'm sorry; the double rooms with bath are all taken. I do have, however, a very fine room with running water on the fourth floor, if you wish it.

5 BRUNO: Good! We'll take it. Does the room have a telephone?

6 LANDLADY: No, but a telephone booth is directly behind you. Here is the key to your room. You have number 36.

7 BRUNO: Can you please tell me what is the best way to get to the top of Mount Pilatus?

8 LANDLADY: By cogwheel railway from Alpnachstad Station.

9 BRUNO: Is there also an aerial cableway? A friend of mine said he had once traveled up there by aerial cableway.

10 LANDLADY: From Kriens that's possible, but not from Alpnachstad.

11 BRUNO: Ah, now I remember! He said he had taken the aerial cableway from the mountaintop to Kriens and then had traveled to Lucerne by streetcar.

12 LANDLADY: That's a good itinerary. You could do it the same way and then return from Lucerne by ship.

13 BRUNO: Thanks very much for the suggestion.

14 LANDLADY: You're quite welcome.

VOCABULARY BUILDING

In einem Hotel

Was für ein Zimmer wünschen Sie?
{
Ein Einzelzimmer.
Ein Doppelzimmer.
Ein Zimmer mit (ohne) Bad.
Ein Zimmer mit fließendem Wasser.
}

Wünschen Sie ein Zimmer
{
im Erdgeschoß[1]
im ersten Stock?[2]
im zweiten Stock?[3]
im dritten Stock?[4]
}

Wo ist
{
der Portier?[5]
der Geschäftsführer?[6]
der Hoteldiener?[7]
der Koch?[8]
die Köchin?
das Zimmermädchen?
}

Können Sie mir sagen, wo
{
das Frühstückszimmer
der Speisesaal[9]
der Schlüssel für mein Zimmer
der Lift (Fahrstuhl)
}
ist?

Das Telefon

Haben Sie
{
ein Telefon?
einen Fernsprecher?[10]
ein Telefonbuch?
die Telefonnummer Ihres Freundes?
}

Haben Sie
{
ihn schon angerufen?
mit ihm telefoniert?
}

Gibt's ein Telefonhäuschen[11] in der Nähe?

Wollen Sie ein Ferngespräch anmelden?[12]

Wenn man telefonieren will, wählt[13] man die Nummer auf der Nummernscheibe.[14] Es passiert[15] oft, daß die Leitung[16] besetzt[17] ist. Wenn das Gespräch[18] zu Ende ist, hängt man den Hörer[19] auf.

[1] ground floor   [2] second floor   [3] third floor   [4] fourth floor   [5] doorman
[6] manager   [7] bellboy   [8] cook, chef   [9] dining room   [10] telephone
[11] telephone booth   [12] make a long-distance call   [13] dials   [14] dial
[15] happens   [16] line   [17] busy   [18] conversation   [19] receiver

DIALOGUE VARIATIONS

A. Wollen wir in einem Hotel übernachten?

B. Wieviel kostet denn das?

A. Wenn wir ein einfaches Zimmer ohne Bad nehmen, wird es nicht so viel kosten.

B. Haben Sie aber auch an das Trinkgeld für den Hoteldiener und das Zimmer-mädchen gedacht?

A. Ach, wir geben einfach nur soviel, wie wir haben.

B. Also, gut!

A. Wo ist der Geschäftsführer? Mein Gepäck ist immer noch nicht angekommen.

B. Haben Sie ein Zimmer im voraus[1] bestellt?

A. Ja, und ich habe auch mein Gepäck vor acht Tagen hierher schicken lassen.[2]

B. Einen Moment, bitte! Ich werde bei der Anmeldung[3] anrufen.

(Am Telefon)

A. Hallo, Frau Eggert, hier ist Luise Schmidt. Bitte, könnte ich Sigrid sprechen?

B. Einen Moment, bitte! Ich werde sie rufen . . .

C. Hallo!

A. Hallo, Sigrid! Hier ist Luise. Wie geht's?

C. Ach, Luise, du! Danke, prima![4]

A. Ich wollte dich zu meiner Party morgen abend einladen. Hättest du Lust?

C. Ganz bestimmt![5] Kommen wir einzeln[6] oder mit einem Herrn?

A. Bitte, mit einem Herrn.

C. Großartig![7] Das werde ich tun.

CONVERSATIONAL PATTERNS

I. SUBJUNCTIVE OF INDIRECT DISCOURSE

The use of the subjunctive in indirect discourse indicates that the speaker does not wish to assume any responsibility in reporting indirectly the words or thoughts of some other person.

Direct discourse (indicative):

> Sie (*they*) sagten: „Wir **haben** kein Geld."
> They said, "We *have* no money."

Indirect discourse (subjunctive):

> Sie sagten, daß sie kein Geld **hätten.**
> They said (that) they *had* no money.

---

[1] in advance   [2] have had sent here   [3] reception desk   [4] fine
[5] Most definitely!   [6] alone   [7] Splendid!

The tense of the direct statement determines the tense of the indirect statement as follows:

Direct statement = indicative

PRESENT

Sie sagten: „Wir **haben** kein Geld."

NARRATIVE PAST
„Wir **hatten** kein Geld."

Sie sagten: {
PRESENT PERFECT
„Wir **haben** kein Geld **gehabt**."

PAST PERFECT
„Wir **hatten** kein Geld **gehabt**."

FUTURE

Sie sagten: „Wir **werden** kein Geld **haben**."

Indirect statement = subjunctive

PRESENT TIME

Sie sagten, daß sie kein Geld **hätten.**

PAST TIME
Sie sagten, daß sie kein Geld **gehabt hätten.**

FUTURE TIME
Sie sagten, daß sie kein Geld **haben würden.**

In an indirect statement the conjunction *daß* may be omitted, in which case regular word order is used:

Sie sagten, **sie hätten** kein Geld.

1. Repetition

Change from direct statement, indicative, to indirect statement, subjunctive.

Sie (*they*) sagten: „Wir können nicht kommen."	Sie sagten, daß sie nicht kommen könnten.
Meine Freunde schrieben „Wir werden mit dem Zug fahren."	Meine Freunde schrieben, sie würden mit dem Zug fahren.
Hans und Willi sagten: „Wir haben bei einem Freund übernachtet."	Hans und Willi sagten, daß sie bei einem Freund übernachtet hätten.
Die Kinder sagten: „Wir nahmen unsere Bücher mit."	Die Kinder sagten, sie hätten ihre Bücher mitgenommen.

2. Direct Statement > Indirect Statement (Present Time)

Use **daß.**

Er sagte zu mir: „Wir haben keine Lust dazu."	*Er sagte mir, daß sie keine Lust dazu hätten.*
Die Kinder sagten: „Wir wissen nichts davon."	Die Kinder sagten, daß sie nichts davon wüßten.

Klara erklärte: „Meine Freunde rufen mich oft an." — Klara erklärte, daß ihre Freunde sie oft anriefen.

Meine Gäste (*guests*) sagten: „Wir müssen morgen abreisen (*leave*)." — Meine Gäste sagten, daß sie morgen abreisen müßten.

Omit **daß**.

Mein Vetter schrieb: „Wir gehen jeden Tag schwimmen." — *Mein Vetter schrieb, sie gingen jeden Tag schwimmen.*

Sie (*they*) sagten: „Wir hören das oft im Radio." — Sie sagten, sie hörten das oft im Radio.

Meine Eltern schrieben: „Wir haben einen neuen Wagen." — Meine Eltern schrieben, sie hätten einen neuen Wagen. *They had in mind*

Onkel Wilhelm schrieb: „Wir haben vor, nach Europa zu fliegen." — Onkel Wilhelm schrieb, sie hätten vor, nach Europa zu fliegen.

3. Direct Statement > Indirect Statement (Past Time)

Use **daß**.

Die Studenten behaupteten (asserted): „Wir haben unsere Hausarbeit gemacht." — *Die Studenten behaupteten, daß sie ihre Hausarbeit gemacht hätten.*

Großvater schrieb: „Wir haben die Kartoffeln gepflanzt." — Großvater schrieb, daß sie die Kartoffeln gepflanzt hätten.

Karl und Fritz sagten: „Wir haben den ganzen Sommer in einer Fabrik (*factory*) gearbeitet." — Karl und Fritz sagten, daß sie den ganzen Sommer in einer Fabrik gearbeitet hätten.

Sie (*they*) sagten: „Wir sahen Georg oft bei der Arbeit." — Sie sagten, daß sie Georg oft bei der Arbeit gesehen hätten.

Omit **daß**.

Johann telefonierte: „Wir haben den Zug verpaßt." — *Johann telefonierte, sie hätten den Zug verpaßt.*

Er schrieb uns: „Wir haben uns endlich an das Wetter gewöhnt." *finally* *(become accustomed)* — Er schrieb uns, sie hätten sich endlich an das Wetter gewöhnt.

Meine Eltern schrieben: „Wir haben einen neuen Fernsehapparat gekauft." — Meine Eltern schrieben, sie hätten einen neuen Fernsehapparat gekauft.

Sie (*they*) sagten mir: „Damals interessierten wir uns für die Kunst." *As that time* — Sie sagten mir, sie hätten sich damals für die Kunst interessiert.

4. Direct Statement > Indirect Statement (Future Time)

Use **daß.**

Sie (they) *sagten: „Wir werden morgen abfahren."*	*Sie sagten, daß sie morgen abfahren würden.*
Der Lehrer sagte: „Morgen werden wir eine kleine Prüfung haben."	Der Lehrer sagte, daß wir morgen eine kleine Prüfung haben würden.
Sie *(you)* sagten: „Ich werde kommen."	Sie sagten, daß Sie kommen würden.
Meine Freunde sagten: „Wir werden eine Reise machen."	Meine Freunde sagten, daß sie eine Reise machen würden.

Omit **daß.**

Sie behaupteten: „Unsere Berge werden ihm gefallen."	*Sie behaupteten, ihre Berge würden ihm gefallen.*
Sie schrieb: „Wir werden so bald wie möglich zu <u>Ihnen</u> (*pl.*) kommen."	Sie schrieb, sie würden so bald wie möglich zu uns kommen.
Der Lehrer sagte: „Meine Schüler werden ihre Arbeit gut machen."	Der Lehrer sagte, seine Schüler würden ihre Arbeit gut machen.
Meine Eltern haben geschrieben: „Wir werden kein Geld schicken."	Meine Eltern haben geschrieben, sie würden kein Geld schicken.

II. INDIRECT QUESTIONS

The subjunctive is used in indirect questions as well as indirect statements, but dependent word order *must* be used because the interrogatives (**wohin, wann, wer,** etc.) serve as subordinating conjunctions:

> DIRECT: Hans fragte uns: „Wohin gehen Sie heute?"
> INDIRECT: Hans fragte uns, **wohin** wir heute **gingen.**

When no interrogative is used in the direct question, use **ob** to introduce the indirect question:

> Kurt fragte uns, **ob** wir heute abend ins Konzert **gingen.**

5. Repetition

Change from direct question, indicative, to indirect question, subjunctive.

Er fragte uns: „Haben Sie ein freies Zimmer?"	Er fragte uns, ob wir ein freies Zimmer hätten.
Sie fragte mich: „Haben Sie mein Kind gesehen?"	Sie fragte mich, ob ich ihr Kind gesehen hätte.
Sie (*they*) fragten uns: „Wohin werden Sie nächsten Sommer reisen?"	Sie fragten uns, wohin wir nächsten Sommer reisen würden.

6. Direct Question > Indirect Question (Present Time)

Er fragte mich: „Haben Sie einen Wagen?"   *Er fragte mich, ob ich einen Wagen hätte.*

Er fragte mich: „Wo arbeiten Ihre Brüder?"   *Er fragte mich, wo meine Brüder arbeiteten.*

Er fragte mich: „Wie viele Geschwister haben Sie?"   *Er fragte mich, wie viele Geschwister ich hätte.*

Er fragte mich: „Wo bleiben Ihre Freunde?"   *Er fragte mich, wo meine Freunde blieben.*

7. Direct Question > Indirect Question (Past Time)

Sie fragte die Studenten: „Wo haben Sie das Buch gekauft?"   *Sie fragte die Studenten, wo sie das Buch gekauft hätten.*

Der Lehrer fragte uns: „Haben Sie das Gedicht gelesen?"   Der Lehrer fragte uns, ob wir das Gedicht gelesen hätten.

Er fragte mich: „Wohnten Sie damals in Berlin?"   Er fragte mich, ob ich damals in Berlin gewohnt hätte.

Sie fragte uns: „Hatten Sie den Brief schon geschrieben?"   Sie fragte uns, ob wir den Brief schon geschrieben hätten.

Wir fragten die Studenten: „Haben Sie die neuesten Nachrichten (*the latest news*) gelesen?"   Wir fragten die Studenten, ob sie die neuesten Nachrichten gelesen hätten.

8. Direct Question > Indirect Question (Future Time)

ich – würde
wir – würden

Er fragte uns: „Werden Sie morgen kommen?"   *Er fragte uns, ob wir morgen kommen würden.*

Er fragte mich: „Werden Sie nach Deutschland reisen?"   Er fragte mich, ob ich nach Deutschland reisen würde.

Er fragte uns: „Wann werden Sie mich besuchen?"   Er fragte uns, wann wir ihn besuchen würden.

Er fragte mich: „Wo werden Sie nächstes Jahr studieren?"   Er fragte mich, wo ich nächstes Jahr studieren würde.

9. Direct Question > Indirect Question (Various Time References)

Sie fragte uns: „Haben Sie meine Katze gesehen?"   *Sie fragte uns, ob wir ihre Katze gesehen hätten.*

Er fragte mich: „Wann gehen Sie an die Arbeit?"   Er fragte mich, wann ich an die Arbeit ginge.

Er fragte sie (*them*): „Haben Sie in Berlin gewohnt?"

Er fragte sie, ob sie in Berlin gewohnt hätten.

Er fragte uns: „Werden Sie mich bald besuchen?"

Er fragte uns, ob wir ihn bald besuchen würden.

Er fragte uns: „Warum wollen Sie nicht kommen?"

Er fragte uns, warum wir nicht kommen wollten.

Er fragte sie (*them*): „Warum können Sie nicht länger bleiben?"

Er fragte sie, warum sie nicht länger bleiben könnten. *?*

Er fragte uns: „Arbeiteten Sie damals?"

Er fragte uns, ob wir damals gearbeitet hätten.

III. ALTERNATE SUBJUNCTIVE *usually in Literature only*

There is another subjunctive form that is also used in indirect discourse. It occurs especially in literature and in the speech of educated people. This form, *which is used only in the third person singular of most verbs*,[1] is made by adding -e to the stem of the infinitive:

er
sie } habe, werde, mache, gebe, könne, wolle, denke, solle, wisse, etc.
es

The irregular verb sein has both a singular and a plural form:

ich
er } sei
sie
es

wir
sie } seien
Sie

In summary, if the verb of the indirect statement is in the third person singular, it may appear in either the regular subjunctive form or the alternate subjunctive form, both of which are correct.

DIRECT DISCOURSE	INDIRECT DISCOURSE
Walter sagte: „Ich habe das Buch gelesen."	Walter sagte, daß er das Buch gelesen habe. (*or*) Walter sagte, daß er das Buch gelesen hätte.

---

[1] With the exception of the verb sein, the alternate form is not used with wir, sie (*they*), and Sie. It is used with ich only when the verb form would be different from the indicative form, as is the case with sein, wissen, and the modal auxiliaries: ich sei, wisse, dürfe, könne, möge, müsse, solle, wolle.

10. Repetition

Er sagte, daß er heute nicht kommen könne (könnte).

Sie antwortete, daß sie gehen müsse (müßte).

Er versprach, daß er mir helfen werde (würde).

Sie dachte, sie habe (hätte) sein Auto gesehen.

Er schrieb, daß es ihm besser gehe (ginge).

Er sagte, daß er in die Berge gefahren sei (wäre).

Sie schrieb, daß sie meine Kusine gesehen habe (hätte).

Er glaubte, ich sei (wäre) reich.

11. Direct Statement > Indirect Statement

Use daß.

Albert dachte: „Ich kann durchfallen." → *Albert dachte, daß er durchfallen könne (könnte).*

Wolfgang sagte: „Ich muß zum Arzt." → Wolfgang sagte, daß er zum Arzt müsse (müßte).

Karl sagte: „Ich habe mein Buch verlegt." → Karl sagte, daß er sein Buch verlegt habe (hätte).

Meine Schwester berichtete (*reported*): „Mutter war letzte Woche krank." → Meine Schwester berichtete, daß Mutter letzte Woche krank gewesen sei (wäre).

Der junge Mann sagte: „Ich bin Student." → Der junge Mann sagte, daß er Student sei (wäre).

Omit daß.

Er sagte: „Ich werde diesen Roman lesen." → *Er sagte, er werde (würde) diesen Roman lesen.*

Er behauptete: „Ich weiß nichts davon." → Er behauptete, er wisse (wüßte) nichts davon.

Er meinte: „Das ist etwas Neues." → Er meinte, das sei (wäre) etwas Neues.

Sie (*they*) sagten: „Wir sind beschäftigt." busy → Sie sagten, sie seien (wären) beschäftigt.

Die Zeitung berichtete: „Der Präsident hat eine Pressekonferenz gehalten." → Die Zeitung berichtete, der Präsident habe (hätte) eine Pressekonferenz gehalten.

Jürgen sagte: „Ich arbeite an einem Aufsatz." → Jürgen sagte, er arbeite (arbeitete) an einem Aufsatz.

Maria hat gesagt: „Er liebt mich nicht mehr." → Maria hat gesagt, er liebe (liebte) sie nicht mehr.

12. Direct Question > Indirect Question

Er fragte uns: „Sind Sie Amerikaner?"	*Er fragte uns, ob wir Amerikaner seien (wären).*
Er fragte mich: „Ist Herr Kluge nach Deutschland gereist?"	Er fragte mich, ob Herr Kluge nach Deutschland gereist sei (wäre).
Wir fragten ihn: „Warum bleiben Sie zu Hause?"	Wir fragten ihn, warum er zu Hause bleibe (bliebe).
Er fragte mich: „Worüber hat der Senator gesprochen?"	Er fragte mich, worüber der Senator gesprochen habe (hätte).
Er fragte mich: „Warum sind Sie so früh nach Hause gegangen?"	Er fragte mich, warum ich so früh nach Hause gegangen sei (wäre).
Ich fragte ihn: „Werden Sie nächsten Sommer nach Europa reisen?"	Ich fragte ihn, ob er nächsten Sommer nach Europa reisen werde (würde).
Wir fragten ihn: „Können Sie Kants Philosophie verstehen?"	Wir fragten ihn, ob er Kants Philosophie verstehen könne (könnte).

IV. INDIRECT COMMANDS

An indirect command is expressed by using the regular subjunctive form sollte(n) plus an infinitive, or by using the alternate form in the first and third person singular (ich, er, sie).

DIRECT COMMAND	INDIRECT COMMAND
Er sagte zu mir: „Laufen Sie schnell!"	Er sagte, daß ich schnell **laufen sollte** (solle).
Der Lehrer sagte zu uns: „Sprechen Sie Deutsch!"	Der Lehrer sagte, daß wir Deutsch **sprechen sollten**.

13. Direct Command > Indirect Command

Use **daß**.

Sie sagte zu mir: „Kommen Sie morgen um acht Uhr!"	*Sie sagte mir, daß ich morgen um acht Uhr kommen sollte (solle).*
Er sagte zu mir: „Setzen Sie sich!"	Er sagte mir, daß ich mich setzen sollte (solle).
Er sagte zu ihr: „Antworten Sie mir!"	Er sagte ihr, daß sie ihm antworten sollte (solle).
Sie sagte zu uns: „Fahren Sie nicht so schnell!"	Sie sagte uns, daß wir nicht so schnell fahren sollten.

Omit **daß.**

Er sagte zu mir: „Kommen Sie bald zurück!"	*Er sagte mir, ich sollte (solle) bald zurückkommen.*
Sie sagte zu uns: „Sprechen Sie nicht so schnell!"	Sie sagte uns, wir sollten nicht so schnell sprechen.
Sie sagte zu ihm: „Schreiben Sie mir oft!"	Sie sagte ihm, er sollte (solle) ihr oft schreiben.
Er sagte zu mir: „Arbeiten Sie nicht so fleißig!"	Er sagte mir, ich sollte (solle) nicht so fleißig arbeiten.

V. MINOR USES OF THE ALTERNATE SUBJUNCTIVE

The alternate subjunctive is used in formal discourse to express wishes, commands, and concessions. In both English and German these expressions have an archaic flavor.

Gott sei mit uns!	God be with us!
Es koste, was es wolle!	Cost what it may!

14. Repetition

(memorize)

Es lebe die Freiheit!	Long live freedom!
Gott sei Dank!	Thanks be to God!
Der Teufel hole ihn!	The devil take him!
Er ruhe in Frieden.	May he rest in peace.
Möge der Herr uns segnen.	May the Lord bless us.

REVIEW

English-German Patterns

You said that you felt better.	Sie sagten, daß Sie sich besser fühlten.
We said that we didn't believe it.	Wir sagten, daß wir es nicht glaubten.
They said that they were looking for the teacher.	Sie sagten, daß sie den Lehrer suchten.
You said that you would phone me tomorrow. (*anrufen*)	Sie sagten, daß Sie mich morgen anrufen würden.
My parents wrote that they would visit me soon.	Meine Eltern schrieben, daß sie mich bald besuchen würden.
They said that they had no money.	Sie sagten, daß sie kein Geld hätten.
They said that they had worked hard.	Sie sagten, daß sie fleißig gearbeitet hätten.

They asked us where we had studied.	Sie fragten uns, wo wir studiert hätten.
They asked us where we were going.	Sie fragten uns, wohin wir gingen.
He asked us whether we had had a good time.	Er fragte uns, ob wir uns amüsiert hätten.
We asked them whether they could come.	Wir fragten sie, ob sie kommen könnten.
She asked us whether we wanted to come.	Sie fragte uns, ob wir kommen wollten.
He said that he had to fly to Hamburg.	Er sagte, daß er nach Hamburg fliegen müßte (müsse).
The teacher said that he didn't know everything.	Der Lehrer sagte, daß er nicht alles wüßte (wisse).
He believed that they were rich.	Er glaubte, daß sie reich wären (seien).
She wrote that she had seen our teacher.	Sie schrieb, daß sie unseren Lehrer gesehen hätte (habe).
He said his grandfather had died.	Er sagte, sein Großvater wäre (sei) gestorben.
She said I should visit her.	Sie sagte, ich sollte (solle) sie besuchen.

General Questions

1. Ist es manchmal schwer für Sie, einen Parkplatz für Ihren Wagen zu finden?
2. Haben Sie ein schönes Zimmer mit Bad?   3. In welchem Stock ist Ihr Zimmer?
4. Hat das Zimmer ein Telefon?   5. Wie kommt man am besten zum Gipfel eines Berges?   6. Findet man eine Telefonzelle auf dem Gipfel des Matterhorns?
7. Kann man mit dem Lift zum Gipfel des Matterhorns fahren?   8. Hätten Sie Lust, heute abend zu einer Party zu gehen?   9. Haben Sie eine Einladung bekommen?   10. Passiert es oft, daß die Leitung besetzt ist, wenn Sie telefonieren wollen?

Directed Questions

1. Fragen Sie Fräulein ——, welche Stadt ihre Lieblingsstadt ist!
2. Fragen Sie Herrn ——, ob er ein freies Zimmer hat, wo wir übernachten können!
3. Fragen Sie Fräulein ——, ob sie Angst hat, wenn sie mit einer Seilbahn fährt!
4. Fragen Sie Herrn ——, ob er ein einfaches Zimmer oder ein Zimmer mit Bad verlangt (asks for), wenn er eine Reise macht!
5. Fragen Sie Herrn ——, ob man das Abendessen in einem Frühstückszimmer essen darf!
6. Fragen Sie Herrn ——, wie viele Telefonnummern er in seinem Büchlein hat!
7. Fragen Sie Fräulein ——, wie oft sie ein Ferngespräch anmeldet!

ing require sub-
verbs g certainty indicative

VERB SUMMARY

INFINITIVE		PRESENT		NARR. PAST		PRES. PERFECT
abreisen (*leave*)		reist . . . ab		reiste . . . ab		**ist** abgereist
anmelden (*report*)		meld**et** . . . an		meld**ete** . . . an		hat angemeld**et**
aufhängen (*hang up*)		hängt . . . auf		hängte . . . auf		hat aufgehängt
behaupten (*assert*)		behaupt**et**		behaupt**ete**		hat behaupt**et**
berichten (*report*)		bericht**et**		bericht**ete**		hat bericht**et**
drehen (*turn, dial*)	er	dreht	er	drehte	er	hat gedreht
erklären (*explain*)		erklärt		erklärte		hat erklärt
hinauffahren (*travel up*)		fährt . . . hinauf		fuhr . . . hinauf		**ist** hinaufgefahren
verlangen (*ask for*)		verlangt		verlangte		hat verlangt
verlegen (*misplace*)		verlegt		verlegte		hat verlegt
wählen (*choose*)		wählt		wählte		hat gewählt
passieren (*happen, dat.*) es		passiert	es	passierte	es	**ist** passiert

dative

A

DIE SCHWEIZ

Bis zum neunzehnten Jahr-
hundert war die Schweiz ein
Bauernstaat, aber jetzt ist sie
hoch industrialisiert. Unter
den vielen Schweizer Produk-
ten wie Käse, Schokolade,
Stickereien,[1] Chemikalien,[2]
Maschinen usw. sind die
Schweizer Uhren am bekanntesten. Mit einer Wasserdruckmaschine[3] prüft man[4] die
Wasserdichtheit[5] von Uhren-
gehäusen[6] in dieser Uhrenfabrik[7] (A).

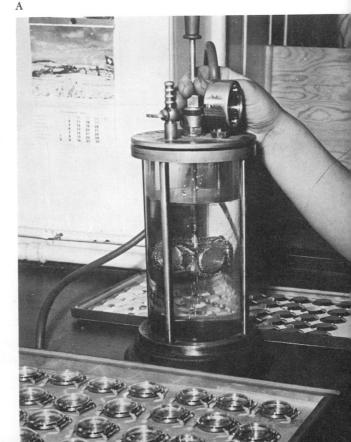

[1] embroidery work   [2] chemicals
[3] water-pressure machine   [4] one
tests   [5] impermeability
[6] watch casings   [7] watch factory

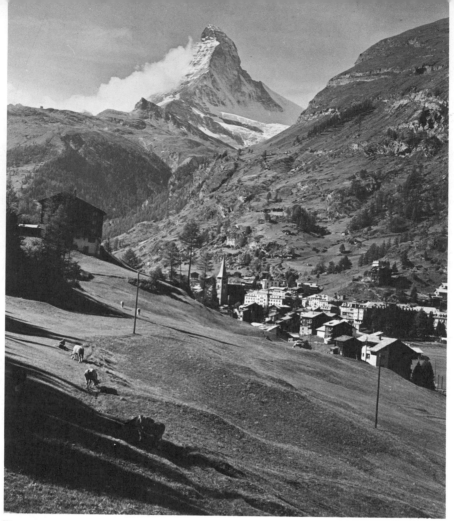

B

Der Fremdenverkehr[8] ist seit langem eine wichtige Industrie in der Schweiz. Fast jeder, der eine Europareise macht, fährt in die Schweiz, um sich die Alpen anzusehen. In einigen Bergdörfern und Städten befinden sich oft mehr Touristen als Eingeborene.[9] Das kleine Dorf Zermatt am Fuße des majestätischen Matterhorns ist z.B. ein „Hoteldorf" (B). In einigen kleinen Dörfchen hoch oben in den Alpen wohnen noch Schweizer, deren Lebensweise[10] sich seit Jahrhunderten nicht viel verändert hat.[11] Sie hüten[12] ihre Ziegen[13] und Kühe auf den Bergen. Aus der frischen Milch machen sie jeden Tag in ihren Almhütten[14] Käse, der unten in der Stadt verkauft wird.

Von der Spitze des Pilatus hat man eine herrliche Aussicht auf den Vierwaldstättersee (C), wo die vier ältesten Kantone der Schweiz liegen: Uri, Schwyz, Unterwalden und Luzern (D). An diesem See schlossen[15] 1291 die

[8] tourist trade   [9] natives   [10] way of life   [11] has not changed much
[12] herd, guard   [13] goats   [14] alpine huts   [15] contracted

E

Männer der ersten drei Kantone ein Schutz- und Trutzbündnis[16] gegen die Tyrannei der Landvögte.[17] Friedrich Schiller schildert[18] in seinem bekannten Drama „Wilhelm Tell" den Kampf[19] der Schweizer um ihre Freiheit.[20] Dieses Werk ist zum Nationaldrama der Schweiz geworden, obwohl der Held des Dramas, Wilhelm Tell, nur ein legendenhafter[21] Freiheitskämpfer[22] ist.

Der schöne Genfersee[23] in der Westschweiz liegt in einem wichtigen Zentrum des Fremdenverkehrs. Am Ostende des Sees liegt die Stadt Montreux, und am anderen Ende des Sees liegt Genf, eine bedeutende internationale Stadt (E). In diesem Teil der Schweiz spricht man Französisch. Von den mehr als vier Millionen Schweizern sprechen ungefähr 71% Deutsch, 21% Französisch, 7% Italienisch und 1% Rätoromanisch.[24]

[16] protective and offensive alliance   [17] regional governors   [18] depicts
[19] struggle   [20] freedom   [21] legendary   [22] fighter for freedom
[23] Lake Geneva   [24] Romansh

326

AUFGABE ZWANZIG

IN DEN BAYRISCHEN ALPEN

Rudi und Bruno sind heute auf der letzten Strecke ihrer Reise.

[1] BRUNO: Ich finde diese Landschaft ebenso schön wie die im Schwarzwald und in der Schweiz.

[2] RUDI: Ja, es ist so ruhig und friedlich in dieser Gegend. Wenn wir mehr Zeit hätten, würde ich gern eine Bergtour machen.

[3] BRUNO: Ich nicht. Ich schwimme lieber in diesen Bergseen, wenn sie auch ziemlich kalt sind.

[4] RUDI: Wo ist unsere Straßenkarte? Ich glaube, wir müssen irgendwo in der Nähe von Füssen rechts abbiegen.

[5] BRUNO: Es wäre schade, wenn wir die Schlösser von König Ludwig dem Zweiten nicht sehen würden.

[6] RUDI: Anna sagte, sie wären einfach fabelhaft. Schau doch! Noch ein Zeltplatz! Es wundert mich, daß es in Deutschland so viele schöne Zeltplätze gibt.

[7] BRUNO: „Camping" sieht man überall, in den Bergen und an den Ufern der schönsten Seen.

[8] RUDI: Hast du jemals so viele junge Leute gesehen, die mit dem Rad von Ort zu Ort fahren?

[9] BRUNO: Bei diesem herrlichen Wetter ist es kein Wunder, daß man nicht zu Hause hocken will.

[10] RUDI: Bruno, sieh mal das Mädchen dort drüben! Sie erinnert mich an meine Schwester.

[11] BRUNO: Stell dir vor! In drei Wochen bist du wieder zu Hause.

[12] RUDI: Bitte, ich möchte lieber noch nicht daran denken.

LESSON 20

IN THE BAVARIAN ALPS

Today Rudi and Bruno are on the last stretch of their trip.

¹ BRUNO: I find this landscape just as beautiful as that in the Black Forest and Switzerland.

² RUDI: Yes, it's so quiet and peaceful in this region.   If we had more time, I would like to climb a mountain.

³ BRUNO: Not I.   I'd rather swim in these mountain lakes, even though they are rather cold.

⁴ RUDI: Where is our road map?   I believe we have to turn off to the right somewhere near Füssen.

⁵ BRUNO: It would be too bad if we didn't see the castles of King Ludwig II.

⁶ RUDI: Anna said they were simply fabulous.   Just look!   Another camping spot!   I am surprised that there are so many lovely camping areas in Germany.

⁷ BRUNO: One sees "Camping" everywhere, in the mountains and on the shores of the most beautiful lakes.

⁸ RUDI: Have you ever seen so many young people traveling from place to place by bicycle?

⁹ BRUNO: In such magnificent weather it's no wonder that one doesn't want to stay at home.

¹⁰ RUDI: Bruno, just look at that girl over there!   She reminds me of my sister.

¹¹ BRUNO: Imagine!   In three weeks you'll be home again.

¹² RUDI: Please, I'd prefer not to think of it yet.

VOCABULARY BUILDING

Contrasting Adjectives

Ist sie {
groß oder klein?
dünn oder dick?
jung oder alt?
glücklich oder unglücklich?
fröhlich oder traurig?
gesund oder krank?
gut oder schlecht?
stark oder schwach? *weak*
reich oder arm?
hübsch oder häßlich?
fleißig oder faul?
klug oder dumm?
hungrig oder satt?[1] *never foll - means DRUNK*
}

Ist es {
lang oder kurz? *short*
teuer oder billig?
schnell oder langsam?
leicht oder schwer?[2] *heavy - Difficult*
hart oder weich?[3]
heiß oder kalt?
voll oder leer?[4]
hoch oder niedrig?[5]
sauber oder schmutzig?[6]
naß oder trocken?[7]
ähnlich oder verschieden?[8] *sim. or Diff.*
richtig oder falsch?
}

Contrasting Verbs

Er kommt.	Er geht.	Er findet.	Er verliert.
Er geht.	Er bleibt.	Er öffnet.	Er schließt.
Er springt.	Er fällt.	Er macht auf.	Er macht zu.
Er reist.	Er bleibt zu Hause.	Er kauft.	Er verkauft.
Er geht hinauf.	Er kommt herunter.	Er lacht.	Er weint.
Er geht hinein.	Er kommt heraus.	Er lehrt.	Er lernt.
Er steht auf.	{ Er setzt sich hin. Er nimmt Platz. }	Er fragt.	Er antwortet.
		Er liebt.	Er haßt.[11]
Er schläft.	Er bleibt wach.	Er beginnt.	Er endet.
Er schläft ein.[9]	Er wacht auf.	Er fährt.	Er hält an.[12]
Er zieht sich an.	Er zieht sich aus.[10]		

[1] full   [2] light or heavy   [3] hard or soft   [4] empty   [5] low   [6] clean or dirty
[7] dry   [8] similar or different   [9] falls asleep   [10] undresses
[11] hates   [12] stops

DIALOGUE VARIATIONS

A. Warum übernachten wir heute nicht einmal in einer Jugendherberge?

B. Das ist eine ausgezeichnete Idee! Mein Geld wird sowieso[1] schon immer weniger.[2]

A. Ach, nicht deswegen.[3] Ich finde es sehr anregend, so viele junge Deutsche und Ausländer dort kennenzulernen und mit ihnen zu plaudern.

B. Ich eigentlich auch. Am schönsten finde ich es aber, wenn jemand Gitarre spielt, und alle anderen Volkslieder singen.

A. Wie wär's mit einem Ausflug zum Bodensee?[4]

B. Nicht schlecht. Wir könnten mit der Bahn[5] bis Lindau fahren und von dort aus mit unseren Rädern weiterradeln.[6]

A. Unterwegs könnten wir dann in einem Wald rasten[7] und unsere Butterbrote[8] essen.

B. Fein! Vergessen Sie Ihren Badeanzug nicht!

A. Wenn das Wetter morgen schön ist, gehen wir zelten.[9]

B. Geht das denn so einfach?

A. Natürlich. Ich habe ein Zelt[10] zu Hause, zwei Luftmatratzen[11] und einen Kochtopf,[12] mit dem wir auf einem offenen Feuer kochen[13] können.

B. Na, wenn das so ist, dann werde ich alles Weitere[14] mitbringen.

A. Abgemacht! Bis morgen dann.

CONVERSATIONAL PATTERNS

I. COMPARATIVE AND SUPERLATIVE FORMS OF PREDICATE ADJECTIVES AND ADVERBS

Both adjectives and adverbs add -er to form the comparative and -sten to form the superlative; however, the contraction am precedes the superlative form:

schnell, schneller, am schnellsten	fast, faster, fastest
klein, kleiner, am kleinsten	small, smaller, smallest
schön, schöner, am schönsten	beautiful, more beautiful, most beautiful

Achim ist klein, Maria ist kleiner, aber Lili ist am kleinsten.

Fritz läuft schnell, Jürgen läuft schneller, Hans läuft am schnellsten.

---

[1] anyhow   [2] less and less   [3] for that reason   [4] Lake Constance   [5] by rail
[6] continue by bicycle   [7] rest   [8] sandwiches   [9] camping   [10] tent
[11] air mattresses   [12] cooking pot   [13] cook on an open fire   [14] everything else

weiter – Continue
wieter – again

If the adjective or adverb ends in -d,[1] -t, or a sibilant (-s, -z, -sch, -ß), -esten is added for the superlative form:

wild, wild**er, am** wild**esten**	wild, wilder, wildest
heiß, heiß**er, am** heiß**esten**	hot, hotter, hottest

The following common adjectives and adverbs of *one syllable* umlaut the **a, o,** or **u** in both the comparative and superlative:

alt, älter, am ältesten	kurz, kürzer, am kürzesten
arm, ärmer, am ärmsten	lang, länger, am längsten
dumm, dümmer, am dümmsten	oft, öfter, am öftesten
jung, jünger, am jüngsten	schwach, schwächer, am schwächsten
kalt, kälter, am kältesten	schwarz, schwärzer, am schwärzesten
klug, klüger, am klügsten	stark, stärker, am stärksten
krank, kränker, am kränksten	warm, wärmer, am wärmsten

Adjectives and adverbs of more than one syllable never umlaut a vowel in the comparative and superlative forms.

1. Repetition

Klaus ist klug.   Kurt ist klüger.   Karl ist am klügsten.
Der Elefant ist wild.   Der Bär ist wilder.   Der Tiger ist am wildesten.
Berta ist jung.   Dora ist jünger.   Christine ist am jüngsten.

2. Adjective Substitution

Franz ist alt.	*Franz ist älter.*
_____ jung.	Franz ist jünger.
_____ nett.	Franz ist netter.
_____ ruhig.	Franz ist ruhiger.
_____ schnell.	Franz ist schneller.
_____ langsam.	Franz ist langsamer.

Wo ist das Klima warm?	*Wo ist das Klima am wärmsten?*
_____ kalt?	Wo ist das Klima am kältesten?
_____ kühl?	Wo ist das Klima am kühlsten?
_____ heiß?	Wo ist das Klima am heißesten?
_____ schön?	Wo ist das Klima am schönsten?
_____ angenehm?	Wo ist das Klima am angenehmsten?
_____ schwül?	Wo ist das Klima am schwülsten?

heavy difficult

[1] Present participles are exceptions, e.g., **das reizendste Mädchen.**

Schatten — shade

(1   2   3

3. Positive > Comparative and Superlative

Frau Schultz ist alt.   *Frau Schultz ist alt.*
Herr Meyer ist _____.   *Herr Meyer ist älter.*
Herr Hoffmann ist _____.   *Herr Hoffmann ist am ältesten.*

Karola singt schön.   Karola singt schön.
Gudrun singt _____.   Gudrun singt schöner.
Grete singt _____.   Grete singt am schönsten.

Im Juni ist es warm.   Im Juni ist es warm.
Im Juli ist es _____.   Im Juli ist es wärmer.
Im August ist es _____.   Im August ist es am wärmsten.

Im November ist es kalt.   Im November ist es kalt.
Im Dezember ist es _____.   Im Dezember ist es kälter.
Im Januar ist es _____.   Im Januar ist es am kältesten.

Dora ist jung.   Dora ist jung.
Heinz ist _____.   Heinz ist jünger.
Karl ist _____.   Karl ist am jüngsten.

II. COMPARATIVE AND SUPERLATIVE ADJECTIVES BEFORE NOUNS

Comparatives and superlatives before nouns are declined like other adjectives. The comparative form, which ends in **-er,** takes the usual adjective ending; the superlative form has the ending **-st** (**-est** if required by the syllabic structure) plus the regular adjective ending. Study the following examples:

der **alte** Mann   mit dem **jungen** Mädchen
der **ältere** Mann   mit dem **jüngeren** Mädchen
der **älteste** Mann   mit dem **jüngsten** Mädchen

The definite article is used with the superlative when a noun either follows the superlative form or is definitely understood:

Johann ist **der stärkste Junge** in der Klasse.
Von allen Jungen in der Klasse ist Johann **der stärkste** (Junge).

4. Repetition

An einem warmen Tag im Mai ging ich spazieren. An einem noch wärmeren Tag im Juni saß ich im Schatten (*shade*). An dem wärmsten Tag des Jahres ging ich schwimmen.
Gestern sah ich einen alten Mann. Vorgestern sah ich einen noch älteren Mann. Im letzten Monat sah ich den ältesten Mann in der ganzen Stadt.
Deutschland ist eins der schönsten Länder Europas.

5. Adjective Substitution

—*Wer ist der (klug) Schüler?*   *Wer ist der klügste Schüler?*

_____ (alt) _____?   Wer ist der älteste Schüler?   *? clever*
                                                                                  shrewd
_____ (gescheit) _____?   Wer ist der gescheiteste Schüler?
_____ (fleißig) _____?   Wer ist der fleißigste Schüler?
_____ (freundlich) _____?   Wer ist der freundlichste Schüler?
_____ (intelligent) _____?   Wer ist der intelligenteste Schüler?

6. Comparative > Superlative   X

Kennen Sie unsere jüngere Tochter?   *Kennen Sie unsere jüngste Tochter?*

Kennen Sie den älteren Mann dort?   Kennen Sie den ältesten Mann dort?
Wo ist der kleinere Koffer?   Wo ist der kleinste Koffer?
Hier ist der billigere Anzug.   Hier ist der billigste Anzug. *heavy*
Das sind unsere schwereren Koffer.   Das sind unsere schwersten Koffer.
Wollen Sie unsere teureren[1] Blusen   Wollen Sie unsere teuersten Blusen
  sehen?   sehen?
Ich nehme die buntere Krawatte.   Ich nehme die bunteste Krawatte.
Wo sind die eleganteren Cafés?   Wo sind die elegantesten Cafés?

III. COMPARISON OF ADJECTIVES AND ADVERBS

In comparisons, **wie** is used with the positive and **als** with the comparative:

Susie singt (**eben**)**so gut wie** Helene.   Susie sings (*just*) *as well as* Helen.
Sie singen **besser als** ich.   You sing *better than* I.

how tell   which ?

7. Repetition

Heute ist es so warm wie gestern.   Paul ist klüger als Erich.
Max läuft so schnell wie sein Freund.   Liese schreibt öfter als Trudi.
Der Tiger ist ebenso gefährlich (*dan-*   Hänschen läuft schneller als sein Vater.
  gerous) wie der Elefant.
                                          Johnny

8. Adjective Substitution

Rolf ist (hungrig) als Willi.   *Rolf ist hungriger als Willi.*

_____ (dick) _____.   Rolf ist dicker als Willi.
_____ (stark) _____.   Rolf ist stärker als Willi.

[1] Whenever the adjective **teuer** has an ending that begins with **e**, the **e** before the **r** is dropped.

fließend - fluent

———— (glücklich) ————.   Rolf ist glücklicher als Willi.
———— (arm) ————.   Rolf ist ärmer als Willi.
———— (dumm) ————.   Rolf ist dümmer als Willi.

Willi ist (dünn) als Rolf.   *Willi ist dünner als Rolf.*

———— (fleißig) ————.   Willi ist fleißiger als Rolf.
———— (pünktlich) ————.   Willi ist pünktlicher als Rolf.
———— (intelligent) ————.   Willi ist intelligenter als Rolf.
———— (schwach) ————.   Willi ist schwächer als Rolf.
———— (klug) ————.   Willi ist klüger als Rolf.

9. Positive > Comparative →

Er arbeitet so fleißig wie sein Bruder.   *Er arbeitet fleißiger als sein Bruder.*

Wir sprechen so langsam wie der Lehrer.   Wir sprechen langsamer als der Lehrer.
Er spricht so fließend wie wir.   Er spricht fließender als wir.
Er spricht aber auch ebenso deutlich   Er spricht aber auch deutlicher als wir.
  wie wir.
Gestern war es so kalt wie heute.   Gestern war es kälter als heute.
Er ist so dumm wie sein Freund.   Er ist dümmer als sein Freund.
Herr Braun ist ebenso krank wie Herr   Herr Braun ist kränker als Herr Schmidt.
  Schmidt.

10. Comparative > Positive

Fritz ist stärker als Hans.   *Fritz ist so stark wie Hans.*

Ich bin klüger als Franz.   Ich bin so klug wie Franz.
Heiner läuft schneller als Jürgen.   Heiner läuft so schnell wie Jürgen.
Heute ist es kälter als gestern.   Heute ist es so kalt wie gestern.
Heute ist es wärmer als gestern.   Heute ist es so warm wie gestern.

11. Positive > Comparative

Mein Hund ist nicht so klein wie Rolfs   *Mein Hund ist kleiner als Rolfs Hund.*
  Hund.

Er ist nicht so alt wie Rolfs Hund.   Er ist älter als Rolfs Hund.
Er kann nicht so schnell laufen wie   Er kann schneller laufen als Rolfs Hund.
  Rolfs Hund.
Er ist nicht so freundlich wie Rolfs   Er ist freundlicher als Rolfs Hund.
  Hund.

IV. IRREGULAR COMPARATIVE AND SUPERLATIVE FORMS

The following adjectives and adverbs have irregular comparative or superlative forms:

> gut, besser, best-
> groß, größer, größt-
> *Near* nah, näher, nächst- ___ ?
> hoch,[1] höher, höchst-
> viel, mehr, meist-

The comparative and superlative forms of **gern**, which are always used adverbially, are:

Ich spiele **gern** Fußball.	I **like** to play football.
Ich spiele **lieber** Tennis.	I **prefer** to play tennis.
Ich spiele **am liebsten** Golf.	I **like best of all** to play golf.

The forms of **gern** may also follow the noun object: Ich spiele Fußball **gern.**

12. Repetition

Reinhold ist ein guter Schüler.   Walter ist ein etwas (*somewhat*) besserer Schüler. Wilhelm ist aber der beste Schüler der Klasse.

Klaus schreibt gut.   Kurt schreibt besser.   Eugen schreibt am besten.

Die Kuh ist groß.   Das Pferd ist größer.   Der Elefant ist am größten.

Von hier aus ist das Museum nahe, das Theater näher, das Rathaus am nächsten.

Berta hat eine hohe Stimme.   Dora hat eine höhere Stimme.   Erna hat die höchste Stimme von allen.

Willi hat viele Bücher.   Lotte hat mehr Bücher als Willi.   Maria hat die meisten Bücher.

Oskar spielt gern Schach (*chess*).   Stefan spielt lieber Tennis.   Ich spiele am liebsten Fußball.

13. Positive > Comparative

Der Bahnhof ist ebenso groß wie unser Haus.	*Der Bahnhof ist größer als unser Haus.*
Karl spricht so gut wie ich.	Karl spricht besser als ich.
Ich habe ebenso viel gearbeitet wie Georg.	Ich habe mehr gearbeitet als Georg.

---

[1] Endings are never added to this form, but to **hoh-** instead, e.g., **Das Gebäude ist** *hoch.* **Es ist ein** *hohes* **Gebäude.**

Ich spiele Tennis ebenso gern wie Fuß- Ich spiele Tennis lieber als Fußball.
ball.
Unser Haus ist ebenso hoch wie Ihres. Unser Haus ist höher als Ihres.
Karl hat ebenso viel Geld wie ich. Karl hat mehr Geld als ich.
Gerd ist nahe mit mir verwandt (re- Gerd ist näher mit mir verwandt.
lated).
Dies ist ein guter Bleistift. Dies ist ein besserer Bleistift.

14. Positive > Superlative

Wer singt gut? *Wer singt am besten?*

Welches Gebäude ist hoch? Welches Gebäude ist am höchsten?
Welcher Student hat viele Bücher? Welcher Student hat die meisten
 Bücher?
Welches Spiel spielen Sie gern? Welches Spiel spielen Sie am liebsten?
Wer spricht gut in Ihrer Klasse? Wer spricht am besten in Ihrer Klasse?
Kennen Sie die guten Schüler in Ihrer Kennen Sie die besten Schüler in Ihrer
Klasse? Klasse?
Wer hat die hohe Stimme? Wer hat die höchste Stimme?
Spielen Sie Tennis mit den guten Spie- Spielen Sie Tennis mit den besten Spie-
lern Ihrer Stadt? lern Ihrer Stadt?

15. Comparative > Positive

Fritz ist größer als Hans. *Fritz ist ebenso groß wie Hans.*

Der Baum ist höher als das Haus. Der Baum ist ebenso hoch wie das Haus.
Gertrud singt besser als Helene. Gertrud singt ebenso gut wie Helene.
Ich habe mehr Geld als Peter. Ich habe ebenso viel Geld wie Peter.

16. Positive > Comparative

Erika ist so groß wie Karola. *Erika ist größer als Karola.*

Maria singt so gut wie Elisabeth. Maria singt besser als Elisabeth.
Ich spiele Tennis so gern wie Golf. Ich spiele Tennis lieber als Golf.
Lotte liest so viel wie Klara. Lotte liest mehr als Klara.

V. THE DOUBLE COMPARATIVE

The double comparative usually consists of the adverb **immer** plus a
comparative, instead of two comparatives connected by **und**:

Es wird **immer kälter**. It is getting *colder and colder*.
Deutsch wird **immer leichter**. German is getting *easier and easier*.

fließend
flexßig

Begabt - gifted

außerordentlich - unusual
extraordinary

AUFGABE ZWANZIG   337

17. Repetition

Der Sommer kommt immer näher.

Das Mädchen wurde immer freundlicher.

Kurt wird immer fleißiger.

Wir sprechen Deutsch immer fließender.

Maria singt immer schöner.

Heinz wird immer wilder.

18. Positive > Double Comparative

Fritz wird stark.

Maria singt schön.

Der Lehrer wird freundlich.

Franz schreibt gut.

Ich werde arm.

Fritz wird immer stärker.

Maria singt immer schöner.

Der Lehrer wird immer freundlicher.

Franz schreibt immer besser.

Ich werde immer ärmer.

VI. THE ABSOLUTE SUPERLATIVE

There is another superlative called the absolute superlative, which is not used for purposes of comparison. It denotes a high degree of whatever the adjective or adverb expresses and is formed either by the superlative adverb preceded by **aufs** (**aufs freundlichste,** *most friendly*) or by such adverbs as **sehr, höchst** (*highly*), **äußerst** (*extremely*), and **außerordentlich** (*unusually, extraordinarily*) followed by the positive form of an adjective or another adverb:

Ich bin **äußerst** müde.

Dieses Buch ist **höchst** interessant.

Er grüßte uns **aufs freundlichste.**

I am *extremely* tired.

This book is *highly* interesting.

He greeted us *in the most friendly way.*

19. Repetition

Karl ist äußerst stark.

Dieter ist höchst intelligent.

Maria singt sehr schön.

Sie ist außerordentlich begabt (*gifted*).

In einer Kirche ist das Rauchen aufs strengste verboten (*strictly prohibited*).

VII. THE INFINITIVE AS A NOUN

Any infinitive may be used as a noun. When used in this way, it is capitalized and is neuter gender:

tanzen, **das Tanzen**	*dancing*
laufen, **beim Laufen**	*while running*
Geben ist besser als **Nehmen.**	*To give* is better than *to receive.*

20. Repetition

Er hat sie beim Tanzen kennengelernt.
Viel Spaß beim Schwimmen!
Das Aufpassen in der Klasse ist wichtig für das Lernen.
Wie gefällt Ihnen das Studieren?

Lachen ist in jeder Sprache gleich (*the same*).
Reden (*talking*) ist Silber, Schweigen (*silence*) ist Gold.
Fischen ist gut für die Nerven.
Leben und Lebenlassen ist unser Motto.

REVIEW

English-German Patterns

Robert runs faster than Albert.
It is warmer today than yesterday.
She is more intelligent than her brother.
Wolfgang is bigger than his brother.
My friend plays tennis much better than I.
Are you older than Lili?
No, I am two years younger.
That is my younger brother.

Robert läuft schneller als Albert.
Es ist heute wärmer als gestern.
Sie ist intelligenter als ihr Bruder.
Wolfgang ist größer als sein Bruder.
Mein Freund spielt Tennis viel besser als ich.
Sind Sie älter als Lili?
Nein, ich bin zwei Jahre jünger.
Das ist mein jüngerer Bruder.

Do you have a cheaper tie?
Have you ever danced with a prettier girl?
Have you ever spoken with a more interesting woman?
Have you ever seen anything more beautiful?

Haben Sie eine billigere Krawatte?
Haben Sie je mit einem hübscheren Mädchen getanzt?
Haben Sie je mit einer interessanteren Frau gesprochen?
Haben Sie je etwas Schöneres gesehen?

The twenty-first of December is the shortest day of the year.
The lion (*der Löwe*) is one of the most dangerous animals.
Ludwig is the strongest man that I know.
Which teacher is the friendliest?

Der einundzwanzigste Dezember ist der kürzeste Tag des Jahres.
Der Löwe ist eines der gefährlichsten Tiere.
Ludwig ist der stärkste Mann, den ich kenne.
Welcher Lehrer ist am freundlichsten?

Fritz is as strong as Hans.
Emil has just as much money as I.
Bruno is just as good a football player as Eberhard.
He is not as fast as Eberhard.

Fritz ist so stark wie Hans.
Emil hat ebenso viel Geld wie ich.
Bruno ist ein ebenso guter Fußballspieler wie Eberhard.
Er ist nicht so schnell wie Eberhard.

He is not as tall as Eberhard.	Er ist nicht so groß wie Eberhard.
He thinks, however, more quickly than Eberhard.	Er denkt aber schneller als Eberhard.
He is getting better and better.	Er wird immer besser.
He plays unusually well.	Er spielt außerordentlich gut.

General Questions

1. Ist es ruhiger und friedlicher in diesem Klassenzimmer als in einer Bibliothek?
2. Möchten Sie eine Bergtour machen?   3. Ist Ihnen das Matterhorn hoch genug, oder möchten Sie einen höheren Berg besteigen?   4. Schwimmen Sie lieber im warmen oder im kalten Wasser?   5. Gibt es schöne Zeltplätze in der Gegend, in der Sie wohnen?   6. Fahren Sie gern mit dem Rad von Ort zu Ort?   7. Wann werden Sie wieder zu Hause sein?   8. Ist der Lehrer reicher als Ihr Vater?
9. Ist Ihre Wohnung sauberer oder schmutziger als dieses Klassenzimmer?
10. Was für ein Auto gefällt Ihnen am besten?

Directed Questions

1. Fragen Sie Herrn ——, ob er heute schläfriger ist als gestern!
2. Fragen Sie Fräulein ——, ob die meisten Männer groß, stark, intelligent und reich sind!
3. Fragen Sie Herrn —, ob die meisten Antworten, die er in einem Examen gibt, richtig oder falsch sind!
4. Fragen Sie Fräulein ——, ob die älteren Männer immer die höflichsten sind!
5. Fragen Sie Herrn ——, ob es möglich ist, zur selben Zeit ein Rendezvous mit zwei hübschen Mädchen zu haben!
6. Fragen Sie Fräulein ——, wie oft sie Butterbrote in ihrer Handtasche mitbringt!
7. Fragen Sie Herrn ——, wann er wieder einen Ausflug macht!
8. Fragen Sie Fräulein ——, ob sie manchmal noch nicht wach ist, wenn sie zum Frühstück geht!

VERB SUMMARY

INFINITIVE		PRESENT		NARR. PAST		PRES. PERFECT
anhalten (*stop*)		hält . . . an		hielt . . . an		hat angehalten
einschlafen (*go to sleep*)		schläft . . . ein		schlief . . . ein		ist eingeschlafen
hassen (*hate*)		haßt		haßte		hat gehaßt
hocken (*crouch, squat*)	er	hockt	er	hockte	er	hat gehockt
kochen (*cook, boil*)		kocht		kochte		hat gekocht
radeln (*ride a bicycle*)		radelt		radelte		ist geradelt
reden (*talk*)		redet		redete		hat geredet

A

IN SÜDBAYERN

Besonders beliebt bei Ausflüglern,[1] Wanderern und Touristen aus aller Welt sind die Bayerischen Alpen in Süddeutschland. In den Bergen liegt das bayerische Dorf Oberammergau. Wegen der Passionsspiele (A), die seit 1634 mit wenigen Ausnahmen[2] alle zehn Jahre aufgeführt werden, ist dieses Dorf in aller Welt berühmt. Zur Abwendung der Pest,[3] an der schon 84 Oberammergauer gestorben waren, legten 1633 die Mitglieder[4] des Gemeinderats[5] ein feierliches[6] Gelübde[7] vor dem Altar der Dorfkirche ab,[8] „fortan[9] die Passionstragödie alle zehn Jahre zu halten". Das große Sterben nahm ein Ende und das nächste Jahr wurde das Passionsspiel aufgeführt. Heute kommen Touristen aus allen Teilen der Welt, um das achtstündige Drama über das Leben Christi zu sehen.

An den Wänden der Ziegeldachhäuser[10] sieht man oft schöne Fresken[11] mit biblischen Themen (B, das Kirchbauerhaus in Oberammergau). Die Kinder interessieren sich vielleicht mehr für Märchenbilder.[12] Das „Hänsel-und Gretel-Heim"[13] in Oberammergau (C) ist ein Heim für Waisenkinder, das heißt für Kinder, deren Eltern tot sind. Die meisten Bewohner[14] Oberammergaus sind Holzschnitzer[15] von Beruf.[16] Sie schnitzen[17] religiöse Gegenstände,[18] die in alle Weltteile geschickt werden.

[1] excursionists   [2] exceptions   [3] for warding off the pestilence   [4] members
[5] town council   [6] solemn   [7] vow   [8] (*legten . . . ab*) uttered, swore
[9] from then on   [10] tile-roofed houses   [11] frescoes   [12] fairy-tale pictures
[13] home   [14] inhabitants   [15] wood-carvers   [16] by profession   [17] carve
[18] objects

B

C

Lasst Mut und Hoffnung niemals sinken
Solange Gottes Sternlein blinken

Marie Mattfeld
Hänsl u. Gretl
Heim

E

Im vorigen Jahrhundert ließ der geisteskranke[19] König Ludwig II. von Bayern drei Schlösser bauen,[20] die nie oder nur auf kurze Dauer[21] bewohnt wurden. Schloß Neuschwanstein bei Füssen, im Stil der Burgen des frühen Mittelalters, sieht aus wie eine Burg aus einem Märchenbuch (D). Schloß Linderhof, das einige Kilometer von Oberammergau entfernt[22] liegt, wird von fast allen Touristen besucht, die nach Oberammergau kommen. In den Parkanlagen nicht weit von diesem Schloß ist eine Höhle,[23] die König Ludwig ausgraben ließ.[24] In dieser Höhle befinden sich ein kleiner See und eine Art Bühne,[25] auf der Richard Wagner einmal seine Oper „Lohengrin" vor König Ludwig aufführte. Im Schloß Chiemsee, das auf einer Insel[26] im Chiemsee liegt und eine Kopie des französischen Schlosses zu Versailles werden sollte, befindet sich eine hundert Meter lange Spiegelgalerie[27] aus Marmor und Gold, die einzigartig[28] auf dieser Erde ist (E). Wenn man aber echte Schlösser aus der deutschen Vergangenheit[29] sehen möchte, so sollte man z.B. Schloß Sanssouci (Potsdam), Schloß Charlottenburg (Berlin), Schloß Ludwigsburg (nicht weit von Stuttgart), und Schloß Nymphenburg (München) besichtigen.[30]

[19] mad, mentally ill   [20] (ließ ... bauen) had built   [21] duration
[22] distant   [23] cave, grotto   [24] had excavated   [25] type of stage   [26] island
[27] hall of mirrors   [28] unique   [29] past   [30] view, see

AUFGABE EINUNDZWANZIG

EIN PICKNICK

Rudi und Bruno haben Anna und Luise zu einem Picknick eingeladen. Alle vier sind jetzt eng miteinander befreundet, deshalb duzen sie einander.

[1] ANNA: Woher kennst du diesen kleinen See, Rudi?

[2] RUDI: Auf der Rückreise von Oberammergau haben Bruno und ich hier halt gemacht.

[3] ANNA: Und ihr sagtet: „Wir kommen einmal mit Anna und Luise hierher zurück."

[4] RUDI: Richtig! Diesen Ausflug mit euch haben wir schon damals geplant.

[5] ANNA: Luise und Bruno kommen gleich zurück. Wollen wir das Essen nicht auspacken?

[6] RUDI: Ja, gerade hier ist ein guter Platz. Bitte, Anna, reich mir die alten Zeitungen! Wir legen sie zuerst auf das Gras, dann kommt das Tischtuch darauf.

[7] ANNA: Man merkt, daß du ein erfahrener Picknicker bist.

[8] RUDI: Als ich noch jünger war, ging ich oft mit meiner Familie in die Berge. So, der Tisch ist nun gedeckt. Jetzt kommt das gute Essen, das ihr zwei zubereitet habt.

[9] ANNA: Und dann sind die Ameisen und Fliegen unsere Gäste!

[10] RUDI: Ich merke, daß du auch schon im Freien gegessen hast. Weißt du, daß es schön ist, mit dir allein zu sein, Anna?

[11] ANNA: Es *war* sehr schön, Rudi. Da kommen Luise und Bruno!

[12] BRUNO: Wartet ihr schon lange auf uns?

[13] RUDI: Eigentlich nicht. Setzt euch doch! Wir wollen gleich essen.

344

LESSON 21

A PICNIC

*Rudi and Bruno have invited Anna and Luise to a picnic. All four are now close friends; therefore they use **du** in speaking to one another.*

¹ ANNA: How did you get to know this little lake, Rudi?

² RUDI: On the way back from Oberammergau Bruno and I stopped here.

³ ANNA: And you said, "We'll come back here sometime with Anna and Luise."

⁴ RUDI: Right!   We planned this excursion with you at that time.

⁵ ANNA: Luise and Bruno are coming back right away.   Shouldn't we unpack the food?

⁶ RUDI: Yes, right here is a good place.   Please hand me the old newspapers, Anna.   We'll lay them on the grass first, then the table-cloth on top.

⁷ ANNA: One can see that you are an experienced picnicker.

⁸ RUDI: When I was younger, I often went into the mountains with my family.   Well, the table is now set.   Now comes the good food that you two have prepared.

⁹ ANNA: And then the ants and the flies will be our guests.

¹⁰ RUDI: I note that you, too, have eaten out in the open.   Do you know it's nice to be alone with you, Anna?

¹¹ ANNA: It *was* very nice, Rudi.   There come Luise and Bruno!

¹² BRUNO: Have you been waiting for us long?

¹³ RUDI: Not really.   Sit down!   Let's eat.

REVIEW OF IDIOMS AND USEFUL EXPRESSIONS

Lessons 1–6

A. Guten Morgen! Wie geht es Ihnen?
B. Danke, gut.
A. Und wie geht es Ihrem Freund, Herrn Hüber?
B. Es geht ihm auch gut.
A. Er ist jetzt zu Hause, nicht wahr?
B. Nein, er kommt erst um sechs Uhr nach Hause.
A. So? Sagen Sie ihm, ich werde gegen sieben vorbeikommen.
B. Gern. Auf Wiedersehen!
A. Auf Wiedersehen!

A. Wie heißt Ihre Freundin?
B. Wie bitte?
A. Wie heißt Ihre Freundin?
B. Sie heißt Edith Bauer.
A. Wo wohnt sie?
B. Dort drüben.

A. Sie sprechen gut Deutsch.
B. Danke.
A. Wie lange sprechen Sie schon Deutsch?
B. Seit zwei Jahren.
A. Lernen Sie immer noch fleißig?
B. Nein, nicht fleißig genug. Ich muß zu lange im Geschäft arbeiten.
A. Wie finden Sie Ihre Arbeit?
B. Interessant aber auch sehr schwer.
A. Möchten Sie gern mehr Deutsch lernen?
B. Natürlich würde ich gern noch mehr Deutsch lernen.
A. Vielleicht können wir einander helfen.
B. Das wäre schön! Abgemacht!

A. Verzeihen Sie bitte! Wie komme ich wohl zum Rathaus?
B. Das Rathaus ist gleich um die Ecke.
A. Rechts oder links?
B. Rechts und dann geradeaus.
A. Danke schön.
B. Bitte schön.

A. Wohnen Sie in der Parkstraße?
B. Nein, ich wohne in der Lindenstraße.
A. Wohnen Sie oben oder unten?
B. Ich wohne eine Treppe hoch.[1]

[1] one flight up

A. Wo ist Ihr Vater? Ist er draußen im Garten?
B. Nein, er ist im Wohnzimmer.
A. Sagen Sie mir, ist er eigentlich Professor oder Arzt?
B. Er ist Arzt, aber manchmal hält er Vorlesungen an der Universität.
A. Ich weiß nicht, ob ich ihn schon kenne.
B. Oh ja, Sie kennen ihn schon. Er hat einmal mit Ihnen Englisch gesprochen.
A. Jetzt erinnere ich mich an ihn. Er spricht sehr gut Englisch.
B. Ja, er interessiert sich sehr für Fremdsprachen.

A. Wie spät ist es?
B. Viertel vor sechs.
A. Um wieviel Uhr essen Sie heute abend?
B. Gegen sieben Uhr.
A. Wann essen Sie morgens? (Wann frühstücken Sie?)
B. Gewöhnlich um halb sieben.
A. Ist Ihre Mutter noch nicht hier?
B. Nein, aber sie kommt gleich (sofort, sogleich).
A. Wo ist Ihre Schwester Martha?
B. Sie arbeitet in der Küche.

A. Fahren Sie heute nachmittag mit der Straßenbahn zur Universität?
B. Nein, mit dem Rad.
A. Ach, wenn ich doch auch ein Rad hätte!
B. Gehen Sie oft zu Fuß?
A. Eigentlich tue ich das ganz gern, aber ein Rad wäre besser.

A. Wie komme ich am besten zum Bahnhof?
B. Mit dem Autobus.
A. Aber ich muß in zehn Minuten dort sein.
B. Da nehmen Sie wohl am besten ein Taxi!
A. Danke sehr.
B. Nichts zu danken.

A. Wann sind Sie geboren?
B. Ich bin im Juli geboren. Und Sie?
A. Im September.

A. Darf ich mich vorstellen? Mein Name ist Gubler.
B. Ich heiße Schmidt.
A. Oh, Sie sind Martins Freund, nicht wahr?
B. Ja, Martin ist ein sehr guter Freund von mir.
A. Ich glaube, er wartet schon auf Sie.
B. So? Es tut mir leid, daß ich mich verspätet habe.
A. Das macht nichts. Kommen Sie nur mit!

A. Das ist mein Freund, Herr Kepler.

B. Es freut mich Sie kennenzulernen, Herr Kepler.

C. Ganz meinerseits.

B. Wohnen Sie bei einer Familie?

C. Ja, bei Schmidts. Kennen Sie die Familie?

B. Sehr gut. Sie waren vier Jahre lang meine Nachbarn.

A. Sind Sie auf dem Weg zum Tennisplatz?

B. Jawohl. Möchten Sie mitkommen?

A. Ich möchte schon, aber ich kann leider nicht. Ich muß im Park spazieren gehen.

B. Mit wem?

A. Mit Trine.

B. Hm! Also, Trine ist es diesmal.

A. Natürlich, immer! Trine ist doch mein Hund!

A. Schauen Sie mal das blonde Mädchen dort drüben im Wasser!

B. Ist sie nicht hübsch?

A. Hören Sie nur! Sie ruft um Hilfe!

B. Nun, worauf warten wir noch? Eilen wir zu Hilfe![2]

A. Ich möchte schon, aber ich kann nicht schwimmen.

B. Ach, das ist aber schade! Da muß ich sie allein retten!

A. Wie kommen Sie zum Tiergarten?

B. Mit dem Rad. In zehn Minuten sind wir dort.

A. Leider kann ich nicht mitkommen.

B. So? Warum denn nicht?

A. Ich muß noch an meinem Aufsatz arbeiten.

B. Was? Sie arbeiten noch immer daran?

A. Natürlich! Es ist gar nicht so leicht, einen guten Aufsatz zu schreiben.

B. Worüber schreiben Sie denn?

A. Über Mädchen.

B. Über Mädchen?! Kein Wunder, daß Sie mit Ihrem Aufsatz noch nicht fertig sind.

A. Wie meinen Sie das?

B. Mein lieber Freund, niemand kann die Frauen verstehen. Und wenn man etwas nicht versteht, dann kann man natürlich nicht darüber schreiben.

A. Ich glaube, Sie haben recht. Nächstes Mal werde ich über Hunde schreiben. Die kann jeder verstehen.

A. Sind Sie Student oder Tourist?

B. Ich bin Tourist.

A. Reisen Sie lieber mit dem Schiff oder mit dem Flugzeug?

B. Mit dem Schiff. Es ist natürlich viel langsamer aber auch viel romantischer.

A. Ja, das glaube ich gern.

[2] Let's hurry and help her.

CONVERSATIONAL PATTERNS

I. THE FAMILIAR PRONOUNS *DU* AND *IHR*

So far, you have been using only one form for *you*, the pronoun **Sie**, which is generally referred to as the formal or polite form of *you*. The familiar pronouns **du** (singular) and **ihr** (plural) are the forms of *you* that are used in speaking to members of one's immediate family, close friends, children, animals, and inanimate objects. **Du** is also used in addressing the Deity.

The verb forms that accompany these pronouns are very easy to learn. The pronoun **du** has the same verb form in the present tense as **er / sie / es** but adds the ending -st rather than -t. The exceptions are **sein** and **werden**: **du bist** and **du wirst**. In the narrative past, the du-form of an irregular verb usually ends in -st; regular verbs and semi-irregular verbs end in -est. Study the examples below:

PRESENT		NARRATIVE PAST	
er lernt	du lernst	er lernte	du lerntest
er nimmt	du nimmst	er nahm	du nahmst
er **will**	du willst	er wollte	du wolltest
er wartet	du wartest	er wartete	du wartetest
er **hat**	du hast	er **hatte**	du hattest
er heißt	du heißt	er hieß	du hießt
er **ist**	du bist	er war	du warst
er **wird**	du wirst	er wurde	du wurdest

Note that verb stems that end in a sibilant sound (**s, ß, tz, sch**) add just -t rather than -st (**du hießt**).

With **ihr**, irregular verbs generally take the ending -t; the regular and semi-irregular verbs usually take -t in the present tense (-et if required by the syllabic structure) and always take -et in the narrative past. Study the following examples:

PRESENT		NARRATIVE PAST	
sie lernen	ihr lernt	sie lernten	ihr lerntet
sie nehmen	ihr nehmt	sie nahmen	ihr nahmt
sie wollen	ihr wollt	sie wollten	ihr wolltet
sie sehen	ihr seht	sie sahen	ihr saht
sie warten	ihr wartet	sie warteten	ihr wartetet
sie **sind**	ihr seid	sie waren	ihr wart
sie werden	ihr werdet	sie wurden	ihr wurdet
sie haben	ihr habt	sie hatten	ihr hattet

1. Repetition

Hörst du, was ich sage?
Hört ihr, was ich sage?
Glaubst du das?
Glaubt ihr das?
Wie heißt du?
Wie heißt ihr?
Fährst du heute ab?
Fahrt ihr heute ab?
Liest du dieses Buch?
Lest ihr dieses Buch?
Du bist immer vorbereitet (prepared).
Ihr seid immer vorbereitet.
Sprichst du oft mit Karl?
Sprecht ihr oft mit Karl?
Du läßt mich nicht in Ruhe.
Ihr laßt mich nicht in Ruhe.
Du ißt zu viel!
Ihr eßt zu viel!
Was siehst du?
Was seht ihr?
Kannst du morgen kommen?
Könnt ihr morgen kommen?
Weißt du das schon?
Wißt ihr das schon?
Findest du Deutsch interessant?

Findet ihr Deutsch interessant?
Wohntest du damals in Berlin?
Wohntet ihr damals in Berlin?
Du konntest damals schon alles verstehen.
Ihr konntet damals schon alles verstehen.
Hattest du damals Zeit, Onkel Heinrich zu schreiben?
Hattet ihr damals Zeit, Onkel Heinrich zu schreiben?
Wann hast du ihn zum letzten Mal gesehen?
Wann habt ihr ihn zum letzten Mal gesehen?
Wann bist du zurückgekommen?
Wann seid ihr zurückgekommen?
Wo bist du geboren?
Wo seid ihr geboren?
Wo hast du das gehört?
Wo habt ihr das gehört?
Wirst du heute hier bleiben?
Werdet ihr heute hier bleiben?
Wann wirst du abfahren?
Wann werdet ihr abfahren?

2. *er > du*

Use present tense.

Sucht er etwas?

Kennt er jedes Mädchen in der Klasse?
Liest er dieses Buch?
Nimmt er jeden Tag ein Bad?
Glaubt er alles, was er hört?
Was hält er davon? (hältst)
Wann ißt er gewöhnlich zu Mittag?
Schläft er gut bei diesem Wetter?
Was gibt er mir für meine Hilfe?
Was sieht er?
Er hilft dem Lehrer, nicht wahr?

Suchst du etwas?

Kennst du jedes Mädchen in der Klasse?
Liest du dieses Buch?
Nimmst du jeden Tag ein Bad?
Glaubst du alles, was du hörst?
Was hältst du davon?
Wann ißt du gewöhnlich zu Mittag?
Schläfst du gut bei diesem Wetter?
Was gibst du mir für meine Hilfe?
Was siehst du?
Du hilfst dem Lehrer, nicht wahr?

Wann nimmt er Abschied (*take leave*)?	Wann nimmst du Abschied?
Er spricht zu schnell.	Du sprichst zu schnell.
Er kommt um acht Uhr zurück, nicht wahr?	Du kommst um acht Uhr zurück, nicht wahr?
Wie findet er Deutsch?	Wie findest du Deutsch?
Wo ist er?	Wo bist du?
Weiß er das schon?	Weißt du das schon?
Kann er auch Französisch?	Kannst du auch Französisch?
Muß er hier bleiben?	Mußt du hier bleiben?

3. *Sie > du*

Use present tense.

irreg

mean

Fahren Sie heute ab?	*Fährst du heute ab?*
Wissen Sie, was dieses Wort bedeutet?	Weißt du, was dieses Wort bedeutet?
Nehmen Sie jetzt Abschied?	Nimmst du jetzt Abschied?
Wo arbeiten Sie?	Wo arbeitest du?
Wie lange warten Sie schon?	Wie lange wartest du schon?
Lesen Sie immer diese Zeitung?	Liest du immer diese Zeitung?
Sie sprechen gut Deutsch.	Du sprichst gut Deutsch.
Wollen Sie mir helfen?	Willst du mir helfen?
Mögen Sie diesen Mann?	Magst du diesen Mann?
Sie sehen ihn jeden Tag, nicht wahr?	Du siehst ihn jeden Tag, nicht wahr?
Essen Sie gewöhnlich um sechs Uhr?	Ißt du gewöhnlich um sechs Uhr?
Wo sitzen Sie gewöhnlich?	Wo sitzt du gewöhnlich?
Sie vergessen immer meinen Namen!	Du vergißt immer meinen Namen!
Sie laufen aber schnell!	Du läufst aber schnell!
Sterben Sie schon wieder vor Hunger?	Stirbst du schon wieder vor Hunger?
Fangen Sie jetzt an, Deutsch zu lernen?	Fängst du jetzt an, Deutsch zu lernen?
Sie laden mich zum Abendessen ein?	Du lädst mich zum Abendessen ein?
Oh danke schön!	Oh danke schön!

4. *er > du*

Use narrative past tense.

Damals schrieb er mir lange Briefe.	*Damals schriebst du mir lange Briefe.*
Damals sprach er nicht viel Deutsch.	Damals sprachst du nicht viel Deutsch.
Damals half er mir viel.	Damals halfst du mir viel.
Wußte er das schon?	Wußtest du das schon?
Er glaubte mir immer.	Du glaubtest mir immer.
Damals hatte er nicht viel vor.	Damals hattest du nicht viel vor.

Damals holte er mich vom Bahnhof ab. | Damals holtest du mich vom Bahnhof ab.

Damals reiste er viel. | Damals reistest du viel.

5. *Sie > du*

Use present perfect tense.

Wo sind Sie gewesen? | *Wo bist du gewesen?*

Haben Sie das Buch mitgebracht? | Hast du das Buch mitgebracht?
Haben Sie daran gedacht? | Hast du daran gedacht?
Haben Sie gut geschlafen? | Hast du gut geschlafen?
Haben Sie das Buch gefunden? | Hast du das Buch gefunden?
Wann sind Sie gestern nach Hause gekommen? | Wann bist du gestern nach Hause gekommen?

Use future tense.

Wohin werden Sie gehen? | *Wohin wirst du gehen?*

Werden Sie mich abholen? | Wirst du mich abholen?
Wie werden Sie fahren, mit dem Zug oder mit dem Auto? | Wie wirst du fahren, mit dem Zug oder mit dem Auto?
Werden Sie morgen arbeiten? | Wirst du morgen arbeiten?

6. *Sie* (pl.) > *ihr*

Use present tense.

Wann stehen Sie gewöhnlich auf? | *Wann steht ihr gewöhnlich auf?*

Was machen Sie heute? | Was macht ihr heute?
Brauchen Sie Geld? | Braucht ihr Geld?
Haben Sie heute etwas vor? | Habt ihr heute etwas vor?
Wann kommen Sie zurück? | Wann kommt ihr zurück?
Wieso wissen Sie das? | Wieso wißt ihr das?
Dürfen Sie mitkommen? | Dürft ihr mitkommen?
Wann essen Sie zu Mittag? | Wann eßt ihr zu Mittag?
Lesen Sie gern? | Lest ihr gern?
Sprechen Sie oft mit dem Lehrer? | Sprecht ihr oft mit dem Lehrer?
Kennen Sie diesen alten Mann? | Kennt ihr diesen alten Mann?
Wollen Sie dieses Buch mitnehmen? | Wollt ihr dieses Buch mitnehmen?
Glauben Sie alles, was Sie hören? | Glaubt ihr alles, was ihr hört?
Wissen Sie immer, was Sie wollen? | Wißt ihr immer, was ihr wollt?

Use narrative past tense.

Damals kamen Sie immer zu spät nach   *Damals kamt ihr immer zu spät nach*
   Hause.   *Hause.*

Damals waren Sie immer pünktlich.	Damals wart ihr immer pünktlich.
Damals lernten Sie fleißig, nicht wahr?	Damals lerntet ihr fleißig, nicht wahr?
Sie spielten oft Tennis, nicht wahr?	Ihr spieltet oft Tennis, nicht wahr?
Damals hatten Sie viel zu erzählen.	Damals hattet ihr viel zu erzählen.
Damals kamen Sie oft mit.	Damals kamt ihr oft mit.

Use present perfect tense.

Haben Sie die Koffer schon vom Bahn-   *Habt ihr die Koffer schon vom Bahnhof*
   hof abgeholt?   *abgeholt?*

Haben Sie meinen alten Freund Kurt schon kennengelernt?	Habt ihr meinen alten Freund Kurt schon kennengelernt?
Haben Sie schon gegessen?	Habt ihr schon gegessen?
Haben Sie diesen Roman schon gelesen?	Habt ihr diesen Roman schon gelesen?
Wann sind Sie zurückgekommen?	Wann seid ihr zurückgekommen?
Wo sind Sie den ganzen Tag gewesen?	Wo seid ihr den ganzen Tag gewesen?
Haben Sie gut geschlafen?	Habt ihr gut geschlafen?
Wie lange haben Sie gearbeitet?	Wie lange habt ihr gearbeitet?

Use future tense.

Werden Sie morgen in die Stadt fahren?   *Werdet ihr morgen in die Stadt fahren?*

Wo werden Sie nächstes Jahr studieren?	Wo werdet ihr nächstes Jahr studieren?
Werden Sie die Prüfung bestehen?	Werdet ihr die Prüfung bestehen?
Werden Sie morgen zu Hause bleiben?	Werdet ihr morgen zu Hause bleiben?

II. THE SUBJUNCTIVE FORMS FOR *DU* AND *IHR*

The regular and alternate subjunctive forms of the verbs for **du** end in **-est;** for **ihr**, the ending is **-et:**

du	ihr
du hättest (habest)	ihr hättet (habet)
du wärest (seiest)	ihr wäret (seiet)
du würdest (werdest)	ihr würdet (werdet)

7. Repetition

IMAGINATIVE SUBJUNCTIVE	INDIRECT DISCOURSE
Wenn du Geld hättest, würdest du ein Rad kaufen, nicht wahr?	Du sagtest, daß du nicht mitkommen dürftest (dürfest).
Wenn du nur fleißiger lerntest!	Er schrieb, daß du eine lange Reise gemacht hättest (habest).
Wenn du hier gewesen wärest, hätten wir über vieles geplaudert!	Luise sagte, ihr bliebet (bleibet) heute abend zu Hause.
Wenn ihr hier wäret, könntet ihr mit uns fischen gehen!	Sie fragte, wo ihr früher gewohnt hättet (habet).
Wenn ihr nur länger gewartet hättet!	

8. Indicative > Subjunctive

du – wirst – würden
ihr – werdet – würdet

Wenn du Zeit hast, wirst du mir schreiben, nicht wahr?	*Wenn du Zeit hättest, würdest du mir schreiben, nicht wahr?*
Wenn du in der Klasse aufpaßt, wirst du mehr lernen.	Wenn du in der Klasse aufpaßtest, würdest du mehr lernen.
Wenn du mich liebst, wirst du mir helfen.	Wenn du mich liebtest, würdest du mir helfen.
Wenn ihr zu Hause bleibt, werdet ihr nichts lernen.	Wenn ihr zu Hause bliebet, würdet ihr nichts lernen.
Wirst du nach Deutschland fahren, wenn du genug Geld hast?	Würdest du nach Deutschland fahren, wenn du genug Geld hättest?
Wenn ihr morgen kommt, könnt ihr uns helfen.	Wenn ihr morgen kämet, könntet ihr uns helfen.

9. Direct Discourse > Indirect Discourse

Du sagtest: „Heute kann ich nicht kommen."	*Du sagtest, daß du heute nicht kommen könntest (könnest).*
Du sagtest: „Morgen werde ich abfahren."	Du sagtest, daß du morgen abfahren würdest (werdest).
Du sagtest: „Ich bin nie dort gewesen."	Du sagtest, daß du nie dort gewesen wärest (seiest).
Du sagtest: „Ich war gestern nicht zu Hause."	Du sagtest, daß du gestern nicht zu Hause gewesen wärest (seiest).
Du fragtest: „Darf ich mitgehen?"	Du fragtest, ob du mitgehen dürftest (dürfest).
Du fragtest: „Soll ich zu Hause bleiben?"	Du fragtest, ob du zu Hause bleiben solltest (sollest).
Du fragtest: „Habe ich zu viel Lärm (noise) gemacht?"	Du fragtest, ob du zu viel Lärm gemacht hättest (habest).
Ihr schriebt: „Wir sind oft auf dem Campus."	Ihr schriebt, daß ihr oft auf dem Campus wäret (seiet).

Pfeffer minztee
Peppermint tea

Ihr schriebt: „Wir sind nach Berlin gegangen."	Ihr schriebt, daß ihr nach Berlin gegangen wäret (seiet).
Ihr schriebt: „Wir haben Heinrich nicht gesehen."	Ihr schriebt, daß ihr Heinrich nicht gesehen hättet (habet).

III. THE IMPERATIVE FORMS FOR *DU* AND *IHR*

The **du** imperative is generally formed by adding **-e** to the infinitive stem of most verbs; however, this **-e** is often dropped in spoken German. Verbs which show the vowel change **e** to **i** or **ie** (**nehmen—du nimmst** or **sehen—du siehst**) retain this change in the **du** imperative form and never add **-e:**

Geh(e) nach Hause!	Nimm deine Bücher mit!
Schlaf(e) gut!	Iß dein Brot!
Fahr(e) langsamer!	Lies das Buch!

The **du** imperative of the verb **sein,** however, is **sei:**

Sei brav, mein Kind!

The **ihr** imperative form is the same as the indicative:

Ihr bleibt hier.	Bleibt hier!
Ihr schlaft gut.	Schlaft gut!
Ihr seid brav.	Seid brav!

10. Repetition

Kommen Sie her! Komm(e) her! Kommt her!	Gehen Sie an die Tafel! Geh(e) an die Tafel! Geht an die Tafel!
Setzen Sie sich neben mich! Setz(e) dich neben mich! Setzt euch neben mich!	Passen Sie auf! Pass(e) auf! Paßt auf!
	Öffnen Sie die Tür! Öffne die Tür! Öffnet die Tür!
Sprechen Sie nicht so langsam! Sprich nicht so langsam! Sprecht nicht so langsam!	Laufen Sie nach Hause! Lauf(e) nach Hause! Lauft nach Hause!

11. *Sie* Imperative > *du* Imperative

Sprechen Sie langsam!	*Sprich langsam!*
Wachen Sie auf!	Wach(e) auf!
Geben Sie mir das Buch!	Gib mir das Buch!
Helfen Sie mir!	Hilf mir!
Essen Sie nicht so schnell!	Iß nicht so schnell!
Trinken Sie diesen Pfefferminztee!	Trink(e) diesen Pfefferminztee!
Rufen Sie mich morgen an!	Ruf(e) mich morgen an!

Lernen Sie Deutsch!   Lern(e) Deutsch!
Tun Sie das nicht!   Tu(e) das nicht!
Nehmen Sie diese Medizin!   Nimm diese Medizin!
Schlafen Sie gut!   Schlaf(e) gut!
Kommen Sie zurück!   Komm(e) zurück!
Lesen Sie diesen Satz!   Lies diesen Satz!
Vergessen Sie mich nicht!   Vergiß mich nicht!
Seien Sie hier um drei Uhr!   Sei hier um drei Uhr!

12. *du* Imperative > *ihr* Imperative

Iß langsamer!   *Eßt langsamer!*

Lauf(e) nicht so schnell!   Lauft nicht so schnell!
Hör(e) auf!   Hört auf!
Komm(e) herein!   Kommt herein!
Geh(e) nicht über die Straße!   Geht nicht über die Straße!
Öffne das Fenster!   Öffnet das Fenster!

IV. ACCUSATIVE AND DATIVE FORMS OF *DU* AND *IHR*

NOM.	ACC.	DAT.
du	dich	dir
ihr	euch	euch

These forms are also used in reflexive constructions:

Freust du **dich** darüber?
Kaufst du **dir** ein Rad?

13. Repetition

Wer hat es dir gesagt?   Darf ich dir etwas sagen?
Wer hat es euch gesagt?   Darf ich euch etwas sagen?
Wir wollen dich etwas fragen.   Schäm(e) dich! (*Shame on you!*)
Wir wollen euch etwas fragen.   Schämt euch!

14. *Ihnen* > *dir* or *euch*

Ich danke Ihnen.   *Ich danke dir.*

Hat er Ihnen geantwortet?   Hat er dir geantwortet?
Gehört Ihnen dieses Buch?   Gehört dir dieses Buch?
Gefällt Ihnen (*pl.*) der Film?   Gefällt euch der Film?
Wie geht es Ihnen?   Wie geht es dir?

bogen Borrow

15. *Sie > dich* or *euch*

Wer hat Sie abgeholt?   *Wer hat dich abgeholt?*

Wer hat Sie gerufen?   Wer hat dich gerufen?
Ich habe Sie (*pl.*) nicht gehört.   Ich habe euch nicht gehört.
Darf ich Sie etwas fragen?   Darf ich dich etwas fragen?
Schämen Sie sich!   Schäm(e) dich!

V. THE POSSESSIVE ADJECTIVES *DEIN* AND *EUER*

Like **mein, sein, unser,** etc., **dein** and **euer** are also **ein**-words and take the usual **ein**-word endings:

> Kinder, wo ist **euer** Vater?
> Gehst du mit **deinem** Freund, Paul?

16. Repetition

Wo ist deine Mutter?   Ich war einmal bei deiner Tante.
Wo ist eure[1] Mutter?   Ich war einmal bei eurer Tante.
Ich kenne deine Eltern nicht.   Ich habe die Bücher deines Bruders.
Ich kenne eure Eltern nicht.   Ich habe die Bücher eures Bruders.
Dein Haus gefällt mir.   Hugo spricht oft von deinem Onkel.
Euer Haus gefällt mir.   Hugo spricht oft von eurem Onkel.

17. *Ihr > dein* or *euer*

Ist Herr Braun Ihr Onkel?   *Ist Herr Braun dein Onkel?*

Ich habe den Schlüssel für Ihr Zimmer   Ich habe den Schlüssel für dein Zimmer
   nicht gefunden.   nicht gefunden.
Darf ich Ihren Bleistift borgen?   Darf ich deinen Bleistift borgen? *Borrow*
Ich habe mit Ihrem (*pl.*) Lehrer ge-   Ich habe mit eurem Lehrer gesprochen.
   sprochen.
Ist die Farbe Ihrer Jacke blau oder   Ist die Farbe deiner Jacke blau oder
   grau?   grau?
Wir haben über Ihre (*pl.*) Familie ge-   Wir haben über eure Familie ge-
   sprochen.   sprochen.
Ist diese Dame eine Freundin Ihrer   Ist diese Dame eine Freundin deiner
   Mutter?   Mutter?

---

[1] The unstressed vowel of **euer** is often dropped before endings.

REVIEW

English-German Patterns

Use **du** in these sentences.

Karl, do you hear what I am saying?   Karl, hörst du, was ich sage?
Do you see Horst often?   Siehst du Horst oft?
Do you speak with him?   Sprichst du mit ihm?
When did you see him the last time?   Wann hast du ihn das letzte Mal gesehen?

When did you return?   Wann bist du zurückgekommen?
Will you stay here today?   Wirst du heute hier bleiben?
Can you pick me up at eight o'clock?   Kannst du mich um acht Uhr abholen?

Use **ihr.**

Dieter and Paul, where have you been?   Dieter und Paul, wo seid ihr gewesen?
Do you want to help me?   Wollt ihr mir helfen?
Where do you usually sit?   Wo sitzt ihr gewöhnlich?
Have you forgotten where I live?   Habt ihr vergessen, wo ich wohne?
When do you usually get up?   Wann steht ihr gewöhnlich auf?
Do you need money?   Braucht ihr Geld?
Will you return tomorrow?   Werdet ihr morgen zurückkommen?

Use **du.**

Oh Paul, if you were only here!   Oh Paul, wenn du nur hier wärest!
If you had only been here yesterday!   Wenn du nur gestern hier gewesen wärest!

If you had only worked more diligently!   Wenn du nur fleißiger gearbeitet hättest!

Had you only waited!   Hättest du nur gewartet!

Use **du** imperative forms.

Karl, wake up!   Karl, wach(e) auf!
Read this sentence!   Lies diesen Satz!
Come back!   Komm(e) zurück!
Don't forget what I am telling you!   Vergiß nicht, was ich dir sage!
Hold my hat!   Halt(e) meinen Hut!

Use **ihr** imperative forms.

Achim and Hugo, go to the blackboard!   Achim und Hugo, geht an die Tafel!
Write this sentence, children!   Schreibt diesen Satz, Kinder!
Run home, children!   Lauft nach Hause, Kinder!

Sorgen

Use **dein.**

I haven't seen your brother.	Ich habe deinen Bruder nicht gesehen.
How are your friends?	Wie geht es deinen Freunden?
I like your uncle. (*mögen*)	Ich mag deinen Onkel.
I spoke with your aunt yesterday.	Ich habe gestern mit deiner Tante gesprochen.
Is that your new book?	Ist das dein neues Buch?
Do you often speak with your parents about your worries? (*Sorgen*)	Sprichst du oft mit deinen Eltern über deine Sorgen?

Use forms of **ihr.**

Anna and Dieter, is this lady a friend of your mother?	Anna und Dieter, ist diese Dame eine Freundin eurer Mutter?
Where is your father, children?	Wo ist euer Vater, Kinder?
All are here except your brother.	Alle sind hier außer eurem Bruder.

← omit

General Questions

1. Duzen Sie Ihre Mutter, wenn Sie mit ihr Deutsch sprechen?   2. Duzen Sie Ihren Deutschlehrer?   3. Sind Sie nicht eng miteinander befreundet?   4. Was möchten Sie lieber, ein paar Verben konjugieren oder einen kurzen Aufsatz schreiben? 5. Planen Sie ein Picknick für das kommende Wochenende?   6. Was für Salat essen Sie am liebsten?   7. Haben Sie je in einem Geschäft gearbeitet?   8. Wann frühstücken Sie gewöhnlich?   9. Möchten Sie für morgen einen Aufsatz schreiben? 10. Ist es leicht, einen Aufsatz über Frauen zu schreiben?

Directed Questions

1. Fragen Sie Herrn ——, ob er zu Hilfe eilt, wenn eine hübsche Blondine um Hilfe ruft!
2. Fragen Sie Fräulein ——, ob sie lieber mit dem Schiff oder mit dem Flugzeug reist!
3. Fragen Sie Herrn ——, wen er duzt!
4. Fragen Sie Fräulein ——, ob sie den Tisch deckt und das Geschirr wäscht, wenn sie zu Hause ist!
5. Fragen Sie Herrn ——, ob er ein erfahrener Picknicker ist!
6. Fragen Sie Fräulein ——, wie oft sie einen Ausflug macht!
7. Fragen Sie Herrn ——, ob er sich schämt, wenn er die Aufgabe nicht gut gelernt hat!
8. Fragen Sie Fräulein ——, ob sie daran gewöhnt ist, früh zu Bett zu gehen!

VERB SUMMARY

INFINITIVE	PRESENT	NARR. PAST	PRES. PERFECT
decken (*cover, set a table*)	deckt	deckte	hat gedeckt
eilen (*hurry*)	eilt	eilte	**ist** geeilt
frühstücken (*eat breakfast*)	frühstückt	frühstückte	hat gefrühstückt
konjugieren (*conjugate*)	konjugiert	konjugierte	hat konjugiert
planen (*plan*)	plant	plante	hat geplant
zubereiten (*prepare*)	bereitet . . . zu	bereitete . . . zu	hat zubereitet
schämen (*be ashamed, refl.*)	er schämt sich	er schämte sich	er hat sich geschämt

(The PRESENT, NARR. PAST, and PRES. PERFECT columns for the first six verbs are bracketed with "er".)

A

B

DIE GUTE LUFT

In keinem anderen Land spricht man so viel über Luft[1] wie in Deutschland. Man unterscheidet[2] zwischen Sommerluft, Winterluft, Landluft, Seeluft, Bergluft usw. Für viele Deutsche ist die Luft eine Medizin, die Lungen-, Nerven-, Magen- und Blutkrankheiten[3] verhindern[4] oder kurieren[5] kann. Am Strand[6] des Nordseeheilbads[7] Cuxhaven spielen einige Badegäste[8] im Sand oder sitzen in ihren Strandkörben,[9] um ein Sonnenbad zu nehmen und die Seeluft zu genießen[10] (A). Westberliner besuchen gern ihr beliebtes Strandbad Wannsee (B).

Da ein Luftkurort[11] nur reine[12] Luft zu haben braucht, sind viele Dörfer in den Bergen zu Kurorten geworden. Mancher unternehmungslustige[13] Bauer verkauft heute seine Landluft an die Stadtleute, indem er Zimmer an sie vermietet[14] (C).

[1] air [2] distinguishes [3] blood diseases [4] prevent [5] cure [6] strand, beach
[7] North Sea spa [8] patients, spa visitors [9] basketlike beach chairs [10] enjoy
[11] fresh-air spa [12] pure [13] enterprising [14] in that he rents

C

D

Bei den Stadtbewohnern ist Camping (D) in den letzten Jahren sehr beliebt geworden. Es ist immer ein erfrischendes Erlebnis,[15] abends unter den Sternen zu schlafen und die frische Bergluft oder Waldluft einzuatmen.[16] Zum Camping gehören ein Auto, ein Zelt,[17] Proviant[18] und eine Straßenkarte, die zeigt, wo die Zeltplätze liegen. Man kann auch außer Landes fahren, denn Campingplätze gibt es seit dem Zweiten Weltkrieg überall in Europa.

Schon im letzten Jahrhundert begannen europäische Ärzte die Alpenluft als Heilmittel[19] gegen Tuberkulose zu verschreiben.[20] Um die Lungenkranken unterzubringen,[21] baute man Sanatorien, die als Heilanstalten[22] in der ganzen Welt berühmt wurden. Zur gleichen Zeit entdeckte man die Schönheit der Berge. Zuerst kamen die Reichen in Kutschen,[23] später reisten Touristen aus aller Welt mit der Eisenbahn, dem Auto und Flugzeug in die Alpenländer, um die Bergluft zu genießen und die schneebedeckten[24] Alpen zu bewundern und sie zu besteigen[25] (E, Bergsteiger mit Monte-Rosa-Gruppe).

[15] refreshing experience [16] to breathe in [17] tent [18] provisions, food [19] medicine, cure [20] prescribe [21] shelter, house [22] sanatoriums, hospitals [23] coaches [24] snow-covered [25] climb

E

in ? les

monte-Rosa Gruppe

Tuberlosis

AUFGABE ZWEIUNDZWANZIG

EIN ZUSAMMENTREFFEN IN SALZBURG

Rudi und Anna sind nach Salzburg gefahren, um sich das berühmte Spiel „Jedermann" anzusehen. Auf der Straße begegnen sie einem Bekannten von Rudi.

¹ RUDI: Wir haben Glück, das Wetter bleibt gut für die Vorstellung von „Jedermann".

² ANNA: Natürlich!   Ich bringe dir immer Glück.

³ RUDI: Das muß ich zugeben.   Anna, da ist ein Bekannter von mir, Klaus Menzer.   Kennst du ihn?

⁴ ANNA: Nein, er ist mir unbekannt.

⁵ RUDI: Hallo!   Klaus!   Klaus Menzer!

⁶ KLAUS: Rudi!   Ich habe Sie schon lange nicht gesehen.   Man sagte, Sie seien wahrscheinlich nach den Vereinigten Staaten zurückgekehrt.

⁷ RUDI: Nein, noch nicht.   Ich fahre in zwei Wochen ab.   Anna, darf ich dir Klaus Menzer vorstellen?   Klaus, Anna Ulmer ist eine Freundin von mir.

⁸ ANNA: Ich freue mich, Sie kennenzulernen, Herr Menzer.

⁹ KLAUS: Es freut mich, Ihre Bekanntschaft zu machen.   Wann sind Sie in Salzburg angekommen, Rudi?

¹⁰ RUDI: Vor drei Stunden.   „Jedermann" wird heute nachmittag vor dem Dom gespielt, und wir wollen es so gern sehen.

¹¹ KLAUS: Aber alle Karten sind seit Monaten ausverkauft!

¹² RUDI: Ja, das wissen wir.   Aber Glück muß man haben!   Gerade als wir verzweifelt an der Theaterkasse standen, kam ein junger Amerikaner vorbei ...

¹³ ANNA: ... und wollte eben zwei Karten zurückgeben, weil er sofort nach Rom fahren mußte.

¹⁴ KLAUS: Unglaublich!   Na, viel Vergnügen!

¹⁵ RUDI: Danke.   Auf Wiedersehen, Klaus!   Alles Gute!

LESSON 22

MEETING A FRIEND IN SALZBURG

Rudi and Anna have gone to Salzburg in order to see the famous play Everyman. *On the street they meet an acquaintance of Rudi's.*

¹ RUDI: We're lucky; the weather's going to stay fine for the performance of *Everyman.*

² ANNA: Of course!   I always bring you luck.

³ RUDI: That I must admit.   Anna, there's someone I know, Klaus
Menzer.   Do you know him?

⁴ ANNA: No, I don't know him.

⁵ RUDI: Hey!   Klaus!   Klaus Menzer!

⁶ KLAUS: Rudi!   I haven't seen you for a long time.   They said you
had probably returned to the United States.

⁷ RUDI: No, not yet.   I'm leaving in two weeks.   Anna, may I introduce Klaus Menzer to you?   Klaus, Anna Ulmer is a friend of
mine.

⁸ ANNA: I'm glad to know you, Mr. Menzer.

⁹ KLAUS: I'm glad to make your acquaintance.   When did you arrive
in Salzburg, Rudi?

¹⁰ RUDI: Three hours ago.   *Everyman* is being performed this afternoon in front of the cathedral, and we want so much to see it.

¹¹ KLAUS: But all performances have been sold out for months.

¹² RUDI: Yes, we know that.   But one has to be lucky!   Just as we
were standing in despair at the ticket office, a young American
came by . . .

¹³ ANNA: . . . and was just about to return two tickets because he had
to leave immediately for Rome.

¹⁴ KLAUS: Incredible!   Well, have a good time!

¹⁵ RUDI: Thanks.   Good-by, Klaus!   Good luck!

REVIEW OF IDIOMS AND USEFUL EXPRESSIONS

Lessons 7–11

A. Gehen Sie zur Post?
B. Später, ja, aber ich muß erst zum Bahnhof.
A. Warum denn?
B. Ich muß mein Gepäck abholen.
A. Kann man im Bahnhof einen Scheck einlösen?
B. Einen Reisescheck, ja, aber keinen anderen.

A. Ist hier irgendwo eine Bank in der Nähe?
B. Dort drüben, gerade gegenüber dem Dom.
A. Besten Dank.
B. Gern geschehen. Passen Sie auf! Jetzt ist rotes Licht für Fußgänger.[1]
A. Danke. Ich werde warten, bis die Autos halten müssen.

A. Ich möchte dieses Buch gern kaufen, aber ich habe kein Geld bei mir.
B. Haben Sie Geld auf der Bank?
A. Leider nicht, aber mein Vater wird mir bald etwas schicken.
B. Sie haben es wirklich gut.
A. Ja, das stimmt.

A. Würden Sie mir, bitte, einen Gefallen[2] tun?
B. Selbstverständlich.
A. Würden Sie mich Ihrer Kusine vorstellen?
B. Lotte? Haben Sie Lotte noch nicht kennengelernt?
A. Nein, noch nicht.
B. Lotte, dies ist mein Freund, Götz Roggenkamp.
C. Es freut mich, Sie kennenzulernen, Herr Roggenkamp.
A. Es freut mich ebenfalls.[3] Sind Sie auf dem Wege zur Post?
C. Ja, ich muß einige Briefe aufgeben.
A. Ich auch. Darf ich Sie begleiten?
C. Ja, gewiß.

A. [Es klopft.] Kommen Sie nur herein!
B. Guten Tag! Störe ich?
A. Gar nicht. Was gibt's Neues?
B. Wissen Sie, wo Fritz ist?
A. Keine Ahnung. Ich habe Fritz schon lange nicht mehr gesehen.
B. Aber er geht oft ins Konzert, nicht wahr?
A. Ja, entweder[4] ins Konzert oder ins Theater.

---

[1] pedestrians   [2] favor   [3] likewise, too   [4] either

B. Ich würde lieber ins Kino gehen.

A. Ich nicht. Ich höre klassische Musik sehr gern.

B. Dann freuen Sie sich sicherlich auf die Oper am kommenden Samstag!

A. Das kann ich Ihnen sagen! Das wird ein herrliches Erlebnis werden.

B. Haben Sie sich schon Karten reservieren lassen?

A. Ja, gewiß, schon vor drei Wochen.

A. Was fehlt Ihnen?

B. Ich weiß es nicht.

A. Haben Sie Fieber?

B. Nein, nur Kopfschmerzen.

A. Vielleicht sollten Sie zum Arzt gehen.

B. Ich gehe jetzt ins Bett. Wenn ich mich morgen nicht besser fühle, werde ich zum Arzt gehen.

A. Sie haben sich wahrscheinlich nur erkältet, das ist alles.

B. Ich hoffe auch.

A. Auf jeden Fall, gute Besserung![5]

B. Danke.

A. Wollen Sie nicht Platz nehmen?

B. Danke, ich kann nicht, denn ich muß zum Krankenhaus.

A. So? Ist Ihr Freund schon wieder krank?

B. Es geht ihm jetzt schon viel besser. Ich schäme mich nur, daß ich ihn so lange nicht mehr besucht habe.

A. Machen Sie sich keine Sorgen![6] Er weiß schon, daß Sie in Nürnberg gewesen sind.

B. Meine Schwester sollte es ihm sagen, aber sie ist manchmal ziemlich vergeßlich.

A. Wie jeder von uns. Grüßen Sie Ihren Freund von mir!

B. Gern. Das werde ich tun. Bis Montag dann!

A. Wann stehen Sie gewöhnlich auf?

B. Um sechs Uhr.

A. Wer weckt Sie denn?

B. Ich habe einen neuen Wecker.

A. Wenn ich spät zu Bett gehe, finde ich es schwer, am nächsten Tage wach zu bleiben.

B. Haben Sie auch einen Wecker?

A. Ja, aber dreimal habe ich ihn nicht klingeln[7] hören.

A. Was machen Sie, nachdem Sie aufgestanden sind?

B. Oh, ich ziehe mich an, wasche mir die Hände und das Gesicht und putze mir die Zähne.

---

[5] hope you're better soon!   [6] Don't worry!   [7] ring

A. Wann rasieren Sie sich?

B. Gewöhnlich gleich vor dem Frühstück.

A. Wo ist Kätchen? Ist sie schon nach unten gegangen?

B. Nein, ich glaube, sie ist nach oben gegangen, um mit Hilde zu sprechen.

A. Wissen Sie, daß es heute einen Ausverkauf im neuen Warenhaus gibt?

B. Was Sie nicht sagen! Ich würde mir gern ein Paar neue Schuhe kaufen.

A. Beeilen Sie sich! Ich möchte eine neue Jacke anprobieren.

A. Was gibt's heute zum Frühstück?

B. Kakao und Brötchen.

A. Darf ich um die Butter bitten?

B. Ja, gewiß. Hast du Hunger?

A. Du weißt schon, ich sterbe immer vor Hunger. Hast du heute gar keinen Appetit?

B. Ich esse gewöhnlich wenig zum Frühstück.

A. Wo sollen wir uns zu Mittag treffen?

B. Vor der Mensa. Gut?

A. Schön! Bis dann!

A. Wann badest du meistens im Studentenheim?

B. Entweder morgens, wenn ich früh genug aufstehe, oder abends.

A. Ich dusche mich gern morgens.

B. So? Warm oder kalt?

A. Beides.

B. Ich dusche lieber warm, besonders bevor ich ins Bett gehe, dann kann ich besser schlafen.

A. Kein Wunder, daß du nicht einmal den Wecker hörst. Du schläfst immer zu fest.[8]

A. Wohin gehst du, Klara?

B. Ich mache heute nachmittag einen Spaziergang mit einer Freundin.

A. Hast du keine Angst vor dem großen Hund an der Ecke?

B. Nein, er bellt nur laut, aber er beißt nicht.

A. Ich hoffe, du hast recht. Ich habe mich immer vor Hunden gefürchtet.

B. Nur keine Angst! Er ist gewöhnlich freundlich zu jungen Leuten.

A. Was für ein herrlicher Tag!

B. Nicht wahr? Wie wäre es, wenn wir heute einen Ausflug machen würden?

A. Ich möchte schon, aber ich habe in der nächsten Stunde eine Vorlesung.

B. Wenn du nicht schwänzen willst, können wir ja später gehen.

A. Gut, wenn du es nicht eilig hast.[9]

[8] soundly   [9] if you aren't in a hurry

B. Wo sollen wir uns treffen?
A. Am Brunnen, um halb drei.
B. Abgemacht! Ich werde mich beeilen.

A. Fängt das Semester morgen an?
B. Ja, und ich freue mich schon darauf.
A. Ich auch. Wann hält Herr Professor Diehl seine Vorlesungen?
B. Um zehn und um zwei Uhr.
A. Wunderbar! Ich interessiere mich sehr für das deutsche Drama.

A. Donnerwetter!
B. Was ist denn los?
A. Meine Uhr geht nicht. Wie spät ist es genau?
B. Zehn Minuten vor elf, aber meine Uhr geht manchmal ein bißchen vor.
A. Danke. Ich gehe jetzt zur Bibliothek. Nachmittags habe ich oft wenig Zeit zum Lesen.

CONVERSATIONAL PATTERNS

I. PASSIVE VOICE

The passive voice, which presents a situation where the subject of the sentence is acted upon, consists of the auxiliary **werden** in the required tense forms plus the past participle of the verb concerned:

Passive
(Subject is acted upon)

Das Buch **wird** von ihm **gelesen.** (*Present*)	The book *is* (*being*) *read* by him.
Das Buch **wurde** von ihm **gelesen.** (*Narr. past*)	The book *was* (*being*) *read* by him.
Das Buch **wird** von ihm **gelesen werden.** (*Future*)	The book *will be read* by him.
Das Buch **ist** von ihm **gelesen worden.** (*Pres. perf.*)	The book *has been read* by him.
Das Buch **war** von ihm **gelesen worden.** (*Past perf.*)	The book *had been read* by him.

Note that the **ge- of geworden is dropped** in the passive voice; also that the auxiliary in the present perfect and past perfect tenses is always **sein.**

In the active voice, the subject generally acts:

Active
(*Subject acts*)

Er **liest** das Buch. (*Present*)	He *is reading* the book.
Er **las** das Buch. (*Narr. past*)	He *was reading* the book.
Er **wird** das Buch **lesen**. (*Future*)	He *will read* the book.
Er **hat** das Buch **gelesen**. (*Pres. perf.*)	He *has read* the book.
Er **hatte** das Buch **gelesen**. (*Past perf.*)	He *had read* the book.

Note that the object of an active sentence becomes the subject in the passive voice.

1. Repetition

Die Geschichte wird von der Klasse gelesen.

Der Dieb wurde von keinem gesehen.

Ein neues Lied ist von ihm komponiert (*composed*) worden.

Als Kind wurde ich oft im Auto mitgenommen.

Der Brief war schon geschrieben worden.

Die Hauptrolle (*main part*) wurde von einem berühmten Schauspieler gespielt.

Dieser Aufsatz ist von einem der besten Schüler geschrieben worden.

Diese Geschichte wird von der ganzen Klasse gelesen werden.

2. Active > Passive

Badet die Mutter das Baby jeden Morgen?

Spricht Paul dieses Wort immer falsch aus?

Haben Sie diesen Aufsatz geschrieben?

Komponierte Beethoven die Neunte Symphonie?

Hatte er seine Kusine überall vorgestellt?

Hat uns Herr Fröhlich zum Abendessen eingeladen?

Ja, das Baby wird von der Mutter jeden Morgen gebadet.

Ja, dieses Wort wird von Paul immer falsch ausgesprochen.

Ja, dieser Aufsatz ist von mir geschrieben worden.

Ja, die Neunte Symphonie wurde von Beethoven komponiert.

Ja, seine Kusine war von ihm überall vorgestellt worden.

Ja, wir sind von Herrn Fröhlich zum Abendessen eingeladen worden.

Begrüßt Sie immer Herr Braun an der Tür?

Ja, ich werde immer von Herrn Braun an der Tür begrüßt.

Hat jemand Onkel Albert vom Bahnhof abgeholt?

Ja, Onkel Albert ist von jemand vom Bahnhof abgeholt worden.

Viele Studenten lesen dieses Drama, nicht wahr?

Ja, dieses Drama wird von vielen Studenten gelesen.

Der Lehrer lobt (*praises, reg.*) die Studenten, nicht wahr?

Ja, die Studenten werden von dem Lehrer gelobt.

Hatten alle Studenten diese Übung schon gemacht?

Ja, diese Übung war von allen Studenten schon gemacht worden.

Besuchen viele Touristen Dinkelsbühl?

Ja, Dinkelsbühl wird von vielen Touristen besucht.

3. Passive > Active

Werden die schweren Sätze von dem Lehrer erklärt?

Ja, der Lehrer erklärt die schweren Sätze.

Ist Amerika von Kolumbus entdeckt (*discovered*) worden?

Ja, Kolumbus hat Amerika entdeckt.

Werden Sie jeden Morgen von Ihrer Mutter geweckt?

Ja, meine Mutter weckt mich jeden Morgen.

Ist dieses Buch von einem Professor geschrieben worden?

Ja, ein Professor hat dieses Buch geschrieben.

War dieses Problem vom Lehrer schon besprochen worden?

Ja, der Lehrer hatte dieses Problem schon besprochen.

Ist die Prüfung von allen Studenten bestanden worden?

Ja, alle Studenten haben die Prüfung bestanden.

War mein Koffer schon gestern abend von dem Hoteldiener auf mein Zimmer getragen worden?

Ja, der Hoteldiener hatte Ihren Koffer schon gestern abend auf Ihr Zimmer getragen.

Wird dieses Wort von der ganzen Klasse richtig ausgesprochen?

Ja, die ganze Klasse spricht dieses Wort richtig aus.

War dieser Aufsatz von allen Schülern schon geschrieben worden?

Ja, alle Schüler hatten diesen Aufsatz schon geschrieben.

Wurde „Don Giovanni" von Mozart komponiert?

Ja, Mozart komponierte „Don Giovanni".

Ist die Rechnung von Ihrem Vater bezahlt worden?

Ja, mein Vater hat die Rechnung bezahlt.

Ist dieses Essen von Ihnen bestellt worden?

Ja, ich habe dieses Essen bestellt.

II. THE AGENT

In the passive the agent, or person performing the action, is introduced by **von**:

Der Blinde wurde **von** seinem Bruder begleitet.
The blind man was accompanied *by* his brother.

The preposition **durch** is generally used to indicate the cause or the means by which the action is done:

Mozart wird **durch** die Mozart-Festspiele geehrt.
Mozart is honored *by means of* the Mozart Music Festivals.

When the emphasis is on instrumentality, rather than cause, **mit** is sometimes used:

Der Pudding wird **mit** einem Löffel gegessen.
Pudding is eaten *with* a spoon.

4. Repetition

Das Brot wurde von dem hungrigen Mann gegessen.

Das Brot wurde mit einem scharfen (*sharp*) Messer geschnitten.

Die Gäste wurden durch Lieder unterhalten (*entertained*).

Der Wanderer wurde von einem Räuber (*robber*) getötet (*killed*).

Der Wanderer wurde durch einen fallenden Stein getötet.

Der Tennisball wird mit einem Tennisschläger geschlagen.

5. *Mit* or *durch* and New Noun

Die Suppe wird gegessen. (*ein Löffel*)

Die Suppe wird mit einem Löffel gegessen.

Die Kartoffeln werden gegessen. (eine Gabel)

Die Kartoffeln werden mit einer Gabel gegessen.

Der Wanderer wurde getötet. (ein Schuß, *shot*)

Der Wanderer wurde durch einen Schuß getötet.

Das Kind wurde gewaschen. (Seife und Wasser)

Das Kind wurde mit Seife und Wasser gewaschen.

Der Brief wurde geschrieben. (ein Bleistift)

Der Brief wurde mit einem Bleistift geschrieben.

Der Kranke wurde geheilt (*healed*). (eine neue Medizin)

Der Kranke wurde durch eine neue Medizin geheilt.

Feuer — fire

Tor — gate
leise — soft gentle

Der Tiger wurde getötet. (eine Kugel, *bullet*)

Der Tiger wurde durch eine Kugel getötet.

Das Haus wurde zerstört (*destroyed*). (Feuer)

Das Haus wurde durch Feuer zerstört.

III. SUBSTITUTES FOR THE PASSIVE

The passive voice is used less frequently in German than in English. Common substitutes are the impersonal **man** and the reflexive construction in the active voice:

PASSIVE: Die Tür wird geöffnet.   ACTIVE: { Man öffnet die Tür, / Die Tür öffnet sich.

6. Repetition   *is to be*

In dieser Klasse wird nur Deutsch gesprochen.

Es wird oft gesagt, daß Kleider Leute machen.

In dieser Klasse spricht man nur Deutsch.

Man sagt oft, daß Kleider Leute machen.

Die Arbeiter wurden alle zwei Wochen bezahlt.

Das Tor (*gate*) wird geöffnet. *is being*

Man bezahlte die Arbeiter alle zwei Wochen. *Pay*

Das Tor öffnet sich. *The gate is opened.*

7. Passive > Reflexive or *man* Construction

Wird die Tür jeden Tag um acht Uhr geöffnet? (*refl.*)

Ja, die Tür öffnet sich jeden Tag um acht Uhr.

Wurde sein Wunsch erfüllt? (*refl.*)   *wish*

Ja, sein Wunsch erfüllte sich.

Wird das Geld bald gefunden werden? (man)

Ja, man wird das Geld bald finden.

Wurde das Fenster leise geschlossen? (*refl.*)   *soft gentle*

Ja, das Fenster schloß sich leise.

IV. TRUE AND FALSE PASSIVE

Note the difference in the following examples of true and false passive:

TRUE PASSIVE	FALSE OR APPARENT PASSIVE
Das Haus **wird** gerade **verkauft.** (Action is going on.) The house *is* just *being sold.*	Das Haus **ist** schon **verkauft.** (State of being—action is completed.) The house *is* already *sold.*

Geduld - patience
umzog - moved
beschreiben - described

True action   *False already*

8. Repetition

when *were Being*

Als der Lehrer ins Zimmer kam, wurden die Fenster geschlossen. *had been*

Als der Lehrer ins Zimmer kam, waren die Fenster schon geschlossen.

Als ich in diese Straße umzog (*moved*), wurde das weiße Haus gerade verkauft.

Als ich in diese Straße umzog, war das weiße Haus schon verkauft.

Darf ich die Zeitung borgen, oder wird sie jetzt gelesen?

Das Auto wird repariert (*repaired*); wir müssen also hier bleiben.

9. True Passive > False Passive

Wird das Haus verkauft?

Wird das Abendessen zubereitet?

Wird das Fleisch (*meat*) gebraten (*fried*)?

Wird die Suppe gekocht?

Wird der Tisch gedeckt?

Wird das Essen serviert (*served*)?

Nein, es ist schon verkauft.

Nein, es ist schon zubereitet.

Nein, es ist schon gebraten.

Nein, sie ist schon gekocht.

Nein, er ist schon gedeckt.

Nein, es ist schon serviert.

V. MODAL AUXILIARIES AND THE PASSIVE

Just as in English, the modal auxiliaries are sometimes used with the passive infinitive:

CAN NOT BE DESCRIBED

So etwas kann einfach nicht beschrieben (*described*) werden.

Deutsch kann nur mit Geduld (*patience*) gelernt werden.

CAN only BE learned

A reflexive construction with **sich lassen** is often used in place of the above constructions that contain the auxiliary **können:**

So etwas läßt sich einfach nicht beschreiben.

Deutsch läßt sich nur mit Geduld lernen.

10. Repetition

Was soll jetzt gesagt werden?

Diese Sätze müssen laut ausgesprochen werden.

Ein Volkswagen kann leicht repariert werden.

Ein Volkswagen läßt sich leicht reparieren.

11. Passive > *sich lassen*

Das kann nicht so leicht gesagt werden.

Deutsch kann nicht in drei Wochen gelernt werden.

Das läßt sich nicht so leicht sagen.

Deutsch läßt sich nicht in drei Wochen lernen.

Das Matterhorn kann nur von erfahrenen Bergsteigern bestiegen werden.
Oft kann die Grammatik nicht leicht erklärt werden.

Das Matterhorn läßt sich nur von erfahrenen Bergsteigern besteigen.
Oft läßt sich die Grammatik nicht leicht erklären.

VI. IMPERSONAL PASSIVE

The passive is occasionally used *impersonally:*

Es wird heute abend getanzt.
There will be dancing this evening.

Whenever another word begins the sentence, es usually drops out:

Heute abend wird getanzt.

12. Repetition

Es wird heute gearbeitet.
Heute wird gearbeitet.
Es wird abends oft gesungen.

Oft wird abends gesungen.
Bei uns wird immer spät gegessen.
Gewöhnlich wird viel getanzt.

REVIEW

English-German Patterns

America was discovered by Columbus. (*pres. perf.*)

Amerika ist von Kolumbus entdeckt worden.

The grammar was just being explained by the teacher.

Die Grammatik wurde gerade von dem Lehrer erklärt.

Money will be sent by my father.

Geld wird von meinem Vater geschickt werden.

The letter had been written by a student.

Der Brief war von einem Studenten geschrieben worden.

This film has been seen by many people.

Dieser Film ist von vielen Leuten gesehen worden.

Such books are read only by good students.

Solche Bücher werden nur von guten Studenten gelesen.

Everything had been explained before (*vorher*) by the teacher.

Alles war vorher von dem Lehrer erklärt worden.

The bill will be paid by the student's father.

Die Rechnung wird vom Vater des Studenten bezahlt werden.

There is a lot of dancing.	Es wird viel getanzt.
Often there is a lot of singing.	Oft wird viel gesungen.
There is a lot of buying and selling.	Es wird viel gekauft und verkauft.
The workers were (being) paid every two weeks.	Die Arbeiter wurden alle zwei Wochen bezahlt.
The car was being repaired.	Das Auto (der Wagen) wurde repariert.
The box office is opened daily at 2:00 P.M.	Die Theaterkasse wird täglich um vierzehn Uhr geöffnet.
Your baggage has already been picked up, Herr Lehmann.	Ihr Gepäck ist schon abgeholt worden, Herr Lehmann.
What is served (*servieren*) for breakfast here?	Was wird hier zum Frühstück serviert?
He was cured by a new medicine.	Er wurde durch eine neue Medizin geheilt.
Paul is awakened by an alarm clock.	Paul wird durch einen Wecker geweckt.
The museum was destroyed by a bomb (*eine Bombe*).	Das Museum wurde durch eine Bombe zerstört.
The house is already built.	Das Haus ist schon gebaut.
The bill is being paid.	Die Rechnung wird bezahlt.
The eggs were already boiled.	Die Eier waren schon gekocht.

General Questions

1. Sind Sie heute morgen einem Bekannten auf der Straße begegnet?   2. Sind Sie je in Salzburg gewesen?   3. Möchten Sie sich Hugo von Hofmannsthals „Jedermann" ansehen?   4. Haben Sie gestern Post bekommen?   5. Laufen Sie manchmal über die Straße, wenn das Licht für Fußgänger rot ist?   6. Wieviel Geld haben Sie auf der Bank?   7. Haben Sie gewöhnlich Kopfschmerzen, wenn Sie eine Prüfung machen müssen?   8. Würden Sie sich schämen, wenn Sie durchfallen sollten? 9. Wird eine Oper heute abend auf diesem Campus aufgeführt?   10. Von wem wurde Amerika entdeckt?

Directed Questions

1. Fragen Sie Herrn ——, ob er seinen Freunden Glück bringt!
2. Fragen Sie Fräulein ——, ob sie in zwei Wochen die Stadt verläßt!
3. Fragen Sie Herrn ——, ob er uns seine Freundin vorstellen möchte!
4. Fragen Sie Fräulein ——, ob sie sich für das Theater interessiert!
5. Fragen Sie Herrn ——, ob er im nächsten Sommer eine Reise nach Rom macht!
6. Fragen Sie Fräulein ——, ob sie heute viel Geld bei sich hat!
7. Fragen Sie Herrn ——, ob er schnarcht (*snores*), wenn er in der Klasse einschläft!
8. Fragen Sie Fräulein ——, wann das nächste Drama aufgeführt wird!

VERB SUMMARY

INFINITIVE	PRESENT	NARR. PAST	PRES. PERFECT
braten (*roast*)	**brät**	briet	hat gebraten
duschen (*shower*)	duscht	duschte	hat geduscht
ehren (*honor*)	ehrt	ehrte	hat geehrt
entdecken (*discover*)	entdeckt	entdeckte	hat entdeckt
erfüllen (*fulfill*)	erfüllt	erfüllte	hat erfüllt
komponieren (*compose*)	komponiert	komponierte	hat komponiert
loben (*praise*) er	lobt	er lobte	er hat gelobt
reparieren (*repair*)	repariert	reparierte	hat repariert
schlagen (*hit*)	schlägt	schlug	hat geschlagen
schnarchen (*snore*)	schnarcht	schnarchte	hat geschnarcht
servieren (*serve*)	serviert	servierte	hat serviert
töten (*kill*)	tötet	**tötete**	hat getötet
unterhalten (*entertain*)	unterhält	unterhielt	hat unterhalten
zugeben (*admit*)	gibt ... zu	gab ... zu	hat zugegeben

A

SALZBURG, DIE FESTSPIELSTADT

Salzburg, die Hauptstadt des gleichnamigen[1] österreichischen Bundeslandes,[2] war im Mittelalter die Residenzstadt eines Fürstenbistums.[3] Heute ist es berühmt wegen der Mozart-Festspiele, die 1920 zum ersten Mal aufgeführt wurden. Die vielen Kirchen, die man auf dem Bild sieht (A), stammen aus der Zeit der Erzbischöfe.[4] Auf dem Berg im Hintergrund steht die große Festung[5] Hohensalzburg, in der heute auch ein Museum untergebracht[6] ist.

Salzburg (B) ist für Musikliebende die Mozartstadt, weil der bekannte Komponist im Jahre 1756 hier geboren wurde. Während der Festspiele, die jeden Sommer sechs Wochen lang dauern, kommen einige der besten Opernsänger der Welt nach Salzburg, um in den großen Opern Mozarts mitzuwirken.[7] Während der Festspielwochen[8] werden auch viele Konzerte gegeben, in denen manche[9] der schönsten Werke Mozarts zu hören sind.

[1] of the same name   [2] federal state   [3] diocese administered by a prince-bishop
[4] archbishops   [5] fortress, citadel   [6] housed   [7] to participate   [8] festival weeks
[9] some

B

C

Kennen Sie das alte englische Spiel „Everyman"? Der österreichische
Dichter Hugo von Hofmannsthal hat dieses Thema in seinem „Jedermann"
benutzt. Der reiche Mann, der ein schlechtes Leben führt und nur an sich
selber und an weltliche Freuden denkt, zittert vor Angst, als der Tod[10] ihn
endlich abholen will. Hier (C) sieht man eine Szene aus diesem berühmten
Werk, das während der Festspiele vor dem Dom aufgeführt wird.

[10] death

D

Nicht weit von Salzburg liegt das Salzkammergut, ein Ferienland,[11] das
bei allen Österreichern und Deutschen beliebt ist. In dieser Gegend[12] liegen
Dutzende[13] warmer, klarblauer Bergseen (D) und idyllische Dörfer, deren
Geschichte oft sogar in die Zeit vor Christus zurückreicht.[14] Die Ufer[15] des
Hallstättersees (E) z.B. waren schon tausend Jahre vor Christus bewohnt.
Man nennt diese Epoche die Hallstätter Periode der Menschheitsentwick-
lung.[16]

[11] vacation land   [12] region   [13] dozens   [14] goes back   [15] shores
[16] development of mankind

380

E

AUFGABE DREIUNDZWANZIG

„WIEN, WIEN, NUR DU ALLEIN"

Rudi, Anna, Bruno und Luise verbringen zwei herrliche Tage in Wien, wo die Mädchen bei einer Tante übernachten. Rudi und Anna fahren eben mit dem berühmten Riesenrad im Prater, dem weltbekannten Vergnügungspark.

¹ RUDI: Ah, Wien, du Stadt meiner Träume!

² ANNA: Aber vor vier Tagen sagtest du noch, daß Salzburg die Stadt deiner Träume wäre.

³ RUDI: Ja, das war aber vor vier Tagen!   Jede Stadt, wie jede Frau, hat ihre besonderen Reize, und ich finde Wien besonders reizvoll.

⁴ ANNA: Ah, jetzt sind wir ganz oben!   Jetzt sieht man, wie schön Wien gelegen ist, umgeben vom Wienerwald und der Donau. Siehst du die alte Donau, wo wir gestern schwimmen gegangen sind?

⁵ RUDI: Ja, und dort drüben ist die neue Donau, die durch einen von Menschen gegrabenen Kanal fließt.

⁶ ANNA: Rudi, das ist lauter Papierdeutsch, wie du weißt.   Du hast aber eigentlich große Fortschritte gemacht!   Jetzt sprichst du sogar besser als viele Deutsche!

⁷ RUDI: Danke schön, aber leider mit amerikanischem Akzent.

⁸ ANNA: Nein, gar nicht!   Tante Irmgard ahnt noch nicht, daß du Amerikaner bist.

⁹ RUDI: Anna, ich bin dir dankbar, daß du während dieser vier Monate nur Deutsch mit mir gesprochen hast.

¹⁰ ANNA: Mit meinem Englisch hätten wir uns gar nicht so gut kennengelernt!

¹¹ RUDI: Es ist sehr nett von deiner Tante, uns heute abend zum Abendessen einzuladen.

¹² ANNA: Du gefällst der Tante; sie möchte dich besser kennenlernen.

¹³ RUDI: Dann werde ich auf meinen Akzent aufpassen müssen!

¹⁴ ANNA: Ach nein, wir sagen ihr sofort, daß du Amerikaner bist, dann kannst du sagen: „JawouL, ik bin AmeRikaneR!"

LESSON 23

"VIENNA, VIENNA, JUST YOU ALONE"

*Rudi, Anna, Bruno, and Luise spend two wonderful days in Vienna,
where the girls spend the night at the home of an aunt. Rudi and Anna
are just riding on the famous giant Ferris wheel in the Prater, the
world-famous amusement park.*

[1] RUDI: Ah, Vienna, city of my dreams!

[2] ANNA: But four days ago you were still saying that Salzburg was
the city of your dreams.

[3] RUDI: Yes, but that was four days ago. Every city, like every
woman, has her special charms, and I find Vienna especially
attractive.

[4] ANNA: Ah, now we are right on top. Now one sees how beautifully Vienna is situated, surrounded by the Vienna Woods and
the Danube River. Do you see the old Danube, where we went
swimming yesterday?

[5] RUDI: Yes, and over there is the new Danube, which flows through
a man-made canal.

[6] ANNA: Rudi, that's pure book German, as you know. You have
really made great progress though. Now you speak even better
than many Germans.

[7] RUDI: Thanks a lot, but unfortunately with an American accent.

[8] ANNA: No, not at all. Aunt Irmgard still doesn't suspect that you
are an American.

[9] RUDI: Anna, I'm grateful to you that you've spoken only German
with me during these four months.

[10] ANNA: With my English we wouldn't have got to know each other
nearly so well.

[11] RUDI: It's very nice of your aunt to invite us to dinner tonight.

[12] ANNA: My aunt likes you; she would like to get to know you better.

[13] RUDI: Then I'll have to watch my accent.

[14] ANNA: Oh no, we'll tell her right away that you are an American;
then you can say, "Yes indeed, I'm an American!"

383

REVIEW OF IDIOMS AND USEFUL EXPRESSIONS

Lessons 12–16

A. Was hast du heute abend vor, Laura?

B. Nichts Besonderes.

A. Möchtest du ins Kino gehen?

B. Sehr gern, Karl!

A. Weißt du, wann wir unsere nächste Prüfung in Literaturgeschichte haben?

B. Am nächsten Montag. Ich hoffe, ich kann die Prüfung bestehen.

A. Du bist noch nie durchgefallen, das kann ich leider von mir nicht sagen.

B. Du mußt nur ein bißchen fleißiger lernen.

A. Ja, das weiß ich schon.—Soll ich dich gegen sieben Uhr abholen?

B. Schön! Einen Augenblick bitte! Du hast vergessen, mir meine Bücher zurück-zugeben.

A. Bitte, nimm auch meine mit! Ich habe schon zu viele.

A. Wie alt bist du?

B. Rate mal!

A. Neunzehn?

B. Erraten!

A. Du bist genau so alt wie ich.

B. So? Ich hätte dich für zwanzig gehalten.

A. Wann hast du Geburtstag?

B. Übermorgen.

A. Nun, ich wünsche dir alles Gute!

B. Danke schön.

A. Gehst du heute einkaufen, Luise?

B. Ja, ich muß einige Einkäufe machen, denn morgen ist Sonntag.

A. Du siehst heute sehr gut aus.

B. Danke vielmals. Aber dein Kleid steht dir auch ausgezeichnet.

A. Danke. Ich hätte gern eine neue Bluse, wenn ich eine schöne finden könnte.

B. Ich muß mir auch eine neue Bluse kaufen. Darf ich vielleicht mitkommen?

A. Natürlich! Ich gehe nicht gern allein einkaufen.

A. Womit kann ich Ihnen dienen?

B. Ich suche eine warme Jacke.

A. Diese ist vorgestern angekommen. Gefällt sie Ihnen?

B. Ja, sie gefällt mir recht gut. Ich werde sie nehmen.

A. Gut. Bezahlen Sie bitte an der Kasse! Rechts an der Tür.

A. Guten Tag, Klaus!

B. Guten Tag, Johanna! Das ist eine angenehme Überraschung.

A. Es freut mich auch, Sie wieder zu sehen. Essen Sie oft in diesem Restaurant?

B. Nicht sehr oft, aber ich finde das Essen hier gut und billig. *billig*

A. Ich auch. Eine Freundin und ich treffen uns fast jeden Tag hier. *almost* *Certainly* *to this place*

B. So? Dann werde ich ganz bestimmt öfter hierher kommen.

Madam
A. Fräulein, ist der Tisch dort drüben besetzt?

Unfortunately
B. Leider, ja. Aber der Tisch am Fenster ist noch frei.

A. Kann man von dort aus den Park sehen?

B. Ja, man hat eine schöne Aussicht auf den Park.

A. O ja! Diese Aussicht ist herrlich!

B. Was wollen Sie trinken?

A. Ein Glas kalten Apfelsaft und ein Glas Coca-Cola.

B. Wollen Sie à la carte bestellen?

A. Nein, was haben Sie als Tagesgericht? *Today's special*

B. Wiener Schnitzel mit Bratkartoffeln und Tomatensalat. *Kartoffel puree*

A. Ausgezeichnet! Bitte, bringen Sie zweimal Tagesgericht.

A. Ich möchte gern zahlen.

B. Ich komme sofort. Hat Ihnen das Essen geschmeckt? *taste well*

A. Sehr! Was bin ich Ihnen schuldig? *indebted*

B. Im ganzen, sieben Mark fünfzig.

A. Ist die Bedienung auch dabei? *service*

B. Ja, natürlich. Danke schön. Auf Wiederschauen![1]

A. Auf Wiedersehen! *fried* *hot dog* *sausage*

A. Darf ich dich zu einer Bratwurst einladen?

B. Oh, danke schön. Das ist sehr freundlich von dir.

?A. Gern geschehen. Wir wollen uns beeilen! Ich muß gleich zurückkommen.

B. Ich auch. Gehen wir also!

A. Freust du dich auf die Aufführung von Wagners „Parsival"? *Parzival*

B. Natürlich! Hast du die Karten von der Kasse geholt?

A. Ja, gestern nachmittag.

B. Wann hast du die Plätze reservieren lassen?

A. Vor einem Monat. Hast du uns ein Programm gekauft? *A month ago*

B. Ja, ich dachte, du hättest es vergessen. *absent minded*

A. Danke sehr. Wie du weißt, bin ich oft ein bißchen zerstreut.

B. Schau mal! Fast jeder Platz ist schon besetzt.

A. Von hier aus können wir die Bühne gut übersehen.

B. Psst! Es fängt schon an.

[1] Good-by!

A. Warum ist Trudi böse auf mich?

B. Du hast dich in ein anderes Mädchen verliebt![2]

A. So? Das habe ich nicht gewußt.

B. Aber sie weiß es schon. Du sprichst stundenlang mit Hilde.

A. Stundenlang? Unser Gespräch hat nur zehn Minuten gedauert! Außerdem[3] necke ich Trudi gern.

B. Zu gern! Aber warte nur, eines Tages . . .

A. Was hast du heute abend vor?

B. Gar nichts. Ich werde wohl ziemlich früh zu Bett gehen.

A. Warum gehen wir nicht ins Kino? Oder gehst du lieber ins Theater?

B. Mir ist es eigentlich ganz gleich, aber ich höre, der Farbfilm „Ben Hur" ist einfach großartig.

A. Fein! Gehen wir!

A. Die Karten waren schon beinah ausverkauft. Unsere Plätze sind deshalb wahrscheinlich nicht gut.

B. Das macht mir nichts.

(Später)

A. Was für eine angenehme Überraschung! Die Plätze sind ausgezeichnet!

B. Von hier aus kann man gut sehen.

A. Ich habe für die Karten nicht viel bezahlt. Nun können wir noch nach der Vorstellung in das kleine Café in der Nebenstraße gehen.

B. Wunderbar! Die Torten sind dort besonders gut.

A. Was hören Sie lieber, Schlager oder Jazz?

B. Es kommt darauf an, was Sie damit meinen. Einige moderne Schlager höre ich gern, aber nicht alle.

A. Sie spielen Klavier, nicht wahr?

B. Nein, nur Mundharmonika.

A. Gehen Sie heute abend ins Konzert?

B. Nein, meine Freundin und ich gehen im Park spazieren. Später wollen wir im Studentenkeller tanzen.

A. Wie schön!

A. Na, das hat geschmeckt!

B. Und ob! Gehen wir jetzt! Ich habe eine Verabredung um acht Uhr.

A. Gut! Ich will nur eben zahlen. Herr Ober, zahlen, bitte!

B. Nicht doch! Das geht auf keinen Fall! Wir werden es uns teilen, wie es unter Studenten üblich ist.

A. So? Nun, jeden Tag lernt man etwas Neues.

[2] fallen in love with   [3] besides

A. Besuchst du deinen Freund in Nürnberg zum ersten Mal?
B. Nein, ich habe ihn vor zwei Jahren besucht.
A. Wann kommst du zurück?
B. In acht Tagen.
A. Gute Reise!
B. Danke. Bis nächste Woche!

A. Was für ein Auto hast du?
B. Einen Volkswagen.
A. Oh, ein Volkswagen ist sehr praktisch! Benutzt du einfaches Benzin oder Super?
B. Einfaches Benzin.
A. Nun, ich muß mich jetzt leider verabschieden.[4]
B. Warum denn? Du bist doch eben erst angekommen!
A. Ich muß noch meinen Koffer packen; wir reisen morgen ab.
B. Wohin?
A. Nach Venedig.[5]
B. Du Glücklicher! Viel Vergnügen!
A. Danke bestens.

CONVERSATIONAL PATTERNS

I. STRUCTURE REVIEW AND IDIOMS INVOLVING ACCUSATIVE PREPOSITIONS[1]

durch	ohne
für	um
gegen	

A. *durch*

1. Repetition

Soll ich es Ihnen durch die Post schicken?	Shall I send it to you by mail?
Wir haben uns durch Zufall getroffen.	We met by chance.
Oft fährt er die ganze Nacht durch.	Often he drives all night long.
Er wurde durch eine Operation geheilt.	He was healed by means of an operation.
Ich habe es durch Kurt erfahren.	I learned about it through Kurt.

---

[4] say good-by   [5] Venice

[1] Forms identical to these and other prepositions also function as adverbs or conjunctions.

ANWESEND – present

2. Tense Changes

Er schickt es dir durch die Post (*pres. perf.*)

Er hat es dir durch die Post geschickt.

Sie haben sich durch Zufall getroffen. (*past perf.*)

Sie hatten sich durch Zufall getroffen.

Wir werden die ganze Nacht durch fahren. (*pres. perf.*)

Wir sind die ganze Nacht durch gefahren.

Sie wurde durch eine Operation gerettet. (*pres. perf.*)

Sie ist durch eine Operation gerettet worden.

B. *für*

3. Repetition

Es hat Tag für Tag geregnet.	It rained day after day.
Für einen Amerikaner spricht er gut Deutsch.	For an American he speaks German well.
Er hält es für richtig, heute wegzubleiben.	He thinks it is all right to stay away today.
Seine Erfahrung spricht für ihn.	His experience stands in his favor.
Was für ein Mann ist er?	What kind of man is he?
Er kann nichts dafür.	He can't do anything about it.

4. Tense and Mood Changes

Für einen Engländer spricht er gut Spanisch. (narr. past)

Für einen Engländer sprach er gut Spanisch.

Kann er etwas dafür? (*narr. past*)

Konnte er etwas dafür?

Für wie alt halten Sie Herrn Meyer? (*fut. subj.*)

Für wie alt würden Sie Herrn Meyer halten?

Ihre Erfahrung spricht für sie. (*future*)

Ihre Erfahrung wird für sie sprechen.

Was für ein Student ist er? (*pres. perf.*)

Was für ein Student ist er gewesen?

C. *gegen*

5. Repetition

Er ist gegen einen Baum gefahren.	He drove into a tree.
Gegen mich sind Sie noch jung.	Compared with me you're still young.
Aspirin ist gut gegen Kopfschmerzen.	Aspirin is good for headaches.
Gegen dreißig Studenten waren anwesend.	About thirty students were present.

wette — Bet

Was haben Sie gegen ihn?	What do you have against him?
Er wird gegen Ende der Woche zurück-kommen.	He will come back toward the end of the week.
Ich wette zehn gegen eins.	I'll bet ten to one.

6. Direct Discourse > Indirect Discourse

Er sagte: „Ich habe drei gegen eins gewettet."	Er sagte, er hätte (habe) drei gegen eins gewettet.
Er sagte: „Gegen Rolf ist Willi sehr klug."	Er sagte, gegen Rolf wäre (sei) Willi sehr klug.
Sie sagten: „Wir werden gegen zehn Uhr kommen."	Sie sagten, sie würden gegen zehn Uhr kommen.
Der Arzt sagte: „Frische Luft (fresh air) ist gut gegen Kopfschmerzen."	Der Arzt sagte, frische Luft wäre (sei) gut gegen Kopfschmerzen.
Er sagte: „Gegen zwanzig Damen haben es gesehen."	Er sagte, gegen zwanzig Damen hätten es gesehen.
Er sagte: „Ich bin gegen diesen Mann."	Er sagte, er wäre (sei) gegen diesen Mann.
Sie sagte: „Ich komme gegen Ende der Woche zurück."	Sie sagte, sie käme (komme) gegen Ende der Woche zurück.
Er sagte: „Rolf ist gegen einen Baum gefahren."	Er sagte, Rolf wäre (sei) gegen einen Baum gefahren.

D. *ohne*

7. Repetition

Sie verließ das Zimmer, ohne ein Wort zu sagen.	She left the room without saying a word.
Sind Sie jetzt ohne Arbeit?	Are you out of work now?
Seien Sie ohne Sorge!	Don't worry.
Ohne weiteres zog er den Mantel aus.	Without further ado he took off his coat.
Er fuhr ab, ohne daß ich es wußte.	He left without my knowing it.

8. Tense Changes

Er ging, ohne „Auf Wiedersehen" zu sagen. (pres. perf.)	Er ist gegangen, ohne „Auf Wiedersehen" zu sagen.
Ich bin ohne Arbeit gewesen. (future)	Ich werde ohne Arbeit sein.
Ich bin ohne Sorge. (pres. perf.)	Ich bin ohne Sorge gewesen.
Er ging ohne weiteres in das Haus. (present)	Er geht ohne weiteres in das Haus.
Sie verließ das Haus, ohne daß ich es wußte. (pres. perf.)	Sie hat das Haus verlassen, ohne daß ich es gewußt habe.

E. *um*

9. Repetition

Treffen wir uns um sechs!	Let's meet at six.
Er kommt eben um die Ecke.	He is just coming around the corner.
Um alles in der Welt würde ich das nicht tun.	I wouldn't do that for anything in the world.
Um Himmels willen, kommen sie herein! Es regnet!	For heaven's sake, come in! It's raining!
Ihre Zeit ist um.	Your time is up.
Darf ich um Ihre Aufmerksamkeit bitten?	May I ask for your attention?
Es handelt sich um die Liebe.	It has to do with love.
Rolf: „Es kommen drei Mädchen statt zwei." Fritz: „Um so besser."	Rolf: "Three girls are coming instead of two." Fritz: "All the better."

10. Tense and Mood Changes

Sie treffen sich um fünf Uhr. (*pres. perf.*)	*Sie haben sich um fünf Uhr getroffen.*
Trudi kam eben um die Ecke. (*present*)	Trudi kommt eben um die Ecke.
Seine Zeit ist um. (*narr. past*)	Seine Zeit war um.
Um was handelt es sich? (*narr. past*)	Um was handelte es sich?
Darf ich um das Brot bitten? (*subj.*)	Dürfte ich um das Brot bitten?

through — by means of
by chance

REVIEW

English-German Patterns

Did he send it to you by mail?	Hat er es Ihnen durch die Post geschickt?
They had met by chance.	Sie hatten sich durch Zufall getroffen.
He was healed by means of a new medicine.	Er wurde durch eine neue Medizin geheilt.
Through whom did you find it out? (*du*)	Durch wen hast du es erfahren?
For a German he speaks English well.	Für einen Deutschen spricht er gut Englisch.
He considers it all right to stay home.	Er hält es für richtig, zu Hause zu bleiben.
What kind of woman is she?	Was für eine Frau ist sie?
It had rained day after day.	Es hatte Tag für Tag geregnet.

ANWESEND - present

gegen — agaINST
Toward
Almost
Compared

AUFGABE DREIUNDZWANZIG   391

He always comes toward eight o'clock.	Er kommt immer gegen acht Uhr.
Is aspirin good for headaches?	Ist Aspirin gut gegen Kopfschmerzen?
About fifteen children were present.	Gegen fünfzehn Kinder waren anwesend.
Compared with her, he's old.	Gegen sie ist er alt.
Sometimes she used to walk by without greeting me.	Manchmal ging sie vorbei, ohne mich zu grüßen.
Is he without work?	Ist er ohne Arbeit?
Without further ado he sat down.	Ohne weiteres setzte er sich.
He left the room without my knowing it.	Er verließ das Zimmer, ohne daß ich es wußte.
He was just going around the corner.	Er ging eben um die Ecke.
Your time is up. (Sie) Please go.	Ihre Zeit ist um. Bitte, gehen Sie!
What's it about?	Um was handelt es sich?
May I ask for a glass of Coca-Cola?	Darf ich um ein Glas Coca-Cola bitten?

(margin notes: PAST; further ado; — to deal with; request. UM bitten)

II. STRUCTURE REVIEW AND IDIOMS INVOLVING DATIVE PREPOSITIONS

aus	nach
außer	seit
bei	von
mit	zu

A. *aus*

11. Repetition

Er kommt aus Chicago.	He comes from Chicago.
Was ist aus Hans geworden?	What has become of Hans?
Er weiß viel aus Erfahrung.	He knows a lot by experience.
Die Klasse bestand aus zehn Jungen und fünfzehn Mädchen.	The class consisted of ten boys and fifteen girls.
Dieser Roman ist aus dem Englischen übersetzt worden.	This novel has been translated from the English.
Aus Liebe zu ihr ist er nicht gegangen.	Out of love for her, he didn't go.
Die Schule ist aus.	School is out (over).
Es ist aus mit ihm.	He's done for.
Von mir aus ist es recht.	As far as I am concerned, it's all right.

12. Tense and Voice Changes

Mein Freund kommt aus Chicago. (pres. perf.)	*Mein Freund ist aus Chicago gekommen.*
Was ist aus Georg geworden? *(future)*	Was wird aus Georg werden?
Aus wie vielen Studenten bestand die Klasse? *(present)*	Aus wie vielen Studenten besteht die Klasse?
Professor Kluge hat diesen Roman aus dem Englischen übersetzt. *(passive)*	Dieser Roman ist von Professor Kluge aus dem Englischen übersetzt worden.
Er tut es aus Liebe zu mir. *(pres. perf.)*	Er hat es aus Liebe zu mir getan.
Ich weiß das aus Erfahrung. *(narr. past)*	Ich wußte das aus Erfahrung.
Wann ist die Schule aus? *(narr. past)*	Wann war die Schule aus?

B. *außer*

13. Repetition

Er ist außer sich vor Freude.	He is beside himself with joy.
Alle außer einem sind hier.	All but one are here.
Er kam nie außer Fassung.	He never lost his composure.
Er läßt die Worte des Lehrers außer acht.	He disregards the words of the teacher.

14. Tense Changes

Mein Vater ist außer sich vor Wut (rage). (narr. past)	*Mein Vater war außer sich vor Wut.*
Außer ihm weiß das niemand. *(pres. perf.)*	Außer ihm hat das niemand gewußt.
Sie kommt selten außer Fassung. *(pres. perf.)*	Sie ist selten außer Fassung gekommen.
Er hat die Worte seines Vaters außer acht gelassen. *(future)*	Er wird die Worte seines Vaters außer acht lassen.

C. *bei*

15. Repetition

Er wohnt bei seinem Vater.	He is living with his father.
Kaufen Sie Ihre Lebensmittel bei Fischers?	Do you buy your groceries at Fischer's?
Sie nahm das Kind bei der Hand.	She took the child by the hand.
Ich habe kein Geld bei mir.	I have no money on me.
Bei uns sieht man keine Ochsen.	In our country one does not see oxen.
Er steht immer bei Sonnenaufgang auf.	He always gets up at sunrise.

Vornamen - first name

Bei ihm ist alles möglich.	With him everything is possible.
Bei schlechtem Wetter bleiben wir zu Hause.	In bad weather we stay home.
Er nannte mich beim Vornamen.	He called me by my first name.
Ich nahm ihn beim Wort.	I took him at his word.
Er wohnt bei der Kirche.	He lives near the church.

16. Tense and Voice Changes

Ich habe bei einem Onkel gewohnt. (future)	*Ich werde bei einem Onkel wohnen.*
Ich werde das Buch bei Meyers kaufen. (*pres. perf.*)	Ich habe das Buch bei Meyers gekauft.
Die Mutter nahm das Kind bei der Hand. (*passive*)	Das Kind wurde von der Mutter bei der Hand genommen.
Hast du Geld bei dir? (*narr. past*)	Hattest du Geld bei dir?
Ich stehe bei Sonnenaufgang auf. (*future*)	Ich werde bei Sonnenaufgang aufstehen.
Bei schönem Wetter spielen die Kinder draußen. (*future*)	Bei schönem Wetter werden die Kinder draußen spielen.
Er hat mich nie beim Vornamen genannt. (*passive*)	Ich bin nie von ihm beim Vornamen genannt worden.
Sie nimmt ihn beim Wort. (*past perf.*)	Sie hatte ihn beim Wort genommen.

D. *mit*

17. Repetition

Mit vier Jahren konnte er schon lesen.	At four years of age he could already read.
Schreibst du mit Tinte?	Do you write with ink?
Was ist mit ihm?	What's the matter with him?
Mit einem Wort, nein!	In a word, no!
Sind Sie mit dem Auto gefahren?	Did you go by car?

18. Tense and Voice Changes

Mit neunzehn Jahren kam er auf die Universität. (future)	*Mit neunzehn Jahren wird er auf die Universität kommen.*
Der Brief ist mit Bleistift geschrieben worden. (*active with* man)	Man hat den Brief mit Bleistift geschrieben.
Was ist mit ihr? (*narr. past*)	Was war mit ihr?
Was willst du damit sagen? (*narr. past*)	Was wolltest du damit sagen?
Da kann er leider nicht mit. (*narr. past*)	Da konnte er leider nicht mit.
Fährt er mit dem Auto? (*pres. perf.*)	Ist er mit dem Auto gefahren?

meinung - opinion

E. *nach*

19. Repetition

Es ist (ein) Viertel nach vier.	It is a quarter after four.
Nach langer Zeit schrieb er wieder.	After a long time he wrote again.
Dem Professor nach ist Deutsch leicht.	According to the professor, German is easy.
Ich kenne ihn nur dem Namen nach.	I only know him by name.
Ist das der Zug nach Frankfurt?	Is that the train to Frankfurt?
Er fragt nach euch.	He is inquiring about you.
Meiner Meinung nach ist es nicht möglich.	In my opinion, it is not possible.
Es sieht nach Regen aus.	It looks like rain.
Es schmeckt nach Kaffee.	It tastes like coffee.
Gehen Sie nach links!	Turn to the left!

20. Tense Changes

Nach langer Zeit schrieb sie ihm wieder. (pres. perf.)	*Nach langer Zeit hat sie ihm wieder geschrieben.*
Ist das der Zug nach Frankfurt? (*narr. past*)	War das der Zug nach Frankfurt?
Er fragt nach Monika. (*future*)	Er wird nach Monika fragen.
Es sieht nach Regen aus. (*pres. perf.*)	Es hat nach Regen ausgesehen.
Seiner Meinung nach war es unmöglich. (*future*)	Seiner Meinung nach wird es unmöglich sein.
Er ging nach links. (*pres. perf.*)	Er ist nach links gegangen.

F. *seit*

21. Repetition

Seit dem Krieg arbeitet er auf der Bank.	Since the war he has been working at the bank.
Seit einer Stunde regnet es.	It has been raining for an hour.
Seit wann schläft er schon?	How long has he been sleeping?
Ich warte schon seit sechs Uhr auf dich.	I have been waiting for you since six o'clock.

22. Direct Discourse > Indirect Discourse

Er sagte: „Seit Weihnachten arbeiten wir nicht mehr."	*Er sagte, daß sie seit Weihnachten nicht mehr arbeiteten.*

Beruf Profession
Gestalt - stature

Sie sagte: „Die Kinder schlafen schon seit einer Stunde."

Sie sagte, daß die Kinder schon seit einer Stunde schliefen.

Willi sagte: „Seit einem Jahr haben wir ihn nicht gesehen."

Willi sagte, daß sie ihn seit einem Jahr nicht gesehen hätten.

Liese sagte: „Wir warten schon seit zwei Uhr auf Sie."

Liese sagte, daß sie schon seit zwei Uhr auf mich warteten.

G. *von*

23. Repetition

Er ist Lehrer von Beruf.

He is a teacher by profession.

Von wem sprichst du?

Of whom are you speaking?

Von wem ist das Buch geschrieben worden?

By whom was that book written?

Ich arbeite von acht bis fünf.

I work from eight until five.

Er ist ein Freund von mir.

He is a friend of mine.

Zwei von uns möchten hier bleiben.

Two of us would like to stay here.

Mein Freund ist klein von Gestalt.

My friend is small of stature.

Das ist sehr nett von dir.

That's very nice of you.

Von nun an werde ich jeden Abend üben.

From now on, I'll practice every evening.

Bist du von Sinnen?

Are you out of your mind?

Er liebte sie von ganzem Herzen.

He loved her with all his heart.

Er ist von Geburt Deutscher.

He is a German by birth.

Das hängt von Ihnen ab.

That depends on you.

Grüß deinen Vater von mir!

Say hello to your father for me.

24. Tense, Mood, and Voice Changes

Er spricht von Ihnen. (pres. perf.)

Er hat von Ihnen gesprochen.

Heute habe ich von neun bis drei gearbeitet. (*future*)

Heute werde ich von neun bis drei arbeiten.

Er ist ein Freund von mir. (*pres. perf.*)

Er ist ein Freund von mir gewesen.

Zwei von uns werden hier bleiben. (*past perf.*)

Zwei von uns waren hier geblieben.

Was ist er von Beruf? (*narr. past*)

Was war er von Beruf?

Was wolltet ihr von mir? (*present*)

Was wollt ihr von mir?

Das ist nett von dir. (*subj.*)

Das wäre nett von dir.

Ich liebte sie von ganzem Herzen. (*subj.:* Er sagte, daß . . .)

Er sagte, daß er sie von ganzem Herzen geliebt hätte (habe).

Das hängt von uns ab. (*future*)

Das wird von uns abhängen.

Ich bin von Geburt Deutscher. (*subj.:* Er sagte, daß er . . .)

Er sagte, daß er von Geburt Deutscher wäre (sei).

Von nun an werden wir üben. (*subj.:* Er sagte, daß sie . . .)

Er sagte, daß sie von nun an üben würden.

Ich habe ihn von dir gegrüßt. (*future*)

Ich werde ihn von dir grüßen.

Von wem wurde dieser Aufsatz geschrieben? (*active*)

Wer schrieb diesen Aufsatz?

H. zu

25. Repetition

Wann geht ihr zu Bett?	When do you go to bed?
Es ist zum Lachen.	It's enough to make one laugh.
Ich muß zum Zahnarzt.	I have to go to the dentist.
Er kommt immer zur rechten Zeit.	He always comes at the right time.
Darf ich mich zu Ihnen setzen?	May I sit down beside you?
Das Fenster ist zu.	The window is closed.
Was ißt du zum Frühstück?	What do you eat for breakfast?
Ich sage es Ihnen zum letzten Mal.	I'm telling you for the last time.
Wir gehen zu Fuß.	We're going on foot.
Haben Sie Lust zum Tanzen?	Do you feel like dancing?
Wann ist die Oper zu Ende?	When is the opera over?
Was ist zu tun?	What is to be done?

26. Tense and Mood Changes

Wann geht er gewöhnlich zu Bett? (narr. past)

Wann ging er gewöhnlich zu Bett?

Es ist zum Weinen. (*narr. past*)

Es war zum Weinen.

Er mußte zum Arzt. (*present*)

Er muß zum Arzt.

Du setzt dich zu mir. (*imperative*)

Setz dich zu mir!

War die Tür zu? (*pres. perf.*)

Ist die Tür zu gewesen?

Was aß er zum Frühstück? (*pres. perf.*)

Was hat er zum Frühstück gegessen?

Gehst du zu Fuß? (*imperative*)

Geh zu Fuß!

Haben Sie Lust zum Schwimmen? (*subj.*)

Hätten Sie Lust zum Schwimmen?

Wann wird das Drama zu Ende sein? (*narr. past*)

Wann war das Drama zu Ende?

Was war zu sehen? (*present*)

Was ist zu sehen?

Werden Sie ihn heute zum letzten Mal sehen? (*pres. perf.*)

Haben Sie ihn heute zum letzten Mal gesehen?

REVIEW

English-German Patterns

From what city does he come?	Aus welcher Stadt kommt er?
I know that by experience.	Ich weiß das aus Erfahrung.
Is school out?	Ist die Schule aus?
What has become of Richard?	Was ist aus Richard geworden?
She is beside herself with joy.	Sie ist außer sich vor Freude.
He took her by the hand. (*pres. perf.*)	Er hat sie bei der Hand genommen.
At that time he called me by my first name.	Damals nannte er mich beim Vornamen.
I don't have any money on me.	Ich habe kein Geld bei mir.
I'll take him at his word.	Ich werde ihn beim Wort nehmen.
At four years he could read and write.	Mit vier Jahren konnte er lesen und schreiben.
I only know him by name.	Ich kenne ihn nur dem Namen nach.
He had inquired about you. (*du*)	Er hatte nach dir gefragt. *According to*
It looks like rain.	Es sieht nach Regen aus.
Is Klaus a friend of yours? (*Sie*)	Ist Klaus ein Freund von Ihnen?
What do you want of him? (*Sie*)	Was wollen Sie von ihm?
Everything depends on you. (*du*)	Alles hängt von dir ab.
From now on, I'll practice.	Von nun an werde ich üben.
That is nice of you. (*Sie*)	Das ist nett von Ihnen.
Are you going on foot? (*du*)	Gehst du zu Fuß?
The concert is over.	Das Konzert ist zu Ende.

General Questions

1. Möchten Sie ein paar Tage in Wien verbringen? 2. Würden Sie bei Annas Tante übernachten? 3. Sind Sie je mit einem Riesenrad gefahren? Wann? 4. Finden Sie jede Frau reizvoll? 5. Sprechen Sie Papierdeutsch oder Alltagsdeutsch? 6. Mit was für einem Akzent sprechen Sie? 7. Spricht Ihr Zimmerfreund (Ihre Zimmerfreundin) nur Deutsch mit Ihnen? 8. Was würden Sie sagen, wenn der Lehrer fragen sollte: „Möchten Sie heute abend zu mir zum Abendessen kommen"?

Directed Questions

1. Fragen Sie Herrn ——, ob er immer auf seinen Akzent aufpaßt, wenn er Deutsch spricht!
2. Fragen Sie Fräulein ——, was sie heute abend vorhat!
3. Fragen Sie Herrn ——, wann er noch eine deutsche Prüfung machen muß!
4. Fragen Sie Fräulein ——, ob auf diesem Campus viel getanzt wird!
5. Fragen Sie Fräulein ——, ob sie sich auf das Ende dieses Kurses (*course*) freut!
6. Fragen Sie Herrn ——, ob er gern allein einkaufen geht!
7. Fragen Sie Herrn ——, ob er je etwas Stärkeres als Coca-Cola getrunken hat!
8. Fragen Sie Fräulein ——, wo das nächste Café ist!

VERB SUMMARY

INFINITIVE		PRESENT		NARR. PAST		PRES. PERFECT
abhängen (*depend*)		hängt . . . ab		hing . . . ab		hat abgehangen
ahnen (*suspect*)		ahnt		ahnte		hat geahnt
graben (*dig*)		gräbt		grub		hat gegraben
heilen (*heal, cure*)	er	heilt	er	heilte	er	hat geheilt
umgeben (*surround*)		umgibt		umgab		hat umgeben
wegbleiben (*stay away*)		bleibt . . . weg		blieb . . . weg		**ist** weggeblieben
wetten (*bet*)		wettet		wettete		hat gewettet

A

B

„WIEN, DU STADT MEINER TRÄUME"

Die Kaiserstadt[1] Wien erlebte[2] eine besondere Blüte[3] im 17. und 18. Jahrhundert. Viele Architekten, Künstler,[4] Sänger und Dichter schufen[5] damals unvergängliche Kunstwerke.[6] Obwohl Wien heute die Hauptstadt einer nur kleinen Republik von 7 Millionen Menschen ist, hat es wenig an künstlerischem Glanz[7] verloren, denn die prächtigen[8] Kirchen, Museen und Schlösser der Habsburger Kaiser (A, Park und Schloß Schönbrunn) sind noch erhalten.[9] Auch der mittelalterliche gotische[10] Stephansdom wacht heute noch über der Stadt wie vor Jahrhunderten (B).

[1] imperial city   [2] experienced   [3] golden age   [4] artists   [5] created
[6] immortal works of art   [7] artistic splendor   [8] magnificent   [9] preserved
[10] Gothic

C

D

E

Zur Weltberühmtheit[11] Wiens haben in erster Linie[12] seine Leistungen[13] auf dem Gebiet[14] der Musik beigetragen.[15] Auf einem Spaziergang durch die Stadt bemerkt man die Denkmäler, die die Stadt den größten Komponisten gesetzt hat, die dort gelebt und gewirkt haben: Mozart, Gluck, Haydn, Beethoven, Schubert, Brahms, Johann und Richard Strauß (C, Johann-Strauß-Denkmal im Stadtpark). Kein Wunder, daß Wien als Musik- und Kulturzentrum der Welt gilt.[16]

Die unübertroffene[17] Ensembleleistung[18] der Wiener Oper hat den Ruf[19] Wiens als Hauptstadt der Musik mitbegründet.[20] Dem Ensemble der Wiener Oper anzugehören, ist Wunsch und Ziel[21] der großen Sänger der deutschsprachigen Länder, und auch viele ausländische Sänger haben in ihrem Ensemble mitgewirkt.[22] Am Ende des letzten Weltkriegs war das Wiener Opernhaus eine ausgebrannte Ruine.[23] Trotz der Not[24] der Nachkriegsjahre wandte die österreichische Regierung 265 Millionen österreichische Schilling auf,[25] um den Wiederaufbau durchzuführen[26] (D, die Staatsoper).

Hier (E) sehen wir eine Gruppe der weltbekannten Wiener Sängerknaben[27] bei einer Probe.[28] Diese Jungen werden mit 7 Jahren in den Chor aufgenommen[29] und mit 15 entlassen.[30] Von Zeit zu Zeit macht eine Gruppe der Sängerknaben Konzertreisen durch die Vereinigten Staaten[31] und andere Länder.

[11] world fame   [12] especially   [13] achievements   [14] area   [15] contributed
[16] is considered   [17] unexcelled   [18] group accomplishment   [19] reputation
[20] helped to establish   [21] goal   [22] participated   [23] burned-out ruin
[24] need, distress   [25] appropriated   [26] to carry out the reconstruction
[27] Vienna Choir Boys   [28] rehearsal   [29] welcomed   [30] released   [31] United States

401

F

G

Um die innere Stadt führt die breite, von Bäumen begrenzte[32] Ringstraße (F), an deren Stelle[33] einmal eine Stadtmauer stand. An dieser vier Kilometer langen Allee[34] liegen einige der größten und schönsten Bauten[35] Wiens: die Staatsoper, das Kunsthistorische und das Naturhistorische Museum, die neue Hofburg,[36] das Parlament, das Rathaus, das Universitätsgebäude, die Börse[37] und das 1776 von Joseph II. gegründete[38] Burgtheater (G, Straßenkarte der inneren Stadt).

Wer Erholung[39] sucht, geht oft zur Alten Donau. Dort kann man rudern,[40] segeln[41] und schwimmen (H). Die Alte Donau ist die ursprüngliche[42] Donau und liegt ein paar Kilometer östlich[43] der Stadt Wien. Da die Donau früher im Frühling oft über beide Ufer trat[44] und das umliegende Land überschwemmte,[45] wurde ein neues Flußbett mit hohen Ufern gebaut. Dadurch wurde die Alte Donau zu einem schönen, warmen See, der mehrere Kilometer lang ist. Als Vergnügungsort[46] ziehen aber manche Wiener den Prater (I, das Riesenrad) oder den schönen Wienerwald vor, die nur ein paar Kilometer von der Stadtmitte[47] entfernt liegen.

[32] bordered by trees   [33] spot   [34] avenue   [35] structures   [36] Hofburg Palace
[37] stock exchange   [38] founded   [39] recreation   [40] row   [41] sail
[42] original   [43] east   [44] flowed   [45] flooded   [46] place of amusement
[47] center of the city

H   I

AUFGABE VIERUNDZWANZIG

„AUF WIEDERSEHEN"

Rudi und Anna treffen sich zum letzten Mal am Brunnen vor der Universität, ehe Rudi mit dem Schiff nach den Vereinigten Staaten zurückkehren muß.

[1] ANNA: Und morgen früh fährst du nun ab, Rudi?

[2] RUDI: Ja, um fünf Uhr. Ich muß übermorgen in Bremen sein.

[3] ANNA: Wie ist es mit deinem Volkswagen? Kommt er auf dasselbe Schiff?

[4] RUDI: Bestimmt! Die nötigen Papiere habe ich schon vor Wochen ausfüllen müssen. Es wäre so schön, wenn du nach Bremen mitfahren könntest.

[5] ANNA: Ich möchte schon, aber das ist ganz unmöglich.

[6] RUDI: Ja, ich weiß. Erinnerst du dich an den Abend, als du hier am Brunnen beinah rückwärts ins Wasser gefallen wärest?

[7] ANNA: [Lachend] Wie könnte ich das vergessen?

[8] RUDI: Und dann haben wir so laut gelacht, daß ein Polizist dachte, wir wären verrückt.

[9] ANNA: Ja, das waren unvergeßliche Stunden!

[10] RUDI: Ich frage mich manchmal, wer an meine Stelle treten wird, wenn ich nicht mehr hier bin.

[11] ANNA: Niemand, Rudi! Ich hoffe, daß du nächstes Jahr zurück-kommen kannst.

[12] RUDI: Hoffentlich gelingt es mir, ein Stipendium zu gewinnen, sonst mußt du nach Amerika kommen und bei uns studieren.

[13] ANNA: Ach, wenn das doch nur möglich wäre! Du weißt, wie sehr ich dich vermissen werde.

[14] RUDI: Und ich dich erst! Aber wenn wir uns dann endlich wieder-sehen, Anna, wird es doppelt schön sein. Darauf hast du mein Wort.

LESSON 24

"UNTIL WE MEET AGAIN"

*Rudi and Anna meet at the fountain in front of the University for the
last time before Rudi must return by ship to the United States.*

¹ ANNA: And you are leaving tomorrow morning, Rudi?

² RUDI: Yes, at five o'clock.   I must be in Bremen the day after tomorrow.

³ ANNA: How about your Volkswagen?   Will it be on the same ship?

⁴ RUDI: Definitely!   I had to fill out the necessary papers weeks ago.
It would be so nice if you could drive to Bremen with me.

⁵ ANNA: I would certainly like to, but that's quite impossible.

⁶ RUDI: Yes, I know.   Do you remember the evening when you almost
fell backwards into the water here at the fountain?

⁷ ANNA: [Laughing] How could I forget that?

⁸ RUDI: And then we laughed so loud that a policeman thought we
were crazy.

⁹ ANNA: Yes, those were unforgettable hours.

¹⁰ RUDI: I wonder (ask myself) sometimes who will take my place
when I am no longer here.

¹¹ ANNA: No one, Rudi!   I hope that you can come back next year.

¹² RUDI: Let's hope that I succeed in winning a scholarship; otherwise
you must come to America and study in our country.

¹³ ANNA: Oh, if that were only possible!   You know how much I'll miss
you.

¹⁴ RUDI: And I'll miss you even more!   But when we finally see each
other again, Anna, it will be doubly nice.   You have my word
on that.

REVIEW OF IDIOMS AND USEFUL EXPRESSIONS

Lessons 17–20

A. Schau mal, die kleine Brünette! Kein Wunder, daß du hier essen wolltest.

B. Es wäre nett, wenn sie mit mir ins Kino ginge.

A. Man könnte leicht denken, lieber Bruder, du hättest Lotte schon ganz und gar vergessen.

B. Nicht doch! Aber es tut mir weh, diese kleine Brünette so einsam[1] zu sehen.

A. Einsam?! Bist du von gestern? Die Kleine versteht das Wort „einsam" nicht einmal!

B. Nun, vielleicht hast du recht, sie spricht schon mit einem anderen jungen Mann.

A. Willst du mir, bitte, einen Gefallen tun?

B. Selbstverständlich! Wie kann ich dir helfen?

A. Meine Mutter hat kein Foto von mir. Wenn du mich knipsen würdest, so könnte ich ihr ein Bild schicken.

B. Gern! Ich mache es sofort.

A. Besten Dank. Vielleicht werde ich eines Tages die Gelegenheit haben, dir einen Gefallen zu tun.

A. Wohin reist du diesmal?

B. Nach Bonn.

A. Du fährst gewöhnlich mit der Eisenbahn, nicht wahr?

B. Ja, es kostet wirklich sehr wenig, wenn man zweiter Klasse fährt.

A. Wenn du nichts dagegen hast, möchte ich dich begleiten.

B. Schön! Hast du Freunde oder Verwandte in Bonn?

A. Ja, meine älteste Schwester, die jetzt verheiratet ist, wohnt dort.

B. Wie schön!

A. Hält der Zug in Frankfurt?

B. Nicht lange, ungefähr zehn bis fünfzehn Minuten.

A. Fährt der Zug über Karlsruhe?

B. Nein, über Stuttgart.

A. Danke sehr für die Auskunft und die Einladung. Ich muß sofort meine Koffer packen.

B. Mach schnell! Wir müssen in einer Stunde am Bahnhof sein.

A. Warte nur auf mich! Ich bin in einer Viertelstunde wieder da.

A. Ist es wahr, daß jung und alt für das Rheinland schwärmt?

B. O ja! Es gibt eigentlich nichts Herrlicheres als eine Rheinfahrt!

A. Guck nur![2] Noch eine alte Burgruine!

---

[1] lonely   [2] Just take a look!

gefährlich - dangerous

B. Ich glaube, die nächste Burg ist sogar bewohnt.[3] Vielleicht ist es eine Jugendherberge.
A. Das mag sein. Wie wäre es, wenn wir später zurückkämen? Wir könnten dort billig übernachten.
B. Gute Idee! Oder, wenn es nicht regnet, können wir die Nacht im Freien verbringen.
A. Das würde auch viel Spaß machen.

A. Fröhliche Weihnachten!
B. Wie bitte? Es ist doch erst November!
A. Das weiß ich schon. Aber Sie wissen, daß ich ganz zerstreut bin. Es ist möglich, daß ich nächsten Monat vergessen werde, es Ihnen zu wünschen.
B. Na, viel Glück zum Neuen Jahr!
A. Aber warum sagen Sie das?
B. Ich bin ebenso zerstreut und vergeßlich[4] wie Sie. Also, fröhliche Weihnachten und alles Gute im Neuen Jahr!
A. Danke, gleichfalls![5]

A. Verzeihen Sie bitte! Können Sie mir sagen, wo der nächste Parkplatz ist?
B. Versuchen Sie es mal hinter dem Rathaus! Es gibt dort einen großen Parkplatz.
A. Danke schön. Das ist in der Nähe der Universität, nicht?
B. Ja, richtig. Die Universität ist nur zwei Straßen nördlich vom Rathaus.
A. Danke nochmals.
B. Gern geschehen.

A. Willst du morgen einen Ausflug in die Berge machen?
B. Sehr gern. Ich erinnere mich noch an unsere Erlebnisse in Zermatt.
A. Nächstes Jahr wollen wir das Matterhorn besteigen.
B. Ist das nicht gefährlich?
A. Ja, ziemlich. Hast du Angst?
B. Nein, gar nicht! Ich freue mich eigentlich darauf.

A. Telefoniert dein Freund immer noch?
B. Ja. Er ruft seine Freundin zwei- oder dreimal am Tag an.
A. Na, so geht's im Leben, wenn man verliebt ist. Sag mir bitte Bescheid,[6] wann das Gespräch zu Ende ist.
B. Und wen möchtest du anrufen?
A. Meine Kusine. Sie ist wirklich sehr hübsch.
B. Wirklich? Weißt du was?! Ich bringe dich mit meinem Volkswagen zu ihr.
A. Oh, wie freundlich von dir!

[3] inhabited   [4] forgetful   [5] the same to you   [6] let me know

CONVERSATIONAL PATTERNS

only

I. MODAL VERBS AND THE   *pour par seldomused*
DOUBLE INFINITIVE CONSTRUCTION

The present, narrative past, and present perfect of the modal auxiliaries are as follows:

INFINITIVE	PRESENT	NARR. PAST	PRES. PERF.
dürfen	darf	durfte	gedurft
können	kann	konnte	gekonnt
mögen	mag	mochte	gemocht
müssen	er { muß	er { mußte	er hat { gemußt
sollen	soll	sollte	gesollt
wollen	will	wollte	gewollt

When accompanied by a modifying infinitive, the present perfect and past perfect tenses use the infinitive form of the modal in place of the regular past participle. This is called a *double infinitive construction*. Note, however, that the modal verb still has the force of a past participle and is translated as such. Study carefully the following examples:

No Modifying Infinitive

Pres, Wollen Sie dieses Buch?   Do you want this book?
Narr. Past Wollten Sie dieses Buch?   Did you want this book?
Pres. Perf **Haben** Sie dieses Buch **gewollt**?   *Did* you *want* this book?
Past Prf. **Hatten** Sie dieses Buch **gewollt**?   *Had* you *wanted* this book?
Fut Werden Sie dieses Buch wollen?   Will you want this book?

(No modifying infinitive, thus regular past participle)

With Modifying Infinitive

Ich will es nicht lesen.   I do not want to read it.

Ich wollte es nicht lesen.   I did not want to read it.

Ich **habe** es nicht **lesen wollen**.   I *have* not *wanted to read* it. (I did not want to read it.)

Ich **hatte** es nicht **lesen wollen**.   I *had* not *wanted to read* it.

Ich werde es nicht lesen wollen.   I shall not want to read it.

(Double infinitive construction)

1. Repetition

Er **hat** nicht **kommen wollen.**
Er wird nicht kommen wollen.
Sie wird nicht kommen dürfen.
Sie wird zu Hause bleiben müssen.
Er **hat** zu Hause **bleiben müssen.**
Werden Sie kommen können?
Ich **habe arbeiten müssen.**
Ich **habe** den Satz nicht **lesen können.**

Werden Sie es tun können?
Haben Sie mitgehen wollen?
Ich **habe** nicht **mitgehen dürfen.**
Sie hat ihn nicht **verstehen können.**
Er hatte sie nicht **fragen wollen.**
Er hofft, heute kommen zu können.
Ich werde mit dem Lehrer darüber sprechen müssen.

2. Restatement with Modals

Er wird kommen. (können)

Ich werde nicht gehen. (können)
Er hat es gelesen. (wollen)
Er ist geblieben. (dürfen)
Er hat das Buch mitgenommen. (dürfen)
Er wird zu Hause bleiben. (müssen)
Ich habe mit ihm gesprochen. (wollen)
Sie wird heute zurückgehen. (müssen)
Ich habe gelacht. (müssen)
Haben Sie alles verstanden? (können)
Morgen werde ich einen Brief schreiben. (müssen)
Werden Sie morgen kommen? (können)
Als Kind habe ich nie mit Feuer gespielt. (dürfen)
Haben Sie gut geschlafen? (können)
Wirst du morgen arbeiten? (müssen)
Wirst du mitkommen? (dürfen)
Ich war gekommen. (können)
Sie war nicht gegangen. (dürfen)

Er wird kommen können.

Ich werde nicht gehen können.
Er hat es lesen wollen.
Er hat bleiben dürfen.
Er hat das Buch mitnehmen dürfen.
Er wird zu Hause bleiben müssen.
Ich habe mit ihm sprechen wollen.
Sie wird heute zurückgehen müssen.
Ich habe lachen müssen.
Haben Sie alles verstehen können?
Morgen werde ich einen Brief schreiben müssen.
Werden Sie morgen kommen können?
Als Kind habe ich nie mit Feuer spielen dürfen.
Haben Sie gut schlafen können?
Wirst du morgen arbeiten müssen?
Wirst du mitkommen dürfen?
Ich hatte kommen können.
Sie hatte nicht gehen dürfen.

3. Future > Present Perfect

Er wird kommen können.

Wirst du zu Hause bleiben müssen?
Paul wird nicht mitkommen wollen.
Sie werden es tun müssen.
Werdet ihr kommen können?
Er wird nicht kommen wollen.
Ich werde nicht mehr essen können.
Er wird uns einladen wollen.
Wirst du den Satz übersetzen (*translate*) können?

Er hat kommen können.

Hast du zu Hause bleiben müssen?
Paul hat nicht mitkommen wollen.
Sie haben es tun müssen.
Habt ihr kommen können?
Er hat nicht kommen wollen.
Ich habe nicht mehr essen können.
Er hat uns einladen wollen.
Hast du den Satz übersetzen können?

4. Present > Future

Er darf nicht gehen.   *Er wird nicht gehen dürfen.*

Wir dürfen nicht bleiben.   Wir werden nicht bleiben dürfen.
Wir müssen schwer arbeiten.   Wir werden schwer arbeiten müssen.
Er will uns einladen.   Er wird uns einladen wollen.
Ich muß zurückgehen.   Ich werde zurückgehen müssen.
Sauerkraut mag er nicht essen.   Sauerkraut wird er nicht essen mögen.
Wir wollen ihn etwas fragen.   Wir werden ihn etwas fragen wollen.

5. Present > Present Perfect

Können Sie ihn verstehen?   *Haben Sie ihn verstehen können?*

Wollen Sie mit mir sprechen?   Haben Sie mit mir sprechen wollen?
Dürfen Sie mitgehen?   Haben Sie mitgehen dürfen?
Wollen Sie mich etwas fragen?   Haben Sie mich etwas fragen wollen?
Kannst du mitgehen?   Hast du mitgehen können?
Muß er zu Hause bleiben?   Hat er zu Hause bleiben müssen?
Ich kann alles verstehen.   Ich habe alles verstehen können.

II. OTHER VERBS THAT CAN TAKE A DOUBLE INFINITIVE CONSTRUCTION

Several other verbs generally follow the same pattern as the modals when followed by a dependent infinitive; they do not take **zu** before the following infinitive, and they use the double infinitive construction in the present perfect and past perfect tenses. These verbs are **helfen, hören, lassen,** and **sehen.**

With Modifying Infinitive

Er läßt den Arzt kommen.   He sends for the doctor.
Er ließ den Arzt kommen.   He sent for the doctor.
Er **hat** den Arzt **kommen lassen.**   He *has sent for* the doctor.
Er **hatte** den Arzt **kommen lassen.**   He *had sent for* the doctor.
Er wird den Arzt kommen lassen.   He will send for the doctor.

The double infinitive construction *always* stands at the end of the clause, even when the clause is dependent:

Obgleich sie sich ein neues Kleid **hat machen lassen,** trägt sie es nicht.

6. Repetition

Er hat sich die Haare schneiden lassen.
Ich werde mir die Haare schneiden lassen.
Hören Sie ihn kommen?
Haben Sie ihn kommen sehen?
Haben Sie ihn singen hören?

Er half ihm den Ball suchen.
Wußten Sie, daß er hatte kommen wollen?
Warum hat er den Anzug nicht machen lassen?

7. Present > Present Perfect

Ich höre ihn kommen.

Hören Sie ihn singen?
Wir sehen ihn kommen.
Sie läßt den Arzt kommen.

Ich habe ihn kommen hören.

Haben Sie ihn singen hören?
Wir haben ihn kommen sehen.
Sie hat den Arzt kommen lassen.

8. Present Perfect > Future

Ich habe ihn nicht singen hören.

Wir haben ihn kommen sehen.
Haben Sie den Arzt kommen lassen?
Er hat sich heute die Haare schneiden lassen.

Ich werde ihn nicht singen hören.

Wir werden ihn kommen sehen.
Werden Sie den Arzt kommen lassen?
Er wird sich heute die Haare schneiden lassen.

III. IDIOMATIC USES OF THE MODAL AUXILIARIES *KÖNNEN* AND *SOLLEN*

The English expressions "I should have done it," "I could have done it," and all other expressions using "could have" and "should have" plus past participle are expressed in German with the subjunctive form of the auxiliary plus a double infinitive construction:

Ich **hätte** es nicht **tun sollen.**	I *should* not *have done* it.
Ich **hätte** es **tun können.**	I *could have done* it.
Er **hätte** zu Hause **bleiben sollen.**	He *should have stayed* home.
Sie **hätte** nach Hause **gehen können.**	She *could have gone* home.

9. Repetition

Er hätte nicht so laut sprechen sollen.
Sie hätte fleißiger arbeiten sollen.
Ich hätte das Buch lesen können.
Er hätte mich abholen sollen.

Wir hätten mit dem Lehrer sprechen sollen.
Sie hätten kommen können, nicht wahr?

10. Restatement with *hätte . . . sollen*

Ich lese den Roman.	*Ich hätte den Roman lesen sollen.*
Er geht in die Stadt.	Er hätte in die Stadt gehen sollen.
Sie spricht Deutsch.	Sie hätte Deutsch sprechen sollen.
Ich schreibe einen Brief.	Ich hätte einen Brief schreiben sollen.
Er geht in die Bibliothek.	Er hätte in die Bibliothek gehen sollen.

11. Restatement with *hätte . . . können*

Er hilft ihr.	*Er hätte ihr helfen können.*
Er kauft ein deutsches Buch.	Er hätte ein deutsches Buch kaufen können.
Sie bat ihren Vater um Geld.	Sie hätte ihren Vater um Geld bitten können.
Sie schrieb alles auf deutsch.	Sie hätte alles auf deutsch schreiben können.

REVIEW

English-German Patterns

He will be able to come.	Er wird kommen können.
She will have to stay here.	Sie wird hier bleiben müssen.
He wanted to help us. (*pres. perf.*)	Er hat uns helfen wollen.
Tomorrow I'll have to stay home.	Morgen werde ich zu Hause bleiben müssen.
Were you (*Sie*) able to sleep? (*pres. perf.*)	Haben Sie schlafen können?
Did he want to come along? (*pres. perf.*)	Hat er mitkommen wollen?
I hear him come.	Ich höre ihn kommen.
He has had his hair cut.	Er hat sich die Haare schneiden lassen.
Have you heard him sing?	Haben Sie ihn singen hören?
She is having a dress made for herself.	Sie läßt sich ein Kleid machen.
I have never heard him speak French.	Ich habe ihn nie Französisch sprechen hören.
He has had the doctor come.	Er hat den Arzt kommen lassen.
He should have read the book.	Er hätte das Buch lesen sollen.
He could have read the book.	Er hätte das Buch lesen können.
We shouldn't have done it.	Wir hätten es nicht tun sollen.
He shouldn't have bought the car. (*das Auto*)	Er hätte das Auto nicht kaufen sollen.
They could have helped us.	Sie hätten uns helfen können.

IV. STRUCTURE REVIEW AND IDIOMS INVOLVING PREPOSITIONS THAT TAKE EITHER DATIVE OR ACCUSATIVE CASE

an	in	unter
auf	neben	vor
hinter	über	zwischen

A. *an*

12. Repetition

Grüße an deine Eltern!	Say hello to your parents.
Ich schreibe einen Brief an einen Freund.	I'm writing a letter to a friend.
Bitte, warten Sie am Eingang!	Please wait at the entrance.
Mein Onkel ist Professor an einer Universität.	My uncle is a professor at a university.
Geht Rolf jetzt an die Arbeit?	Is Rolf going to work now?
Nein, er ist schon an der Arbeit.	No, he is already at work.
An Ihrer Stelle würde ich es nicht tun.	In your place, I wouldn't do it.
Sind Sie an der Reihe?	Is it your turn?
Er klopft an die Tür.	He knocks at the door.
Ich dachte an dich.	I was thinking of you.
Ich erinnere mich an deinen Geburtstag.	I remember your birthday.
Er ist an Tuberkulose gestorben.	He died of tuberculosis.
Er wird am Mittwoch kommen.	He will come on Wednesday.
Man kann ihn an seiner Stimme erkennen.	One can recognize him by his voice.

13. Tense and Mood Changes

„*Heute werde ich einen Brief an einen Freund schreiben.*" (subj.: *Er sagte, daß . . .*)	*Er sagte, daß er heute einen Brief an einen Freund schreiben würde (werde).*
Ich habe an der Ecke gewartet. (*future*)	Ich werde an der Ecke warten.
Er hat an die Arbeit gehen müssen (*past perf.*)	Er hatte an die Arbeit gehen müssen.
Er ist an der Reihe. (*narr. past*)	Er war an der Reihe.
Wer klopft an die Tür? (*pres. perf.*)	Wer hat an die Tür geklopft?
„Ich habe an Aufgabe vierundzwanzig gearbeitet." (*subj.: Er sagte, er . . .*)	Er sagte, er hätte (habe) an Aufgabe vierundzwanzig gearbeitet.
„Albert Eberhardt ist an Tuberkulose gestorben." (Man sagte, Albert . . .)	Man sagte, Albert Eberhardt wäre (sei) an Tuberkulose gestorben.

Können Sie sich an den Tag erinnern? (*pres. perf.*)

Haben Sie sich an den Tag erinnern können?

„Hast du an mich gedacht?" (*subj.:* Sie fragte mich, ob . . .)

Sie fragte mich, ob ich an sie gedacht hätte.

An deiner Stelle würde ich es nicht tun. (*subj., past time*)

An deiner Stelle hätte ich es nicht getan.

Ist er zu Hause oder an der Arbeit? (*future*)

Wird er zu Hause oder an der Arbeit sein?

An welchem Tag kommt er? (*pres. perf.*)

An welchem Tag ist er gekommen?

B. *auf*

14. Repetition

Ich habe ihn auf dem Bahnhof getroffen.

I met him at the station.

Sei nicht böse auf mich!

Don't be angry with me.

Morgen fahren wir auf das Land.

Tomorrow we're going to the country.

Mein Großvater wohnt auf dem Land.

My grandfather lives in the country.

Er antwortete mir auf deutsch.

He answered me in German.

Ich rufe Sie auf jeden Fall an.

I'll call you up in any case.

Er ist auf Besuch bei uns.

He's visiting us.

Sie ist eifersüchtig auf dich.

She's jealous of you.

Sie können sich auf mich verlassen.

You can depend on me.

Ich bin stolz auf meinen Bruder.

I'm proud of my brother.

Wir werden auf dieses Thema zurückkommen.

We'll come back to this theme.

15. Tense and Mood Changes

Ich traf ihn auf dem Bahnhof. (*du* imperative)

Triff ihn auf dem Bahnhof!

Studieren Sie an der Universität? (*past perf.*)

Hatten Sie an der Universität studiert?

Wohnen Sie auf dem Land? (*future*)

Werden Sie auf dem Land wohnen?

„Ich werde Sie auf jeden Fall anrufen." (*subj.:* Er sagte, er . . .)

Er sagte, er würde (werde) mich auf jeden Fall anrufen.

„Ich komme auf dieses Thema zurück." (*subj.:* Er sagte, er . . .)

Er sagte, er käme (komme) auf dieses Thema zurück.

Sie sind stolz auf Ihren Bruder? (*imperative*)

Seien Sie stolz auf Ihren Bruder!

Sie verlassen sich auf mich? (*imperative*)	Verlassen Sie sich auf mich!
Wer ist zu Besuch bei Ihnen? (*narr. past*)	Wer war zu Besuch bei Ihnen?
Er antwortet auf deutsch. (*pres. perf.*)	Er hat auf deutsch geantwortet.
Sie ist eifersüchtig auf mich. (*future*)	Sie wird eifersüchtig auf mich sein.

c. *hinter*

16. Repetition

Der Garten liegt hinter dem Haus.	The garden lies behind the house.
Er hat schon viel hinter sich.	He's been through a lot.
Ich habe alle Brücken hinter mir abgebrochen.	I've burned all my bridges behind me.
Wer steckt hinter dieser Sache?	Who's behind this matter?
Hinter meinem Rücken spricht sie schlecht über mich.	Behind my back she says bad things about me.

17. Tense and Mood Changes

„*Wir haben schon viel hinter uns.*" (subj.: *Sie sagten, sie . . .*)	*Sie sagten, sie hätten schon viel hinter sich.*
„Wer steckte hinter dieser Sache?" (*subj.: Er fragte, wer . . .*)	Er fragte, wer hinter dieser Sache gesteckt hätte (habe).
Er bricht alle Brücken hinter sich ab. (*narr. past*)	Er brach alle Brücken hinter sich ab.
„Helga hat nichts darüber gesagt." (*subj.: Er sagte, daß Helga . . .*)	Er sagte, daß Helga nichts darüber gesagt hätte (habe).

D. *in*

18. Repetition

Alles ist in Ordnung.	Everything is in order.
Er ist in der Schule.	He is at school.
Ich wohne in der Kellerstraße.	I live on Keller Street.
Er wohnt im ersten Stock.	He lives on the second floor.
Wir gehen heute abend ins Theater.	We're going to the theater this evening.
Er geht jeden Sonntag in die Kirche.	He goes to church every Sunday.
Ich komme in drei Tagen zurück.	I'll be back in three days.
Er ist in sie verliebt.	He is in love with her.
Sie bringt mich in Verlegenheit.	She embarrasses me.

19. Tense and Mood Changes

Er ist schwach in Geographie. (narr. past)

Er war schwach in Geographie.

Er war in der Schule. (*future*)

Er wird in der Schule sein.

„Wir haben im dritten Stock gewohnt." (*subj.:* Sie sagten, sie . . .)

Sie sagten, sie hätten im dritten Stock gewohnt.

„Ich werde in sechs Tagen zurückkommen." (*subj.:* Sie sagte, sie . . .)

Sie sagte, sie würde (werde) in sechs Tagen zurückkommen.

Er wird im Büro sein. (*pres. perf.*)

Er ist im Büro gewesen.

Ich habe mich in das Mädchen verliebt. (*past perf.*)

Ich hatte mich in das Mädchen verliebt.

Er brachte uns in Verlegenheit. (*pres. perf.*)

Er hat uns in Verlegenheit gebracht.

„Ist alles in Ordnung?" (*subj.:* Er fragte, ob . . .)

Er fragte, ob alles in Ordnung wäre (sei).

E. *neben*

20. Repetition

Neben anderen Dingen treibt er Sport.

Among other things he goes in for sports.

Er stand neben ihr.

He stood by her side.

Er setzte sich neben ihn.

He sat down next to him.

21. Tense Changes

Neben anderen Dingen sprachen wir über Politik. (pres. perf.)

Neben anderen Dingen haben wir über Politik gesprochen.

Stand er neben dir? (*pres. perf.*)

Hat er neben dir gestanden?

Er setzte sich neben mich. (*future*)

Er wird sich neben mich setzen.

F. *über*

22. Repetition

Er klagt über die schwierigen Aufgaben.

He complains about the difficult lessons.

Sie hat sich über ihn geärgert.

She has been annoyed with him.

Er ist über Chicago gefahren.

He traveled by way of Chicago.

Das geht über meinen Verstand.

That's beyond me.

Sie lacht über mich.

She laughs at me.

Er ging über die Straße.

He crossed the street.

Sie macht sich über ihn lustig.

She makes fun of him.

Das Buch kostet über 5 Mark.

The book costs more than 5 marks.

23. Tense and Mood Changes

Sie ärgert sich über uns. (future)   *Sie wird sich über uns ärgern.*

Fahren Sie über Denver? (*pres. perf.*)   Sind Sie über Denver gefahren?

Das ging über seinen Verstand. (*future*)   Das wird über seinen Verstand gehen.

Haben Sie über das Essen geklagt? (*past perf.*)   Hatten Sie über das Essen geklagt?

Sie lachte über mich. (*future*)   Sie wird über mich lachen.

Er wird über die Straße gehen. (*pres. perf.*)   Er ist über die Straße gegangen.

Er machte sich über uns lustig. (*pres. perf.*)   Er hat sich über uns lustig gemacht.

„Er ist über 90 Jahre alt." (*subj.:* Sie sagte, daß . . .)   Sie sagte, daß er über 90 Jahre alt wäre (sei).

G. *unter*

24. Repetition

Sie können es nicht unter zehn Mark bekommen.   You can't get it for less than ten marks.

Das ist unter seiner Würde.   That's beneath his dignity.

Sie wohnen einen Stock unter uns.   They live one story below us.

Das Drama wurde unter freiem Himmel aufgeführt.   The drama was performed under the open sky.

Unter seinen Papieren habe ich dieses Büchlein gefunden.   Among his papers I found this little book.

Sie haben die Sache unter vier Augen besprochen.   They discussed the matter privately.

Er steht unter dem Pantoffel (*slipper*).   He's henpecked.

25. Tense and Mood Changes

Kann er es unter zehn Mark bekommen? (pres. perf.)   *Hat er es unter zehn Mark bekommen können?*

Das war unter seiner Würde. (*future*)   Das wird unter seiner Würde sein.

Wohnten Sie einen Stock unter ihm? (*pres. perf.*)   Haben Sie einen Stock unter ihm gewohnt?

Das Drama wird unter freiem Himmel aufgeführt werden. (*pres. perf.*)   Das Drama ist unter freiem Himmel aufgeführt worden.

Unter seinen Papieren habe ich diese Bilder gefunden. (*past perf.*)   Unter seinen Papieren hatte ich diese Bilder gefunden.

„Wir haben die Sache unter vier Augen besprochen." (*subj.:* Sie sagten, sie . . .)   Sie sagten, sie hätten die Sache unter vier Augen besprochen.

„Mein Bruder wird unter dem Pantoffel stehen." (*subj.:* Sie sagte, daß . . .)

Sie sagte, daß ihr Bruder unter dem Pantoffel stehen würde (werde).

H. *vor*

26. Repetition

Er ist heute vor acht Tagen abgefahren.
Das Kind zittert vor Kälte.
Vor kurzem habe ich unseren alten Lehrer gesehen.

Viele starben vor Hunger.
Er versteckte sich vor uns.
Sie fürchtete sich vor der Dunkelheit.

He left a week ago today.
The child is shivering with cold.
Recently I saw our old teacher.

Many were dying of starvation.
He hid from us.
She was afraid of the dark.

27. Tense and Voice Changes

Er zitterte vor Kälte. (pres. perf.)

Vor kurzem ist unser alter Lehrer von meinem Bruder gesehen worden. (*active*)
Viele sterben vor Hunger. (*future*)
Das Kind hat sich vor der Mutter versteckt. (*future*)
Ich fürchte mich vor ihm. (*future*)

Er hat vor Kälte gezittert.

Vor kurzem hat mein Bruder unseren alten Lehrer gesehen.

Viele werden vor Hunger sterben.
Das Kind wird sich vor der Mutter verstecken.
Ich werde mich vor ihm fürchten.

I. *zwischen*

28. Repetition

Ich finde keine Ähnlichkeit zwischen Ihnen und Ihrem Vater.
Es kam zum Bruch zwischen den Brüdern.
Teile es zwischen dir und deiner Schwester.

I find no similarity between you and your father.
The brothers broke up.

Divide it between you and your sister.

29. Tense Changes

Er wird keine Ähnlichkeit zwischen den zwei Brüdern finden. (pres. perf.)

Es kommt zum Bruch zwischen den Freunden. (*future*)
Sie sitzt zwischen uns. (*pres. perf.*)

Er hat keine Ähnlichkeit zwischen den zwei Brüdern gefunden.

Es wird zum Bruch zwischen den Freunden kommen.
Sie hat zwischen uns gesessen.

REVIEW

English-German Patterns

He is at work.	Er ist an der Arbeit.
I remember the day.	Ich erinnere mich an den Tag.
He often thinks of her.	Er denkt oft an sie.
It is your turn.	Sie sind an der Reihe.

I am proud of my sister.	Ich bin stolz auf meine Schwester.
He lives in the country.	Er wohnt auf dem Land.
You can count on him.	Sie können sich auf ihn verlassen.

He lives on Schiller Street.	Er wohnt in der Schillerstraße.
She is in love with him.	Sie ist in ihn verliebt.
He embarrasses her.	Er bringt sie in Verlegenheit.
He often goes to church.	Er geht oft in die Kirche.

He complains about the food.	Er klagt über das Essen.
She ran across the street. (*pres. perf.*)	Sie ist über die Straße gelaufen.
They made fun of us. (*pres. perf.*)	Sie haben sich über uns lustig gemacht.
Will you travel via Chicago?	Werden Sie über Chicago fahren?

Is that beneath your dignity?	Ist das unter Ihrer Würde?
Between you and me, he won't go.	Unter uns gesagt, er wird nicht gehen.
Are you henpecked?	Stehen Sie unter dem Pantoffel?
I want to discuss the matter privately.	Ich will die Sache unter vier Augen besprechen.

He was shivering with cold.	Er zitterte vor Kälte.
Many will die of hunger.	Viele werden vor Hunger sterben.
Recently I saw Rolf's mother. (*pres. perf.*)	Vor kurzem habe ich Rolfs Mutter gesehen.
Uwe hid from us. (*narr. past*)	Uwe versteckte sich vor uns.

General Questions

1. Sind Sie je rückwärts ins Wasser gefallen? 2. Haben Sie Ihren ersten Kuß vergessen können? 3. Glauben einige Leute, daß Sie ganz und gar verrückt sind? 4. Klagen Sie manchmal, wenn Sie gute Antworten auf dumme Fragen geben müssen? 5. Erinnern Sie sich an Ihr erstes Rendezvous? Bitte, erzählen Sie uns davon! 6. Möchten Sie die Gelegenheit haben, Ihrem Lehrer einen Gefallen zu tun? 7. Ist es Ihnen immer gelungen, in jedem Kurs ein „A" zu bekommen? 8. Wird Rudi eines Tages nach Deutschland zurückkehren? Warum?

Directed Questions

1. Fragen Sie Fräulein ——, ob sie sich unter dem Bett versteckt, wenn ein junger Mann an die Tür klopft!
2. Fragen Sie Herrn ——, ob er vor Angst zittert, wenn ein hübsches Mädchen neben ihm auf dem Sofa sitzt!
3. Fragen Sie Herrn ——, ob er glaubt, daß alle Männer unter dem Pantoffel stehen!
4. Fragen Sie Fräulein ——, ob sie alle Gespräche in diesem Lehrbuch auswendig gelernt hat!
5. Fragen Sie Herrn ——, ob er jetzt gut Deutsch spricht!
6. Fragen Sie Fräulein ——, ob sie die Fotos in diesem Lehrbuch interessant gefunden hat!
7. Fragen Sie Herrn ——, ob er zufrieden nach Hause gehen kann, wenn er weiß, daß er in diesem Kurs ein „C" bekommen wird!
8. Fragen Sie Fräulein ——, ob sie in diesem Kurs immer Ihr Bestes getan hat!
9. Fragen Sie Herrn ——, ob er noch mehr Deutsch lernen möchte!
10. Fragen Sie Fräulein ——, warum sie nach Deutschland reisen möchte!

VERB SUMMARY

INFINITIVE	PRESENT	NARR. PAST	CONV. PAST
abbrechen (*break off*)	bricht ... ab	brach ... ab	abgebrochen
ärgern (*annoy*)	ärgert	ärgerte	geärgert
ausfüllen (*fill out*)	füllt ... aus	füllte ... aus	ausgefüllt
gewinnen (*win*)	gewinnt	gewann	gewonnen
klagen (*complain*)	er klagt	er klagte	er hat geklagt
treiben (*go in for, be interested in*)	treibt	trieb	getrieben
verstecken (*hide*)	versteckt	versteckte	versteckt
zittern (*shiver, tremble*)	zittert	zitterte	gezittert
gelingen (*succeed, dat. impersonal*)	es gelingt ihm	es gelang ihm	es **ist** ihm gelungen

AUS DER DEUTSCHEN GESCHICHTE

Nach dem Zerfall[1] des Fränkischen Reiches[2] Karls des Großen[3] wuchsen die germanischen Stämme[4] deutscher Sprache (Franken, Sachsen, Friesen,[5] Thüringer, Alemannen und Bayern) zu einem „Reich der Deutschen" (um 900) zusammen,[6] das sich später zum „Heiligen Römischen Reich[7] Deutscher Nation" erweiterte. Der Kaiser,[8] das Oberhaupt[9] des Reiches, verlor jedoch immer mehr an Macht; Fürsten[10] und Städte wurden seine Erben.[11] Als das Reich 1806 unterging,[12] umfaßte[13] es mehr als 300 selbständige[14] Staaten; der Name „Deutschland" war kaum mehr als ein geographischer Begriff.[15]

Von größter Bedeutung[16] für die kulturelle Entwicklung[17] Deutschlands war die Reformation (nach 1520). Ungefähr die Hälfte[18] der Bevölkerung[19] wurde mit ihren Fürsten lutherisch. Durch seine meisterhafte Bibelübersetzung[20] schuf Martin Luther die Grundlage[21] für das Neuhochdeutsch. Der Dreißigjährige Krieg[22] (1618–1648), der am Anfang ein Religionskrieg war, nach und nach[23] aber zu einem europäischen Krieg auf deutschem Boden[24] wurde, erschöpfte[25] Deutschland so sehr, daß es wirtschaftlich[26] und kulturell hundert Jahre hinter seinem Nachbar Frankreich zurückblieb und sich bis zum Beginn des 19. Jahrhunderts nicht wieder erholen konnte.

In das 18. Jahrhundert fällt das Heranwachsen[27] Brandenburg-Preußens[28] zur Großmacht,[29] das mit Österreich um die Führung[30] der deutschen Staaten zu wetteifern[31] begann. In diesem Jahrhundert, besonders in der zweiten Hälfte, blühte die „klassische" Zeit auf,[32] in der unsterblich gewordene Namen wie Kant, Herder, Lessing, Wieland, Goethe und Schiller (A) auftauchten[33] und Deutschland am Ende des Jahrhunderts den Ruf als „Land der Dichter und Denker" verschafften.[34]

Von 1815 bis 1866 bildete[35] der Deutsche Bund[36] unter Österreichs Führung einen losen Zusammenschluß[37] der deutschen Staaten. Ein Krieg zwischen Preußen und Österreich machte ihm ein Ende und Österreich gehörte fortan nicht mehr zu Deutschland. Preußen bildete aus den norddeutschen Staaten den Norddeutschen Bund (1867–1871), der auch mit den süddeutschen Staaten Beziehungen[38] aufnahm.[39] Im Jahre 1871, nach

---

[1] disintegration   [2] Franconian Empire   [3] of Charles the Great (Charlemagne)
[4] tribes   [5] Frisians   [6] (*wuchsen ... zusammen*) merged   [7] Holy Roman Empire
[8] emperor   [9] head   [10] princes   [11] heirs   [12] collapsed   [13] embraced
[14] independent   [15] concept   [16] significance   [17] development   [18] half
[19] population   [20] masterful Bible translation   [21] basis   [22] Thirty Years' War
[23] gradually   [24] soils   [25] exhausted   [26] economically   [27] growth
[28] Brandenburg-Prussia   [29] great power   [30] leadership   [31] compete
[32] flourished   [33] appeared   [34] gave   [35] formed   [36] German Federation
[37] loose confederation   [38] relations   [39] welcomed

A

dem Sieg[40] Preußens über Frankreich, schlossen sich die deutschen Staaten unter dem König von Preußen als Deutschem Kaiser wieder zu einem Reich zusammen,[41] dessen Hauptstadt Berlin wurde.

Kulturell blühte Deutschland während des ganzen 19. Jahrhunderts. Studenten aus fast allen Ländern studierten an seinen Universitäten, die zu Vorbildern[42] für junge amerikanische Hochschulen wurden. Die romantische Bewegung[43] in Kunst, Musik und Literatur faßte[44] tiefe Wurzeln,[45] und Dichter wie Tieck, Eichendorff, Brentano, Chamisso, Kleist, Heine (B) und Hebbel schrieben Werke, von denen viele im Ausland[46] übersetzt[47] wurden. Die Romantiker interessierten sich für die mittelalterliche Vergangenheit;[48] sie entdeckten, übersetzten und gaben viele seit Jahrhunderten vergessene literarische Werke des Mittelalters heraus. Die Brüder Grimm sammelten[49] Märchen, studierten alte Handschriften[50] und gründeten die vergleichende Sprachwissenschaft.[51] Unter den Musikern, Philosophen, und Entdeckern waren Beethoven, Wagner, Hegel, Schopenhauer, Schliemann und Humboldt.

Während dieses Jahrhunderts wanderten viele Deutsche nach Amerika aus[52] und ließen sich in Ohio, Wisconsin, Missouri und anderen Staaten

[40] victory   [41] (*schlossen sich . . . zusammen*) joined together   [42] models
[43] movement   [44] took   [45] deep roots   [46] abroad   [47] translated   [48] past
[49] collected   [50] manuscripts   [51] science of comparative linguistics
[52] emigrated

422

B   C

nieder. Einer von ihnen, Carl Schurz, wurde Senator, Gesandter,[53] Kabinetts-minister und Biograph[54] des Präsidenten Lincoln. Etwa ein Viertel der amerikanischen „high school" Schüler lernten am Ende des Jahrhunderts Deutsch als Fremdsprache. Noch heute hat jeder sechste Amerikaner einen deutschen Namen in seinem Stammbaum.[55]

Das neue Deutsche Reich, dessen erster Kanzler[56] Otto von Bismarck (C) war, erlebte[57] von 1871 bis 1914 großen wirtschaftlichen[58] Aufstieg.[59] In fast keinem anderen Land war der Lebensstandard so hoch. Als erster Staat schuf[60] es nach 1881 eine vorbildliche[61] Sozialgesetzgebung[62] zu Gunsten der Arbeiter.[63]

Im Jahre 1918, nach dem Ersten Weltkrieg, wurde Deutschland zur Republik. Man nannte diese Republik die „Weimarer Republik", weil die erste Nationalversammlung[64] in Weimar abgehalten[65] wurde. Auch in dieser Stadt hatten früher Goethe und Schiller ihre größten Werke geschrieben. Außer dem Ruf[66] seiner Dichter, Denker und Musiker hatte Deutschland am Ende des verlorenen Kriegs nicht viel übrig; seine Wirtschaft[67] lag danieder.[68]

[53] ambassador   [54] biographer   [55] family tree   [56] chancellor   [57] experienced
[58] economic   [59] growth   [60] created   [61] model   [62] social legislation
[63] in favor of the workers   [64] National Assembly   [65] held   [66] reputation
[67] economy   [68] was ruined

Die innere Schwäche[69] der Weimarer Republik wurde während der Weltwirtschaftskrise[70] (nach 1929) offenbar.[71] Es gab damals mehr als 30 politische Parteien. Nachdem die Zahl[72] der Arbeitslosen um die Jahreswende[73] 1932/33 auf mehr als sechs Millionen gestiegen war, wurde der Demagoge Adolf Hitler Reichskanzler.[74] Nach sechs Jahren der Vorbereitung[75] löste dieser Diktator den Zweiten Weltkrieg aus,[76] der 1945 mit der Niederlage[77] Deutschlands endete.

Heute besteht[78] Deutschland aus der sogenannten Deutschen Demokratischen Republik im Osten mit etwa 17 Millionen Einwohnern und der Bundesrepublik im Westen mit über 58 Millionen Einwohnern. Von den zwei Regierungen hat nur die Bundesrepublik eine demokratisch gewählte,[79] souveräne Regierung. Um die weitere Flucht[80] der Bevölkerung[81] Ostdeutschlands zu verhindern[82]—etwa drei Millionen waren schon durch Berlin nach dem Westen geflohen[83]—trennte 1961 die kommunistische Regierung in Ostberlin durch Stacheldraht[84] und eine Mauer[85] den ganzen Ostsektor ab.[86] Diese Mauer nennt man im Westen die „Schandmauer"[87] (D). Die Grenze[88] zwischen Ost- und Westdeutschland nennt man seit langem den „Eisernen Vorhang."[89]

[69] weakness   [70] world depression   [71] apparent   [72] number   [73] new year
[74] Chancellor of the Empire   [75] preparation   [76] (löste ... aus) started   [77] defeat
[78] consists   [79] elected   [80] flight   [81] population   [82] prevent   [83] fled
[84] barbed wire   [85] wall   [86] (trennte ... ab) separated, divided
[87] "wall of shame"   [88] border   [89] "iron curtain"

D

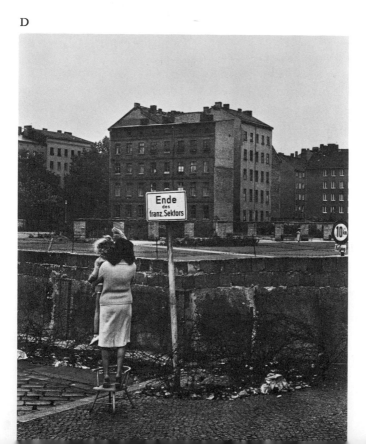

GERMAN SONGS*

(1) LILI MARLEEN

Vor der Kaserne,[1]
Vor dem großen Tor
Stand 'ne Laterne;[2]
Und steht sie noch davor,
So woll'n wir da uns wiedersehn,
Bei der Laterne woll'n wir stehn,
Wie einst,[3] Lili Marleen,
Wie einst, Lili Marleen.

Unsre beiden Schatten
Sah'n wie einer aus;
Daß wir so lieb uns hatten,[4]
Das sah man gleich daraus.
Und alle Leute soll'n es sehn,
Wenn wir bei der Laterne stehn,
Wie einst, Lili Marleen,
Wie einst, Lili Marleen.

Schon rief der Posten:[5]
„Sie blasen Zapfenstreich,[6]
Es kann drei Tage kosten";
Kam'rad, ich komme gleich.
Da sagten wir „Auf Wiedersehn,"
Wie gerne wollt' ich mit dir gehn,
Mit dir, Lili Marleen,
Mit dir, Lili Marleen.

Deine Schritte kennt sie,
Deinen zieren Gang,[7]
Alle Abend brennt sie,
Doch mich vergaß sie lang.
Und sollte mir ein Leid geschehn,[8]
Wer wird bei der Laterne stehn
Mit dir, Lili Marleen,
Mit dir, Lili Marleen?

LILI MARLEEN: [1] barracks [2] lantern
[3] as we used to do [4] that we were so

much in love [5] sentinel [6] they are blowing the signal to return to the barracks [7] your dainty manner of walking [8] and if anything should happen to me

(2) WENN DIE SOLDATEN

Wenn die Soldaten
Durch die Stadt marschieren,
Öffnen die Mädchen
Fenster und die Türen.

Ei, warum? Ei, darum![1]
Ei, warum? Ei, darum!
Ei bloß weg'n dem Schingderaßa,
Bumderaßasa![2]

Eine Flasche Rotwein
Und ein Stückchen Braten[3]
Schenken[4] die Mädchen
Ihren Soldaten.

Kommen die Soldaten
Wieder in die Heimat,[5]
Sind ihre Mädchen
Alle schon verheirat't.

WENN DIE SOLDATEN: [1] for this reason [2] merely on account of the Schingderaßa, Bumderaßasa [3] roast [4] give [5] home

(3) EIN JÄGER AUS KURPFALZ

Ein Jäger[1] aus Kurpfalz,
Der reitet durch den grünen Wald,
Er schießt das Wild daher,[2]
Gleich wie es ihm gefällt.

Juhu, trara! Gar lustig ist die Jägerei[3]
Allhier auf grüner Heid,[4]
Allhier auf grüner Heid.

* Most of these songs are popular German *Volkslieder*.

425

Auf, sattelt[5] mir mein Pferd
Und legt darauf den Mantelsack,[6]
So reit ich hin und her
Als Jäger aus Kurpfalz.

Jetzt reit ich nicht mehr heim,
Bis daß der Kuckuck[7] Kuckuck schreit,[8]
Er schreit die ganze Nacht
Allhier auf grüner Heid.

EIN JÄGER AUS KURPFALZ: [1] hunter
[2] he goes about shooting game   [3] boy, is
hunting fun!   [4] right here on the green
heath   [5] saddle   [6] traveling bag
[7] cuckoo   [8] cries

(4) DU, DU, LIEGST MIR IM HERZEN

Du, du, liegst mir im Herzen,
Du, du, liegst mir im Sinn.[1]
Du, du, machst mir viel Schmerzen,
Weißt nicht, wie gut ich dir bin.[2]

Ja, ja, ja, ja,
Weißt nicht, wie gut ich dir bin.

Doch,[3] doch, darf ich dir trauen,[4]
Dir, dir, mit leichtem Sinn,
Du, du, kannst auf mich bauen,[5]
Weißt ja, wie gut ich dir bin.

Und, und, wenn in der Ferne,[6]
Mir, mir, dein Bild erscheint,
Dann, dann, wünscht ich so gerne,
Daß uns die Liebe vereint.[7]

DU, DU, LIEGST MIR IM HERZEN: [1] mind
[2] You don't know how fond I am of you.
[3] yet   [4] trust   [5] You can build (your
hopes) on me.   [6] distance   [7] unite

(5) HORCH, WAS KOMMT VON DRAUSSEN REIN

Horch, was kommt von draußen rein,[1]
Hollahi, hollaho!
Wird wohl mein Feinsliebchen sein,[2]
Hollahiaho!

Geht vorbei und schaut nicht rein,
Hollahi, hollaho!
Wird's wohl nicht gewesen sein,
Hollahiaho!

Leute haben's oft gesagt,
Hollahi, hollaho!
Daß ich ein Feinsliebchen hab,
Hollahiaho!
Laß sie reden, schweig fein still,[3]
Hollahi, hollaho!
Kann ja lieben, wen ich will,
Hollahiaho!

Sagt mir, Leute, ganz gewiß,
Hollahi, hollaho!
Was das für ein Lieben ist,
Hollahiaho!
Die ich liebe, krieg ich nicht,[4]
Hollahi, hollaho!
Und ne andre mag ich nicht,
Hollahiaho!

Wenn mein Liebchen Hochzeit[5] hat,
Hollahi, hollaho!
Ist für mich ein Trauertag,[6]
Hollahiaho!
Geh dann in mein Kämmerlein,[7]
Hollahi, hollaho!
Trag den Schmerz für mich allein,
Hollahiaho!

HORCH, WAS KOMMT VON DRAUSSEN REIN:
[1] Listen to what's coming in from outside.
[2] It's probably my very best sweetheart.
[3] let them talk, just keep still   [4] the one
I love, I don't get   [5] wedding   [6] dreary
day   [7] little room

(6) HEIDENRÖSLEIN
(Goethe)

Sah ein Knab' ein Röslein[1] stehn,
Röslein auf der Heiden,
War so jung und morgenschön,
Lief er schnell, es nah zu sehn,
Sah's mit vielen Freuden.

Röslein, Röslein, Röslein rot,
Röslein auf der Heiden!

Knabe sprach: Ich breche dich,
Röslein auf der Heiden!
Röslein sprach: Ich steche dich,
Daß du ewig[2] denkst an mich,
Und ich will's nicht leiden.

Und der wilde Knabe brach
's Röslein auf der Heiden;
Röslein wehrte sich[3] und stach,[4]
Half ihm doch kein Weh und Ach,[5]
Mußt es eben leiden.

HEIDENRÖSLEIN: [1] a little rose [2] eternally [3] defended itself [4] pricked [5] lament

(7) DIE LORELEI
(Heine)

Ich weiß nicht, was soll es bedeuten,
Daß ich so traurig bin;
Ein Märchen[1] aus alten Zeiten,
Das kommt mir nicht aus dem Sinn.
Die Luft ist kühl und es dunkelt[2]
Und ruhig fließt der Rhein,
Der Gipfel[3] des Berges funkelt[4]
Im Abendsonnenschein.

Die schönste Jungfrau sitzet
Dort oben wunderbar;
Ihr goldnes Geschmeide[5] blitzet,[6]
Sie kämmt ihr goldenes Haar.
Sie kämmt es mit goldenem Kamme
Und singt ein Lied dabei,
Das hat eine wundersame,[7]
Gewalt'ge[8] Melodei.

Den Schiffer im kleinen Schiffe
Ergreift es mit wildem Weh;[9]
Er schaut nicht die Felsenriffe,[10]
Er schaut nur hinauf in die Höh'.
Ich glaube, die Wellen verschlingen[11]
Am Ende Schiffer und Kahn,[12]
Und das hat mit ihrem Singen
Die Lorelei getan.

DIE LORELEI: [1] fairy tale [2] is growing dark [3] peak [4] glitters [5] jewelry [6] sparkles [7] strange [8] powerful [9] seizes with wild longing [10] reefs [11] swallow up [12] boat

(8) GUTEN ABEND, GUT' NACHT
(Simrock and Brahms)

Guten Abend, gut' Nacht,
Mit Rosen bedacht,[1]
Mit Näglein besteckt,[2]
Schlüpf unter die Deck'.[3]
Morgen früh, wenn Gott will,
Wirst du wieder geweckt,
Morgen früh, wenn Gott will,
Wirst du wieder geweckt.

GUTEN ABEND, GUT' NACHT: [1] covered [2] studded with carnations [3] snuggle under the covers

(9) LUSTIG IST DAS ZIGEUNERLEBEN

Lustig ist das Zigeunerleben,[1]
Faria, faria, ho.
Brauch'n dem Kaiser kein Zins[2] zu
    geben,
Faria, faria, ho.
Lustig ist es im grünen Wald,
Wo des Zigeuners Aufenthalt.[3]

Faria, faria, faria, faria,
Faria, faria ho!

Sollt uns einmal der Hunger plagen,[4]
Faria, faria, ho.
Tun wir uns ein Hirschlein[5] jagen,
Faria, faria, ho.
Hirschlein, nimm dich wohl in Acht,[6]
Wenn des Zigeuners Büchse kracht.[7]

Sollt uns dann der Durst mal quälen,[8]
Faria, faria, ho.
Gehn wir zu den Wasserquellen,[9]
Faria, faria, ho.
Trinken's Wasser vom moos'gen[10] Stein
Glauben, es wär Champagnerwein.

Mädel, willst du Tabak rauchen,
Faria, faria, ho.
Brauchst dir keine Pfeife kaufen,
Faria, faria, ho.
Dort in meinem Mantelsack[11]
Steckt eine Pfeif und Rauchtabak.

LUSTIG IST DAS ZIGEUNERLEBEN: [1] Gypsy
life   [2] tribute   [3] abode   [4] plague
[5] little deer   [6] watch out   [7] rifle cracks
[8] thirst torment us   [9] springs   [10] mossy
[11] traveling bag

(10) MUSS I DENN

Muß i denn,[1] muß i denn
Zum Städtele naus,[2]
Städtele naus und du,
Mein Schatz,[3] bleibst hier.
Wenn i komm, wenn i komm,
Wenn i wiederum komm,
Wiederum komm, kehr i ein,[4]
Mein Schatz, bei dir.

Kann i gleich net allweil bei dir sein,[5]
Hab i doch mei Freud an dir.
Wenn i komm, wenn i komm,
Wenn i wiederum komm,
Wiederum komm,
Kehr i ein, mein Schatz, bei dir.

Wie du weinst, wie du weinst,
Daß i wandere muß,
Wandere muß, wie wenn d' Lieb
Jetzt wär vorbei.[6]
Sind au drauß,[7] sind au drauß,
Der Mädele viel,[8]
Mädele viel, lieber Schatz,
I bleib dir treu.

Denk du net,[9] wenn i en andre seh,
So sei mei Lieb vorbei.
Sind au drauß, sind au drauß
Der Mädele viel,
Mädele viel, lieber Schatz,
I bleib dir treu.

MUSS I DENN: [1] must I then   [2] leave
the city   [3] sweetheart   [4] I'll stop

[5] if I can't be with you all the time   [6] as
if our love were past   [7] outside (out in
the world)   [8] many girls   [9] don't think

(11) AM BRUNNEN
VOR DEM TORE
(W. Müller and Schubert)

Am Brunnen vor dem Tore[1]
Da steht ein Lindenbaum,[2]
Ich träumt'[3] in seinem Schatten
So manchen süßen Traum;
Ich schnitt in seine Rinde[4]
So manches liebe Wort,
Es zog[5] in Freud und Leide
Zu ihm mich immer fort,
Zu ihm mich immer fort.

Ich mußt auch heute wandern
Vorbei in tiefer Nacht,
Da hab ich noch im Dunkeln
Die Augen zugemacht;
Und seine Zweige rauschten[6]
Als riefen sie mir zu:
Komm her zu mir Geselle,[7]
Hier findst du deine Ruh,
Hier findst du deine Ruh.

Die kalten Winde bliesen[8] mir
Grad ins Angesicht;[9]
Der Hut flog mir vom Kopfe,
Ich wendete[10] mich nicht.
Nun bin ich manche Stunde
Entfernt[11] von jenem Ort,
Und immer hör ichs rauschen:
Du fändest[12] Ruhe dort,
Du fändest Ruhe dort.

AM BRUNNEN VOR DEM TORE: [1] at the
well in front of the gate   [2] linden tree
[3] dreamed   [4] cut in its bark   [5] drew
[6] its branches rustled   [7] fellow   [8] blew
[9] face   [10] turned   [11] removed
[12] would find

(12) O TANNENBAUM

O Tannenbaum,[1] o Tannenbaum,
Wie treu sind deine Blätter![2]

Du grünst[3] nicht nur zur Sommerzeit,
Nein auch im Winter, wenn es schneit.
O Tannenbaum, o Tannenbaum,
Wie treu sind deine Blätter!

O Tannenbaum, o Tannenbaum,
Du kannst mir sehr gefallen.
Wie oft hat nicht zur Weihnachtszeit
Ein Baum von dir mich hoch erfreut.[4]
O Tannenbaum, o Tannenbaum,
Du kannst mir sehr gefallen.

O Tannenbaum, o Tannenbaum,
Dein Kleid[5] will mich was lehren.
Die Hoffnung und Beständigkeit[6]
Gibt Trost und Kraft[7] zu jeder Zeit.
O Tannenbaum, o Tannenbaum,
Dein Kleid will mich was lehren.

O TANNENBAUM: [1] Christmas tree
[2] leaves [3] become green [4] brought
me joy [5] raiment [6] steadfastness
[7] comfort and strength

(13) STILLE NACHT
(Mohr and Gruber)

Stille Nacht, heilige Nacht!
Alles schläft, einsam wacht[1]
Nur das traute hochheilige Paar.[2]
Holder Knabe im lockigen Haar,[3]
Schlaf in himmlischer Ruh,
Schlaf in himmlischer Ruh.

Stille Nacht, heilige Nacht!
Hirten erst kund gemacht![4]
Durch der Engel[5] Halleluja
Tönt[6] es laut von fern und nah:
Christ der Retter[7] ist da,
Christ der Retter ist da.

Stille Nacht, heilige Nacht!
Gottes Sohn, o wie lacht
Lieb' aus deinem göttlichen Mund,
Da uns schlägt die rettende Stund',
Christ in deiner Geburt,[8]
Christ in deiner Geburt.

STILLE NACHT: [1] alone, keeping watch
[2] beloved, most holy couple [3] gracious
boy with curly locks [4] first proclaimed
to shepherds [5] angels' [6] resounds
[7] savior [8] birth

(14) SCHÖNSTER HERR JESU

Schönster Herr Jesu,
Herrscher aller Dinge,[1]
Gottes und Marien Sohn!
Dich will ich ehren,[2]
Dein Lob vermehren,[3]
Du meiner Seele Freud und Kron.[4]

Schön sind die Wälder,
Schöner sind die Felder
In der schönen Frühlingszeit.
Jesus ist schöner,
Jesus ist reiner,[5]
Der unser traurig Herz erfreut.

SCHÖNSTER HERR JESU: [1] ruler over all
things [2] honor [3] add to thy praise
[4] joy and crown of my soul [5] purer

(15) O DU FRÖHLICHE

O du fröhliche, o du selige,[1]
Gnadenbringende[2] Weihnachtszeit!
Welt ging verloren,
Christ war geboren.
Freue, freue dich, o Christenheit!

O du fröhliche, o du selige
Gnadenbringende Weihnachtszeit!
Christ ist erschienen,[3]
Uns zu versöhnen,[4]
Freue, freue dich, o Christenheit!

O du fröhliche, o du selige,
Gnadenbringende Weihnachtszeit!
Himmlische Heere[5]
Jauchzen dir Ehre,[6]
Freue, freue dich, o Christenheit!

O DU FRÖHLICHE: [1]Oh you joyful, oh
you blessed [2] grace-bringing [3] has appeared [4] atone for [5] heavenly hosts
[6] joyfully shout honor to you

(16) O WIE WOHL IST MIR AM ABEND

O wie wohl ist mir am Abend,[1]
Mir am Abend,
Wenn zur Ruh
Die Glocken läuten,[2] *bells ring*
Glocken läuten,
Bim, bam, bim, bam, bim, bam!

O WIE WOHL IST MIR AM ABEND: [1] how happy I feel in the evening   [2] the (church) bells ring

(17) IN EINEM KÜHLEN GRUNDE
(Eichendorff and Gluck)

In einem kühlen Grunde,[1]
Da geht ein Mühlenrad,[2]
Mein Liebchen ist verschwunden,
Das dort gewohnet hat.
Mein Liebchen ist verschwunden,
Das dort gewohnet hat.

Sie hat mir Treu' versprochen,
Gab mir ein' Ring dabei,
Sie hat die Treu' gebrochen,
Das Ringlein sprang entzwei.[3]
Sie hat die Treu' gebrochen,
Das Ringlein sprang entzwei.

Ich möcht' als Spielmann[4] reisen
Weit in die Welt hinaus,
Und singen meine Weisen[5]
Und gehn von Haus zu Haus.
Und singen meine Weisen
Und gehn von Haus zu Haus.

Hör' ich das Mühlrad gehen,
Ich weiß nicht, was ich will,
Ich möcht' am liebsten sterben,
Da wär's auf einmal still.
Ich möcht am liebsten sterben,
Da wär's auf einmal still.

IN EINEM KÜHLEN GRUNDE: [1] in a cool dale   [2] mill wheel   [3] broke in two   [4] minstrel   [5] tunes

(18) FREUT EUCH DES LEBENS
(Ulsteri and Nägeli)

Freut euch des Lebens,[1]
Weil noch das Lämpchen glüht,[2]
Pflücket die Rose,[3]
Eh' sie verblüht![4]

Man schafft so gern sich Sorg und Müh,[5]
Sucht Dornen[6] auf und findet sie
Und läßt das Veilchen[7] unbemerkt,[8]
Das uns am Wege blüht.

FREUT EUCH DES LEBENS: [1] enjoy life   [2] the little lamp still glows   [3] pluck the rose   [4] stops blooming   [5] people revel in grief and toil   [6] thorns   [7] the violet   [8] unnoticed

(19) ZEHNTAUSEND MANN

Zehntausend Mann, die zogen[1] ins
   Manöver,
Zehntausend Mann, die zogen ins
   Manöver.
Warum, dideldum,
Warum, dideldum,
Die zogen ins Manöver,
Rum, dideldum.

Da kamen sie beim Bauer ins Quartiere,
Da kamen sie beim Bauer ins Quartiere.
Warum, dideldum,
Warum, dideldum,
Beim Bauer ins Quartiere,
Rum, dideldum.

Der Bauer hat 'ne wunderschöne
   Tochter, . . .
Bauer, Bauer, Bauer, die möcht ich
   gerne haben, . . .
Reiter, Reiter, Reiter, wie groß ist dein
   Vermögen? . . .[2]
Bauer, Bauer, Bauer, zwei Stiefel[3] ohne
   Sohlen, . . .
Reiter, Reiter, Reiter, so kannst du sie
   nicht haben, . . .

Bauer, Bauer, Bauer, im Schwarzwald
gibt's noch schönre, . . .

ZEHNTAUSEND MANN: [1] marched   [2] fortune   [3] boots

(20) DAS WANDERN IST DES MÜLLERS LUST
(W. Müller and K. Zöllner)

Das Wandern ist des Müllers Lust,
Das Wandern ist des Müllers Lust,
Das Wandern!
Das muß ein schlechter Müller sein,
Dem niemals fiel das Wandern ein,[1]
Dem niemals fiel das Wandern ein,
Das Wandern!

Vom Wasser haben wir's gelernt,
Vom Wasser haben wir's gelernt,
Vom Wasser!
Das hat nicht Ruh' bei Tag und Nacht,
Ist stets auf Wanderschaft bedacht,[2]
Ist stets auf Wanderschaft bedacht,
Das Wasser!

Das sehn wir auch den Rädern ab,[3]
Das sehn wir auch den Rädern ab,
Den Rädern!
Die gar nicht gerne stille stehn
Und sich bei Tag nicht müde drehn,[4]
Und sich bei Tag nicht müde drehn,
Die Räder!

O Wandern, Wandern meine Lust,
O Wandern, Wandern meine Lust,
O Wandern!
Herr Meister und Frau Meisterin,
Laßt mich in Frieden weiterziehn,[5]
Laßt mich in Frieden weiterziehn
Und wandern!

DAS WANDERN IST DES MÜLLERS LUST:
[1] to whom it never occurred to wander about   [2] is always intent on wandering about   [3] We see that in the wheels   [4] that do not tire of turning   [5] continue on in peace

(21) GOLD UND SILBER

Gold und Silber lieb ich sehr,
Könnt es auch gebrauchen,
Hätt ich nur ein ganzes Meer,[1]
Mich hineinzutauchen.[2]
's braucht ja nicht geprägt[3] zu sein,
Hab es sonst auch gerne,
Gleich des Mondes Silberschein
Und der goldnen Sterne,
Gleich des Mondes Silberschein
Und der goldnen Sterne.

Seht, wie blinkt[4] der goldne Wein
Hier in meinem Becher,[5]
Hört, wie klingen silberhell,[6]
Lieder froher Zecher.[7]
Daß die Zeit einst golden war,
Möcht ich nicht bestreiten,[8]
Denkt man doch im Silberhaar
Gern vergangner Zeiten,
Denkt man doch im Silberhaar
Gern vergangner Zeiten.

Doch viel schöner ist das Gold,
Das vom Lockenköpfchen[9]
Meines trauten[10] Liebchens rollt
In zwei blonden Zöpfchen.[11]
Darum fröhlich, liebes Kind,
Laß uns herzen,[12] küssen,
Bis die Locken silbern sind,
Und wir scheiden[13] müssen,
Bis die Locken silbern sind,
Und wir scheiden müssen.

GOLD UND SILBER: [1] sea   [2] submerge myself in   [3] minted   [4] sparkles   [5] cup   [6] sound silvery clear   [7] of gay revelers   [8] dispute   [9] pretty curly head   [10] beloved   [11] braids   [12] embrace   [13] part

(22) MEIN HUT, DER HAT DREI ECKEN

Mein Hut, der hat drei Ecken,
Drei Ecken hat mein Hut,
Und hat er nicht drei Ecken,
Dann ist es nicht mein Hut!

(23) IN MÜNCHEN STEHT EIN HOFBRÄUHAUS

Da, wo die grüne Isar[1] fließt,
Wo man mit „Grüß Gott" dich grüßt,
Liegt meine schöne Münch'ner Stadt,
Die ihresgleichen[2] nicht hat.
Wasser ist billig, rein und gut,
Nur verdünnt[3] es unser Blut,
Schöner sind Tropfen[4] gold'nen Weins
Aber am schönsten ist eins:

In München steht ein Hofbräuhaus,
Eins, zwei, g'suffa.[5]
Da läuft so manches Fäßchen aus,[6]
Eins, zwei, g'suffa,
Da hat schon mancher brave Mann,
Eins, zwei, g'suffa.
Gezeigt, was er so vertragen kann,[7]
Schon früh am Morgen fing er an,
Und spät am Abend kam er heraus.
So schön ist's im Hofbräuhaus!

IN MÜNCHEN STEHT EIN HOFBRÄUHAUS:
[1] river that flows through Munich   [2] its
equal   [3] thins   [4] drops   [5] down
the hatch   [6] many a keg runs dry
[7] shown how much he can hold

(24) BÖHMISCHE POLKA

Rosamunde, schenk[1] mir dein Herz und
dein Ja.
Rosamunde, frag' doch nicht erst die
Mama.
Rosamunde, glaub' mir, auch ich bin dir
treu,
Denn zur Stunde, Rosamunde,
Ist mein Herz grade noch frei.

BÖHMISCHE POLKA: [1] give

(25) DU KANNST NICHT TREU SEIN

Du kannst nicht treu sein,
Nein, nein, das kannst du nicht,
Wenn auch dein Mund mir

Wahre Liebe verspricht.[1]
In deinem Herzen
Hast du für viele Platz;
Darum bist du auch nicht
Für mich der richt'ge Schatz.[2]

DU KANNST NICHT TREU SEIN: [1] prom-
ises   [2] sweetheart

(26) ICH HAB' MEIN HERZ IN HEIDELBERG VERLOREN

Ich hab' mein Herz in Heidelberg ver-
loren,
In einer lauen[1] Sommernacht.
Ich war verliebt bis über beide Ohren
Und wie ein Röslein hat ihr Mund ge-
lacht!
Und als wir Abschied nahmen[2] vor den
Toren,
Beim letzten Kuß, da hab ich's klar er-
kannt,
Daß ich mein Herz in Heidelberg ver-
loren,
Mein Herz, es schlägt am Neckarstrand![3]

ICH HAB' MEIN HERZ IN HEIDELBERG
VERLOREN: [1] mild   [2] took leave
[3] bank of the Neckar River

(27) AUF WIEDERSEH'N

Auf Wiederseh'n, auf Wiederseh'n,
Bleib' nicht so lange fort,
Denn ohne dich ist's halb so schön,
Darauf hast du mein Wort.
Auf Wiederseh'n, auf Wiederseh'n,
Das eine glaube mir:
Nachher[1] wird es noch mal so schön,
Das Wiederseh'n mit dir!

AUF WIEDERSEH'N: [1] afterwards

(28) WIEN, WIEN

Wien, Wien, nur du allein
Sollst stets[1] die Stadt meiner Träume
sein.

Dort wo die alten Häuser stehn,
Dort wo die lieblichen Mädchen gehn.
Wien, Wien, nur du allein
Sollst stets die Stadt meiner Träume
   sein.
Dort wo ich glücklich und selig[2] bin
Ist Wien, mein Wien, mein Wien.

WIEN, WIEN: [1] always   [2] blissful

(29) TRINK, TRINK, BRÜDERLEIN, TRINK

Trink, trink, Brüderlein, trink,
Laß doch die Sorgen[1] zu Haus!
Trink, trink, Brüderlein, trink,
Zieh doch die Stirn nicht so kraus![2]
Meide den Kummer und meide den
   Schmerz,[3]
Dann ist das Leben ein Scherz![4]

   (*Repeat last two lines*)

TRINK, TRINK, BRÜDERLEIN, TRINK:
[1] worries   [2] don't frown so   [3] avoid
grief and pain   [4] jest (fun)

(30) DOKTOR EISENBART

Ich bin der Doktor Eisenbart,
Zwilliwilliwick, bum, bum!
Kurier' die Leut' nach meiner Art,[1]
Zwilliwilliwick, bum, bum!
Kann machen, daß die Blinden gehn,[2]
Und daß die Lahmen[3] wieder sehn,
Zwilliwilliwick, bum,
Zwilliwilliwick, bum,
Zwilliwilliwick, bum, bum!

Ein alter Bau'r mich zu sich rief,[4]
Zwilliwilliwick, bum, bum!
Der seit zwölf Jahren nicht mehr schlief,
Zwilliwilliwick, bum, bum!
Ich hab' ihn gleich zur Ruh' gebracht,
Er ist bis heute nicht erwacht,[5]
Zwilliwilliwick, bum,

Zwilliwilliwick, bum,
Zwilliwilliwick, bum, bum!

DOKTOR EISENBART: [1] I cure people in
my way   [2] cause the blind to walk
[3] lame   [4] called   [5] awakened

(31) O DU LIEBER AUGUSTIN

O du lieber Augustin,
Augustin, Augustin,
O du lieber Augustin,
Alles ist hin![1]

Geld ist weg, Mäd'l ist weg,[2]
Alles weg, alles weg!
O du lieber Augustin,
Alles ist hin!

O DU LIEBER AUGUSTIN: [1] gone   [2] girl
is gone

(32) HOCH SOLL ER LEBEN

Hoch soll er leben[1]
Hoch soll er leben!
Dreimal hoch!

Er lebe hoch![1] Er lebe hoch!
Er lebe hoch! Er lebe hoch!
Er lebe dreimal hoch!

HOCH SOLL ER LEBEN: [1] Long (high)
may he live! (toast)

(33) DER FRÖHLICHE WANDERER

Mein Vater war ein Wandersmann
Und mir steck's auch im Blut;[1]
Drum wand're ich froh, so lang ich
   kann
Und schwenke[2] meinen Hut.
Valderi, Valdera, Valdera,
Valde ha ha ha ha ha ha
Valderi, Valdera,
Und schwenke meinen Hut.

Das Wandern schafft stets frische Lust,[3]
Erhält[4] das Herz gesund;
Frei atmet[5] draußen meine Brust,
Froh singet stets mein Mund.
Valderi, Valdera . . .

Warum singt dir das Vögelein[6]
So freudevoll sein Lied,
Weil's nimmer hockt landaus landein,[7]
Durch and're Fluren zieht.[8]
Valderi, Valdera, . . .

Was murmelt's Bächlein dort und
    rauscht,[9]
So lustig hin durch's Rohr,[10]
Weil's frei sich regt,[11] mit Wonne
    lauscht
Ihm dein empfänglich Ohr.[12]
Valderi, Valdera, . . .

Drum trag' ich's Ränzlein und den
    Stab[13]
Weit in die Welt hinein,
Und werde bis ans kühle Grab[14]
Ein Wanderbursche[15] sein.
Valderi, Valdera . . .

DER FRÖHLICHE WANDERER: [1] sticks
fast in my blood, too   [2] swing   [3] always
creates fresh desire   [4] keeps   [5] breathes
[6] little bird   [7] pokes along from country
to country   [8] it flies across different fields
[9] why does the little brook murmur there
and rustle   [10] so happily through the
reeds   [11] moves freely   [12] your eager
ear listens to it joyfully   [13] therefore
I carry a knapsack and a hiking stick
[14] grave   [15] wandering lad

(34) DU, DU, DU

Du, du, du,
Laß mein kleines Herz in Ruh',
Denn es fühlt genau wie du,
Ich gehör' nur dir allein.

Ja, ja, ja,
Plötzlich war die Liebe da,

Niemand weiß wie es geschah,
Nur wir beide ganz allein.

Einmal wirst du mich küssen,
Einmal eh' ich's gedacht,
Und dann werde ich wissen,
Dich hat das Schicksal[1] gebracht.

Du, du, du,
Laß mein kleines Herz in Ruh',
Denn es fühlt genau wie du,
Ich gehör' nur dir allein.

    DU, DU, DU: [1] fate

(35) DROBEN AUF DEM BERGE

Droben[1] auf dem Berge,
Da steht ein Soldat,[2]
Der schimpft wie ein Rohrspatz,[3]
Weil er kein Liebchen[4] hat!
Holadria, holadrio! (*Repeat last line*)

Grün ist die Hoffnung,[5]
Und grün der Spinat,[6]
Und grün ist der Jüngling,[7]
Der kein' Schnurrbart[8] hat!
Holadria, holadrio!

Rot ist die Liebe,
Und rot die Tomat',
Und rot ist der echte[9]
Sozialdemokrat!
Holadria, holadrio!

Mein Bruder in der Schweiz,
Der hat es gar fein,
Der macht in den Käse
Die Löcher hinein![10]
Holadria, holadrio!

    DROBEN AUF DEM BERGE: [1] up there
[2] soldier   [3] scolds like a fishwife
[4] sweetheart   [5] hope   [6] spinach
[7] young man   [8] moustache   [9] genuine
[10] makes the holes in the cheese

APPENDIX

IRREGULAR AND SEMI-IRREGULAR VERBS

Compound forms are not given if the simple form occurs. For **besprechen,** **versprechen,** etc., look under **sprechen.** All tense forms are third person singular.

INFINITIVE	PRESENT	NARR. PAST	PRES. PERFECT
abhängen (*depend*)	hängt . . . ab	hing . . . ab	hat abgehangen
anfangen (*begin*)	fängt . . . an	fing . . . an	hat angefangen
backen (*bake*)	bäckt	buk (*or* backte)	hat gebacken
beginnen (*begin*)	beginnt	begann	hat begonnen
beweisen (*prove*)	beweist	bewies	hat bewiesen
biegen (*turn*)	biegt	bog	hat gebogen
bitten (*ask, request*)	bittet	bat	hat gebeten
bleiben (*stay, remain*)	bleibt	blieb	ist geblieben
braten (*roast*)	brät	briet	hat gebraten
brechen (*break*)	bricht	brach	hat gebrochen
brennen (*burn*)	brennt	brannte	hat gebrannt
bringen (*bring*)	bringt	brachte	hat gebracht
denken (*think*)	denkt	dachte	hat gedacht
dürfen (*be permitted*)	darf	durfte	hat gedurft
einladen (*invite*)	lädt . . . ein (*or* ladet . . . ein)	lud . . . ein (*or* ladete . . . ein)	hat eingeladen
empfehlen (*recommend*)	empfiehlt	empfahl	hat empfohlen
erschrecken (*be frightened*)	erschrickt	erschrak	ist erschrocken
essen (*eat*)	ißt	aß	hat gegessen
fahren (*travel, drive*)	fährt	fuhr	ist (hat) gefahren
fallen (*fall*)	fällt	fiel	ist gefallen
finden (*find*)	findet	fand	hat gefunden
fliegen (*fly*)	fliegt	flog	ist geflogen
fliehen (*flee*)	flieht	floh	ist geflohen
fließen (*flow*)	fließt	floß	ist geflossen
geben (*give*)	gibt	gab	hat gegeben
gedeihen (*thrive*)	gedeiht	gedieh	ist gediehen
gefallen (*please*)	gefällt	gefiel	hat gefallen
gehen (*go*)	geht	ging	ist gegangen

435

INFINITIVE	PRESENT	NARR. PAST	PRES. PERFECT
gelingen (*succeed*)	gelingt	gelang	ist gelungen
gelten (*mean, be worth*)	gilt	galt	hat gegolten
genießen (*enjoy*)	genießt	genoß	hat genossen
geschehen (*happen*)	geschieht	geschah	ist geschehen
gewinnen (*win, gain*)	gewinnt	gewann	hat gewonnen
gleichen (*equal, resemble*)	gleicht	glich	hat geglichen
graben (*dig*)	gräbt	grub	hat gegraben
greifen (*grasp*)	greift	griff	hat gegriffen
haben (*have*)	hat	hatte	hat gehabt
halten (*hold, stop*)	hält	hielt	hat gehalten
heben (*lift*)	hebt	hob	hat gehoben
heißen (*be named*)	heißt	hieß	hat geheißen
helfen (*help*)	hilft	half	hat geholfen
kennen (*know*)	kennt	kannte	hat gekannt
klingen (*sound*)	klingt	klang	hat geklungen
kommen (*come*)	kommt	kam	ist gekommen
können (*be able*)	kann	konnte	hat gekonnt
lassen (*let, leave*)	läßt	ließ	hat gelassen
laufen (*run*)	läuft	lief	ist gelaufen
leiden (*suffer*)	leidet	litt	hat gelitten
lesen (*read*)	liest	las	hat gelesen
liegen (*lie*)	liegt	lag	hat gelegen
melken (*milk*)	melkt (*or* milkt)	melkte (*or* molk)	hat gemelkt (*or* gemolken)
mögen (*like*)	mag	mochte	hat gemocht
müssen (*have to*)	muß	mußte	hat gemußt
nehmen (*take*)	nimmt	nahm	hat genommen
nennen (*name*)	nennt	nannte	hat genannt
raten (*advise*)	rät	riet	hat geraten
reiten (*ride*)	reitet	ritt	ist (hat) geritten
riechen (*smell*)	riecht	roch	hat gerochen
ringen (*wrestle*)	ringt	rang	hat gerungen
rufen (*call*)	ruft	rief	hat gerufen
schaffen (*create*)	schafft	schuf	hat geschaffen
scheinen (*shine, seem*)	scheint	schien	hat geschienen
schlafen (*sleep*)	schläft	schlief	hat geschlafen
schlagen (*hit, strike*)	schlägt	schlug	hat geschlagen
schließen (*close*)	schließt	schloß	hat geschlossen
schneiden (*cut*)	schneidet	schnitt	hat geschnitten
schreiben (*write*)	schreibt	schrieb	hat geschrieben
schweigen (*keep quiet*)	schweigt	schwieg	hat geschwiegen
schwimmen (*swim*)	schwimmt	schwamm	ist geschwommen
schwören (*swear*)	schwört	schwor (*or* schwur)	hat geschworen

INFINITIVE	PRESENT	NARR. PAST	PRES. PERFECT
sehen (*see*)	sieht	sah	hat gesehen
sein (*be*)	ist	war	**ist** gewesen
singen (*sing*)	singt	sang	hat gesungen
sinken (*sink*)	sinkt	sank	**ist** gesunken
sitzen (*sit*)	sitzt	saß	hat gesessen
sollen (*be obligated to*)	soll	sollte	hat gesollt
sprechen (*speak*)	spricht	sprach	hat gesprochen
springen (*jump*)	springt	sprang	**ist** gesprungen
stehen (*stand*)	steht	stand	hat gestanden
steigen (*climb*)	steigt	stieg	**ist** gestiegen
sterben (*die*)	stirbt	starb	**ist** gestorben
stoßen (*push*)	stößt	stieß	hat gestoßen
tragen (*carry, wear*)	trägt	trug	hat getragen
treiben (*drive, be interested in*)	treibt	trieb	hat getrieben
treffen (*hit, meet*)	trifft	traf	hat getroffen
treten (*step*)	tritt	trat	**ist** getreten
trinken (*drink*)	trinkt	trank	hat getrunken
tun (*do*)	tut	tat	hat getan
unterscheiden (*distinguish*)	unterscheidet	unterschied	hat unterschieden
verbinden (*connect*)	verbindet	verband	hat verbunden
vergessen (*forget*)	vergißt	vergaß	hat vergessen
verleihen (*endow, lend*)	verleiht	verlieh	hat verliehen
verlieren (*lose*)	verliert	verlor	hat verloren
verschwinden (*disappear*)	verschwindet	verschwand	**ist** verschwunden
verzeihen (*pardon*)	verzeiht	verzieh	hat verziehen
wachsen (*grow*)	wächst	wuchs	**ist** gewachsen
waschen (*wash*)	wäscht	wusch	hat gewaschen
weisen (*show, direct*)	weist	wies	hat gewiesen
wenden (*turn*)	wendet	wandte (*or* wendete)	hat gewandt (*or* gewendet)
werden (*become*)	wird	wurde	**ist** geworden
werfen (*throw*)	wirft	warf	hat geworfen
wiegen (*weigh*)	wiegt	wog	hat gewogen
wissen (*know*)	weiß	wußte	hat gewußt
wollen (*want*)	will	wollte	hat gewollt
ziehen (*pull, go*)	zieht	zog	hat (**ist**) gezogen
zwingen (*force, compel*)	zwingt	zwang	hat gezwungen

VOCABULARY

The principal parts of common irregular and semi-irregular verbs may be found in the list of Irregular and Semi-irregular Verbs that precedes the Vocabulary. Verbs that take **sein** are followed by (**s.**); all others take **haben**.

Only the plurals of nouns are given unless the genitive ending is irregular: **der Mann, ̈er; der Student, (en), –en.** A dash following a noun indicates that nothing is added to form the plural: **das Fenster, –.**

The new words introduced in the *German Songs* and in the *Phonetic Drills* are not included in this vocabulary list.

ABBREVIATIONS

abbr.	abbreviation	*irreg.*	irregular
acc.	accusative	**h.**	**haben**
adj.	adjective	*nom.*	nominative
adv.	adverb	*pers.*	personal
conj.	conjunction	*pl.*	plural
coord. conj.	coordinating conjunction	*prep.*	preposition
dat.	dative	*pron.*	pronoun
dep. conj.	dependent conjunction	*refl.*	reflexive
fam. pl.	familiar plural	*reg.*	regular
fam. sing.	familiar singular	*sing.*	singular
gen.	genitive	**s.**	**sein**
indef. pron.	indefinite pronoun	*semi-irreg.*	semi-irregular
interrog.	interrogative	*subj.*	subjunctive
intrans.	intransitive	*trans.*	transitive

A

ab und zu now and then
abbiegen (*irreg.*, **s.**) turn off
das **Abbild, –er** image
abbrechen (*irreg.*) break off, burn one's bridges
der **Abend, –e** evening
das **Abendbrot, –e** supper
das **Abendessen, –** evening meal
das **Abendkleid, –er** evening dress

abends in the evening, evenings
aber (*coord. conj.*) but, however
abfahren (*irreg.*, **s.**) leave, depart
die **Abfahrt, –en** departure
abgemacht! settled! it's a deal!
abhalten (*irreg.*) hold (meetings, etc.)
abhängen (*irreg.*) depend; **abhängen von** depend on
abholen (*reg.*) pick up, go and get
das **Abitur, –e** final examination of a secondary school

439

der **Abiturient**, (en), –en   one who has passed the *Abitur*

abkochen (*reg.*)   cook out

abnehmen (*irreg.*)   take off

abreisen (*reg., s.*)   leave, depart

der **Abschied**, –e   farewell; **Abschied nehmen**   say good-by, take leave (of someone)

das **Abschlußzeugnis**, –se   final examination

abstellen (*reg.*)   switch off

abtragen (*irreg.*)   wear out

abtrennen (*reg.*)   separate

die **Abwendung**, –en   prevention

ach!   oh! alas!

Ach und Weh   lamentation, sorrow

acht   eight

die **Acht**   attention, care

achteckig   octagonal

achten (*reg.*)   respect

achtstündig   eight hours long

der **Achzehnte**   the eighteenth

achtzig   eighty

die **Adresse**, –n   address

(das) **Afrika**   Africa

der **Afrikaner**, –   African

ahnen (*reg.*)   suspect

ähnlich   similar

die **Ähnlichkeit**, –en   similarity

die **Ahnung**, –en   idea

die **Akademie**, –n   academy

das **Akkordeon**, –s   accordion

die **Aktentasche**, –n   briefcase

der **Akzent**, –e   accent

der **Alemanne**, (n), –n   a member of a southwestern Germanic tribe

all   all

alle (*pl.*)   all

die **Allee**, –n   avenue

allein   alone

allerdings   to be sure

allerlei   all kinds

alles   everything

allgemein   general, universal

alljährlich   yearly

allmählich   gradual

das **Alltagsdeutsch**   everyday German

die **Alltagssprache**   everyday language

die **Almhütte**, –n   alpine hut

die **Alp**, –en   mountain pasture

die **Alpen** (*pl.*)   Alps

das **Alpenland**, ⁻er   a country in the Alps

die **Alpenluft**   Alpine air

die **Alpenstraße**, –n   road in the Alps

als (*dep. conj.*)   as, like, when, than

als ob = als wenn (*dep. conj.*)   as though

also   so, then, thus

alt   old

der **Alt**   alto

der **Altar**, ⁻e   altar

das **Alter**, –   age

altmodisch   old-fashioned

das **Aluminium**   aluminum

am = an dem

die **Ameise**, –n   ant

(das) **Amerika**   America

der **Amerikaner**, –   American

amerikanisch   American

amüsieren (*reg.*)   amuse, entertain; (*refl.*)   have a good time

an (*dat. or acc.*)   at, on, by

analysieren (*reg.*)   analyze

ander-   other, different

anders   different, otherwise

anderswo   elsewhere

der **Anfang**, ⁻e   beginning

anfangen (*irreg.*)   begin

angehören (*reg.*)   belong to

angenehm   pleasant

die **Angst**, ⁻e   fear, anxiety, concern; **Angst haben**   be afraid

anhalten (*irreg.*)   stop

ankommen (*irreg., s.*)   arrive; **es kommt darauf an**   it depends

die **Ankunft**, ⁻e   arrival

anmachen (*reg.*)   turn on, light

anmelden (*reg.*)   make (a phone call); announce

die **Anmeldung**, –en   reception desk

anprobieren (*reg.*)   try on

anregend   exciting, stimulating

anrufen (*irreg.*)   call up, phone

ans = an das

anschauen (*reg.*)   look at

anscheinend apparently

ansehen (*irreg.*) look at; (*dat. refl.*) take a look at, inspect

die Ansichtskarte, –n picture postcard

(an)statt (*gen.*) instead of

anstellen (*reg.*) turn on, switch on

die Antwort, –en answer

antworten (*reg.*) answer (a person, *dat.*); antworten auf (*acc.*) answer (a question)

anwesend present, in attendance

anziehen (*irreg.*) dress; (*refl.*) get dressed

der Anzug, ⸚e suit

der Apfel, ⸚ apple

der Apfelbaum, ⸚e apple tree

der Apfelsaft apple juice

der Apfelsinensaft orange juice

der Apfelstrudel, – apple strudel

die Apotheke, –n pharmacy

der Appetit appetite

appetitlich appetizing

der April April

die Arbeit, –en work

arbeiten (*reg.*) work; **an die Arbeit gehen** go to work

der Arbeiter, – worker

der Arbeitgeber, – employer

der Arbeitnehmer, – employee

die Arbeitskraft, ⸚e manpower

der Arbeitslose,(n), –n one who is unemployed

das Arbeitszimmer, – workroom

der Architekt, (en), –en architect

die Architektin, –nen architect (*fem.*)

die Architektur, –en architecture

ärgern (*reg.*) annoy; (*refl.*) be annoyed

arm poor, unfortunate

der Arm, –e arm

die Art, –en type, kind, sort

der Arzt, ⸚e physician

der Aschermittwoch, –e Ash Wednesday

das Aschenputtel Cinderella

(das) Asien Asia

das Aspirin aspirin

die Attraktion, –en attraction

au! ow! oh! (exclamation of pain)

auch also, too

auf (*dat. or acc.*) on, upon, at, to

aufblühen (*reg.*, s.) flourish, come into bloom

der Aufenthalt, –e stay, sojourn

die Auferstehung, –en resurrection

aufführen (*reg.*) perform

die Aufführung, –en performance

die Aufgabe, –n lesson, task

aufgeben (*irreg.*) give up, mail

aufhören (*reg.*) stop, cease

aufladen (*irreg.*) load

aufmachen (*reg.*) open

aufmerksam attentive

die Aufmerksamkeit, –en attentiveness

die Aufnahme, –n photograph, picture

die Aufnahmeprüfung, –en entrance exam

aufnehmen (*irreg.*) receive, welcome

aufpassen (*reg.*) pay attention, watch out

aufregend exciting

aufs = auf das

der Aufsatz, ⸚e essay, theme

aufsetzen (*reg.*) erect

aufstehen (*irreg.*, s.) get up, stand up

der Aufstieg, –e rise, growth

auftauchen (*reg.*, s.) appear

aufwachen (*reg.*, s.) wake up, awake

aufwecken (*reg.*) waken, rouse

aufwenden (*semi-irreg.*) appropriate

der Augapfel (–äpfel, *pl.*) apple of one's eye, eyeball

das Auge, –n eye; **unter vier Augen** in private

der Augenarzt, ⸚e oculist

der Augenblick, –e moment; **einen Augenblick, bitte!** just a moment, please

die Augenbraue, –n eyebrow

der August August

aus (*dat.*) out, out of, from, of; **es ist aus mit ihm** he's done for; **von mir aus** as far as I am concerned

der Ausflug, ⸚e excursion, outing

der Ausflügler, – excursionist

ausfüllen (*reg.*) fill out

der **Ausgang, ⁀e** exit
der **Ausgangspunkt, –e** point of departure
ausgeben (*irreg.*) spend (money)
ausgebrannt burned out
ausgehen (*irreg., s.*) go out
ausgezeichnet excellent
ausgraben (*irreg.*) excavate, dig out
der **Ausguß** (**Ausgüsse**, *pl.*) sink
auskommen (*irreg., s.*) get along
die **Auskunft, ⁀e** information
das **Ausland** foreign country, abroad
der **Ausländer, –** foreigner
ausländisch foreign
auslassen (*irreg.*) leave out
auslösen (*reg.*) start, release
ausmachen (*reg.*) turn out, put out (fire, light, etc.)
ausmisten (*reg.*) clean a stable
die **Ausnahme, –n** exception
auspacken (*reg.*) unpack
ausruhen (*reg., refl.*) rest up
ausschenken (*reg.*) sell (beer, wine, and other drinks)
aussehen (*irreg.*) look, appear
außer (*dat.*) except, in addition to; **sie ist ausser sich** she's beside herself
außerdem besides, moreover
außerhalb (*gen.*) outside
außerordentlich extraordinary
äußerst extremely
die **Aussicht, –en** view; **eine Aussicht auf** (*acc.*) a view of
die **Aussprache, –n** pronunciation
aussprechen (*irreg.*) pronounce
aussteigen (*irreg., s.*) climb out
der **Ausstellungsraum, ⁀e** exhibition room
(das) **Australien** Australia
der **Ausverkauf, ⁀e** sale
ausverkauft sold out
die **Auswahl, –en** choice
auswandern (*reg., s.*) emigrate
auswendig by heart; **auswendig lernen** learn by heart
ausziehen (*irreg.*) undress; (*refl.*) get undressed

das **Auto, –s** auto, car
die **Autobahn, –en** superhighway
das **Autobahnsystem, –e** network of freeways
der **Autobus, (ses), –se** bus
der **Autofahrer, –** motorist
der **Autor, –en** author

B

das **Baby, –s** baby
das **Bachkonzert, –e** Bach concert
backen (*irreg.*) bake
das **Bad, ⁀er** bath
der **Badeanzug, ⁀e** bathing suit
der **Badegast, ⁀e** spa visitor or patient
baden (*reg.*) bathe
das **Badetuch, ⁀er** bath towel
die **Badewanne, –n** bathtub
das **Badezimmer, –** bathroom
die **Bahn, –en** railroad
der **Bahnhof, ⁀e** railroad station
das **Bahnhofskino, –s** movie theater near or at a railroad station
bald soon
der **Ball, ⁀e** ball
der **Balkon, –e** balcony
die **Banane, –n** banana
die **Bank, ⁀e** bench
die **Bank, –en** bank
die **Banknote, –n** banknote
der **Bär, (en), –en** bear
barfuß barefoot
der **Bariton** baritone
der **Barockbau** (**–bauten**, *pl.*) baroque building
der **Baß** bass
der **Bau** (die **Bauten**, *pl.*) building, structure
die **Bauausstellung, –en** architectural exhibition
bauen (*reg.*) build
der **Bauer, –n** farmer, peasant
die **Bäuerin, –nen** farmer's wife
die **Bauernfamilie, –n** farmer's family
das **Bauernhaus, ⁀er** farmhouse
der **Bauernhof, ⁀e** farm
das **Bauernleben, –** farmer's life

der **Bauernstaat, –en** agricultural state
die **Bauerntochter, ⸚** farmer's daughter
die **Bauerntracht, –en** peasant's costume
der **Baum, ⸚e** tree
der **Bayer, –** Bavarian
(das) **Bayern** Bavaria
bayrisch Bavarian
beantworten (*reg.*) answer
bedauern (*reg.*) regret
bedeuten (*reg.*) mean
bedeutend significant
die **Bedeutung, –en** significance, meaning
die **Bedienung, –en** service
das **Beefsteak, –s** beefsteak
beeilen (*reg., refl.*) hurry
befinden (*irreg., refl.*) be, find oneself
befreundet friendly, intimate
begabt gifted, talented
begegnen (*reg., dat.,* s.) meet
begeistert inspired
der **Beginn** start, beginning
beginnen (*irreg.*) begin
begleiten (*reg.*) accompany
der **Begriff, –e** comprehension, concept
begründen (reg.) establish
die **Begründung, –en** founding, establishment
begrüßen (*reg.*) greet
behaart hairy
behandeln (*reg.*) treat, deal with
behaupten (*reg.*) assert, maintain
bei (*dat.*) at, by, near, at the place of, with
beide both
beieinander together
beim = bei dem
das **Bein, –e** leg
beinah(e) almost, nearly
das **Beispiel, –e** example; **zum Beispiel** for example; *abbr.* **z.B.**
beitragen (*irreg.*) contribute to
beiwohnen (*reg.*) attend
bekannt known
der **Bekannte, (n), –n** acquaintance
bekannt machen (*reg.*) make known, announce, introduce

die **Bekanntmachung, –en** announcement
die **Bekanntschaft, –en** acquaintance
bekommen (*irreg.*) get, receive
belegen (*reg.*) reserve, occupy
beleidigen (*reg.*) offend
beliebt popular
bellen (*reg.*) bark
bemerken (*reg.*) notice
bemühen (*reg., refl.*) strive, try
benennen (*irreg.*) name
benutzen (*reg.*) use
das **Benzin** gasoline
bequem comfortable
der **Berg, –e** mountain
der **Bergabhang, ⸚e** mountain slope
die **Bergakademie, –n** school of mines
das **Bergdorf, ⸚er** mountain village
die **Berghütte, –n** mountain hut
die **Bergluft, ⸚e** mountain air
der **Bergsee, –n** mountain lake
die **Bergspitze, –n** summit of a mountain
das **Bergsteigen, –** mountain climbing
der **Bergsteiger, –** mountain climber
die **Bergtour, –en** hike in the mountains
die **Bergwiese, –n** mountain pasture or meadow
berichten (*reg.*) report
der **Beruf, –e** profession
berühmt famous
beschäftigt busy
der **Bescheid, –e** information; **Bescheid sagen** inform or give information
beschließen (*irreg.*) decide
beschreiben (*irreg.*) describe
der **Besen, –** broom
besetzt occupied
besichtigen (*reg.*) visit, inspect
besitzen (*irreg.*) own, possess
der **Besitzer, –** owner, possessor
besonder- special, particular
besonders especially
besprechen (*irreg.*) discuss
besser better
die **Besserung, –en** recovery, improve-

ment; **gute Besserung!** I wish you a speedy recovery!

best- best

bestehen (*irreg.*) pass (an exam); **bestehen aus** consist of

besteigen (*irreg.*) climb

bestellen (*reg.*) order

bestimmt definite(ly)

der **Besuch, —e** visit; **auf Besuch** on a visit

besuchen (*reg.*) visit

betonen (*reg.*) emphasize

der **Betonschmetterling, —e** concrete butterfly

betrachten (*reg.*) regard, consider

betreten (*irreg.*) enter (a room, etc.)

das **Bett, —en** bed; **ins Bett** (**zu Bett**) **gehen** go to bed

das **Bettzeug, —e** bedding

die **Bevölkerung, —en** population

bevor (*dep. conj.*) before

bewachen (*reg.*) guard

bewegen (*reg.*) move

die **Bewegung, —en** movement

beweisen (*irreg.*) prove

bewohnen (*reg.*) inhabit

der **Bewohner, —** inhabitant, occupant

bewohnt inhabited

bewundern (*reg.*) admire

bezahlen (*reg.*) pay, pay for

die **Beziehung, —en** relation, regard

die **Bibelübersetzung, —en** Bible translation

die **Bibliothek, —en** library

biblisch Biblical

biegen (*irreg.*) bend, turn

das **Bier, —e** beer

der **Bierkrug, ⁻e** beer mug

das **Bild, —er** picture

bilden (*reg.*) form

billig cheap

der **Biograph, (en), —en** biographer

die **Biologie** biology

die **Birne, —n** pear

bis (*acc. prep. & dep. conj.*) until, up to

ein **bißchen** a little bit

bitte please, you're welcome; **wie bitte?** how's that? **bitte sehr** (**bitte schön**) you're quite welcome; **bitte schön?** may I help you?

die **Bitte, —n** request

bitten (*irreg.*) ask, request; **bitten um** (*acc.*) ask for

blaß pale

blau blue

bleiben (*irreg., s.*) stay, remain

der **Bleistift, —e** pencil

der **Blinde, (n), —n** blind man

der **Blitz, —e** lightning

blitzen (*reg.*) lighten, flash

blond blond

die **Blonde, —n** blonde

die **Blondine, —n** blonde

die **Blume, —n** flower

der **Blumengarten, ⁻** flower garden

der **Blumenmarkt, ⁻e** flower market

die **Bluse, —n** blouse

das **Blut** blood

die **Blüte, —n** blossoming time, golden age

die **Blutkrankheit, —en** blood disease

der **Boden, ⁻** ground

der **Bodensee** Lake Constance

die **Bohne, —n** bean

die **Bombe, —n** bomb

das **Boot, —e** boat

borgen (*reg.*) borrow, lend

die **Börse, —n** stock exchange

böse angry, bad; **böse auf** (*acc.*) angry with

boxen (*reg.*) box

der **Boxsport** sport of boxing

braten (*irreg.*) roast, fry

das **Brathuhn, ⁻er** fried chicken

die **Bratkartoffeln** (*pl.*) fried potatoes

die **Bratwurst, ⁻e** fried sausage

der **Brauch, ⁻e** custom

brauchen (*reg.*) need

braun brown

die **Brause, —n** shower

das **Brausebad, ⁻er** shower

brav good, well-behaved

brechen (*irreg.*) break

breit broad, wide
brennen (*semi-irreg.*) burn
das Brett, –er board; das **Schwarze**
Brett bulletin board
der Brief, –e letter
der Briefkasten, – letter box
die Briefmarke, –n stamp
die Brieftasche, –n purse
der Briefträger, – mailman
bringen (*semi-irreg.*) bring
das Brot, –e bread
das Brötchen, – roll
der Bruch, ⁻e break, breach
die Brücke, –n bridge
der Bruder, ⁻ brother
die Brüderschaft fellowship
brummen (*reg.*) growl, buzz
die Brünette, –n brunette
der Brunnen, – fountain, well
das Buch, ⁻er book
der Buchhalter, – bookkeeper
die Buchhandlung, –en bookstore
büffeln (*reg.*) cram for an exam
die Bühne, –n stage
der Bund, –e confederation
die Bundeshauptstadt federal capital
of West Germany
das Bundeshaus, ⁻er parliament building
das Bundesland, ⁻er federal state
die Bundesrepublik the Federal Republic
das Bündnis, –se alliance
bunt bright, many-colored, gay
die Burg, –en castle
der Bürger, – citizen
der Bürgermeister, – mayor
der Bürgersteig, –e sidewalk
die Burgruine, –n castle ruin(s)
das Burgtheater, – palace theater
das Büro, –s office
der Bus, (ses), –se bus
der Busch, ⁻e bush, shrub
die Butter butter
das Butterbrot, –e sandwich
die Buttermilch buttermilk

C

das Café, –s café
das Camping camping
der Campingplatz, ⁻e camping site
der Campus campus
charakterisieren (*reg.*) characterize
chinesisch Chinese
der Chor, ⁻e choir, chorus
die Chemie chemistry
die Chemikalien (*pl.*) chemicals
das Christentum Christianity
das Christkind Christ child
Christus (**Christi,** *gen.*) Christ
der Clown, –s clown
die Coca-Cola Coca-Cola

D

da (*adv.*) there, then; (*dep. conj.*)
since
da drüben over there
das Dach, ⁻er roof
dafür for it
dagegen against it
daher therefore
dahin there; **er geht dahin** he is going there
damals at that time
die Dame, –n lady
damit with it; (*dep. conj.*) so that
der Damm, ⁻e dam, embankment
der Dämon, –en demon
der Dampfer, – steamer
danach afterward, accordingly
daneben beside it, close by
danieder in ruins
dänisch Danish
(das) Dänisch Danish
der Dank thanks; **besten Dank! vielen**
Dank! thanks very much
dankbar grateful; **er ist mir dankbar**
he is grateful to me
danken (*reg., dat.*) thank; **danke!**
thanks; **danke sehr!** (**danke schön!**
danke bestens!) thanks a lot! **nichts**
zu danken you are welcome

dann then; **dann und wann** now and then
daran about it
darauf on it, thereupon
daraus out of it
darin in it
darüber about it
darunter under it
das the, that, those, which
daß (*dep. conj.*) that
dasselbe the same
das **Datum** (**Daten**, *pl.*) date
die **Dauer** duration
dauern (*reg.*) last, endure
davon about it
davor in front of it
dazu with it, in addition
dazwischen between them
decken (*reg.*) cover, set (a table)
dein (*fam. sing.*) your
der **Dekan**, —e dean
der **Demagoge**, (n), —n demagogue
der **Demokrat**, (en), —en democrat
demokratisch democratic
denken (*semi-irreg.*) think; **denken an** (*acc.*) think of
der **Denker**, — thinker
das **Denkmal**, ⸚er monument
denn (*particle & coord. conj.*) then, for
der the, that, who
dergleichen and so forth
derselbe the same
deshalb therefore, for that reason
desto the; **je mehr, desto besser** the more, the better
deswegen for that reason, therefore
deutlich clear, distinct
deutsch German; **auf deutsch** in German
(das) **Deutsch** German
der **Deutsche**, (n), —n the German
(das) **Deutschland** Germany
der **Deutschlehrer**, - teacher of German
deutsch-österreichisch German-Austrian
deutschsprachig German-speaking

die **Deutschstunde**, --n German class
der **Dezember** December
dich (*fam. sing., acc.*) you
der **Dichter**, — poet
das **Dichterzimmer**, — poet's room
dick thick, fat
die the, that, who
der **Dieb**, —e thief
diejenigen those
dienen (*reg., dat.*) serve
der **Dienst**, —e service
der **Dienstag**, —e Tuesday
dies this
dieselbe the same
dieser this
diesmal this time
der **Diktator**, —en dictator
diktieren (*reg.*) dictate
der **Diplomat**, (en), —en diplomat
die **Diplomatie** diplomacy
der **Diplomchemiker**, — college graduate with an advanced degree in chemistry
der **Diplomingenieur**, —e college graduate with an advanced degree in engineering
der **Diplomkaufmann** (**Diplomkaufleute**, *pl.*) college graduate with an advanced degree in business administration and/or economics
die **Diplomprüfung**, —en examination for certification
dir (*fam. sing., dat.*) you
direkt direct
der **Direktor**, —en director, manager
der **Dirigent**, (en), —en director, conductor (of an orchestra)
das **Dirndl**, — dirndl, peasant dress (southern German & Austrian)
die **Dissertation**, —en dissertation
doch (*adv., conj., & particle*) yet, however, nevertheless; **doch!** yes! (contradicting a negative)
der **Doktor**, —en doctor
die **Doktorarbeit**, —en dissertation for the doctorate
die **Doktorprüfung**, —en examination for the doctorate

der **Dollar**, –(s) dollar
der **Dom**, –e cathedral
die **Domstadt**, ‥e cathedral city
die **Donau** Danube River
donnern (*reg.*) thunder
der **Donnerstag**, –e Thursday
Donnerwetter! wow! darn it all!
die **Doppelportion**, –en double portion
doppelt double
das **Doppelzimmer**, – double room
das **Dorf**, ‥er village
das **Dörfchen**, – little village
die **Dorfkirche**, –n village church
der **Dorfname**, (ns), –n village name
der **Dorfvater**, ‥ father of the village
Dornröschen Sleeping Beauty
dort there
dort drüben over there
dorthin there; **er fährt dorthin** he is driving there
das **Drama** (**Dramen**, *pl.*) drama
der **Dramatiker**, – dramatist
dramatisch dramatic
die **Dramatisierung**, –en dramatization
draußen outside
drehen (*reg.*) turn
drei three
dreißig thirty
der **Dreißigjährige Krieg** the Thirty Years' War
die **Dreschmaschine**, –n threshing machine
drinnen inside
dritt third
das **Drittel**, – third
drittens in the third place
die **Drogerie**, –n drugstore
drüben over there
du (*fam. sing.*) you
das **Duett**, –e duet
dumm stupid
der **Dummkopf**, ‥e blockhead, dunderhead
düngen (*reg.*) fertilize, manure
dunkel dark
die **Dunkelheit** darkness

dünn thin
durch (*acc. prep.*) through
durchfallen (*irreg., s.*) fail (an examination)
durchführen (*reg.*) bring about, carry out
dürfen (*semi-irreg.*) be allowed, be permitted, may
die **Dusche**, –n shower
duschen (*reg.*) shower
das **Dutzend**, –e dozen
duzen (*reg.*) address someone with *du*, the familiar form of *you*

E

eben even, just, precisely
ebenfalls likewise, too
ebenso just as
echt genuine, true, authentic
die **Ecke**, –n corner
edel noble
egal alike, all the same; **mir est es egal** it's all the same to me
ehe (*dep. conj.*) before
die **Ehe**, –n marriage
ehemalig former
das **Ehepaar**, –e married couple
die **Ehre**, –n honor
ehren (*reg.*) honor
das **Ei**, –er egg
der **Eid**, –e oath
eifersüchtig jealous; **eifersüchtig auf** (*acc.*) jealous of
eigen own
eigentlich really, actually
eilen (*reg., s.*) hurry
eilig quick, speedy; **eilig haben** be in a hurry
ein a, an, one
einander each other
einatmen (*reg.*) inhale
einbringen (*semi-irreg.*) bring in
der **Eindruck**, ‥e impression
einfach simple
der **Eingang**, ‥e entrance
der **Eingeborene**, (n), –n native

einige some
der **Einkauf, ⸚e** purchase
einkaufen (*reg.*) shop
einladen (*irreg.*) invite
die **Einladung, –en** invitation
einlösen (*reg.*) cash (a check)
einmal one time, once; **nicht einmal** not even
einmalig one time, unique
einnehmen (*irreg.*) take in, receive
eins one
einsam lonely, alone
einschlafen (*irreg., s.*) go to sleep, fall asleep
einsteigen (*irreg., s.*) climb in
die **Eintrittskarte, –n** admission ticket
der **Einwanderer, –** immigrant
einwerfen (*irreg.*) throw in, mail
der **Einwohner, –** inhabitant
die **Einzelheit, –en** detail
einzeln single, individual, separate
das **Einzelzimmer, –** single room
einzig only, single, unique
einzigartig unique
das **Eis** ice, ice cream
der **Eisbecher, –** dish of ice cream
die **Eisenbahn, –en** railroad
der **Eisenbahnwagen, –** railroad carriage or car
eiskalt ice-cold
der **Eiserne Vorhang** the Iron Curtain
der **Eisschrank, ⸚e** refrigerator
der **Elefant, (en), –en** elephant
elegant elegant
elektrisch electric
elf eleven
der **Ellbogen, –** elbow
die **Eltern** (*pl.*) parents
empfehlen (*irreg.*) recommend
das **Ende, –n** end; **am Ende** at the end; **zu Ende** at an end (over)
enden (*reg.*) end
endlich finally
eng narrow, close
der **Engel, –** angel
der **Engländer, –** Englishman
englisch English

(das) **Englisch** English
der **Enkel, –** grandson
die **Enkelin, –nen** granddaughter
das **Ensemble, –s** group of singers, musicians, actors, etc.
die **Ensembleleistung, –en** group accomplishment
entdecken (*reg.*) discover
der **Entdecker, –** discoverer
entfernen (*reg.*) remove
entfernt removed, distant
entgehen (*irreg., s.*) escape
enthüllen (*reg.*) unveil
entlassen (*irreg.*) release
entschuldigen (*reg.*) excuse
die **Entschuldigung, –en** excuse
entspringen (*irreg., s.*) originate
entweder . . . oder either . . . or
die **Entwicklung, –en** development
die **Epidemie, –n** epidemic
die **Epoche, –n** epoch, era
er he, it
erbauen (*reg.*) erect, build
der **Erbe, (n), –n** heir
die **Erbsen** (*pl.*) peas
die **Erbsensuppe** pea soup
die **Erdbeere, –n** strawberry
die **Erde, –n** earth
das **Erdgeschoß** (**–geschosse**, *pl.*) ground floor
erfahren (*irreg.*) learn, experience
die **Erfahrung, –en** experience
der **Erfolg, –e** success; **viel Erfolg!** good luck!
erfreuen (*reg., refl.*) enjoy
erfrischend refreshing
erfüllen (*reg.*) fulfill
erhalten (*irreg.*) preserve, receive
erholen (*reg., refl.*) recover, recuperate
die **Erholung, –en** recovery, rest
erinnern (*reg.*) remind; (*refl.*) remember; **ich erinnere mich an ihn** I remember him
die **Erinnerung, –en** memory
erkälten (*reg., refl.*) catch cold
die **Erkältung, –en** common cold

erkennen (*semi-irreg.*)   recognize
erklären (*reg.*)   declare, explain
die Erlaubnis, –se   permission
erleben (*reg.*)   experience
das Erlebnis, (ses), –se   experience
erlösen (*reg.*)   save, redeem
die Erlösung, –en   salvation, redemption
ermüden (*reg.*)   tire
ernst   serious
erraten (*irreg.*)   solve, succeed in guessing
erretten (*reg.*)   save, redeem
erscheinen (*irreg., s.*)   appear
erschöpfen (*reg.*)   exhaust
erschrecken (*reg., trans.*)   frighten; (*irreg., intrans., s.*)   to be frightened
ersetzen (*reg.*)   replace
erst   first, only, not before; eben erst just now
erstaunt   astonished
erstens   in the first place
erteilen (*reg.*)   give, impart; Unterricht erteilen   give instruction
der Erwachsene, (n), –n   adult
erwarten (*reg.*)   expect, await
erwecken (*reg.*)   awaken, rouse
erweitern (*reg., refl.*)   expand
erzählen (*reg.*)   tell, narrate
der Erzbischof, ̈e   archbishop
die Erzbischofzeit, –en   time of the archbishops
das Erzbistum, ̈er   archbishopric
die Erziehung   education
es   it
essen (*irreg.*)   eat
das Essen, –   food, meal
das Esszimmer, –   dining room
etwa   perhaps, nearly
etwas   something, somewhat; so etwas   such a thing
euer (*fam. pl.*)   your
(das) Europa   Europe
der Europäer, –   European
europäisch   European
die Europäische Wirtschaftsgemeinschaft   Common Market

die Europareise, –n   trip through Europe
das Examen (Examina, *pl.*)   examination
exportieren (*reg.*)   export
extra   extra, additional

F

fabelhaft   fabulous
die Fabrik, –en   factory
der Fabrikschornstein, –e   factory smokestack
das Fachwerkhaus, ̈er   half-timbered house
fahren (*irreg., s.*)   travel; (h.)   drive (a car)
die Fahrkarte, –n   ticket
der Fahrplan, ̈e   itinerary
das Fahrrad, ̈er   bicycle
der Fahrradweg, –e   bicycle path
der Fahrstuhl, ̈e   elevator
die Fakultät, –en   faculty
der Fall, ̈e   case, situation; auf keinen Fall   not at all, by no means; auf jeden Fall   in any case
fallen (*irreg., s.*)   fall
falls (*dep. conj.*)   in case
falsch   false, wrong
die Familie, –n   family
das Familienbild, –er   family portrait
der Familienname, (ns), –n   family name
die Farbaufnahme, –n   colored picture
das Farbdia, –s   colored slide
die Farbe, –n   color
der Farbfilm, –e   color film
das Farbfoto, –s   color photo
der Farbkontrast, –e   color contrast
der Fasching, –e   carnival
die Fassade, –n   facade
fassen (*reg.*)   seize, take
die Fassung, –en   style, self-control, composure
fast   almost
die Fastenzeit, –en   Lent
(die) Fastnacht   Shrove Tuesday

faul lazy
der **Februar** February
die **Feder, –n** feather, pen
fehlen (*reg.*) be missing, be lacking, be absent; **was fehlt Ihnen?** what's wrong with you?
der **Fehler, –** mistake
die **Feier, –n** celebration, ceremony
feierlich solemn, festive
feiern (*reg.*) celebrate, solemnize
der **Feiertag, –e** holiday
fein fine
die **Feinheit, –en** fineness
das **Feld, –er** field
der **Felsen, –** rock, cliff
das **Fenster, –** window
die **Ferien** (*pl.*) vacation
das **Ferienland, ⸚er** vacation land
das **Ferngespräch, –e** long-distance phone call
der **Fernsehapparat, –e** television set
das **Fernsehen** television
der **Fernsehturm, ⸚e** television tower
der **Fernsprecher, –** telephone
das **Fernsprechhäuschen, –** phone booth
die **Fernsprechzelle, –n** phone booth
fertig ready, finished
fest firm, solid, sound
das **Fest, –e** festival
die **Festbeleuchtung, –en** festival, illumination
das **Festspiel, –e** festival play
das **Festspielhaus, ⸚er** festival playhouse
die **Festspielwoche, –n** festival week
die **Festtracht, –en** festival costume
die **Festung, –en** fortress, citadel
der **Festzug, ⸚e** festive procession
das **Feuer, –** fire
das **Feuerholz** firewood
die **Feuerwehr, –en** fire department
das **Fieber** fever
der **Film, –e** film
der **Filmschauspieler, –** film actor
der **Filmstar, –s** film star
das **Filmtheater, –** movie theater
finden (*irreg.*) find

der **Finger, –** finger
die **Firma** (**Firmen,** *pl.*) firm
der **Fisch, –e** fish
fischen (*reg.*) fish
das **Fischgericht, –e** fish dish or course
die **Flasche, –n** bottle
das **Fleisch** meat
die **Fleischbrühe, –n** clear soup, broth
das **Fleischgericht, –e** meat dish or course
die **Fleischspeise, –n** meat course
fleißig industrious, diligent
die **Fliege, –n** fly
fliegen (*irreg., s.*) fly
fliehen (*irreg., s.*) flee
fließen (*irreg., s.*) flow
fließend fluent, flowing, running (water)
die **Flucht** flight, escape
der **Flughafen, ⸚** airport
das **Flugzeug, –e** airplane
der **Fluß** (**Flüsse,** *pl.*) river
das **Flußbett, –en** river bed, channel
das **Flüßchen, –** little river
der **Flußdamm, ⸚e** embankment
folgen (*reg., dat., s.*) follow
die **Form, –en** form
die **Forstakademie, –n** school of forestry
fort away
fortan henceforth
der **Fortschritt, –e** progress; **Fortschritte machen** make progress
das **Foto** (**Photo**), **–s** photograph
fotografieren (*reg.*) photograph
die **Frage, –n** question; **eine Frage stellen** ask a question
fragen (*reg.*) ask; **fragen nach** ask about
der **Franke, (n), –n** Frank
der **Frankfurter, –** frankfurter
fränkisch Frankish
(**das**) **Frankreich** France
der **Franzose, (n), –n** Frenchman
französisch French
die **Frau, –en** woman, wife, Mrs.
die **Frauenfeuerwehr** fire brigade composed of women

die **Frauenkirche**   Church of Our Lady
das **Fräulein,** – *or* -s   unmarried woman, young lady
frei   free, available; **im Freien**   out of doors, in the open (air)
das **Freibad,** ⸚**er**   open-air swimming pool
die **Freiheit,** –**en**   freedom
das **Freiheitsdrama** (–**dramen,** *pl.*)   drama of freedom
der **Freiheitskämpfer,** –   fighter for freedom
das **Freiluftkonzert,** –**e**   open-air concert
der **Freitag,** –**e**   Friday
fremd   foreign, unfamiliar
der **Fremdenführer,** –   guide
die **Fremdenführung,** –**en**   guide service for tourists
der **Fremdenverkehr**   tourist traffic
die **Fremdsprache,** –**n**   foreign language
das **Fresko,** (**Fresken,** *pl.*)   fresco
die **Freude,** –**n**   joy, pleasure
freuen (*reg.*)   make glad; (*refl.*) be glad; **er freut sich auf** (*acc.*) he looks forward to; **er freut sich über** (*acc.*)   he is happy about
der **Freund,** –**e**   friend
die **Freundin,** –**nen**   girl friend
freundlich   friendly
die **Freundschaft**   friendship
der **Frieden**   peace
friedlich   peaceful
der **Friese,** (n), –**n**   Frisian, member of a Germanic tribe in northwestern Germany
frisch   fresh
das **Friseurgeschäft,** –**e**   barbershop
froh   glad
fröhlich   merry, happy
fromm   devout
die **Frucht,** ⸚**e**   fruit
früh   early
früher   former(ly)
das **Frühjahr,** –**e**   spring
der **Frühling,** –**e**   spring
das **Frühstück,** –**e**   breakfast; **beim Frühstück**   at breakfast; **zum Frühstück**   for breakfast
frühstücken (*reg.*)   eat breakfast
der **Frühstückstisch,** –**e**   breakfast table
das **Frühstückszimmer,** –   breakfast room
fühlen (*reg.*)   feel
führen (*reg.*)   lead
die **Führung**   leadership
die **Füllfeder,** –**n**   fountain pen
fünf   five
fünfzig   fifty
für (*acc.*)   for
die **Furchtbarkeit**   frightfulness
fürchten (*reg.*)   fear; (*refl.*) be afraid; **sie fürchtet sich vor** (*dat.*) she is afraid of
füreinander   for each other
fürs = **für das**
der **Fürst,** (en), –**en**   prince
das **Fürstenbistum,** ⸚**er**   diocese administered by a prince-bishop
die **Furt,** –**en**   ford, a shallow river crossing
der **Fuß,** ⸚**e**   foot; **zu Fuß**   on foot
der **Fußball,** ⸚**e**   football
das **Fußballspieler,** –   football (soccer) player
der **Fußboden,** ⸚   floor
der **Fußgänger,** –   pedestrian
füttern (*reg.*)   feed

G

die **Gabel,** –**n**   fork
die **Galerie,** –**n**   gallery
ganz   quite, whole, entire; **ganz und gar**   completely
gar   entirely, absolutely; **gar nicht**   not at all; **gar nichts**   nothing at all
der **Garten,** ⸚   garden
das **Gartencafé,** -s   garden café
das **Gartenhaus,** ⸚**er**   garden house, summerhouse
der **Gartensalat**   lettuce
der **Gasherd,** –**e**   gas stove
die **Gasse,** –**n**   alley, lane

der **Gast**, ⁻e guest
der **Gasthof**, ⁻e inn
das **Gebäude**, – building
geben (*irreg.*) give; **es gibt** there is
(are); **was gibt's Neues?** what's
new?
das **Gebiet**, –e area, region
geboren born
gebraten roasted, fried
gebrauchen (*reg.*) use
die **Geburt**, –en birth
das **Geburtshaus**, ⁻er house where a
person is born
die **Geburtsstadt**, ⁻e birthplace
der **Geburtstag**, –e birthday
die **Gedächtniskapelle**, –n memorial
chapel
die **Gedächtniskirche**, –n memorial
church
gedeihen (*irreg.*, s.) thrive
das **Gedicht**, –e poem
die **Geduld** patience
die **Gefahr**, –en danger
gefährlich dangerous
gefallen (*irreg.*, *dat.*) please; **es ge-**
fällt mir I like it
der **Gefallen**, – favor; **er tut mir einen**
Gefallen he does a favor for me
das **Geflügel** poultry
gegen (*acc.*) against, toward
die **Gegend**, –en region
der **Gegenstand**, ⁻e object
das **Gegenteil**, –e opposite
gegenüber (*dat. prep.*) opposite
gegnerisch opposing
das **Gehäuse**, – case, shell
gehen (*irreg.*, s.) go, walk; **wie geht's?**
how are you? **es geht** so-so; **das geht**
nicht that won't do
gehören (*reg.*, *dat.*) belong to
der **Gehweg**, –e sidewalk
die **Geige**, –n violin, fiddle
der **Geist**, –er spirit, ghost
geisteskrank mentally ill
der **Geizhals**, ⁻e tightwad, skinflint
geizig stingy, miserly
gelb yellow
das **Geld**, –er money; **ich habe kein**

Geld bei mir I have no money with
me
die **Geldnot** financial need or distress
gelegen situated
die **Gelegenheit**, –en opportunity
gelingen (*irreg.*, *dat.*, s.) succeed; **es**
gelingt mir I am successful
gelten (*irreg.*) be considered
das **Gelübde**, – solemn promise
das **Gemälde**, – painting
der **Gemeinderat**, ⁻e town council
gemischt mixed
das **Gemüse**, – vegetables
der **Gemüsegarten**, ⁻ vegetable garden
der **Gemüserest**, –e remains of vegetables
gemütlich cozy, comfortable, pleasant
genau exact
genauso just as
der **General**, –e *or* ⁻e general (com-
mander)
der **Generalintendant**, (en), –en theater manager
Genf Geneva
der **Genfersee** Lake Geneva
genießen (*irreg.*) enjoy
genug enough
die **Geographie** geography
geographisch geographic
das **Gepäck** baggage, luggage
der **Gepäckträger**, – porter
gerade just, straight
geradeaus straight ahead
gereichen (*reg.*) redound, do credit to
germanisch Germanic
gern(e) gladly; **sie singt gern** she
likes to sing
der **Gesandte**, (n), –n ambassador
der **Gesang**, ⁻e singing, song
der **Gesangverein**, –e glee club
das **Geschäft**, –e business, store
der **Geschäftsführer**, – manager
das **Geschäftshaus**, ⁻er business building
geschehen (*irreg.*, s.) happen; **gern**
geschehen you're welcome
gescheit clever, shrewd
das **Geschenk**, –e present, gift

die **Geschichte, –n**   story, history
das **Geschirr**   dishes, china, utensils
der **Geschmack, ̈e** *or* **̈er**   taste
die **Geschwister** (*pl.*)   brothers and
  sisters
die **Gesellschaftsschicht, –en**   social
  class, social group
das **Gesicht, –er**   face
der **Gesichtskrem, –e**   face cream
gespannt   excited
das **Gespenst, –er**   apparition, evil
  spirit, ghost
das **Gespräch, –e**   conversation
die **Gestalt, –en**   form, shape, figure
gestern   yesterday; **gestern abend**   last
  evening
gesund   healthy
die **Gesundheit**   health
das **Getreide**   grain
die **Getreidepuppe, –n**   bundle of grain
  resembling a human being
getrennt   separated
gewinnen (*irreg.*)   win, gain
gewiß   certain (ly)
gewissermaßen   to a certain extent
gewöhnen (*reg., refl.*)   become accustomed; **er gewöhnt sich an** (*acc.*)
  he becomes accustomed to
gewöhnlich   usual (ly)
der **Gipfel, –**   peak, summit
die **Gitarre, –n**   guitar
der **Glanz, ̈e**   splendor
das **Glas, ̈er**   glass
die **Glatze, –n**   bald spot, baldhead
glauben (*reg., dat. of person*)   believe;
  glauben an (*acc.*)   believe in
gleich   immediately, right away, just,
  right, same; **mir ist es gleich**   it's all
  the same to me
gleichen (*irreg.*)   equal, resemble
gleichfalls   likewise, the same to you
gleichnamig   of the same name
gleichzeitig   at the same time
das **Glück**   fortune, luck, happiness; **er**
  hat Glück   he is lucky
glücklich   fortunate, happy
der **Glückliche, (n), –n**   happy man
das **Gold**   gold
das **Golf**   golf

gotisch   Gothic
der **Gott, ̈er**   God
der **Gottesdienst, –e**   divine service,
  public worship
graben (*irreg.*)   dig
der **Graben, ̈**   ditch, moat
die **Grammatik, –en**   grammar
das **Gras, ̈er**   grass
gratulieren (*reg., dat.*)   congratulate
grau   gray
die **Grenze, –n**   border, boundary
griechisch   Greek
die **Grippe**   flu
groß   large, big, great, tall
großartig   magnificent
die **Größe, –n**   size
die **Großmacht, ̈e**   great power
die **Großmutter, ̈**   grandmother
die **Großstadt, ̈e**   large city
der **Großvater, ̈**   grandfather
grün   green
der **Grund, ̈e**   ground, basis; **aus**
  diesem Grunde   for this reason
gründen (*reg.*)   found
die **Grundlage, –n**   basis, foundation
die **Gründlichkeit**   thoroughness, effi-
  ciency
die **Grundschule, –n**   elementary
  school
die **Gruppe, –n**   group
gruppieren (*reg.*)   group
der **Gruß, ̈e**   greeting
grüßen (*reg.*)   greet; **grüße ihn von**
  mir!   give him my regards!
gucken (*reg.*)   look, peep
die **Gulaschsuppe, –n**   goulash soup
die **Gunst, ̈e**   favor; **zu Günsten**   in
  favor of, on behalf of
der **Gurkensalat**   cucumber salad
gut   good, well
gutaussehend   handsome
das **Gymnasium** (**Gymnasien,** *pl.*)   college preparatory school

H

das **Haar, –e**   hair
haben (*reg.* or *semi-irreg.*)   have;
  was haben Sie denn?   what's the
  matter with you?

der **Hafen**, ⁔ port, harbor
die **Hafenstadt**, ⁔e seaport
hageln (*reg.*) hail
halb half; **halb neun** eight thirty
die **Hälfte**, –n half
der **Hals**, ⁔e neck
der **Halsschmerz**, –en sore throat
das **Halsweh** sore throat
halten (*irreg.*) hold, stop; **halten für** consider; **er macht halt** he stops
die **Haltestelle**, –n (bus, streetcar) stop
die **Hand**, ⁔e hand
handeln (*reg.*) act, bargain; **handeln von** treat, have to do with; **es handelt sich um** (*acc.*) it concerns, it has to do with
die **Handelshochschule**, –n business college
der **Handkoffer**, – suitcase
die **Handschrift**, –en handwriting, signature
der **Handschuh**, –e glove
die **Handtasche**, –n woman's purse
das **Handtuch**, ⁔er hand towel
hängen (*reg.*) hang
die **Hansestadt**, ⁔e Hansa city
das **Hanseviertel**, – Hansa quarter
der **Harz** Harz Mountains
hassen (*reg.*) hate
häßlich plain, homely, ugly
der **Haufen**, – heap, pile
häufig frequently, often
der **Hauptanziehungspunkt**, –e center of attraction
das **Hauptauditorium** main auditorium
das **Hauptfach**, ⁔er major field of study
der **Hauptfilm**, –e main feature (film)
das **Hauptgericht**, –e main course
die **Hauptmahlzeit**, –en main meal
der **Hauptmann** (–leute, *pl.*) captain
die **Hauptpost** main post office
die **Hauptrolle**, –n main role
die **Hauptsache**, –n main point
die **Hauptsehenswürdigkeit**, –en main attraction
die **Hauptstadt**, ⁔e capital city
die **Hauptstraße**, –n main street

das **Hauptvergnügen**, – principal pleasure
das **Haus**, ⁔er house; **nach Hause gehen** go home; **zu Hause** at home
die **Hausarbeit**, –en domestic work, homework (of schoolchildren)
der **Hausbesitzer**, – owner, landlord
die **Hausfrau**, –en housewife
das **Hausmädchen**, – maid
die **Haustür**, –en front door of a house
heben (*irreg.*) lift, raise
das **Heft**, –e notebook
die **Heilanstalt**, –en sanatorium
das **Heilbad**, ⁔er mineral bath
heilen (*reg.*) heal, cure
heilig holy
der **Heilige Abend** Christmas Eve
das **Heilmittel**, – remedy
das **Heim**, –e home, dwelling
die **Heimat**, –en home, homeland, native home
heimatlich native, belonging to one's home
das **Heimweh** homesickness; **sie hat Heimweh** she is homesick
heiraten (*reg.*) marry
heiß hot; **mir ist heiß** I'm hot
heißen (*irreg.*) be called, be named; **wie heißen Sie?** what's your name?
der **Held**, (en), –en hero
helfen (*irreg., dat.*) help
hell light, bright
das **Hemd**, –en shirt
her here (toward the speaker), hither; **kommen Sie her!** come here!
die **Herberge**, –n hostel
das **Heranwachsen**, – growth, development
herausgeben (*irreg.*) publish, edit
der **Herbst**, –e autumn, fall
der **Herd**, –e stove, hearth
herein in here (toward the speaker); **herein!** come in!
hereinkommen (*irreg., s.*) come in
der **Herr**, (n), –en gentleman, Mr.
herrlich splendid, wonderful
die **Herrschaften** lady (ladies) and gentleman (gentlemen)
herum (*adv.*) around

hervorragend prominent

das **Herz**, (ens), –en heart; **von ganzem Herzen** with all one's heart

herzlich hearty, cordial

das **Herzogtum**, ⸚er duchy

das **Heu** hay

die **Heuernte**, –n hay harvest

der **Heuhaufen**, – haystack

die **Heuscheune**, –n barn

der **Heuschlitten**, – hay sled

der **Heuschober**, – haystack

heute today; **heute morgen** this morning; **heute früh** early this morning

heutig of today

heutzutage nowadays

der **Heuwagen**, – hay wagon

hier here

hierher to this place; **kommen Sie hierher!** come right over here!

hierzulande in this country

die **Hilfe**, –n help

der **Himmel**, – heaven, sky

himmelwärts heavenwards

hin away (from the speaker), to that place; **hin und her** back and forth

hinauffahren (*irreg.*, s.) drive up there

hinausgehen (*irreg.*, s.) go out

hingehen (*irreg.*, s.) go there (to that place)

hinkommen (*irreg.*, s.) get there

hinten (*adv.*) behind, in the back

hinter (*dat. or acc.*) behind

der **Hintergrund**, ⸚e background

hinweisen (*irreg.*) indicate, point to

der **Hirschhornknopf**, ⸚e button made from a deerhorn

die **Hitze** heat

hoch high

die **Hochgarage**, –n parking terrace

das **Hochhaus**, ⸚er skyscraper

die **Hochschule**, –n college

der **Hochsprung**, ⸚e high jump

höchst highest, extremely

hocken (*reg.*) crouch, squat

der **Hof**, ⸚e court, yard, farm

das **Hofburgtor**, –e gate of the Hofburg

hoffen (*reg.*) hope

hoffentlich I hope, it is to be hoped

die **Hoffnung**, –en hope

höflich polite, courteous

höher higher

die **Höhere Schule** college preparatory school

die **Höhle**, –n cave, grotto

hold pleasant, charming

holen (*reg.*) bring, get, fetch

(das) **Holländisch** Dutch

die **Holzbank**, ⸚e wooden bench

der **Holzschnitzer**, – wood-carver

die **Holzstange**, –n wooden pole

der **Honig** honey

hören (*reg.*) hear

der **Hörer**, – listener, telephone receiver

der **Hörsaal** (–säle, *pl.*) auditorium, lecture hall

die **Hose**, –n trousers

der **Hosenträger**, – suspender

das **Hotel**, –s hotel

der **Hoteldiener**, – bellboy

das **Hoteldorf**, ⸚er village which has many hotels

das **Hotelzimmer**, – hotel room

hübsch pretty

das **Huhn**, ⸚er chicken

die **Hühnersuppe** chicken soup

das **Humanitätszeitalter** age of humanity

der **Hund**, –e dog

das **Hündchen**, – puppy

hundert hundred

der **Hunger** hunger; **er hat Hunger** he is hungry; **vor Hunger sterben** die of hunger

hungrig hungry

der **Hut**, ⸚e hat

hüten (*reg.*) herd, guard; (*refl.*) watch out, beware

I

ich I

die **Idee**, –n idea

idyllisch idyllic

ihr her, their, you (*fam. pl., nom.*)

Ihr your (*polite form*)

ihnen them (*dat.*)
Ihnen you (*polite form, dat.*)
illustrieren (*reg.*) illustrate
im = in dem
immer always; **noch immer** still;
immer noch still
imponieren (*reg., dat.*) impress
in (*dat. & acc.*) in, into
indem (*dep. conj.*) in that, while
industrialisieren (*reg.*) industrialize
die **Industrie, –n** industry
die **Industriestadt, ⁝e** industrial city
das **Industriezentrum (–zentren, pl.)**
industrial center
informieren (*reg.*) inform
innen (*adv.*) inside
inner interior, internal
das **Innere** inside, interior
ins = in das
die **Insel, –n** island
das **Instrument, –e** instrument
intelligent intelligent
interessant interesting
das **Interesse, –n** interest
interessieren (*reg.*) interest; **sich interessieren für** be interested in
international international
irgendein any, some
irgendwo somewhere
(das) **Italien** Italy
der **Italiener, –** Italian
italienisch Italian
(das) **Italienisch** Italian

J

ja yes
die **Jacke, –n** coat, jacket
das **Jagdschloß (–schlösser, pl.)** hunting castle
der **Jäger, –** hunter
der **Jägerhut, ⁝e** hunting hat
das **Jahr, –e** year
jahrelang (lasting) for years
die **Jahreswende, –n** new year
die **Jahreszeit, –en** season
das **Jahrhundert, –e** century
das **Jahrzehnt, –e** decade

der **Januar** January
japanisch Japanese
die **Jauche** liquid manure
jawohl! yes indeed!
der **Jazz** jazz
je ever
je . . . desto the . . . the; **je mehr,
desto besser** the more, the better
jeder each, every
jedermann everyman, everyone
„Jedermann" *Everyman* (play by Hofmannsthal)
jedoch however, nevertheless
jeglich each, every
jeher (only in) **von jeher** from time
immemorial
jemals ever
jemand someone
jener that
jetzt now
der **Jodler, –** yodeler
die **Jodlerin, –nen** yodeler (*fem.*)
die **Jugend** youth
die **Jugendherberge, –n** youth hostel
die **Jugendherbergsorganisation, –en**
youth hostel organization
das **Jugendkonzert, –e** youth concert
der **Jugendliche, (n), –n** young person
der **Juli** July
jung young
der **Junge, (n), –n** boy
die **Jungfrau, –en** name of a Swiss
mountain; maiden
der **Juni** June

K

der **Kabinettsminister, –** cabinet min-
ister
der **Kaffee** coffee
der **Kaiser, –** emperor
die **Kaiser Wilhelm Gedächtnis-Kirche**
Emperor Wilhelm Memorial Church
das **Kaiserreich, –e** empire
die **Kaiserstadt, ⁝e** imperial city
die **Kaiserzeit, –en** time of the em-
perors
der **Kakao** cocoa

das **Kalb, ⸚er** calf
das **Kalbfleisch** veal
der **Kalender, –** calendar
kalt cold; **mir ist kalt** I'm cold
die **Kälte** cold; **vor Kälte zittern**
  shiver with cold
die **Kamera, –s** camera
der **Kamm, ⸚e** comb
kämmen (*reg.*) comb
die **Kammermusik** chamber music
der **Kampf, ⸚e** fight, combat, struggle
der **Kämpfer, –** warrior, fighter
der **Kanal, ⸚e** canal
die **Kantate, –n** cantata
der **Kanton, –e** canton
der **Kanzler, –** chancellor
die **Kapelle, –n** band, chapel
der **Kapellmeister, –** band or orchestra
  director
die **Kappe, –n** cap
der **Karneval, –e** *or* **–s** carnival
die **Karnevalszeit, –en** carnival time,
  Shrovetide
die **Karte, –n** card, ticket, map
das **Kartenspiel, –e** card game
die **Kartoffel, –n** potato
der **Käse, –** cheese
die **Kasse, –n** cashier's booth, box
  office
der **Katholik, (en), –en** catholic
katholisch catholic
die **Katze, –n** cat
kaufen (*reg.*) buy
der **Kaufmann (–leute,** *pl.***)** merchant
kaufmännisch commercial
kaum hardly, scarcely
kein no; **kein Buch** no book
keinesfalls in no case
der (das) **Keks, –** *or* **–e** cooky, biscuit
der **Keller, –** basement, cellar
der **Kellner, –** waiter
die **Kellnerin, –nen** waitress
keltisch Celtic
kennen (*semi-irreg.*) know, be acquainted with
kennenlernen (*reg.*) get to know
der **Kiefer, –** jaw
der **Kilometer, –** kilometer

das **Kind, –er** child
der **Kindergarten, ⸚** kindergarten
das **Kinn, –e** chin
das **Kino, –s** movie theater; **ins Kino**
  gehen go to the movies
die **Kirche, –n** church
kirchlich ecclesiastical
der **Kirchturm, ⸚e** church tower
die **Kiste, –n** box, crate
klagen (*reg.*) complain; **klagen über**
  (*acc.*) complain about
klar clear
klarblau clear blue
die **Klarinette, –n** clarinet
die **Klasse, –n** class
die **Klassenarbeit, –en** classwork
das **Klassenzimmer, –** classroom
klassisch classical
klassizistisch classical
das **Klavier, –e** piano
das **Kleid, –er** dress
die **Kleider** (*pl.*) clothes
der **Kleiderschrank, ⸚e** wardrobe
die **Kleidung** clothing
klein small
das **Klima, –s** *or* **–te** climate
klingeln (*reg.*) ring
klingen (*irreg.*) sound
klopfen (*reg.*) knock, beat, pound; **es**
  klopft someone is knocking
der **Klub, –s** club
klug clever, smart, wise
der **Knabe, (n), –n** boy
das **Knie, –** knee
knipsen (*reg.*) take a snapshot
der **Koch, ⸚e** chef, cook
kochen (*reg.*) cook, boil
die **Köchin, –nen** cook (*fem.*)
der **Kochtopf, ⸚e** pot for cooking
die **Koedukation** coeducation
der **Koffer, –** trunk, suitcase
der **Kohl, –e** cabbage
die **Kohle, –n** coal
Köln Cologne
komisch funny, strange
kommen (*irreg.,* **s.**) come
die **Kommode, –n** dresser, chest of
  drawers

kommunistisch communistic
die **Komödie, –n** comedy
komponieren (*reg.*) compose
der **Komponist, (en), –en** composer
der **Konferenzraum, ̈–e** conference room
die **Kongresshalle, –n** convention hall
der **König, –e** king
die **Königin, –nen** queen
das **Königsschloß** (**–schlösser,** *pl.*) king's castle
konjugieren (*reg.*) conjugate
konkurrieren (*reg.*) compete, know how to
können (*semi-irreg.*) be able, can
der **Konsulat, –e** consulate
das **Konzert, –e** concert; **ins Konzert gehen** go to a concert
die **Konzertreise, –n** concert trip
der **Konzertsaal** (**–säle,** *pl.*) concert hall
der **Kopf, ̈–e** head
der **Kopfsalat** head lettuce
der **Kopfschmerz, –en** headache; **er hat Kopfschmerzen** he has a headache
die **Kopfschmerztablette, –n** headache tablet
das **Kopfsteinpflaster** cobblestone pavement
die **Kopfsteinpflasterstraße, –n** cobblestone street
das **Kopfweh** headache
die **Kopie, –n** copy
der **Körper, –** body
korrespondieren (*reg.*) correspond
korrigieren (*reg.*) correct
kosten (*reg.*) cost
köstlich excellent, delicious
das **Kostüm, –e** costume, woman's suit
krank sick
der **Kranke, (n), –n** sick person
das **Krankenhaus, ̈–er** hospital
die **Krankenschwester, –n** nurse
die **Krankheit, –en** sickness, disease
der **Kranz, ̈–e** wreath
die **Krawatte, –n** tie

die **Kreide** chalk
der **Krieg, –e** war
das **Kriegsende, –n** end of the war
die **Kriegszeit, –en** time of war
die **Krönungsstadt, ̈–e** coronation city
die **Küche, –n** kitchen
der **Kuchen, –** cake; (*pl.*) cookies
der **Küchenschrank, ̈–e** kitchen cupboard
die **Kugel, –n** ball, bullet
der **Kugelschreiber, –** ballpoint pen
die **Kuh, ̈–e** cow
kühl cool
der **Kühlapparat, –e** refrigerator
der **Kühlschrank, ̈–e** refrigerator, icebox
der **Kuhstall, ̈–e** cowshed
die **Kultur, –en** culture
kulturell cultural
der **Kulturfilm, –e** cultural film
das **Kulturzentrum** (**–zentren,** *pl.*) center of culture
die **Kunst, ̈–e** art
die **Kunstakademie, –n** art school
die **Kunsterziehung** instruction in the arts
kunsthistorisch pertaining to the history of art
der **Künstler, –** artist
künstlerisch artistic
das **Kunstmuseum** (**–museen,** *pl.*) art gallery
der **Kunstschatz, ̈–e** art treasure
das **Kunstwerk, –e** work of art
der **Kupferteller, –** copper plate
der **Kurfürst, (en), –en** prince-elector
der **Kurgast, ̈–e** patient, visitor at a spa
kurieren (*reg.*) cure
der **Kurort, –e** health resort, spa
der **Kurs, –e** course
kurz short; **vor kurzem** recently
die **Kurzschrift** shorthand
die **Kusine, –n** cousin
der **Kuß** (**Küsse,** *pl.*) kiss
küssen (*reg.*) kiss
die **Kutsche, –n** coach, carriage

L

lächeln (*reg.*) smile
lachen (*reg.*) laugh; **lachen über**
(*acc.*) laugh at; **es ist zum Lachen**
it's enough to make one laugh
der **Laden, ÷** shop
lagern (*reg.*) store
die **Lampe, –n** lamp
das **Land, ÷er** land, country; **aufs
Land gehen** go to the country
das **Landhaus, ÷er** country house
die **Landluft** country air
die **Landschaft, –en** landscape
die **Landschule, –n** village school
die **Landstraße, –n** highway
der **Landvogt, ÷e** provincial governor
landwirtschaftlich agricultural
die **Landwohnung, –en** country home
lang long; **lange** for a long time
langsam slow
die **Langspielplatte, –n** long-playing
record
langweilig dull, boring
der **Lärm** noise
lassen (*irreg.*) let, leave, stop, cause
to, make; **laß das!** stop that! **er läßt
den Arzt kommen** he sends for the
doctor
(das) **Latein** Latin
lateinisch Latin
die **Laterne, –n** lantern
laufen (*irreg., s.*) run, walk
launisch moody
laut loud
lauten (*reg.*) sound, read
lauter nothing but, pure
leben (*reg.*) live, be alive
das **Leben, –** life; **ums Leben bringen**
kill
die **Lebensmittel** (*pl.*) food, groceries,
provisions
der **Lebensstandard, –s** living standard
die **Lebensweise, –n** way of life
die **Lederhose, –n** short leather pants
leer empty
legen (*reg.*) lay, place

legendenhaft legendary
lehnen (*reg.*) lean
das **Lehrbuch, ÷er** text
lehren (*reg.*) teach
der **Lehrer, –** teacher
die **Lehrerbildung** teacher training
die **Lehrerin, –nen** teacher (*fem.*)
der **Lehrling, –e** apprentice
die **Lehrlingszeit, –en** apprenticeship
die **Leibesübung, –en** physical education
leicht easy, light
die **Leichtathletik** track
leid painful; **es tut mir leid** I'm sorry
leiden (*irreg.*) suffer, tolerate
das **Leiden, –** suffering
leider unfortunately
leise soft, gentle
leisten (*reg.*) accomplish; **ich kann
es mir nicht leisten** I can't afford it
die **Leistung, –en** accomplishment
leiten (*reg.*) direct, conduct
die **Leitung, –en** (telephone) line
lernen (*reg.*) learn
die **Leselampe, –n** reading lamp
lesen (*irreg.*) read
letzt last
die **Leute** (*pl.*) people
das **Licht, –er** light
lieb dear, pleasant
die **Liebe, –n** love; **aus Liebe zu ihr**
out of love for her
lieben (*reg.*) love
lieber rather
der **Liebesfilm, –e** love film
das **Liebeslied, –er** love song
liebhaben (*reg.*) be fond of
lieblich lovely
der **Lieblingssport** favorite sport
die **Lieblingsstadt, ÷e** favorite city
das **Lied, –er** song
liegen (*irreg.*) lie, be situated
der **Lift, –e** elevator
die **Limonade** lemonade
die **Linie, –n** line, shape
links to the left
die **Lippe, –n** lip

literarisch literary
die **Literatur, –en** literature
die **Literaturgeschichte, –n** history of literature
die **Litfaßsäule, –n** pillar for posters or advertisements
loben (*reg.*) praise
der **Löffel, –** spoon
die **Lorelei** name of a legendary enchantress, title of a poem by Heinrich Heine
der **Loreleifelsen** Lorelei Rock
los loose, wrong; **was ist denn los?** what's the matter?
der **Löwe, (n), –n** lion
die **Luft, ⸚e** air
lüften (*reg.*) air
der **Luftkurort, –e** fresh-air spa
die **Luftmatratze, –n** air mattress
die **Luftpost** airmail
die **Luftpostmarke, –n** airmail stamp
die **Lunge, –n** lung
der **Lungenkranke, (n), –n** a consumptive person
die **Lust, ⸚e** pleasure, desire; **haben Sie Lust?** do you want to?
lustig gay, merry, amusing; **sie macht sich lustig über ihn** she makes fun of him
das **Lustspiel, –e** comedy
lutherisch Lutheran
die **Lyrik** lyric poetry

M

machen (*reg.*) make, do; **machen Sie schnell!** hurry! **das macht nichts** that doesn't matter
die **Macht, ⸚e** might, power
das **Mädchen, –** girl
der **Magen, –** *or* ⸚ stomach
mähen (*reg.*) mow
die **Mahlzeit, –en** meal
der **Mai** May
der **Maikäfer, –** beetle
majestätisch majestic

mal once, just, times (mathematics); **schauen Sie mal!** just look! **zweimal** twice
das **Mal, –e** time, occasion; **zum ersten Mal** for the first time
die **Malerei, –en** painting
man (*indef. pron.*) one, people in general, they
mancher many a
manchmal sometimes
der **Mangel, ⸚** lack
der **Mann, ⸚er** man
die **Mannschaft, –en** team
der **Mantel, ⸚** coat, overcoat
das **Märchen, –** fairy tale
das **Märchenbild, –er** fairy-tale picture
das **Märchenbuch, ⸚er** book of fairy tales
die **Märchenwelt** world of fairy tales
die **Mark** mark (**DM**), German unit of currency (approximately 25 cents)
die **Marktfrau, –en** market woman
der **Marktplatz, ⸚e** marketplace
der **Markttag, –e** market day
die **Marmelade, –n** jam, marmalade
der **Marmor** marble
marschieren (*reg., s.*) march
das **Marschieren** marching
der **März** March
die **Maschine, –n** machine
der **Maskenball, ⸚e** costume ball
die **Mathematik** mathematics
die **Mauer, –n** wall
die **Maus, ⸚e** mouse
die **Medizin** medicine
medizinisch medical
mehr more
mehrere several
mehrstimmig in several parts
mein my
meinen (*reg.*) mean, think; **er meint es gut** he means well
meinerseits for my part; **ganz meinerseits** the pleasure is all mine
meinetwegen for my sake, for all I care
die **Meinung, –en** opinion; **meiner Meinung nach** in my opinion

meist most, generally; **meistens** for the most part
meisterhaft masterly, skillful
die **Meisterschaft, –en** championship
das **Meisterschaftsspiel, –e** championship game
das **Meisterwerk, –e** masterpiece
melken (*reg.* & *irreg.*) milk
die **Mensa** (**Mensen,** *pl.*) student restaurant
der **Mensch, (en), –en** human being
die **Menschheitsentwicklung** development of mankind
menschlich human
merken (*reg.*) notice
die **Messe, –n** fair
das **Messer, –** knife
das **Meter, –** meter
der **Mezzosopran** mezzo-soprano
mich (*acc.*) me
die **Milch** milk
die **Milliarde, –n** billion
die **Million, –en** million
der **Millionär, –e** millionaire
das **Mineralwasser, –̈** mineral water
die **Minute, –n** minute
mir (*dat.*) me
mischen mix, shuffle (cards), toss (salad)
der **Mist** manure
der **Misthaufen, –** manure pile
mit (*dat.*) with
mitbringen (*semi-irreg.*) bring along
miteinander with each other
mitfahren (*irreg.,* **s.**) travel with someone
mitgehen (*irreg.,* **s.**) go with someone
das **Mitglied, –er** member
der **Mitgliedstaat, –en** member state
mitgründen (*reg.*) help establish
mitkommen (*irreg.,* **s.**) come with someone
mitmachen (*reg.*) participate
mitnehmen (*irreg.*) take along
der **Mittag, –e** noon
das **Mittagessen, –** noon meal
die **Mittagspause, –n** lunch hour

das **Mittelalter** middle ages
mittelalterlich medieval
(das) **Mitteleuropa** central Europe
die **Mittelschule, –n** secondary school with six-year course of study
mitten in the midst, in the middle of
die **Mitternacht, –̈e** midnight
der **Mittwoch, –e** Wednesday
mitwirken (*reg.*) participate
die **Möbel** (*pl.*) furniture
möchte (*subj. form of* **mögen**) would like
die **Mode, –n** fashion
modern modern
mögen (*semi-irreg.*) like, may (possibility)
möglich possible
die **Möglichkeit, –en** possibility
der **Moment, –e** moment; **Moment, bitte!** just a moment, please!
der **Monat, –e** month
der **Mond, –e** moon
der **Montag, –e** Monday
morgen tomorrow
der **Morgen, –** morning; **heute morgen** this morning; **morgen abend** tomorrow evening; **morgen früh** tomorrow morning
morgens in the morning, mornings
die **Morgenstunde, –n** morning hour
das **Moseltal** Moselle Valley
der **Motorradfahrer, –** motorcyclist
das **Motto, –s** motto
das **Mozartfestspiel, –e** Mozart Festival
die **Mozartstadt** Salzburg
müde tired
München Munich
der **Mund, –̈er** mouth; **Mund halten** keep quiet
die **Mundharmonika, –s** harmonica
mündlich oral
das **Münster, –** cathedral, large church
das **Münstertal** Münster Valley
das **Museum** (**Museen,** *pl.*) museum
die **Museumstadt, –̈e** museum city
die **Musik** music

das **Musikdrama** (–dramen, *pl.*) Wagnerian opera

der **Musiker**, – musician

die **Musikhochschule**, –n conservatory of music

der **Musikliebende**, (n), –n music lover

musizieren (*reg.*) make music

müssen (*semi-irreg.*) have to, must, be compelled

das **Muster**, – pattern, model

der **Mut** courage

die **Mutter**, ⁓ mother

die **Muttersprache** mother tongue

N

na! well!

nach (*dat.*) to, toward, after, according to, for; **nach und nach** gradually

der **Nachbar**, –n neighbor

das **Nachbarland**, ⁓er neighboring country

nachdem (*dep. conj.*) after

nachdenken (*semi-irreg.*) meditate

nachgehen (*irreg.*, s.) be slow (watch or clock)

das **Nachkriegsjahr**, –e postwar year

der **Nachmittag**, –e afternoon; **heute nachmittag** this afternoon

die **Nachricht**, –en message, news; **die neuesten Nachrichten** the latest news

nachsehen (*irreg.*) check, look after something

die **Nachspeise**, –n dessert

nächst next, nearest

die **Nacht**, ⁓e night

der **Nachtisch**, –e dessert

das **Nachtlokal**, –e night club

die **Nachtruhe** night's rest

nachts during the night, at night

der **Nachttisch**, –e night table

der **Nagel**, ⁓ nail

nageln (*reg.*) nail

nah near

die **Nähe** nearness, neighborhood, vicinity; **in der Nähe** close by

näher nearer

der **Name**, (ns), –n name

nämlich you know, you see, namely

die **Nase**, –n nose

naß wet

die **Nation**, –en nation

national national

das **Nationaldrama** (–dramen, *pl.*) national drama

die **Nationalversammlung** National Assembly

die **Natur** nature

naturhistorisch pertaining to natural history

natürlich naturally, of course

neben (*dat. or acc.*) next to, beside

nebeneinander next to each other

nebenher by the side of

die **Nebenstraße**, –n side street

das **Neckarboot**, –e boat on the Neckar River

das **Neckartal** Neckar Valley

necken (*reg.*) tease

der **Neffe**, (n), –n nephew

nehmen (*irreg.*) take

neidisch envious, jealous; **neidisch auf** (*acc.*) jealous of

nein no

nennen (*semi-irreg.*) name, call by name

der **Nerv**, –en nerve

nervös nervous

nett nice

das **Netz**, –e net

neu new

(das) **Neuhochdeutsch** New High German

das **Neujahr** New Year

neun nine

neunzig ninety

nicht not

nichts nothing

nicken (*reg.*) nod

nie never

nieder low, inferior

die **Niederlage**, –n defeat

die **Niederlande** (*pl.*) Netherlands

niederlassen (*irreg.*, *refl.*) settle down

niedrig low

niemand nobody, no one

noch still, yet, in addition; **noch nicht** not yet; **noch immer** still; **immer noch** still

nochmals again

(das) **Nordafrika** North Africa

(das) **Nordamerika** North America

(das) **Norddeutschland** northern Germany

der **Norden** north

(das) **Nordeuropa** northern Europe

nördlich north, northern

nordöstlich northeast, northeastern

die **Nordostschweiz** northeast Switzerland

die **Nordsee** North Sea

das **Nordseeheilbad, ⁻er** North Sea spa

die **Nordseeinsel, –n** North Sea island

(das) **Nordwestdeutschland** northwest Germany

normal normal, regular (gas)

normalerweise normally

norwegisch Norwegian

die **Not, ⁻e** need, distress

nötig necessary

der **November** November

die **Nudel, –n** noodle

null zero

die **Nummer, –n** number

die **Nummernscheibe, –n** dial (of a phone)

nun now, well

nur only

O

ob (*dep. conj.*) whether; **und ob!** I should say so!

oben above, upstairs, up there

der **Ober, –** headwaiter, waiter

das **Oberhaupt, ⁻er** sovereign, chief

das **Oberland** uplands

die **Oberschule, –n** modern secondary school

obgleich (*dep. conj.*) although

das **Obst** fruit

obwohl (*dep. conj.*) although

der **Ochse, (n), –n** ox

das **Ochsengespann, –e** team of oxen

oder (*coord. conj.*) or

offen (*adj.*) open

offenbar apparent, evident

öffentlich public, open

öffnen (*reg.*) open

oft often

ohne (*acc.*) without

das **Ohr, –en** ear

der **Oktober** October

das **Oktoberfest** October festival

das **Öl, –e** oil

die **Olympiade, –n** Olympic games

das **Olympiastadion (–stadien, *pl.*)** Olympic stadium

olympisch olympic

das **Omelett, –s** omelet

der **Onkel, –** uncle

die **Oper, –n** opera

die **Operation, –en** operation

die **Operette, –n** operette

das **Opernensemble, –s** a group of operatic performers

der **Opernsänger, –** opera singer

die **Orange, –n** orange

der **Orangensaft** orange juice

das **Orchester, –** orchestra

ordentlich orderly

die **Ordnung, –en** order; **in Ordnung** in order, right

der **Ort, –e** place, site

(das) **Ostdeutschland** East Germany

der **Osten** east, the East

das **Ostende** east end

das **Osterei, –er** Easter egg

das **Osterfest** Easter festival

der **Osterhase, (n), –n** Easter rabbit

der **Ostermorgen** Easter morning

(das) **Ostern** Easter

(das) **Österreich** Austria

der **Österreicher, –** Austrian

österreichisch Austrian

der **Ostersonntag** Easter Sunday

östlich east, eastern

die **Ostseite, –n** east side

der **Ostsektor** East Sector

P

das **Paar, –e** pair, couple; **ein Paar Schuhe** a pair of shoes

ein paar a few

das **Päckchen, –** small package

packen (*reg.*) pack

pädagogisch pedagogic(al)

das **Paket, –e** parcel, package

die **Panne, –n** breakdown (auto)

der **Pantoffel, –n** slipper; **unter dem Pantoffel stehen** be henpecked

das **Papier, –e** paper, document

(das) **Papierdeutsch** book German

das **Paradies** paradise

der **Park, –s** park

die **Parkanlage, –n** park grounds

parken (*reg.*) park

das **Parkett, –e** orchestra stalls

der **Parkkeller, –** underground parking area

die **Parklandschaft, –en** park scenery

der **Parkplatz, ̈e** parking place

das **Parlament, –e** parliament

das **Parlamentsgebäude, –** parliament building

die **Partei, –en** party (political)

die **Party, –s** party (social)

der **Paß** (**Pässe**, *pl.*) passport

passen (*reg., dat.*) fit, suit

passieren (*reg.*, s.) happen

das **Passionsspiel** Passion Play

die **Passionstragödie** Christ's tragic suffering

der **Patient,** (**en**), **–en** patient

die **Pause, –n** pause

das **Pech** bad luck; **Pech haben** have bad luck

die **Pension, –en** boardinghouse

die **Periode, –n** period

die **Person, –en** person

die **Pest, –en** plague

der **Pfefferminztee** peppermint tea

die **Pfeife, –n** pipe

der **Pfennig, –e** pfennig (¹⁄₁₀₀ mark)

das **Pferd, –e** horse

der **Pferdestall, ̈e** stable

das **Pfingsten** Pentecost

die **Pflanze, –n** plant

pflanzen (*reg.*) plant

die **Pflaume, –n** plum

die **Pflicht, –en** duty, obligation

pflücken (*reg.*) pick, pluck

der **Pflug, ̈e** plow

der **Philharmoniker, –** member of a philharmonic orchestra

philharmonisch philharmonic

der **Philosoph,** (**en**), **–en** philosopher

die **Philosophie, –n** philosophy

philosophisch philosophic(al)

der **Photoapparat, –e** camera

photographieren (**fotografieren**) (*reg.*) photograph

die **Physik** physics

das **Picknick, –s** picnic

der **Picknicker, –** picnicker

der **Pilger, –** pilgrim

die **Pille, –n** pill

die **Pistole, –n** pistol

planen (*reg.*) plan

die **Platte, –n** plate, record

der **Plattenspieler, –** record player

der **Platz, ̈e** place, space, seat; **nehmen Sie Platz!** take a seat!

der **Platzanweiser, –** usher

plaudern (*reg.*) chat

die **Politik** politics

der **Politiker, –** politician

die **Polizei** police

der **Polizist,** (**en**), **–en** policeman

der **Portier, –s** porter, doorman

(das) **Portugiesisch** Portuguese

die **Post** mail, post office

die **Postkarte, –n** postcard

prächtig magnificent, splendid

praktisch practical

der **Präsident,** (**en**), **–en** president

der **Prater** Viennese amusement park

die **Präzision** precision

der **Preis, –e** price, prize

preiswert good value, reasonable in price

die **Pressekonferenz, –en** press conference

der **Pressesekretär, –e** press secretary

(das) **Preußen** Prussia

prima first class, excellent

die **Prinzessin, –nen** princess

privat private

die **Probe, –n** rehearsal

probieren (*reg.*) try

das **Problem, –e** problem

das **Produkt, –e** product

der **Professor, –en** professor

das **Programm, –e** program

der **Proviant** provisions

das **Prozent, –e** percent, percentage

prüfen (*reg.*) test, examine

die **Prüfung, –en** test, examination

die **Prüfungskleidung, –en** clothes
worn for an examination

der **Pudding, –s** pudding

der **Puls** pulse

pünktlich punctual

putzen (*reg.*) shine, polish, brush,
clean; **ich putze mir die Schuhe**
I'm polishing my shoes

R

das **Rad, ⁻er** bicycle, wheel

radeln (*reg., s.*) ride a bicycle

das **Radio, –s** radio

der **Radioapparat, –e** radio

die **Radtour, –en** bicycle trip

der **Rand, ⁻er** edge

der **Rasierapparat, –e** razor

rasieren (*reg.*) shave

rasten (*reg.*) rest

die **Raststätte, –n** rest area

raten (*irreg.*) guess; (*dat.*) advise

das **Rathaus, ⁻er** city hall, town hall

rätoromanisch Romansh

der **Ratskeller, –** town hall restaurant

der **Räuber, –** robber

der **Raubritter, –** robber knight

rauchen (*reg.*) smoke

die **Realschule, –n** modern college
preparatory school

die **Rechnung, –en** bill

recht right; **recht haben** be right

das **Recht, –e** right

rechts to the right; **es ist mir recht**
it's all right with me

rechtswissenschaftlich pertaining to
jurisprudence

die **Rede, –n** talk, speech

reden (*reg.*) talk

die **Redewendung, –en** turn of speech,
idiom

das **Referendarexamen** (**–examina**, *pl.*)
qualifying examination for public
office

die **Reformation** reformation

das **Regal, –e** shelf

regelmässig regular

der **Regen** rain

der **Regenmantel, ⁻** raincoat

die **Regierung, –en** government

regnen (*reg.*) rain

reich rich

das **Reich, –e** empire, state, realm

reichen (*reg.*) reach, extend, hand to

der **Reichskanzler, –** chancellor of the
empire

das **Reifezeugnis, –se** certificate of
graduation

die **Reihe, –n** row, series; **er ist an der
Reihe** it's his turn

rein clear, pure

der **Reis** rice

die **Reise, –n** trip; **eine Reise machen**
take a trip

das **Reisebüro, –s** travel bureau

der **Reiseführer, –** guide, guidebook

reisen (*reg., s.*) travel

der **Reisende, (n), –n** traveler

der **Reisepaß** (**–pässe**, *pl.*) passport

der **Reiseplan, ⁻e** itinerary, travel plan

der **Reisescheck, –s** traveler's check

reiten (*irreg., s. or* h.) ride (an animal)

der **Reiz, –e** charm

reizend charming

reizvoll attractive, exciting

der **Rekord, –e** record

der **Rektor, –en** president of a college
or university

die **Religion, –en** religion
der **Religionskrieg, –e** religious war
religiös religious
die **Renaissancefassade, –n** Renaissance facade
das **Rendezvous, –** date
renovieren (*reg.*) renovate
reparieren (*reg.*) repair
die **Republik, –en** republic
reservieren (*reg.*) reserve
die **Residenzstadt, ⁻e** capital
der **Respekt** respect
das **Restaurant, –s** restaurant
die **Retina, –s** brand name of a German camera
retten (*reg.*) save, rescue
das **Rezept, –e** prescription, recipe
der **Rhein** Rhine River
der **Rheindampfer, –** Rhine steamer
die **Rheinfahrt, –en** Rhine trip
rheinisch Rhenish
das **Rheinland** Rhineland
das **Rheintal** Rhine Valley
das **Rheinufer, –** bank of the Rhine
das **Richtfest, –e** ceremony at the completion of the framework of a house
richtig right, correct
die **Richtung, –en** direction
riechen (*irreg.*) smell
das **Riesenrad, ⁻er** Ferris wheel
riesig gigantic, immense
das **Rindfleisch** beef
der **Ring, –e** ring
ringen (*irreg.*) wrestle
das **Ringen, –** wrestling
der **Ritter, –** knight
der **Rivale, (n), –n** rival
der **Rock, ⁻e** skirt
roh barbarous, cruel, raw
das **Rohr, –e** pipe
die **Rolle, –n** role
Rom Rome
der **Roman, –e** novel
der **Romantiker, –** romanticist
romantisch romantic
der **Römer, –** Roman
römisch Roman
die **Rose, –n** rose

der **Rosenbusch, ⁻e** rosebush
rot red
der **Rücken, –** back
die **Rückreise, –n** return trip
rückwärts backward
rudern (*reg., s. or h.*) row
der **Ruf, –e** reputation, call
rufen (*irreg.*) call, shout
die **Ruhe** rest, quiet
ruhen (*reg.*) rest
ruhig peaceful, calm, quiet
der **Ruhm** fame, renown
das **Rührei, –er** scrambled egg
das **Ruhrgebiet** industrial area in northwestern Germany
die **Ruine, –n** ruin(s)
der **Russe, (n), –n** Russian
russisch Russian
(das) **Rußland** Russia

S

die **Sache, –n** thing, matter, affair
der **Sachse, (n), –n** Saxon
die **Sage, –n** legend
sagen (*reg.*) say, tell
die **Sahne** cream
der **Salat, –e** salad, lettuce
die **Salbe, –n** salve
der **Salon, –s** drawing room
das **Salz** salt
Salzkammergut vacation area in upper Austria
sammeln (*reg.*) collect
der **Samstag, –e** Saturday
das **Sanatorium (Sanatorien, *pl.*)** sanatorium
der **Sand, –e** sand
der **Sänger, –** singer
die **Sängerin, –nen** singer (*fem.*)
Sankt Nikolaus St. Nicholas
satt satisfied, full
der **Satz, ⁻e** sentence
sauber clean
das **Sauerkraut** sauerkraut
das **Schach** chess
schade too bad, a shame

schaffen (*irreg.*) create, bring about
der Schalter, – window (for sales or tickets)
schämen (*reg., refl.*) be ashamed
die Schandmauer, –n wall of shame
scharf sharp
der Schatten, – shade, shadow
schätzen (*reg.*) cherish, treasure, evaluate
schauen (*reg.*) look, see
das Schaufenster, – shop window
der Schaukelstuhl, ⸚e rocking chair
das Schauspiel, –e play, drama
der Schauspieler, – actor
die Schauspielerin, –nen actress
der Scheck, –s check
scheinen (*irreg.*) shine, seem
scherzen (*reg.*) joke, jest
die Scheune, –n barn
der Schi, –er ski
schick chic, sharp
schicken (*reg.*) send
schicklich proper, decent
das Schiff, –e ship
der Schiffer, – boatman
der Schiffsverkehr shipping traffic
der Schiläufer, – skier
das Schild, –er sign
schildern (*reg.*) depict
das Schillerdenkmal, ⸚er Schiller monument
der Schilling, –e shilling
der Schinken, – ham
der Schlaf sleep
der Schlafanzug, ⸚e pajamas
das Schläfchen, – nap; ein Schläfchen halten take a nap
schlafen (*irreg.*) sleep
schläfrig sleepy
das Schlafzimmer, – bedroom
schlagen (*irreg.*) hit, strike
der Schlager, – popular song
der Schläger, – racket, bat
die Schlagsahne whipped cream
die Schlange, –n snake; Schlange stehen stand in line
schlecht bad
schließen (*irreg.*) close

schlimm bad
die Schlittenfahrt, –en sleigh ride
das Schloß (Schlösser, *pl.*) castle, palace
die Schloßruine, –n castle ruin(s)
der Schlüssel, – key
das Schlußexamen (–examina, *pl.*) final exam
schmecken (*reg.*) taste
schmeicheln (*reg., dat.*) flatter
das Schmiedeeisen wrought iron
schmutzig dirty
schnarchen (*reg.*) snore
der Schnee snow
schneebedeckt covered with snow
schneiden (*irreg.*) cut; er läßt sich die Haare schneiden he gets a haircut
schneien (*reg.*) snow
schnell fast; machen Sie schnell! hurry!
schnitzen (*reg.*) carve
der Schnupfen, – head cold
die Schokolade, –n chocolate
schon already, certainly
schön beautiful, fine, nice
die Schönheit, –en beauty
der Schornsteinfeger, – chimney sweep
schrecklich terrible
schreiben (*irreg.*) write
die Schreibmaschine, –n typewriter
der Schreibtisch, –e writing table, desk
der Schritt, –e step
der Schuh, –e shoe
das Schuhgeschäft, –e shoe store
der Schuhladen, – *or* ⸚ shoe shop
die Schuhnummer, –n shoe size
der Schuhplattler Bavarian dance
die Schularbeit, –en schoolwork
die Schulaufgabe, –n homework
der Schulbesuch, –e visit to a school
das Schulbuch, ⸚er school book
schuldig indebted, guilty, to blame; wieviel bin ich Ihnen schuldig? how much do I owe you?
die Schule, –n school
der Schüler, – pupil

der **Schülerlotse,** (n), –n   student traffic aid

das **Schulgeld**   school fees, tuition

das **Schuljahr,** –e   school year

der **Schuljunge,** (n), –n   schoolboy

das **Schulkind,** –er   schoolchild

die **Schultasche,** –n   satchel, schoolbag

die **Schulter,** –n   shoulder

die **Schulzeit,** –en   schooltime

die **Schürze,** –n   apron

der **Schuß** (**Schüsse,** *pl.*)   shot

schütteln (*reg.*)   shake

der **Schutz**   protection

schützen (*reg.*)   protect

das **Schutz-und-Trutzbündnis**   protective and offensive alliance

schwach   weak

die **Schwäche,** –n   weakness

schwänzen (*reg.*)   cut class

schwärmen (**für**) (*reg.*)   be enthusiastic (about), rave (about)

schwarz   black; das **Schwarze Brett** bulletin board

der **Schwarzwald**   Black Forest

der **Schwarz-Weiß-Film**   black-and-white film

schwedisch   Swedish

schweigen (*irreg.*)   be silent, keep quiet

das **Schwein,** –e   pig

der **Schweinebraten**   roast pork

das **Schweinefleisch**   pork

die **Schweiz**   Switzerland

der **Schweizer,** –   Swiss

schweizerisch   Swiss

schwer   heavy, difficult

die **Schwerindustrie,** –n   iron and steel industry

die **Schwester,** –n   sister

die **Schwiegermutter,** ⸚   mother-in-law

schwierig   difficult

die **Schwierigkeit,** –en   difficulty

schwimmen (*irreg., s.*)   swim

das **Schwimmbad,** ⸚er   swimming pool

schwören (*irreg.*)   swear

schwül   sultry

sechs   six

sechzig   sixty

der **See,** –n   lake

die **See,** –n   sea

die **Seele,** –n   soul

die **Seeluft**   sea air

die **Seereise,** –n   voyage

das **Segelboot,** –e   sailboat

segeln (*reg., s. or h.*)   sail

segnen (*reg.*)   bless

sehen (*irreg.*)   see

die **Sehenswürdigkeit,** –en   object of interest

die **Sehnsucht**   longing, yearning

sehnsüchtig   longing(ly)

sehr   very

die **Seife**   soap

die **Seilbahn,** –en   aerial cableway

sein (*irreg., s.*)   be

seit (*dat.*)   since, for; **seit einem Jahr** for a year

seitdem (*dep. conj.*)   since (ref. to time)

die **Seite,** –n   side, page

die **Sekretärin,** –nen   secretary (*fem.*)

selb   same; **zur selben Zeit** at the same time

selber   myself, yourself, etc.

selbst   myself, yourself, etc., even

selbständig   independent, separate

selbstverständlich   of course

selten   rare

das **Semester,** –   semester

das **Seminar,** –e   institute, training college, seminar

das **Seminargebäude,** –   building where seminars are held

die **Semmel,** –n   roll (bread)

der **Senator,** –en   senator

der **Senf**   mustard

der **September**   September

servieren (*reg.*)   serve

die **Serviette,** –n   napkin

der **Sessel,** –   armchair

setzen (*reg.*)   set

sich (*refl.*)   himself, herself, itself, themselves, yourself, yourselves

sicher   sure, certain

sicherlich   surely, certainly
sie   she, her, they, them
Sie   you (*polite form*)
sieben   seven
siebzig   seventy
der Sieg, –e   victory
das Silber   silver
die Sinfonie, –n   symphony
singen (*irreg.*)   sing
sinken (*irreg., s.*)   sink
der Sinn, –e   sense, mind; von Sinnen   out of one's mind
die Sirene, –n   siren
die Situation, –en   situation
sitzen (*irreg.*)   sit
skeptisch   skeptical
slawisch   Slavic
so   so, such; so etwas   such a thing
sobald (*dep. conj.*)   as soon as
die Socke, –n   sock
das Sofa, –s   sofa
sofort   at once, immediately
sogar   even, actually
sogenannt   so-called
sogleich   immediately
der Sohn, –̈e   son
solcher   such (a)
der Soldat, (en), –en   soldier
sollen (*semi-irreg.*)   be supposed to, be obligated to, be said to, shall (obligation)
der Sommer, –   summer
die Sommerferien (*pl.*)   summer vacation
das Sommerfest, –e   summer festival
das Sommerkonzert, –e   summer concert
die Sommerluft   summer air
die Sommerschule, –n   summer school
das Sommersemester, –   summer semester
die Sonate, –n   sonata
sondern (*coord. conj.*)   but on the contrary
der Sonnabend, –e   Saturday
die Sonne, –n   sun
der Sonnenaufgang, –̈e   sunrise

das Sonnenbad, –̈er   sunbath
der Sonnenschein   sunshine
sonnig   sunny
der Sonntag, –e   Sunday
sonst   otherwise, formerly
der Sopran   soprano
die Sorge, –n   care, worry, anxiety; machen Sie sich keine Sorgen!   don't worry!
sortieren (*reg.*)   sort out
die Soße, –n   sauce, gravy
souverän   sovereign
soviel   so much, so far as
sowie   as well as
sowieso   in any case, anyhow
die Sozialgesetzgebung, –en   social legislation
(das) Spanien   Spain
der Spanier, –   Spaniard
spanisch   Spanish
(das) Spanisch   Spanish
sparen (*reg.*)   save (money)
der Spaß, –̈e   fun, joke
spät   late
der Spätherbst   late fall
der Spaziergang, –̈e   walk; einen Spaziergang machen   take a walk
spazierengehen (*irreg.*)   walk for pleasure, stroll
der Speck   bacon
das Speerwerfen   javelin throwing
die Speise, –n   food
die Speisekarte, –n   menu
speisen (*reg.*)   dine
der Speisesaal (–säle, *pl.*)   dining room (hall)
der Speisewagen, –   dining car
das Speisezimmer, –   dining room
der Spiegel, –   mirror
das Spiegelbild, –er   reflection
das Spiegelei, –er   fried egg
die Spiegelgalerie   Hall of Mirrors
das Spiel, –e   play, game
spielen (*reg.*)   play
der Spieler, –   player
die Spielsache, –n   plaything
das Spielzeug, –e   toy, plaything

der **Spinat** spinach
die **Spitze, –n** point, summit
der **Sport** sport; **Sport treiben** go in for sports
die **Sportart, –en** kind of sport
die **Sportjacke, –n** sport coat
der **Sportplatz, ⁔e** sports field
spotten (*reg.*) ridicule, mock
die **Sprachabteilung, –en** language department
die **Sprache, –n** language
die **Sprachkenntnis, –se** knowledge of a language
die **Sprachwissenschaft** linguistics
sprechen (*irreg.*) speak; **er spricht über dieses und jenes** he talks about this and that
das **Sprichwort, ⁔er** proverb, saying
springen (*irreg., s.*) spring, jump
der **Sprudel, –** soda water, pop
spüren (*reg.*) perceive, feel
der **Staat, –en** state
der **Staatsmann, ⁔er** statesman
die **Staatsoper, –n** state opera
das **Staatstheater, –** state theater
der **Stacheldraht, ⁔e** barbed wire
das **Stadion** (**Stadien,** *pl.*) stadium
die **Stadt, ⁔e** city
der **Stadtbewohner, –** city inhabitant
der **Stadtbrunnen, –** town well
das **Städtchen, –** little town
der **Stadtgarten, ⁔** public garden
die **Stadtleute** (*pl.*) city people
die **Stadtmauer, –n** city wall
die **Stadtmitte, –n** center of a city
das **Stadtorchester, –** city orchestra
der **Stadtpark, –s** city park
der **Stadtplan, ⁔e** map of a city
das **Stadtteil, –e** part of a city, ward, district
das **Stadttheater, –** municipal theater
das **Stadttor, –e** city gate
der **Stadtviertel, –** part of a city, ward, district
der **Stall, ⁔e** stall, stable
der **Stamm, ⁔e** tribe, race
der **Stammbaum, ⁔e** family tree, pedigree chart

stammen (*reg., s.*) be derived, originate
der **Stammtisch, –e** table reserved for regular guests
der **Stand, ⁔e** stand
die **Stange, –n** pole
stark strong
die **Station, –en** station
statt = anstatt (*gen. prep.*) instead of
stattfinden (*irreg.*) take place
stattlich stately, imposing, majestic
stecken (*reg.*) stick, place, hide; **wer steckt dahinter?** who's behind it?
stehen (*irreg.*) stand; **es steht Ihnen gut** it looks good on you
stehenbleiben (*irreg., s.*) to stop, remain standing
die **Stehlampe, –n** floor lamp
der **Stehplatz, ⁔e** standing room
steif stiff
steigen (*irreg., s.*) climb
steil steep
der **Stein, –e** stone, rock
die **Stelle, –n** place, position, job
stellen (*reg.*) put, place; **eine Frage stellen** ask a question
(der) **Stephansdom** St. Stephen's Cathedral
sterben (*irreg., s.*) die; **vor Hunger sterben** die of hunger; **an Tuberkulose sterben** die of tuberculosis
der **Stern, –e** star
die **Stickerei, –en** embroidery
die **Stickerin, –nen** woman who embroiders
der **Stil, –e** style
die **Stimme, –n** voice
stimmen (*reg.*) agree, be right, check; **stimmt es?** is that right?
das **Stipendium** (**Stipendien,** *pl.*) scholarship
der **Stock** (**Stockwerke,** *pl.*) story (of a building)
der **Stoff, –e** material
stolz proud; **stolz auf** (*acc.*) proud of
stören (*reg.*) disturb
stoßen (*irreg.*) push, shove

der **Strand, -̈e** beach
das **Strandbad, -̈er** beach for swimming
der **Strandkorb, -̈e** basket-like beach chair
die **Straße, -n** street
die **Straßenbahn, -en** streetcar
die **Straßenbahnlinie, -n** streetcar line
die **Straßenkarte, -n** road map
die **Straßenwacht, -en** highway guard
streben (*reg.*) strive
die **Strecke, -n** distance
streng strict, stern
streuen (*reg.*) scatter
das **Strohdach, -̈er** thatched roof
der **Strohmann, -̈er** straw man
der **Strumpf, -̈e** stocking
das **Stück, -e** piece, play, opera
der **Student, (en), -en** student
der **Studentenberater** adviser, counselor for students
die **Studentenbücherei, -en** student library
die **Studentengruppe, -n** student group
das **Studentenheim, -e** student hostel
der **Studentenkeller, -** student canteen
das **Studentenlied, -er** student song
die **Studentenmutter, -̈** "mother" of a hostel, housemother
die **Studentensprache** student language or slang
das **Studententheater, -** student theater
die **Studentin, -nen** student, coed
das **Studiengeld** tuition and fees
die **Studienreise, -n** study tour
studieren (*reg.*) study, be at college
das **Studium, (Studien, *pl.*)** study
der **Stuhl, -̈e** chair
die **Stunde, -n** hour
stundenlang for hours, more than an hour
stürzen (*reg.*, **s.** *or* **h.**) rush, dash, fall, plunge
suchen (*reg.*) seek, look for
(das) **Südamerika** South America
süddeutsch southern German

der **Süden** south, the South
sumpfig swampy
der **Super** ethyl gasoline
der **Supermarkt, -̈e** supermarket
die **Suppe, -n** soup
süß sweet
der **Sylvesterabend** New Year's Eve
symbolisieren (*reg.*) symbolize
das **System, -e** system
die **Szene, -n** scene

T

die **Tablette, -n** tablet
die **Tafel, -n** blackboard, table
der **Tag, -e** day; **Tag für Tag** day after day
das **Tagesgericht, -e** special meal of the day
täglich daily
das **Tal, -̈er** valley
das **Talent, -e** talent
tanken (*reg.*) fill up with gasoline
die **Tankstelle, -n** service station
der **Tankwart, -e** service station attendant
der **Tannenbaum, -̈e** fir tree, Christmas tree
die **Tante, -n** aunt
tanzen (*reg.*) dance
das **Tanzfest, -e** dance festival
die **Tanzkapelle, -n** dance band
die **Tanzplatte, -n** dance record
tapfer brave
die **Tasche, -n** pocket
die **Taschenlampe, -n** flashlight
das **Taschentuch, -̈er** handkerchief
die **Tasse, -n** cup
tausend thousand
das **Taxi, -s** taxi
technisch technical
der **Tee** tea
der **Teil, -e** part, share
teilen (*reg.*) divide, share
der **Teilnehmer, -** participant
das **Telefon, -e** telephone
das **Telefonbuch, -̈er** telephone book

das **Telefonhäuschen, –** telephone booth
telefonieren (*reg.*) telephone
die **Telefonnummer, –n** telephone number
die **Telefonzelle, –n** telephone booth
telegrafieren (*reg.*) telegraph
der **Teller, –** plate, dish
die **Temperatur, –en** temperature
das **Tennis** tennis
der **Tennisball, ⁻e** tennis ball
der **Tennisplatz, ⁻e** tennis court
der **Tennisschläger, –** tennis racket
das **Tennisspiel, –e** game of tennis
der **Tennisspieler, –** tennis player
der **Tenor** tenor
der **Teppich, –e** carpet
teuer expensive, dear
der **Teufel, –** devil
das **Theater, –** theater; **ins Theater gehen** go to the theater
die **Theaterkasse, –n** box office
das **Theaterstück, –e** drama, stage play
das **Thema** (**Themen,** *pl.*) theme, topic, subject
theologisch theological
die **Theresienwiese** meadow on the outskirts of Munich
der **Thunersee** Lake of Thun
der **Thüringer, –** Thuringian (member of an old Germanic tribe), native of Thuringia
tief deep
tiefblau deep blue
das **Tier, –e** animal
tierärztlich veterinary
der **Tiergarten, ⁻** zoo
der **Tiger, –** tiger
die **Tinte** ink
der **Tisch, –e** table
das **Tischtuch, ⁻er** tablecloth
der **Titel, –** title
der **Toast, –e** *or* **–s** toasted bread, toast (health)
die **Tochter, ⁻** daughter
der **Tod** death
die **Toilette, –n** lavatory, toilet

die **Tomate, –n** tomato
der **Tomatensalat** tomato salad
die **Tomatensuppe** tomato soup
das **Tor, –e** gate
die **Torte, –n** cake, tart
tot dead
töten (*reg.*) kill
der **Tourist, (en), –en** tourist
der **Touristenort, –e** resort
die **Tracht, –en** regional costume
das **Trachtenfest, –e** regional costume festival
das **Trachtengebiet, –e** area in which native costumes are worn
traditionell traditional
tragen (*irreg.*) carry, wear
die **Tragödie, –n** tragedy
der **Traktor, –en** tractor
transportieren (*reg.*) transport
der **Traubensaft** grape juice
das **Trauerspiel, –e** tragedy
der **Traum, ⁻e** dream
träumen (*reg.*) dream
der **Träumer, –** dreamer
traurig sad
treffen (*irreg.*) hit, strike, meet
treiben (*irreg.*) be interested in (sports or studies), drive (animals)
trennen (*reg.*) separate
die **Treppe, –n** stair, stairway; **eine Treppe hoch** one flight up
treten (*irreg.,* **s.**) step, walk, flow
treu true, faithful
trinken (*irreg.*) drink
das **Trinkgeld** tip
trocken dry
die **Trompete, –n** trumpet
trotz (*gen.*) despite, in spite of
die **Trümmer** (*pl.*) rubble
der **Trutz** (*archaic*) defiance, offensive
die **Tschechoslowakei** Czechoslovakia
die **Tuberkulose** tuberculosis
das **Tuch, ⁻er** cloth
tun (*irreg.*) do, put; **es tut mir leid** I'm sorry; **es tut mir weh** it hurts me

die **Tür, –en**   door
das **Turmhaus, ̈er**   tower house
das **Turmtor, –e**   tower gate
die **Turnhalle, –n**   gymnasium
typisch   typical
die **Tyrannei**   tyranny

U

üben (*reg.*)   practice
über (*acc.* & *dat.*)   over, across, above,
 by way of; (*acc.*)   about, concern-
 ing
überall   everywhere
überfliegen (*irreg.*, **s.**)   fly over
überfüllt   crowded
übermorgen   day after tomorrow
übernachten (*reg.*)   spend the night
die **Übernachtung**   lodging for the
 night
übernehmen (*irreg.*)   take over
überraschen (*reg.*)   surprise
die **Überraschung, –en**   surprise
übers = **über das**
überschwemmen (*reg.*)   flood
übersehen (*irreg.*)   perceive, survey,
 see over
übersetzen (*reg.*)   translate
üblich   customary
übrig   remaining, left over
übrigens   incidentally, by the way,
 moreover
die **Übung, –en**   practice, exercise
das **Ufer, –**   bank, shore
die **Uhr, –en**   clock, watch, o'clock;
 wieviel Uhr ist es?   what time is it?
die **Uhrenfabrik, –en**   watch factory
das **Uhrengehäuse, –**   watch casing
um (*acc.*)   around, at, for; (*conj.*)   in
 order to; **Ihre Zeit ist um**   your time
 is up
umbringen (*semi-irreg.*)   kill
umdrehen (*reg.*)   turn, twist; (*refl.*)
 turn around
umfassen (*reg.*)   comprise
umgeben (*irreg.*)   surround
umliegend   surrounding

ums = **um das**
umsteigen (*irreg.*, **s.**)   change cars,
 trains, etc.
umziehen (*irreg.*, **s.**)   move to a new
 dwelling
unangenehm   unpleasant
unbedingt   definitely, unconditionally
unbekannt   unknown
und (*coord. conj.*)   and
und ob!   yes, indeed! I should say so!
undenkbar   inconceivable
unfreundlich   unfriendly
ungarisch   Hungarian
ungefähr   nearly, about, approximately
unglaublich   incredible
unglücklich   unhappy, unfortunate
die **Uniform, –en**   uniform
die **Universität, –en**   university
das **Universitätsjahr, –e**   university
 academic year
die **Universitätsstadt, ̈e**   university
 town
die **Universitätszahnklinik, –en**   university dental clinic
unmöglich   impossible
uns (*dat.* & *acc.*)   us
unser   our
unsterblich   immortal
unten   below, downstairs; **nach unten
 gehen**   go downstairs
unter (*dat.* & *acc.*)   under, below,
 among
unterbringen (*semi-irreg.*)   lodge,
 house
die **Unterdrückung, –en**   oppression,
 suppression
untergehen (*irreg.*, **s.**)   decline, fall
die **Untergrundbahn, –en**   subway
unterhalten (*irreg.*)   entertain; (*refl.*)
 converse
die **Unterhaltung, –en**   entertainment,
 conversation
unternehmungslustig   enterprising
der **Unterricht**   instruction
unterscheiden (*irreg.*)   distinguish
unterwegs   on the way, en route
unübertroffen   unexcelled

unvergänglich everlasting, immortal
unvergeßlich unforgettable, memorable
der Urlaub, –e leave (of absence), furlough, vacation
der Ursprung, ⁼e origin
ursprünglich original
u.s.w., *abbrev. for* und so weiter and so forth

V

der Vater, ⁼ father
das Veilchen, – violet
Venedig Venice
die Verabredung, –en appointment
verabschieden (*reg., refl.*) say goodby, take leave of
verändern (*reg.*) change, alter
verbinden (*irreg.*) join, connect
verboten forbidden, prohibited
die Verbreitung, –en spread
verbringen (*semi-irreg.*) spend (time)
verdienen (*reg.*) earn, merit
die Vereinigten Staaten United States
vergangen past
die Vergangenheit, –en past
vergeben (*irreg., dat.*) forgive
vergessen (*irreg.*) forget
vergeßlich forgetful
vergleichen (*irreg.*) compare
das Vergnügen, – pleasure
der Vergnügungsort, –e place of amusement
der Vergnügungspark, –s amusement park
verheiraten (*reg., refl.*) get married
verheiratet married
verhindern (*reg.*) prevent
verkaufen (*reg.*) sell
der Verkäufer, – salesman
die Verkäuferin, –nen saleswoman
das Verkehrsmittel, – means of transportation
der Verkehrspolizist, (en), –en traffic policeman
das Verkehrszeichen, – traffic sign
verlangen (*reg.*) demand, require, ask

verlassen (*irreg.*) leave, forsake; sich verlassen auf (*acc.*) depend on
verlaufen (*irreg., s., refl. with h.*) seep, pass, flow away, get lost
verlegen (*reg.*) misplace
die Verlegenheit, –en embarrassment; in Verlegenheit bringen embarrass
verleihen (*irreg.*) endow, bestow
verlieben (*reg., refl.*) fall in love; sie verliebt sich in ihn she falls in love with him
verliebt in love
verlieren (*irreg.*) lose
verloben (*reg., refl.*) become engaged; er verlobt sich mit ihr he becomes engaged to her
verlobt engaged
vermieten (*reg.*) rent (to someone)
vermissen (*reg.*) miss (someone)
verpassen (*reg.*) miss (train, bus, etc.)
verrosten (*reg., s.*) rust
verrückt crazy, insane
der Vers, –e verse
die Versammlung, –en meeting, assembly
verschaffen (*reg.*) provide
verschieden different, various
verschlafen (*irreg., often refl.*) oversleep
verschreiben (*irreg.*) prescribe
verschwinden (*irreg., s.*) disappear
verspäten (*reg., refl.*) be late
die Verspätung, –en lateness, tardiness, delay
versprechen (*irreg., dat. of person*) promise
der Verstand understanding, intelligence, judgment
verständnisvoll understanding
verstecken (*reg.*) hide
verstehen (*irreg.*) understand
versuchen (*reg.*) try, attempt, tempt
vertieft engrossed
vertraut familiar
vertreten (*irreg.*) represent
verwandt related
der Verwandte, (n), –n relative
verweilen (*reg.*) remain, stay

verzeihen (*irreg., dat.*)   pardon, forgive

die **Verzeihung, –en**   pardon, forgiveness

die **Verzierung, –en**   decoration, adornment

verzweifelt   in despair

der **Vetter, –n**   cousin

viel   much, a lot; **das ist ihm zu viel** that's too much for him

viele   many

vieles   a lot of things

vielleicht   perhaps

vielmals   often

vier   four

das **Viertel, –**   one fourth, quarter

die **Viertelstunde**   quarter of an hour

der **Vierwaldstätter See**   Lake Lucerne

vierzig   forty

die **Violine, –n**   violin

das **Volk, –̈er**   nation, people

das **Volksfest, –e**   national festival

der **Volksgarten, –̈**   public garden

das **Volkslied, –er**   folk song

die **Volksschule, –n**   public school

das **Volksschulmädchen, –**   (public) schoolgirl

der **Volkssport**   national sport

der **Volkstanz, –̈e**   folk dance

die **Volkstracht, –en**   national costume

der **Volkswagen, –**   popular small German car

voll   full

vollbesetzt   full, packed

vollenden (*reg.*)   complete

vom = von dem

von (*dat.*)   from, of, by; **von mir aus** as far as I am concerned

voneinander   from each other

vor (*dat. or acc.*)   before, in front of; **vor einem Jahr** a year ago

vorangehen (*irreg., s.*)   precede

voraus   in advance, previously; **im voraus**   in advance

vorbei   over, past

vorbeifahren (*irreg., s.*)   drive past

vorbeigehen (*irreg., s.*)   go past

vorbeikommen (*irreg., s.*)   come past

vorbereiten (*reg.*)   prepare

die **Vorbereitung, –en**   preparation

vorbereitet   prepared

das **Vorbild, –er**   model

vorbildlich   exemplary

der **Vordergrund, –̈e**   foreground

der **Vorfrühling**   early spring

vorgehen (*irreg., s.*)   go too fast (watch *or* clock)

vorgestern   day before yesterday

vorhaben (*reg.*)   plan, have in mind

der **Vorhang, –̈e**   curtain

vorher   beforehand, previously

vorig   last, preceding

vorkommen (*irreg., s.*)   happen, occur

vorlesen (*irreg.*)   read aloud

die **Vorlesung, –en**   lecture

der **Vorlesungszwang**   compulsory lecture attendance

vorm = vor dem

der **Vormittag, –e**   morning, forenoon

der **Vorname, (ns), –n**   first name, given name

vorne   in front

vors = vor das

der **Vorschlag, –̈e**   suggestion, proposal

vorschlagen (*irreg.*)   suggest, propose

vorstellen (*reg.*)   introduce; (*dat., refl.*) **ich stelle mir vor**   I imagine

die **Vorstellung, –en**   performance, presentation

vorziehen (*irreg.*)   prefer

W

wach   awake, alert

die **Wache**   guard, sentry, watch; **Wache stehen**   be on guard

wachsen (*irreg., s.*)   grow

der **Wachturm, –̈e**   watchtower

der **Wagen, –**   car, wagon

die **Wahl, –en**   election

wählen (*reg.*)   choose

wahr   true; **nicht wahr?**   isn't that so?

während (*dep. conj.*)   while; (*gen. prep.*)   during

die **Wahrheit, –en**   truth

der **Wahrheitssucher, –**   one who seeks the truth

wahrscheinlich probably

das **Wahrzeichen,** – landmark, token, sign

das **Waisenkind, –er** orphan

der **Wald, ⸚er** forest

die **Waldluft** forest air

der **Waldweg, –e** forest path or road

die **Wand, ⸚e** wall

der **Wanderer,** – hiker, wanderer

die **Wanderlust** wanderlust

wandern (*reg., s.*) hike, go on foot, wander

wann (*interrog.*) when

die **Ware, –n** ware

das **Warenhaus, ⸚er** department store

warm warm

die **Warnung, –en** warning

warten (*reg.*) wait; **er wartet auf mich** he is waiting for me

warum why

was what, that which; **was für ein Auto?** what kind of car?

das **Waschbecken,** – washbasin

waschen (*irreg.*) wash

das **Wasser, ⸚** *or* – water

die **Wasserdichtheit** impermeability

die **Wasserdruckmaschine, –n** hydrostatic pressure machine

die **Wasserstraße, –n** waterway

der **Wecker,** – alarm clock; **den Wecker stellen** set the alarm clock

wechseln (*reg.*) change

die **Wechselstube, –n** office for changing money

wecken (*reg.*) wake, rouse

weder ... noch neither ... nor

weg gone, away, lost

der **Weg, –e** path, road, way

wegbleiben (*irreg., s.*) stay away

wegen (*gen.*) on account of, because of

der **Wegweiser,** – signpost

weh woe, pain; **es tut mir weh** it hurts me

weiblich feminine

weich soft

die **Weihnacht** Christmas; **fröhliche**

Weihnachten! Merry Christmas!

zu Weihnachten at Christmas

der **Weihnachtsabend** Christmas Eve

der **Weihnachtsbaum, ⸚e** Christmas tree

die **Weihnachtsfeier, –n** Christmas celebration

das **Weihnachtsgeschenk, –e** Christmas present

der **Weihnachtsmann** Santa Claus, St. Nicholas

der **Weihnachtstag, –e** Christmas Day

weil (*dep. conj.*) because

der **Wein, –e** wine

der **Weinbauer,** – winegrower

der **Weinberg, –e** vineyard

das **Weindorf, ⸚er** village where wine is made

weinen (*reg.*) cry, weep

das **Weinfest, –e** wine festival

die **Weinlese, –n** vintage, grape harvest

der **Weinort, –e** wine area or village

die **Weinstube, –n** wine restaurant

die **Weintraube, –n** grape

weisen (*irreg.*) show, direct, point out

weiß white

weit far

weiter farther; **und so weiter** and so forth (*abbrev.* **u.s.w.**); **ohne weiteres** without further ado

weiterradeln (*reg., s.*) continue to ride a bicycle, cycle on

der **Weitsprung, ⸚e** broad jump

welcher which

die **Welt, –en** world

weltbekannt world-known

die **Weltberühmtheit** world fame

der **Weltkrieg, –e** world war

weltlich worldly

der **Weltrekord, –e** world record

die **Weltsituation** world situation

der **Weltteil, –e** continent

die **Weltwirtschaftskrise, –n** world depression

wem (*dat.*) whom

wen (*acc.*) whom

wenig little

weniger less

wenigstens at least

wenn (*dep. conj.*) when, whenever, if

wer (*interrog.*) who

werden (*irreg.*, **s.**) become; (*future*) shall or will

werfen (*irreg.*) throw

das Werk, –e work

der Werktag, –e weekday

das Werkzeug, –e tool

wertvoll valuable

wessen (*interrog.*) whose

westdeutsch West German

(das) Westdeutschland West Germany

die Weste, –n vest

der Westen west, the West

westlich west, western

wetteifern (*reg.*) compete

wetten (*reg.*) bet

das Wetter weather

der Wettkämpfer, – competing athlete

wichtig important

wie as, like, how

wie viele how many

wieder again

der Wiederaufbau reconstruction

wiederholen (*reg.*) repeat, review

wiedersehen (*irreg.*) see again

das Wiedersehen seeing or meeting again; **auf Wiedersehen! (auf Wiederschauen!)** good-by!

wiegen (*irreg.*) weigh

Wien Vienna

der Wiener Sängerknabe, (n), –n Vienna Choir Boy

das Wiener Schnitzel, – veal cutlet

der Wienerwald Vienna Woods

die Wiese, –n meadow

wieso (*interrog.*) why

wieviel how much; **wieviel Uhr ist es?** what time is it? **der wievielte ist heute?** what's the date today?

wild wild

der Wind, –e wind

windig windy

winken (*reg.*) beckon, nod, wave

der Winter, – winter

die Winterfütterung winter fodder

der Winterkurort, –e winter health resort

die Winterluft winter air

das Winterspiel, –e winter game

der Wintersport (–sportarten, *pl.*) winter sport

der Wintersportplatz, ¨e winter sports area

das Winterwochenende, –n winter weekend

wir we

wirken (*reg.*) to be creatively active

wirklich real, actual

der Wirt, –e innkeeper, landlord, host

die Wirtin, –nen landlady, innkeeper's wife, hostess

die Wirtschaft economy

wirtschaftlich economical

die Wirtschaftsgemeinschaft Common Market

die Wirtschaftsmacht, ¨e economic power

das Wirtschaftswunder post-war economic recovery of modern Germany

das Wirtshaus, ¨er inn

wissen (*semi-irreg.*) know (a fact)

die Wissenschaft, –en science

wo where

die Woche, –n week

das Wochenende, –n weekend

die Wochenschau (film) news of the week

wofür for what

woher where, where from (direction)

wohin where, where to (direction), whither

wohl well, probably

wohlbekannt well-known

der Wohnblock, –s apartment house, housing area

wohnen (*reg.*) live, dwell

der Wohnraum, ¨e living space

die Wohnung, –en dwelling, apartment

das **Wohnzimmer,** – living room
wollen (*semi-irreg.*) want, intend, be
determined
der **Wollstrumpf,** ⸚e wool stocking
womit with what (which)
woran on what, about which
worauf on what (which)
das **Wort,** –e *or* ⸚er word; **Worte**
connected words; **Wörter** individual
words
das **Wörterbuch,** ⸚er dictionary
worüber about what (which)
wovon about what (which)
wozu for what, why
das **Wunder,** – wonder, miracle
wunderbar wonderful
wundern (*reg.*) astonish; (*refl.*) be
surprised
der **Wunsch,** ⸚e wish
wünschen (*reg.*) wish
die **Würde** dignity
würde(n) (*subj.*) would
die **Wurst,** ⸚e sausage
die **Wurstwaren** (*pl.*) sausages
die **Wurzel,** –n root
die **Wut** rage

z.B- for example p.47
zum Beispiel

Z

die **Zahl,** –en number
zahlen (*reg.*) pay, pay for
zahllos countless
zahlreich numerous
der **Zahn,** ⸚e tooth
der **Zahnarzt,** ⸚e dentist
die **Zahnbürste,** –n toothbrush
die **Zahnheilkunde** dentistry
die **Zahnklinik,** –en dental clinic
die **Zahnpasta** toothpaste
die **Zahnradbahn,** –en cogwheel railway
der **Zahnschmerz,** –en toothache
das **Zahnweh** toothache
der **Zaun,** ⸚e fence
z.B., *abbrev. for* **zum Beispiel** for
example
die **Zehe,** –n toe

zehn ten
zeigen (*reg.*) show
die **Zeit,** –en time
das **Zeitalter,** – age
der **Zeitglockenturm,** ⸚e clock tower
die **Zeitlang** while
der **Zeitschriftenraum,** ⸚e periodical
room
die **Zeitung,** –en newspaper
der **Zeitungsbericht,** –e newspaper report
das **Zelt,** –e tent
zelten (*reg.*) camp out
das **Zeltlager,** – camping ground
der **Zeltplatz,** ⸚e camping place
die **Zentralschweiz** central Switzerland
das **Zentrum** (**Zentren,** *pl.*) center
zerbrechen (*irreg.*) smash, break to
pieces
der **Zerfall** disintegration
zerstören (*reg.*) destroy
zerstreut absentminded
die **Ziege,** –n goat
das **Ziegeldachhaus,** ⸚er tile-roofed
house
ziehen (*irreg.*) pull, draw; (*with* **sein**)
go, move
die **Ziehharmonika,** –s accordion
das **Ziel,** –e goal
ziemlich rather, fairly
die **Zierde,** –n adornment, decoration
die **Zigarette,** –n cigarette
die **Zigarre,** –n cigar
das **Zimmer,** – room
der **Zimmerfreund,** –e roommate
das **Zimmermädchen,** – chambermaid
der **Zimmermann** (**–leute,** *pl.*) car-
penter
zittern (*reg.*) tremble, shake
der **Zoll** toll
der **Zopf,** ⸚e pigtail
zornig angry; **zornig auf** (*acc.*) angry with
zu (*dat.*) to, at; (*adv.*) too; **die
Tür ist zu** the door is closed
zubereiten (*reg.*) prepare, cook
der **Zucker** sugar
zuerst at first

der **Zufall**, ⁻e chance, accident
zufrieden satisfied
der **Zug**, ⁻e train
zugeben (*irreg.*) admit, concede
zugreifen (*irreg.*) seize, help oneself to
das **Zuhause** home
zuhören (*reg.*) listen
zum = **zu dem**
zumachen (*reg.*) close
die **Zunge**, –n tongue
zur = **zu der**
zurück back, behind
zurückbleiben (*irreg.*, **s.**) remain behind
zurückgehen (*irreg.*, **s.**) go back
zurückkehren (*reg.*, **s.**) return, go back
zurückkommen (*irreg.*, **s.**) come back, return
zurückreichen (*reg.*) reach back, hand back
zurufen (*irreg.*) call to (someone)

zusammen together
zusammenschließen (*irreg.*, *refl.*) join together
der **Zusammenschluß**, (–schlüsse, *pl.*) alliance, merger
das **Zusammentreffen** meeting, encounter
das **Zusammenwachsen** growing together
zuschauen (*reg.*) look on
zuvor before, previously, beforehand
zwanzig twenty
zwei two
zweimal twice
zweit- second
zweitens in the second place
zweitgrößt- second largest
der **Zwiebelturm**, ⁻e onion-shaped tower
zwingen (*irreg.*) force
zwischen (*dat.* & *acc.*) between, among
zwölf twelve
der **Zylinder**, – top hat

INDEX

Den wievielten haben wir heute? p. 247
    What is the date today-

doch - yet
    however

Es Kommt darauf an - p. 238
    It depends on

Noch - yet - still
    in addition to

p. 243

Die Fahren zweiter Klasse.

warten auf - wait for Chap. 16
at that time - damals p. 264
for a while } - eine Zietung p. 264
"   "   Time }

Wieviel bin ich Ihnen schuldig? p. 256
    How much do I owe you?

Es weist darauf hin p. 267
    (It indicates)

Er leißt sich die Haare schneiden.
    (had his hair cut) p. 277
Er sieht seinem Vater ähnlich
    (He looks like his father) p. 278

PICTURE ACKNOWLEDGMENTS

We express our appreciation to Professor Hans W. Kelling, Mr. Randy Jones, and the organizations listed below for permission to use their pictures:

PAGES 13–15: (A) German Tourist Information Office; (B), (C), (D) Inter Nationes; (E) Dr. Hans W. Kelling. PAGES 29–32: (A) Lufthansa; (B) German Tourist Information Office; (C), (D) German Information Center. PAGES 47–50: (A), (C) Inter Nationes; (B) Lufthansa; (D) Pan-American World Airways, Inc.; (E) Dr. Hans W. Kelling. PAGES 65–68: (A) Dr. Hans W. Kelling; (B), (C) Inter Nationes; (D), (E) German Information Center; (F) German Tourist Information Office. PAGES 81–84: (A), (C) Inter Nationes; (B), (D), (E) German Information Center. PAGES 98–101: (A), (B), (C), (D) German Tourist Information Office; (E) Swiss National Tourist Office. PAGES 117–120: (A), (B), (D) German Information Center; (C) Swiss National Tourist Office; (E) Inter Nationes. PAGES 136–138: (A) Pan-American World Airways, Inc.: (B), (C) Dr. Hans W. Kelling; (D) German Information Center; (E) Swiss National Tourist Office. PAGES 152–154: (A) German Tourist Information Office; (B) German Information Center; (C) Swiss National Tourist Office; (D), (F) Inter Nationes; (E) Dr. Hans W. Kelling. PAGES 168–170: (A), (C), (F) Inter Nationes; (B) Mr. Randy Jones; (D), (E) German Information Center. PAGES 183–187: (A) Pan-American World Airways, Inc.; (B) Dr. Hans W. Kelling; (C) German Tourist Information Office; (D), (E) German Information Center; (F) Lufthansa; (G), (H) Inter Nationes. PAGES 203–205: (A) German Information Center; (B), (C) Swiss National Tourist Office; (D), (E) German Tourist Information Office. PAGES 217–219: (A), (D) Dr. Hans W. Kelling; (B) German Tourist Information Office; (C), (E) Pan-American World Airways, Inc. PAGES 234–237: (A) Inter Nationes; (B), (C) German Tourist Information Office; (D), (E) German Information Center. PAGES 250–252: (A) Pan-American World Airways, Inc.; (B) N.Y. Public Library; (C) Inter Nationes; (D) German Information Center; (E) Swiss National Tourist Office. PAGES 267–269: (A), (F) German Information Center; (B) Swiss National Tourist Office; (C), (D), (E) Dr. Hans W. Kelling. PAGES 287–290: (A), (C), (E) Pan-American World Airways, Inc.; (B) German Information Center; (D) German Tourist Information Office. PAGES 306–309: (A) Austrian State Tourist Department; (B), (D) Inter Nationes; (C) Lufthansa; (E), (G) German Information Center; (F) German Tourist Information Office. PAGES 323–326: (A), (B), (C), (D), (E) Swiss National Tourist Office. PAGES 339–343: (A), (B), (E) German Tourist Information Office; (C), (D) German Information Center. PAGES 360–363: (A), (B) German Information Center; (C), (D) Dr. Hans W. Kelling; (E) Swiss National Tourist Office. PAGES 377–381: (A), (B), (C), (D), (E) Austrian State Tourist Department. PAGES 398–403: (A), (B), (C), (D), (E), (F), (G), (H) Austrian State Tourist Department; (I) Dr. Hans W. Kelling. PAGES 422–424: (A), (B) German Information Center; (C) N.Y. Public Library; (D) German Tourist Information Office.